Étudier une série statistique

La situation : On a noté dans un tableau les masses (en kg) des cartables d'élèves.
On désire étudier la série formée par ces mesures.

A Moyenne, médiane, étendue

	A	B	C	D	E	F	G	H	I	J	K	L	M	N	O	P	Q	R	S	T	U	V	W	X	Y	Z	AA	AB	AC	AD	AE	AF	AG
1	6	7	8	7	9	10	12	6	7	10	11	9	8	9	6	11	9	7	8	8	9	7	6	5	4	9	9	8	10	11	12	7	5
2	5	2	6	7	6	7	8	9	10	11	12	13	9	8	7	6	5	7	11	10	12	12	11	10	9	8	5	8	9	7	6	11	12
3											Moyenne			8,3		Médiane			8			Étendue				11							

=MOYENNE(A1:AG2) → 8,3

=MEDIANE(A1:AG2) → 8

=MAX(A1:AG2)-MIN(A1:AG2) → 11

B Présenter la série dans un tableau des effectifs

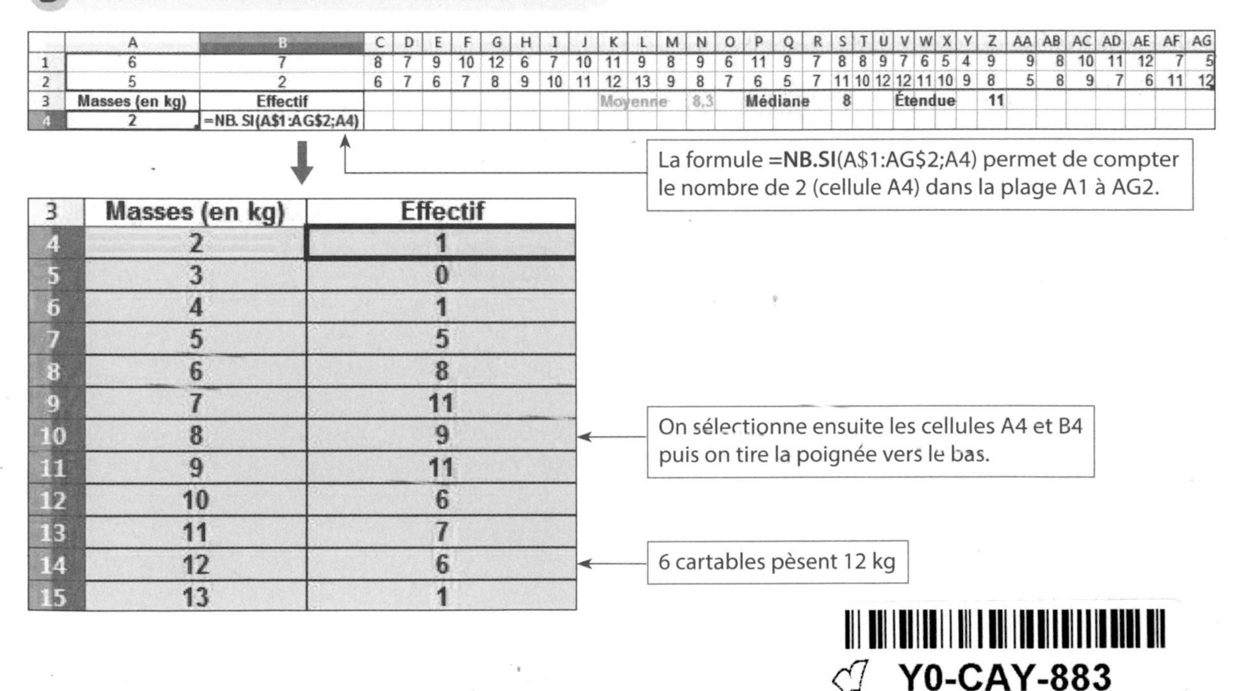

	A	B	C	D	E	F	G	H	I	J	K	L	M	N	O	P	Q	R	S	T	U	V	W	X	Y	Z	AA	AB	AC	AD	AE	AF	AG
1	6	7	8	7	9	10	12	6	7	10	11	9	8	9	6	11	9	7	8	8	9	7	6	5	4	9	9	8	10	11	12	7	5
2	5	2	6	7	6	7	8	9	10	11	12	13	9	8	7	6	5	7	11	10	12	12	11	10	9	8	5	8	9	7	6	11	12
3	Masses (en kg)	Effectif										Moyenne		8,3		Médiane			8			Étendue				11							
4	2	=NB. SI(A$1:AG$2;A4)																															

La formule **=NB.SI**(A$1:AG$2;A4) permet de compter le nombre de 2 (cellule A4) dans la plage A1 à AG2.

3	Masses (en kg)	Effectif
4	2	1
5	3	0
6	4	1
7	5	5
8	6	8
9	7	11
10	8	9
11	9	11
12	10	6
13	11	7
14	12	6
15	13	1

On sélectionne ensuite les cellules A4 et B4 puis on tire la poignée vers le bas.

6 cartables pèsent 12 kg

C Représenter la série par un diagramme en bâtons

- Sélectionner la plage A4:B15.
- Dans la barre d'outils cliquer sur [icône], dans l'assistant choisir « Colonne » puis cliquer sur « Suivant ».
- Cocher « Séries de données en colonnes » et cliquer sur « Suivant ».
- Dans Séries de données, supprimer Colonne A.
- Dans Catégories, sélectionner la plage A4:A15, puis cliquer sur « Suivant ».
- Renseigner les boîtes de dialogue suivantes, puis « Terminer ».
- Double cliquer sur une des barres du diagramme.
- Compléter la boîte de dialogue « Espacement » par **600 %** puis cliquer sur « OK ».

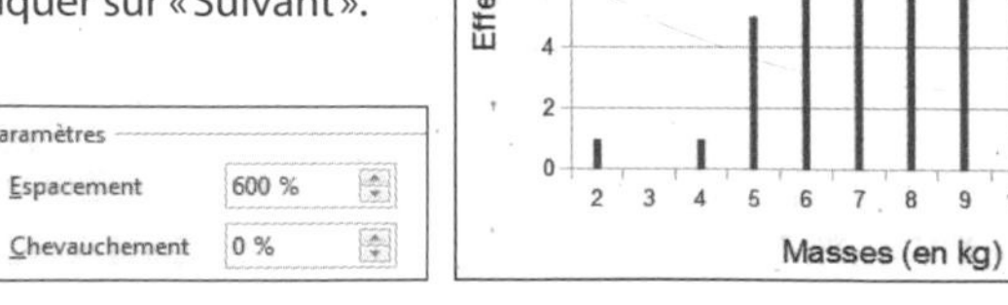

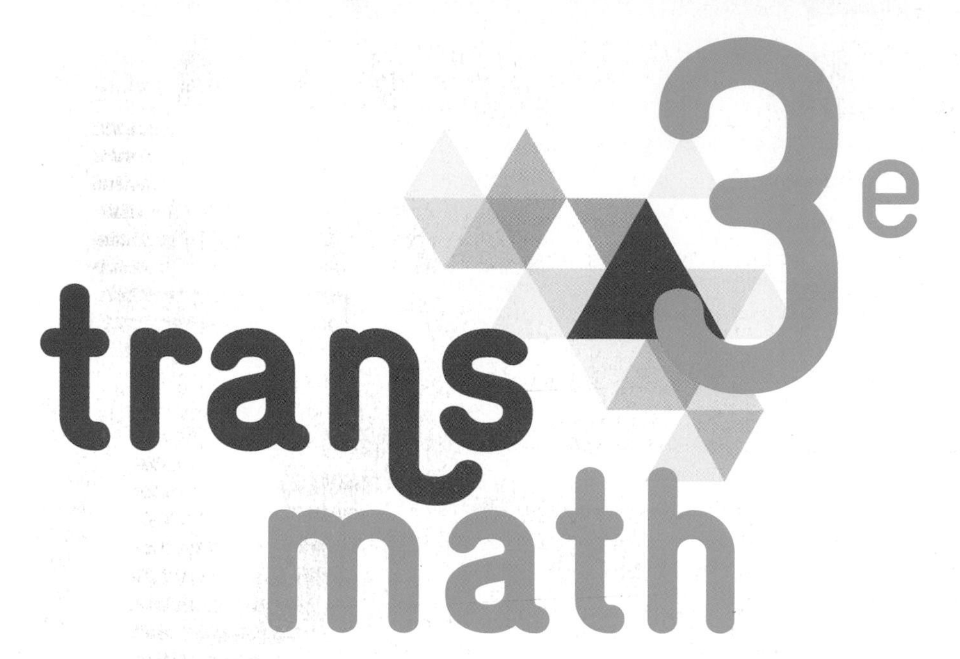

Sous la direction de Joël Malaval

Véronique Carlod
Académie de Clermont-Ferrand (63)

Bernard Chrétien
Académie de Lille (59)

Pierre-Antoine Desrousseaux
Académie de Montpellier (34)

Damien Jacquemoud
Académie de Grenoble (74)

Anne Jorioz
Académie de Grenoble (73)

Anne Keller
Académie de Lille (59)

Jean-Marc Lécole
Académie de Clermont-Ferrand (03)

Amélie Mahé
Académie de Nice (83)

Monique Maze
Académie de Clermont-Ferrand (63)

Annie Plantiveau
Académie de Nantes (44)

Frédéric Puigredo
Académie de Nice (83)

Franck Verdier
Académie de Lille (59)

Nathan

Sommaire

Grandeurs et mesures

Espace et géométrie

Algorithmique et programmation

Pages de garde

 – ISBN : 978 209 171918 4

Programmes du cycle 4

Volet 3 – Les enseignements : Mathématiques (extrait)

(d'après le B.O. spécial n° 11 du 26/11/2015)

Compétences travaillées	Domaines du socle
Chercher • Extraire d'un document les informations utiles, les reformuler, les organiser, les confronter à ses connaissances. • S'engager dans une démarche scientifique, observer, questionner, manipuler, expérimenter (sur une feuille de papier, avec des objets, à l'aide de logiciels), émettre des hypothèses, chercher des exemples ou des contre-exemples, simplifier ou particulariser une situation, émettre une conjecture. • Tester, essayer plusieurs pistes de résolution. • Décomposer un problème en sous-problèmes.	2, 4
Modéliser • Reconnaître des situations de proportionnalité et résoudre les problèmes correspondants. • Traduire en langage mathématique une situation réelle (par exemple à l'aide d'équations, de fonctions, de configurations géométriques, d'outils statistiques). • Comprendre et utiliser une simulation numérique ou géométrique. • Valider ou invalider un modèle, comparer une situation à un modèle connu (par exemple un modèle aléatoire).	1, 2, 4
Représenter • Choisir et mettre en relation des cadres (numérique, algébrique, géométrique) adaptés pour traiter un problème ou pour étudier un objet mathématique. • Produire et utiliser plusieurs représentations des nombres. • Représenter des données sous forme d'une série statistique. • Utiliser, produire et mettre en relation des représentations de solides (par exemple perspective ou vue de dessus/de dessous) et de situations spatiales (schémas, croquis, maquettes, patrons, figures géométriques, photographies, plans, cartes, courbes de niveau).	1, 5
Raisonner • Résoudre des problèmes impliquant des grandeurs variées (géométriques, physiques, économiques): mobiliser les connaissances nécessaires, analyser et exploiter ses erreurs, mettre à l'essai plusieurs solutions. • Mener collectivement une investigation en sachant prendre en compte le point de vue d'autrui. • Démontrer : utiliser un raisonnement logique et des règles établies (propriétés, théorèmes, formules) pour parvenir à une conclusion. • Fonder et défendre ses jugements en s'appuyant sur des résultats établis et sur sa maîtrise de l'argumentation.	2, 3, 4
Calculer • Calculer avec des nombres rationnels, de manière exacte ou approchée, en combinant de façon appropriée le calcul mental, le calcul posé et le calcul instrumenté (calculatrice ou logiciel). • Contrôler la vraisemblance de ses résultats, notamment en estimant des ordres de grandeur ou en utilisant des encadrements. • Calculer en utilisant le langage algébrique (lettres, symboles, etc.).	4
Communiquer • Faire le lien entre le langage naturel et le langage algébrique. Distinguer des spécificités du langage mathématique par rapport à la langue française. • Expliquer à l'oral ou à l'écrit (sa démarche, son raisonnement, un calcul, un protocole de construction géométrique, un algorithme), comprendre les explications d'un autre et argumenter dans l'échange. • Vérifier la validité d'une information et distinguer ce qui est objectif et ce qui est subjectif ; lire, interpréter, commenter, produire des tableaux, des graphiques, des diagrammes.	1, 3

Thème A : Nombres et calculs

Connaissances et compétences associées

En bleu les attendus de fin de cycle

• **Utiliser les nombres pour comparer, calculer et résoudre des problèmes**

Utiliser diverses représentations d'un même nombre (écriture décimale ou fractionnaire, notation scientifique, repérage sur une droite graduée) ; passer d'une représentation à une autre.
- ▸ Nombres décimaux.
- ▸ Nombres rationnels (positifs ou négatifs), notion d'opposé.
- ▸ Fractions, fractions irréductibles, cas particulier des fractions décimales.
- ▸ Définition de la racine carrée ; les carrés parfaits entre 1 et 144.
- ▸ Les préfixes de nano à giga.

Comparer, ranger, encadrer des nombres rationnels.
Repérer et placer un nombre rationnel sur une droite graduée.
- ▸ Ordre sur les nombres rationnels en écriture décimale ou fractionnaire.
- ▸ Égalité de fractions.

Pratiquer le calcul exact ou approché, mental, à la main ou instrumenté.
Calculer avec des nombres relatifs, des fractions ou des nombres décimaux (somme, différence, produit, quotient).
Vérifier la vraisemblance d'un résultat, notamment en estimant son ordre de grandeur.

Effectuer des calculs numériques simples impliquant des puissances, notamment en utilisant la notation scientifique.
- ▸ Définition des puissances d'un nombre (exposants entiers, positifs ou négatifs).

• Comprendre et utiliser les notions de divisibilité et de nombres premiers

Déterminer si un entier est ou n'est pas multiple ou diviseur d'un autre entier.
Simplifier une fraction donnée pour la rendre irréductible.
- ▸ Division euclidienne (quotient, reste).
- ▸ Multiples et diviseurs.
- ▸ Notion de nombres premiers.

• Utiliser le calcul littéral

Mettre un problème en équation en vue de sa résolution.
Développer et factoriser des expressions algébriques dans des cas très simples.
Résoudre des équations ou des inéquations du premier degré.
- ▸ Notions de variable, d'inconnue.

Utiliser le calcul littéral pour prouver un résultat général, pour valider ou réfuter une conjecture.

Thème B : Organisation et gestion de données, fonctions

Connaissances et compétences associées

• Interpréter, représenter et traiter des données

Recueillir des données, les organiser.
Lire des données sous forme de données brutes, de tableau, de graphique.
Calculer des effectifs, des fréquences.
- ▸ Tableaux, représentations graphiques (diagrammes en bâtons, diagrammes circulaires, histogrammes).

Calculer et interpréter des caractéristiques de position ou de dispersion d'une série statistique.
- ▸ Indicateurs : moyenne, médiane, étendue.

• Comprendre et utiliser des notions élémentaires de probabilités

Aborder les questions relatives au hasard à partir de problèmes simples.
Calculer des probabilités dans des cas simples.
- ▸ Notion de probabilité.
- ▸ Quelques propriétés : la probabilité d'un événement est comprise entre 0 et 1 ; probabilité d'événements certains, impossibles, incompatibles, contraires.

• Résoudre des problèmes de proportionnalité

Reconnaitre une situation de proportionnalité ou de non-proportionnalité.
Résoudre des problèmes de recherche de quatrième proportionnelle.
Résoudre des problèmes de pourcentage.
- ▸ Coefficient de proportionnalité.

• Comprendre et utiliser la notion de fonction

Modéliser des phénomènes continus par une fonction.
Résoudre des problèmes modélisés par des fonctions (équations, inéquations).
- ▸ Dépendance d'une grandeur mesurable en fonction d'une autre.
- ▸ Notion de variable mathématique.
- ▸ Notion de fonction, d'antécédent et d'image.
- ▸ Notations $f(x)$ et $x \mapsto f(x)$.
- ▸ Cas particulier d'une fonction linéaire, d'une fonction affine.

Thème C : Grandeurs et mesures

Connaissances et compétences associées

• Calculer avec des grandeurs mesurables ; exprimer les résultats dans les unités adaptées

Mener des calculs impliquant des grandeurs mesurables, notamment des grandeurs composées, en conservant les unités.
Vérifier la cohérence des résultats du point de vue des unités.
- ▸ Notion de grandeur produit et de grandeur quotient.
- ▸ Formule donnant le volume d'une pyramide, d'un cylindre, d'un cône ou d'une boule.

• Comprendre l'effet de quelques transformations sur des grandeurs géométriques

Comprendre l'effet d'un déplacement, d'un agrandissement ou d'une réduction sur les longueurs, les aires, les volumes ou les angles.
- ▸ Notion de dimension et rapport avec les unités de mesure (m, m^2, m^3).

Thème D : Espace et géométrie

Connaissances et compétences associées

• Représenter l'espace

(Se) repérer sur une droite graduée, dans le plan muni d'un repère orthogonal, dans un parallélépipède rectangle ou sur une sphère.
- ▸ Abscisse, ordonnée, altitude.
- ▸ Latitude, longitude.

Utiliser, produire et mettre en relation des représentations de solides et de situations spatiales.
Développer sa vision de l'espace.

• Utiliser les notions de géométrie plane pour démontrer

Mettre en œuvre ou écrire un protocole de construction d'une figure géométrique.
Coder une figure.
Comprendre l'effet d'une translation, d'une symétrie (axiale et centrale), d'une rotation, d'une homothétie sur une figure.
Résoudre des problèmes de géométrie plane, prouver un résultat général, valider ou réfuter une conjecture.
- ▸ Position relative de deux droites dans le plan.
- ▸ Caractérisation angulaire du parallélisme, angles alternes/internes.
- ▸ Médiatrice d'un segment.
- ▸ Triangle : somme des angles, inégalité triangulaire, cas d'égalité des triangles, triangles semblables, hauteurs, rapports trigonométriques dans le triangle rectangle (sinus, cosinus, tangente).
- ▸ Parallélogramme : propriétés relatives aux côtés et aux diagonales.
- ▸ Théorème de Thalès et réciproque.
- ▸ Théorème de Pythagore et réciproque.

Thème E : Algorithmique et programmation

Connaissances et compétences associées

• Écrire, mettre au point un programme simple

Décomposer un problème en sous-problèmes afin de structurer un programme ; reconnaître des schémas.
Écrire, mettre au point (tester, corriger) et exécuter un programme en réponse à un problème donné.
Écrire un programme dans lequel des actions sont déclenchées par des événements extérieurs.
Programmer des scripts se déroulant en parallèle.
- ▸ Notions d'algorithme et de programme.
- ▸ Notion de variable informatique.
- ▸ Déclenchement d'une action par un événement, séquences d'instructions, boucles, instructions conditionnelles.

Correspondance avec le manuel de cycle

Nombres et calculs

Comprendre et utiliser les nombres décimaux

CYCLE 4

- Chap. 1 Nombres décimaux : passer d'une écriture à une autre
- Chap. 2 Calculer avec des nombres décimaux

Comprendre et utiliser les nombres relatifs

CYCLE 4

- Chap. 3 Découvrir la notion de nombre relatif
- Chap. 4 Additionner, soustraire des nombres relatifs
- Chap. 5 Multiplier, diviser des nombres relatifs

Comprendre et utiliser la notion de fraction

CYCLE 4

- Chap. 6 Découvrir les nombres rationnels
- Chap. 7 Utiliser les nombres rationnels
- Chap. 8 Multiplier, diviser des quotients

Comprendre et utiliser la notion de puissance

CYCLE 4

- Chap. 9 Comprendre la notation puissance
- Chap. 10 Effectuer des calculs numériques

Comprendre et utiliser la divisibilité des entiers

CYCLE 4

- Chap. 11 Reconnaître un multiple ou un diviseur
- Chap. 12 Découvrir et utiliser les nombres premiers

Utiliser le calcul littéral

CYCLE 4

- Chap. 13 Utiliser le langage littéral
- Chap. 14 Utiliser la distributivité
- Chap. 15 Modéliser une situation
- Chap. 16 Utiliser le calcul littéral pour résoudre ou démontrer

Dossier Brevet

Organisation et gestion de données. Fonctions

Interpréter, représenter et traiter des données

CYCLE 4

- Chap. 17 Lire des données
- Chap. 18 Utiliser un tableur-grapheur
- Chap. 19 Utiliser des caractéristiques de position et de dispersion
- Chap. 20 Calculer et interpréter des caractéristiques

Comprendre et utiliser les notions de probabilités

CYCLE 4

- Chap. 21 Découvrir la notion de probabilité
- Chap. 22 Simuler des probabilités
- Chap. 23 Calculer des probabilités

Mobiliser la proportionnalité

CYCLE 4

- Chap. 24 Calculer une quatrième proportionnelle
- Chap. 25 Résoudre des problèmes de proportionnalité
- Chap. 26 Faire le point sur la proportionnalité

Repères de progressivité pour le CYCLE 4 : début de cycle, milieu de cycle, fin de cycle

Retrouvez une vue d'ensemble des **contenus du manuel de 3e** dans la progression du manuel de Cycle 4

Nous vous proposons ci-dessous un exemple de progression organisée par chapitre pour l'année de 3e.

Ordre dans l'année	Titre du chapitre dans le manuel de 3e	Numéro du chapitre du manuel	Thème
1	Effectuer des calculs numériques	1	Nombres et calculs
2	Étudier l'effet d'un agrandissement-réduction	10	Grandeurs et mesures
3	Calculer et interpréter des caractéristiques	4	Organisation et gestion de données. Fonctions
4	Utiliser le calcul littéral pour résoudre et démontrer	2	Nombres et calculs
5	Utiliser le théorème de Thalès	11	Espace et géométrie
6	Comprendre et utiliser la notion de fonction	6	Organisation et gestion de données. Fonctions
7	Modéliser une situation spatiale	12	Espace et géométrie
8	Découvrir et utiliser les nombres premiers	3	Nombres et calculs
9	Calculer des probabilités	5	Organisation et gestion de données. Fonctions
10	Connaître et utiliser les triangles semblables	13	Espace et géométrie
11	Relier proportionnalité et fonction linéaire	7	Organisation et gestion de données. Fonctions
12	Utiliser la trigonométrie du triangle rectangle	14	Espace et géométrie
13	Connaître les fonctions affines	8	Organisation et gestion de données. Fonctions
14	Faire le point sur la proportionnalité	9	Organisation et gestion de données. Fonctions

Le chapitre 15 « Étudier la logique algorithmique d'un programme » pourra être traité en plusieurs séances au cours de l'année.

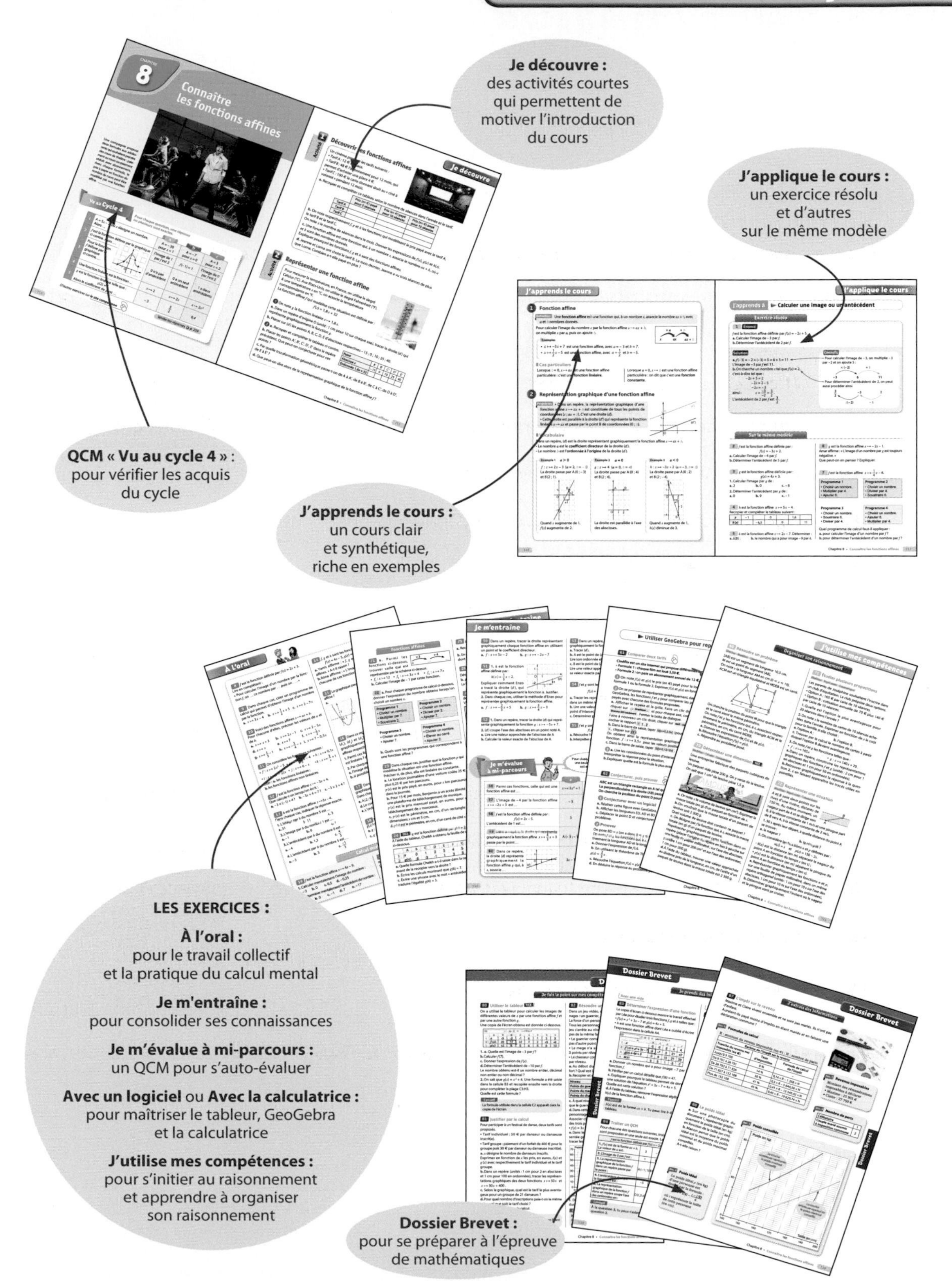
Je découvre :
des activités courtes qui permettent de motiver l'introduction du cours
J'applique le cours :
un exercice résolu et d'autres sur le même modèle
QCM « Vu au cycle 4 » :
pour vérifier les acquis du cycle
J'apprends le cours :
un cours clair et synthétique, riche en exemples
LES EXERCICES :
À l'oral :
pour le travail collectif et la pratique du calcul mental
Je m'entraîne :
pour consolider ses connaissances
Je m'évalue à mi-parcours :
un QCM pour s'auto-évaluer
Avec un logiciel ou Avec la calculatrice :
pour maîtriser le tableur, GeoGebra et la calculatrice
J'utilise mes compétences :
pour s'initier au raisonnement et apprendre à organiser son raisonnement
Dossier Brevet :
pour se préparer à l'épreuve de mathématiques

CHAPITRE 1

Effectuer des calculs numériques

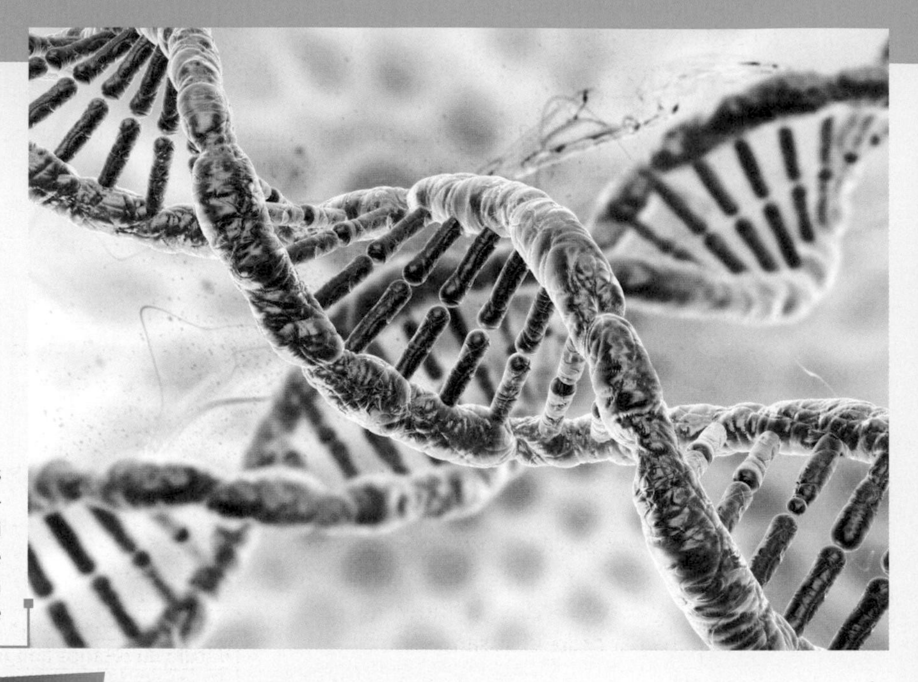

En mettant bout à bout les 46 brins d'ADN d'un chromosome humain, le fil ainsi constitué mesurerait près de 2 m de long. Par contre, son diamètre ne serait que de $2{,}2 \times 10^{-9}$ m.

Vu au Cycle 4

Pour chaque question, une réponse ou plusieurs sont exactes.

		a	b	c
1	L'écriture 5^4 signifie…	$4 \times 4 \times 4 \times 4 \times 4$	5×4	$5 \times 5 \times 5 \times 5$
2	10^{-3} est égal à…	– 0,001	0,001	– 1 000
3	Un nombre égal à 6 800 est…	$6{,}8 \times 10^2$	$6{,}8 \times 10^3$	$0{,}68 \times 10^4$
4	Une autre écriture du nombre $7{,}5 \times 10^4 + 8 \times 10^2$ est…	75 800	758×10^2	$7{,}58 \times 10^4$
5	Une éolienne produit une puissance électrique de 2 mégawatts (MW), c'est-à-dire…	2 000 000 000 W	2 000 000 W	2 000 W

Vérifie tes réponses ➲ *p. 259*

D'autres exercices sur ***le site compagnon*** 

Activité 1

Calculer avec des puissances Physique

L'exoplanète Kepler-69c (voir vue d'artiste ci-contre), découverte en 2013, se trouve à 2 700 années-lumière de la Terre.
Découverte en 2015, Kepler-452b se situe quant à elle à $1{,}324\,5 \times 10^{16}$ km de nous.
Sara se demande : « **Laquelle de ces deux exoplanètes est la plus proche de la Terre ?** »

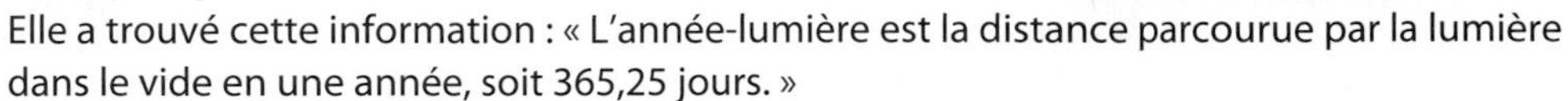

Elle a trouvé cette information : « L'année-lumière est la distance parcourue par la lumière dans le vide en une année, soit 365,25 jours. »

a. Montrer que le nombre de secondes contenues dans 365,25 jours est environ $3{,}156 \times 10^7$.

b. Sara s'est renseignée : dans le vide, la lumière parcourt environ 3×10^5 km en une seconde.
Calculer la valeur, en km, d'une année-lumière.

c. En déduire la distance, en km, séparant l'exoplanète Kepler-69c de la Terre, puis répondre à la question que se pose Sara.

Activité 2

Notation scientifique d'un nombre décimal SVT

Voici les dimensions de quelques cellules, bactéries ou virus du corps humain.
Laura et Baptiste souhaitent ranger ces dimensions par ordre croissant.

Cellule humaine	10×10^{-6} m
Bactérie de la salmonelle (longueur)	$0{,}003 \times 10^{-3}$ m
Virus de la fièvre jaune	2×10^{-8} m
Bacille du tétanos (longueur)	0,000 004 m
Staphylocoque (diamètre)	$0{,}1 \times 10^{-5}$ m
Globule rouge (diamètre)	75×10^{-7} m
Virus de la grippe (diamètre)	$0{,}001\,2 \times 10^{-4}$ m

1 Laura déclare : « Je vais déterminer les écritures décimales de ces dimensions. »
Suivre la méthode de Laura, puis ranger ces dimensions par ordre croissant.

2 Baptiste propose : « Comme pour le virus de la fièvre jaune, je vais écrire chaque dimension sous la forme $a \times 10^n$, où a est un nombre décimal avec un seul chiffre, autre que 0, avant la virgule. »
On dit que l'on donne **la notation scientifique** de chaque dimension.

a. Expliquer pourquoi la notation scientifique de la longueur de la bactérie de la salmonelle est 3×10^{-6} m.

b. Donner la notation scientifique des autres dimensions, puis les ranger par ordre croissant.

3 En physique, l'ordre de grandeur d'un nombre est la puissance de 10 d'exposant entier la plus proche de ce nombre.

a. Donner un ordre de grandeur de chacune des dimensions précédentes.

b. Un ordre de grandeur aurait-il été suffisant pour ranger ces dimensions ? Expliquer.

J'apprends le cours

1 Règles de calcul sur les puissances

Pour calculer des expressions comprenant des puissances, on revient à la définition.
Néanmoins, petit à petit, on peut mémoriser les propriétés ci-dessous.

Exemples

- $5^2 \times 5^4 = \underbrace{5 \times 5}_{2\text{ facteurs}} \times \underbrace{5 \times 5 \times 5 \times 5}_{4\text{ facteurs}}$ donc $5^2 \times 5^4 = 5^6$
- $\dfrac{10^5}{10^3} = \dfrac{\mathbf{10 \times 10 \times 10} \times 10 \times 10}{\mathbf{10 \times 10 \times 10}}$ donc $\dfrac{10^5}{10^3} = 10^2$
- $(3 \times 7)^2 = (3 \times 7) \times (3 \times 7) = 3 \times 3 \times 7 \times 7$
  donc $(3 \times 7)^2 = 3^2 \times 7^2$
- $(10^3)^2 = 10^3 \times 10^3$ donc $(10^3)^2 = 10^6$

Propriétés a, b désignent des nombres relatifs et m, n des nombres entiers relatifs.

- $a^m \times a^n = a^{m+n}$
- $\dfrac{a^m}{a^n} = a^{m-n}$ (avec $a \neq 0$)
- $(a \times b)^n = a^n \times b^n$
- $(a^m)^n = a^{m \times n}$

2 Notation scientifique

Définition **La notation scientifique** d'un nombre décimal différent de 0 est la seule écriture de la forme $a \times 10^n$, où :

- a est un nombre décimal écrit avec **un seul chiffre, autre que 0, avant la virgule** ;
- n est un nombre entier relatif.

Exemple 1 **Notation scientifique de 178 500**

$178\,500 = 1{,}785\,00 \times 10^5$
soit $178\,500 = 1{,}785 \times 10^5$

On place la virgule après le 1er chiffre autre que 0. L'exposant indique le nombre de rangs dont il faut déplacer la virgule vers la droite pour obtenir 178 500.

Exemple 2 **Notation scientifique de 0,006 82**

$0{,}006\,82 = 0\,006{,}82 \times 10^{-3}$
soit $0{,}006\,82 = 6{,}82 \times 10^{-3}$

On place la virgule après le 1er chiffre autre que 0. L'exposant indique le nombre de rangs dont il faut déplacer la virgule vers la gauche pour obtenir 0,006 82.

Ordre de grandeur d'un nombre

Pour obtenir un ordre de grandeur d'un nombre tel que 178 500, on peut procéder de différentes façons :

- $178\,500 = 1{,}785 \times 10^5$ et $1{,}785 \approx 2$, donc un ordre de grandeur est 2×10^5.
- on prend la puissance de dix la plus proche, donc 10^5 est un ordre de grandeur.

3 Priorités opératoires

Propriété Pour calculer une expression numérique sans parenthèses, on effectue d'abord les puissances, puis les multiplications et divisions, enfin les additions et soustractions.

Exemples **Calcul de $A = 5 - 2 \times 3^2$**

$A = 5 - \underbrace{2 \times 9}$
$A = 5 - 18$ donc $A = -13$

Calcul de $B = (6 + 2^3) \times 5$

$B = \underbrace{(6 + 8)} \times 5$
$B = 14 \times 5$ donc $B = 70$

J'apprends à ► Déterminer la notation scientifique d'un nombre décimal non nul

Exercice résolu

1 Énoncé

Dans chaque cas, donner la notation scientifique du nombre écrit en gras.

a. Sur un écran défini en UXGA (*Ultra Extended Graphics Array*), la surface occupée par un pixel est **0,070 225** mm^2.

b. Les dinosaures auraient disparu de la surface de la Terre il y a **65 × 10^6** années.

c. Le diamètre du fil d'une toile d'araignée est **6 690 × 10^{-9}** m.

Solution

a. $0{,}070\,225 = 7{,}022\,5 \times 10^{-2}$

b. $65 \times 10^6 = 6{,}5 \times 10 \times 10^6$

$65 \times 10^6 = 6{,}5 \times 10^1 \times 10^6$

$65 \times 10^6 = 6{,}5 \times 10^{1+6} = 6{,}5 \times 10^7$

c. $6\,690 \times 10^{-9} = 6{,}69 \times 10^3 \times 10^{-9}$

$6\,690 \times 10^{-9} = 6{,}69 \times 10^{3+(-9)}$

$6\,690 \times 10^{-9} = 6{,}69 \times 10^{-6}$

Conseils

• Pour obtenir l'écriture scientifique d'un nombre affiché à l'écran d'une calculatrice, on utilise :

Casio *fx*–92 Spéciale Collège

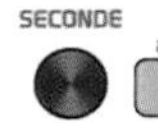

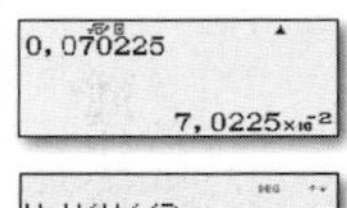

TI-Collège Plus Solaire

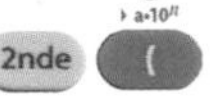

• On commence par donner la notation scientifique de 65, puis on utilise la règle $10^m \times 10^n = 10^{m+n}$.

Sur le même modèle

Pour les exercices 2 à 6, donner la notation scientifique de chaque nombre en gras, puis contrôler avec la calculatrice.

2 La distance entre la Terre et le Soleil est **149,597 × 10^6** km.

3 La Terre a une masse de **5 974 × 10^{21}** kg.

4 La taille d'un acarien est environ **0,000 125** m.

5 Le papier d'un journal a une épaisseur de **70 × 10^{-3}** mm.

6 Au 1er janvier 2016, la population française était estimée à **66 627 602** habitants.

7 Dans chaque cas, dire si le nombre est en notation scientifique. Si ce n'est pas le cas, donner sa notation scientifique.

a. 28×10^5 **b.** $5{,}017 \times 10^{-3}$

c. $0{,}861 \times 10^2$ **d.** 9×10^{-7}

e. $8{,}7 \times 10^0$ **f.** $8{,}4 \times 10^5 \times 10^{-2}$

8 Retrouver la notation scientifique de chaque nombre parmi les propositions.

a. 0,000 000 25

• 25×10^{-8} • $2{,}5 \times 10^{-7}$ • $2{,}5 \times 10^3$

b. 587 000 000

• $5{,}87 \times 10^{-8}$ • 587×10^6 • $5{,}87 \times 10^8$

9 William annonce : « La notation scientifique de $0{,}034 \times 10^{-5}$ est $3{,}4 \times 10^{-6}$. »
A-t-il raison ? Expliquer.

À L'oral

Pour les exercices 10 à 12, lire en complétant chaque égalité.

10 **a.** $10 \times 10 \times 10 \times 10 \times 10 = 10^{\cdots}$

b. $\underbrace{2 \times \ldots \times 2}_{\text{5 facteurs}} \times \underbrace{2 \times \ldots \times 2}_{\text{7 facteurs}} = 2^{\cdots}$

c. $5^2 \times 5 = 5^{\cdots}$

d. $2^6 \times 2 \times 2 = 2^{\cdots}$

11 **a.** $\dfrac{10 \times 10 \times 10}{10} = 10^{\cdots}$

b. $\dfrac{3 \times 3 \times 3 \times 3 \times 3}{3 \times 3} = 3^{\cdots}$

c. $\dfrac{2 \times 2}{2 \times 2 \times 2 \times 2 \times 2} = 2^{\cdots}$

d. $\dfrac{6^4}{6 \times 6} = 6^{\cdots}$

12 **a.** $4 \times 2 \times 4 \times 2 = 8^{\cdots}$

b. $2 \times 2 \times 5 \times 2 \times 5 \times 5 = \ldots^3$

c. $3 \times 7^2 \times 3 = \ldots^{\cdots}$

d. $2{,}5^2 \times \ldots^2 = 10^2$

13 Exprimer à l'aide d'une seule puissance de 10.

a. $10^3 \times 10^4$ **b.** $10^2 \times 10^{-1}$ **c.** $(10^2)^4$

d. $\dfrac{10^3}{10^2}$ **e.** $\dfrac{10^3}{10^5}$ **f.** $\dfrac{10^4}{10^{-2}}$

14 Donner le résultat sous la forme d'une puissance.

a. $\dfrac{10 \times 10^5 \times 10}{10^2}$ **b.** $\dfrac{5^3 \times 5^4}{5 \times 5^2}$

c. $\dfrac{3^4 \times 3^2}{3 \times 3^5}$ **d.** $\dfrac{10^3 \times 10^2}{10 \times 10^4}$

15 Donner l'écriture décimale du nombre.

a. $57{,}2 \times 10^4$ **b.** $57{,}2 \times 10^{-3}$

16 Lire en complétant chaque égalité.

a. $7 \times 10^3 = 70 \times 10^{\cdots} \times 10^3 = 70 \times 10^{\cdots}$

b. $7 \times 10^3 = 0{,}07 \times 10^{\cdots} \times 10^3 = 0{,}07 \times 10^{\cdots}$

c. $7 \times 10^3 = \ldots \times 10^4 \times 10^3 = \ldots \times 10^{\cdots}$

d. $7 \times 10^3 = \ldots \times 10^{-4} \times 10^3 = \ldots \times 10^{\cdots}$

17 Parmi les nombres ci-dessous, indiquer ceux qui sont en notation scientifique.

$A = 0{,}617 \times 10^4$ $B = 1{,}425 \times 10^{-3}$

$C = -5{,}6 \times 10^7$ $D = 8 \times 10^{-5} + 7 \times 10^{-3}$

$E = 7{,}514 \times 10^{-3}$ $F = 0{,}07 \times 10^6$

Pour les exercices 18 et 19, dans chaque cas, donner la notation scientifique du nombre.

18 **a.** 545 **b.** 0,7 **c.** 71 000

d. 0,008 **e.** 0,015 **f.** 85 000 000

g. 0,000 7 **h.** 5 000 **i.** 4 500 000

19 **a.** 7 millions **b.** 343 milliards

c. 8 millièmes **d.** $8\,900 \times 10^3$

e. 12 centièmes **f.** $0{,}04 \times 10^6$

20 Décrire ce que vient de faire Nicolas avec sa calculatrice.

0,00065×10-2

6,5×10⁻⁶

Calcul mental

21 Écrire sous la forme d'une puissance de 10.

a. $2 \times 10^2 \times 5$ **b.** $25 \times 10^3 \times 4$

c. $20 \times 10^6 \times 50$ **d.** $10^4 \times 2{,}5 \times 10^7 \times 4$

Pour les exercices 22 à 24, donner mentalement, dans chaque cas, l'écriture décimale.

22 **a.** 11×10^3 **b.** $-327{,}84 \times 10^2$ **c.** $8{,}1 \times 10^4$

23 **a.** $365{,}4 \times 10^{-2}$ **b.** $57{,}81 \times 10^{-3}$ **c.** 38×10^{-5}

24 **a.** $8{,}3 \times 10^5$ **b.** 45×10^{-2} **c.** $0{,}2 \times 10^{-4}$

25 Donner mentalement l'écriture décimale.

a. $5 \times 10^4 + 37 \times 10^2$ **b.** $\dfrac{36 \times 10^7}{10^4 \times 12}$

c. $\dfrac{6 \times 10^6}{10^2 \times 2}$ **d.** $8 \times 10^5 + 15 \times 10^4$

26 Encadrer mentalement par deux puissances de 10 d'exposants consécutifs.

a. 489,03 **b.** 867 521,622 **c.** –45,17.

27 Dans chaque cas, donner mentalement la puissance de 10 la plus proche.

a. $3{,}9 \times 10^4$ **b.** $32{,}84 \times 10^{-2}$ **c.** 88 750 000

Règles de calcul sur les puissances

***Pour les exercices 28 à 31**, prendre exemple sur le travail présenté pour écrire chaque expression sous la forme d'une puissance de 10.*

28 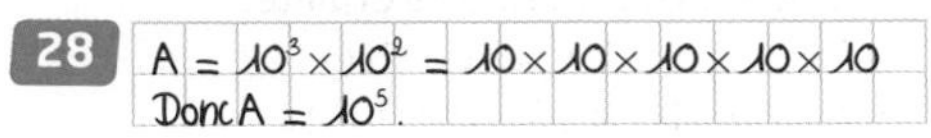
$A = 10^3 \times 10^2 = 10 \times 10 \times 10 \times 10 \times 10$
Donc $A = 10^5$.

a. $10^4 \times 10^7$ **b.** $10^5 \times 10^3$ **c.** $10^3 \times 10^2 \times 10^4$

29 $B = 10^4 \times 10^{-2} = 10 \times 10 \times 10 \times 10 \times \frac{1}{10^2}$
$B = 10 \times 10 \times 10 \times 10 \times \frac{1}{10 \times 10}$
Donc $B = 10^2$.

a. $10^5 \times 10^{-4}$ **b.** $10^{-3} \times 10^2$ **c.** $10^6 \times 10^{-8} \times 10^3$

30 $C = (10^3)^2 = (10 \times 10 \times 10)^2$
$C = (10 \times 10 \times 10) \times (10 \times 10 \times 10)$
Donc $C = 10^6$.

a. $(10^5)^2$ **b.** $(10^{-3})^4$ **c.** $(10^2)^3 \times (10^{-3})^2$

31 $D = \frac{10^5}{10^2} = \frac{10 \times 10 \times 10 \times 10 \times 10}{10 \times 10} = 10^3$

a. $\frac{10^7}{10^4}$ **b.** $\frac{10^3}{10^5}$ **c.** $\frac{10^2 \times 10^6}{10^8}$

32 Voici cinq expressions :
$A = 7^5 \times 7^3$ $B = 7 \times 7^6 \times 7$ $C = 7^4 \times 7^2$
$D = 7^3 \times 7 \times 7^2 \times 7^2$ $E = 7^8$

Parmi ces expressions, une seule ne donne pas le même résultat.

Zoé

Zoé a-t-elle raison ?

***Pour les exercices 33 à 37**, écrire chaque expression sous forme d'une seule puissance.*

33 **a.** $7^4 \times 7^3 \times 7^{-1}$ **b.** $3^{-2} \times 3^8 \times 3^{-10}$

34 **a.** $\frac{6^7 \times 6^2}{6^5}$ **b.** $\frac{11^2}{11^{-1} \times 11^3}$ **c.** $\frac{5^6}{25}$

35 **a.** $3^2 \times 4^2$ **b.** $25 \times 0{,}2^2$ **c.** $\frac{9^5}{3^6}$

36 **a.** $5^4 \times 125$ **b.** 8×2^5 **c.** $3^5 \times 9$

37 **a.** $27^2 \times 3^4$ **b.** $(3^4)^2 \times 9^2$ **c.** $4^2 \times 0{,}25^2$

38 Aman affirme : « $36 \times 49 = 42^2$. »
a. Recopier et compléter :
• $36 = \ldots^2$ • $49 = \ldots^2$
b. Utiliser les écritures précédentes pour expliquer pourquoi Aman a raison.

39 $B = 16^2 \times \left(\frac{1}{8}\right)^2$
Expliquer pourquoi B est le carré d'un nombre entier à préciser.

40 $A = 7^5 \times 7^{-5}$
Lire ce dialogue. Qui a raison ? Expliquer.

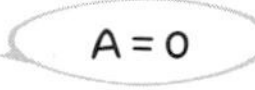

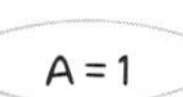

William Justine

41 Éva a écrit : $2^5 \times 3^5 = 6^{10}$
Marcus a écrit : $\frac{12^3}{4^3} = 3^0$
Que peut-on en penser ? Expliquer.

42 Voici la copie de Luna.
$A = \frac{10^{-3} \times 10^5}{10^{-2}} = \frac{10^{-3+5}}{10^{-2}} = \frac{10^2}{10^{-2}}$
Donc $A = 10^{2-(-2)} = 10^{2+2} = 10^4$

Prendre exemple sur le travail de Luna pour écrire chaque expression sous la forme d'une puissance de 10.
a. $B = \frac{10^4 \times 10^6}{10^8}$ **b.** $C = \frac{10^{12}}{10^5 \times 10^{-7}}$ **c.** $D = \frac{(10^3)^2}{10^{-5}}$

***Pour les exercices 43 à 47**, écrire chaque expression sous la forme d'une puissance de 10.*

43 **a.** 100×10^3 **b.** $10 \times 0{,}001$ **c.** $10^{-2} \times 0{,}000\,1$

44 **a.** $\frac{100}{10^5}$ **b.** $\frac{10^{-2}}{10\,000}$ **c.** $\frac{1}{0{,}001}$ **d.** $\frac{0{,}000\,1}{10^{-2}}$

45 **a.** $10^3 \times 10^3 \times 10^3 \times 10^3$ **b.** $(100^2)^4$

46 **a.** $\frac{0{,}01}{10^8}$ **b.** $\frac{10^{-5}}{0{,}001}$ **c.** $\frac{100}{10^7}$

47 **a.** $1\,000 \times 10^7$ **b.** $0{,}000\,1 \times 10^{-4}$

48 Parmi ces expressions, retrouver celles qui sont égales à 10^{-5}.

$A = \dfrac{10^2}{10^7}$ $\quad B = 10^{-2} + 10^{-3}$ $\quad C = 10 \times 10^{-6}$

$D = \dfrac{1}{10^5}$ $\quad E = 0{,}01 \times 0{,}001$ $\quad F = \dfrac{10^{-7}}{10^2}$

$G = \dfrac{10^{-3}}{100}$ $\quad H = 10^{-8} \times 1\,000$ $\quad I = (10^{-3})^2$

49 Justifier chacun de ces affichages de calculatrice.

a. $10^{-5} \times \dfrac{10^3 \times 10^{-8}}{10^2}$ → 1×10^{-12}

b. $(10^2)^5 \times 10^{-3}$ → 10000000

50 Multiplier un nombre par 10^{-3}, puis encore par 10^{-3} revient à…

Le multiplier par 1 !
Arthur
Le multiplier par 10⁻⁶ !
Luna
Le diviser
par un million !
Justine

Qui a raison ? Expliquer.

51 Le capitaine Haddock des *Aventures de Tintin* est célèbre pour ses jurons. Recopier et relier chaque juron à son écriture à l'aide d'une puissance de dix.

Mille tonnerres •	• 10^{12}
Mille millions de mille sabords •	• 10^{24}
Mille millions de mille milliards de mille tonnerres de Brest •	• 10^3
Mille millions de tonnerres de Brest •	• 10^{15}
Mille milliards de mille sabords •	• 10^9

52 Les gouttes projetées par une imprimante à jet d'encre ont un volume correspondant à 1 picolitre (pL). Un picolitre est égal à un milliardième de millilitre.

a. Exprimer 1 pL en mL à l'aide d'une puissance de dix.

b. Combien de gouttes contient une cartouche de 15 mL ?

53 SVT Le VGM (volume globulaire moyen) est le volume moyen d'un globule rouge d'une personne. Il se mesure lors d'une prise de sang. Chez un adolescent, le VGM est d'environ 90 femtolitres (1 femtolitre = 1 fL = 10^{-15} L).

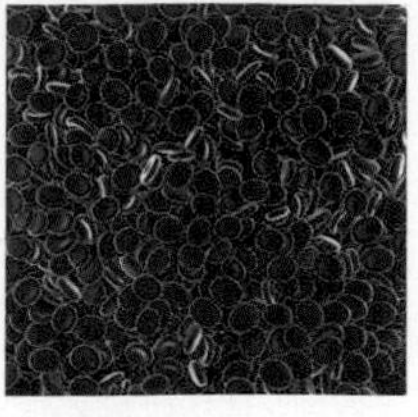

Combien de litres occupent les vingt-cinq mille milliards de globules rouges présents en moyenne dans le corps ?

54 En 2014, la production française d'énergie nucléaire s'élevait à 420 TWh.
(1 térawattheure = 1 TWh = 10^{12} Wh).
Une éolienne industrielle produit environ 5 GWh.
Calculer le nombre d'éoliennes qu'il faudrait installer en France pour remplacer l'énergie nucléaire.

Pour les exercices 55 et 56, on appelle « tableau puissant » un tableau dont le produit des nombres est le même sur chaque ligne, chaque colonne et sur chaque diagonale.

55 Vérifier que les tableaux ci-dessous sont des « tableaux puissants ».

a.

10^7	10^2	10^9
10^8	10^6	10^4
10^3	10^{10}	10^5

b.

0,01	1 000	10^2
10^5	10	0,001
1	10^{-1}	10^4

56 **a.** Vérifier que le tableau ci-dessous est un « tableau puissant ».

2×5	$2^4 \times 5^2$	2
2^2	$2^2 \times 5$	10^2
$5^2 \times 2^3$	1	$2^3 \times 5$

b. Recopier et compléter le tableau ci-dessous pour en faire un « tableau puissant ».

$2^4 \times 3^2 \times 7$		
$2^4 \times 7^2$	$2^3 \times 3^2 \times 49$	$(2 \times 7)^2 \times 3^4$

57 Physique Le diamètre du noyau d'un atome de carbone est $5{,}4 \times 10^{-15}$ m.
Ce diamètre est environ 24 000 fois plus petit que celui de l'atome de carbone.

a. Quel est le diamètre, en m, d'un atome de carbone ?

b. Le diamètre de la Terre est de 12 742 km.
Quel serait le diamètre de l'atome de carbone si l'on assimilait son noyau à la Terre ?

Notation scientifique

58 Recopier et compléter chaque égalité.

a. $8\,745 = \ldots \times 10^3$
b. $0{,}142\,5 = \ldots \times 10^{-2}$
c. $1\,485{,}6 = 14{,}856 \times 10^{\cdots}$
d. $0{,}5 = 0{,}000\,5 \times 10^{\cdots}$
e. $139 = 139\,000 \times 10^{\cdots}$
f. $72 = \ldots \times 10^5$

59 Écrire chaque nombre sous la forme $a \times 10^5$, où a est un nombre décimal.

a. $256{,}3$
b. $-8\,785\,458$
c. $89{,}5 \times 10^8$
d. $47{,}85 \times 10^3$
e. $-0{,}025 \times 10^9$
f. $47\,568 \times 10^{-2}$

60 Écrire chaque nombre sous la forme 58×10^n, où n est un nombre entier relatif.

a. $58\,000$
b. $5\,800 \times 10^9$
c. $0{,}058 \times 10^{-4}$

61 **a.** Associer, parmi les écritures ci-dessous, celles qui désignent le même nombre.

$0{,}041\,5$ — $41{,}5 \times 10^{-4}$ — $0{,}000\,041\,5 \times 10^2$
$41{,}5 \times 10^{-3}$ — $4\,150\,000 \times 10^{-8}$ — $4{,}15 \times 10^{-5}$
$41\,500 \times 10^{-8}$ — 415×10^{-7}

b. Ilan affirme : « L'une de ces écritures ne peut être associée à aucune autre. »
A-t-il raison ? Expliquer.

62 Recopier et relier chaque nombre de la colonne de gauche à sa notation scientifique dans la colonne de droite.

$0{,}000\,857\,1$ •	• $8{,}571 \times 10^1$
$8\,571$ •	• $8{,}571 \times 10^{-1}$
$0{,}857\,1$ •	• $8{,}571 \times 10^{-4}$
$85{,}71$ •	• $8{,}571 \times 10^3$

63 Donner la notation scientifique de chaque nombre.

a. 49 millions
b. 320 millièmes
c. 1 400 milliards
d. 0,08 cent-millième
e. 57 centaines de mille
f. 5 milliardièmes

64 Déterminer la notation scientifique de chaque nombre. Contrôler avec la calculatrice.

$A = 0{,}000\,28 \times 10^{-3}$
$B = 1\,789 \times 10^{-2}$
$C = 10\,235 \times 10^9$
$D = 0{,}57 \times 10^4$
$E = 756 \times 10^4$
$F = 54{,}3 \times 10^{-3}$

65 On considère les nombres :
$A = 874{,}3 \times 10^{-5}$ et $B = 0{,}009\,22$.
a. Déterminer la notation scientifique de A, puis de B.
b. Sheyma affirme : « A est supérieur à B. »
A-t-elle raison ? Justifier.

66 On considère les nombres :
$K = 750{,}18 \times 10^{-6}$ et $L = 9\,163 \times 10^4$.
a. Déterminer la notation scientifique de K, puis de L.
b. Encadrer K et L par deux puissances de 10 d'exposants consécutifs.

67 On considère les nombres :
$M = 37\,209\,540$ et $N = 0{,}006\,17$.
a. Déterminer la notation scientifique de M, puis de N.
b. Donner un ordre de grandeur de $M \times N$, puis de $\frac{M}{N}$.

68 *Physique* Donner la notation scientifique de chaque nombre en gras.

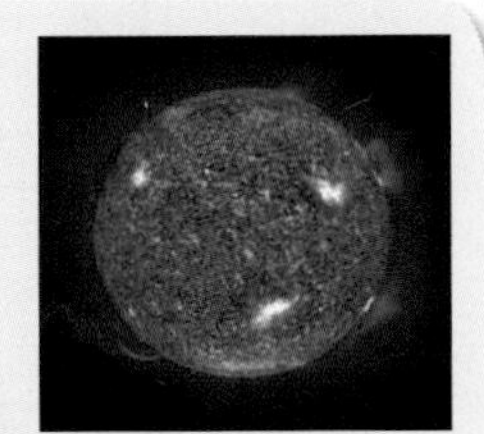

Le Soleil est une étoile âgée de **4,6 milliards** d'années et a un diamètre de **1 391 000** km. Il fait partie d'une galaxie constituée d'environ **234 milliards** d'étoiles. L'étoile la plus proche du Soleil est Proxima du Centaure, située à **quarante mille milliards** de km.

69 Utiliser la notation scientifique pour donner un ordre de grandeur de la dimension, en m, de chaque objet.
a. Grain de sable : 0,000 232 m.
b. Fil d'une toile d'araignée : 6 690 nm.
c. Particule de fumée de tabac : 0,27 µm.
d. Nanobactérie : 50×10^{-9} m.
e. Virus de la varicelle : $1\,750 \times 10^{-10}$ m.
f. Virus de la gastro-entérite : $0{,}07 \times 10^{-6}$ m.

70 *SVT* Voici des renseignements concernant la Terre.
- Longueur de l'équateur : 40 075,017 km.
- Superficie : 510 067 420 km^2.
- Masse : $5\,974 \times 10^{21}$ kg.
- Volume : $1\,083\,207 \times 10^6$ km^3.

a. Donner la notation scientifique de chaque nombre.
b. Encadrer chacun des nombres précédents par deux puissances de 10 d'exposants consécutifs.

Je m'entraîne

Priorités opératoires

71 Voici la copie de Manon.

$3 + 2^4 = 5^4$ erreur	$10 + 3^2 = 19$ exact
$2 \times 5^2 = 100$ erreur	$-6^2 = 36$ erreur
$5^2 - 3^2 = 2^2$ erreur	$(-2)^4 = 16$ exact

Expliquer les annotations du correcteur et rectifier les calculs inexacts.

72 Calculer à la main, puis contrôler à la calculatrice.

$A = 3 \times 4^2 + 5$ $\quad B = (3 \times 4)^2 + 5$

$C = 3 \times (4^2 + 5)$ $\quad D = 3 \times (4 + 5)^2$

Pour les exercices 73 à 75, calculer à la main.

73 $A = 5 + 2^2$ $\quad B = (5 + 2)^2$ $\quad C = 5 - 2^2$

$D = (5 - 2)^2$ $\quad E = 5 \times 2^2$ $\quad F = (5 \times 2)^2$

74 $A = (8 - 3 \times 2)^2$ $\quad B = 8 - 3 \times 2^2$

$C = (8 - 3) \times 2^2$ $\quad D = 8 - (3 \times 2)^2$

75 $A = 2 + 3 \times 5^2$ $\quad B = \dfrac{-2^4 + 3 \times (-5)}{2^2}$

76 Voici un programme de calcul.

- Choisir un nombre.
- Multiplier par 3.
- Ajouter le carré du nombre choisi.
- Multiplier par 2.
- Écrire le résultat.

1. Vérifier que, si l'on choisit le nombre 10, on obtient 260 pour résultat.

2. Calculer la valeur exacte du résultat obtenu lorsque le nombre choisi est :

a. -5 $\quad$ **b.** $\dfrac{2}{3}$ $\quad$ **c.** 0,1

77 x désigne un nombre.

$$A = -5x^2 - 4x + 5$$

a. Vérifier que pour $x = 2$, on obtient $A = -23$.

b.

Pour x = -3, je trouve A = 62.
Laura

Moi, je trouve A = –52.
Tom

Que peut-on en penser ? Justifier.

Je m'évalue à mi-parcours

Pour chaque question, une seule réponse est exacte.

	a	b	c	En cas d'erreur
78 $3^2 \times 3^5$ est égal à…	9^7	3^7	3^{10}	*Cours 1 et ex. 33*
79 $\dfrac{2^4}{2^6}$ est égal à…	2^{-2}	$\dfrac{1}{2^{-2}}$	1^{-2}	*Cours 1*
80 $(10^2)^5$ est égal à…	10^7	10^{-3}	10^{10}	*Cours 1 et ex. 30*
81 La notation scientifique de 0,000 017 est…	17×10^{-6}	$1{,}7 \times 10^{-5}$	$1{,}7 \times 10^{-4}$	*Cours 2 et ex. 1*
82 La notation scientifique de $138{,}2 \times 10^4$ est…	$1{,}382 \times 10^6$	$1{,}382 \times 10^4$	$1{,}382 \times 10^2$	
83 Un ordre de grandeur de 2 457 896,32 est…	2×10^7	2×10^6	2×10^8	*Cours 2 et ex. 69*
84 -3×2^3 est égal à…	-24	-6^3	-16	*Cours 3 et ex. 71*

Vérifie tes réponses *p. 259*

▶ Utiliser le tableur pour explorer les puissances de 2

85 Calculer une somme de puissances

1 Premiers calculs

a. Calculer $2^0 + 2^1 + 2^2 + 2^3$ puis 2^4. Qu'observe-t-on ?

b. Calculer $2^0 + 2^1 + 2^2 + 2^3 + 2^4 + 2^5$ puis 2^6. Qu'observe-t-on ?

2 Conjecturer avec le tableur

a. Saisir la feuille de calcul ci-contre.

	A	B	C	D
1	n	2^n	Somme	2^{n+1}
2	0			
3				
4				

b. Dans la cellule B2, saisir la formule `=2^A2` .

c. Dans la cellule C2, saisir la formule `=SOMME(B$2:B2)` .

d. Dans la cellule D2, saisir la formule `=2^(A2+1)` .

e. Sélectionner la plage A2:D2, puis recopier vers le bas jusqu'à la ligne 10.

f. Émettre une conjecture.

3 Une preuve

On note $S = 2^0 + 2^1 + 2^2 + \ldots + 2^n$.

a. Exprimer à l'aide d'une puissance de deux : 2×2^0 ; 2×2^1 ; … ; 2×2^n.

b. En déduire que $2 \times S = 2^1 + 2^2 + \ldots + 2^{n+1}$.

c. Calculer alors $2 \times S - S$ et prouver la conjecture émise à la question **2 f.**

86 La légende de l'échiquier

Le jeu d'échecs se joue sur un échiquier de 64 cases. Une légende orientale raconte qu'un souverain voulut récompenser Sissa, qui lui avait fait découvrir ce jeu merveilleux. Il lui promit le cadeau suivant : « Un grain de blé pour la première case, deux grains pour la deuxième case, quatre grains pour la troisième, et ainsi de suite, en doublant la quantité de blé d'une case à la suivante. »

1 Exprimer à l'aide d'une puissance de 2, puis calculer, le nombre de grains de blé que le souverain offrira à Sissa :

a. pour la 3e case ; **b.** pour la 5e case ; **c.** pour la 8e case.

2 Calculer avec le tableur

a. Saisir la feuille de calcul ci-contre.

	A	B
1	Numéro de la case	Nombre de grains
2	1	1
3		

b. Dans la cellule A3, saisir la formule `=A2+1` .

c. Quelle formule doit-on saisir dans la cellule B3 pour afficher le nombre de grains de la 2e case ?

d. Sélectionner la plage A3:B3, puis recopier vers le bas pour obtenir le nombre de grains de toutes les cases de l'échiquier.

3 Porter un regard critique

a. Dans la cellule B66, saisir la formule `=SOMME(B2:B65)` .

b. On estime que 10 grains de blé ont une masse de 1 g. En 2015, la production mondiale de blé est de 726 millions de tonnes.
Que penser de la promesse du souverain ? Expliquer.

S'initier au raisonnement

87 Utiliser les puissances de 5

Raisonner • Calculer • Communiquer

Lors d'un jeu télévisé, les candidats doivent répondre à 10 questions.
La première réponse correcte fait gagner 5 €, puis on multiplie les gains par 5 à chaque réponse exacte.
Claire répond correctement à 3 questions, Wael à 4 questions et Aya à 7 questions.

a. Exprimer sous la forme d'une puissance de 5 le gain de chacun de ces candidats.

b. On propose ensuite à chaque candidat une question bonus :
– en cas de réponse correcte, les gains du candidat sont multipliés par 125 ;
– en cas de mauvaise réponse, ses gains sont divisés par 25 ;
– si le candidat décide de ne pas répondre, ses gains sont divisés par 5.

Claire répond correctement à la question bonus, Wael préfère ne pas répondre et Aya donne une mauvaise réponse.
En utilisant des puissances de 5, déterminer le vainqueur du jeu.

Conseil
Utilise les règles de calcul sur les puissances de 5.

88 Porter un regard critique Physique

Raisonner • Calculer • Communiquer

La masse du Soleil est environ de $1{,}988\,4 \times 10^{30}$ kg.
La masse de la Terre est environ de $5{,}973\,6 \times 10^{24}$ kg.
La masse d'un électron (particule élémentaire la plus légère) est de $9{,}1 \times 10^{-31}$ kg.
Celle d'un quark top (particule élémentaire la plus lourde connue) est de $3{,}1 \times 10^{-25}$ kg.

La Terre est au Soleil ce qu'un électron est à un quark top.
Arthur

Que peut-on en penser ? Expliquer.

Conseil
Tu peux t'intéresser au rapport des masses du Soleil et de la Terre, ainsi qu'à celui des masses d'un quark top et d'un électron.

89 Utiliser les puissances de 10 Français

Chercher • Raisonner • Communiquer

Cent mille milliards de poèmes est un recueil de poésie de Raymond Queneau, publié en 1961. Le livre est composé de 10 feuilles, chacune découpée en 14 bandes horizontales. Sur chaque bande est inscrit un vers. Le lecteur peut ainsi tourner les bandes horizontales comme des pages et choisir, pour chaque vers, une des dix propositions de Raymond Queneau.

a. Si l'on utilise le livre pour former la première strophe de 4 vers, combien de possibilités y a-t-il ? Expliquer.

b. Écrire à l'aide d'une puissance de 10 le nombre de poèmes que l'on peut composer avec ce recueil. Expliquer.

c. Justifier le titre de l'ouvrage.

Conseil
Il y a 10 choix possibles pour le 1er vers, 10 choix pour le 2e, 10 choix pour le 3e…

90 Exploiter des informations

Raisonner • Calculer • Communiquer

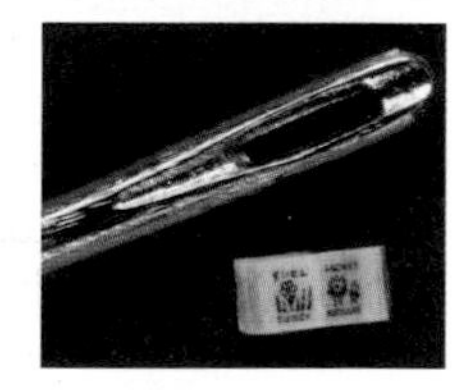

Le 13 mars 2013, un imprimeur japonais a présenté le plus petit livre connu à cette date. Intitulé *Fleurs des quatre saisons*, ce livre carré comporte 22 pages de 0,75 mm de côté.

a. Calculer l'aire, en m², d'une page de ce livre. Donner la notation scientifique.

b. Une feuille A4 a pour dimensions 21 cm × 29,7 cm.

Avec une feuille A4, on peut fabriquer 10 000 de ces livres !
Myriam

Que peut-on en penser ? Expliquer.

Conseil
Ce livre comporte 22 pages, donc il faut 11 carrés pour le fabriquer.

Organiser son raisonnement

91 Utiliser la notation scientifique

Chercher • Calculer • Communiquer

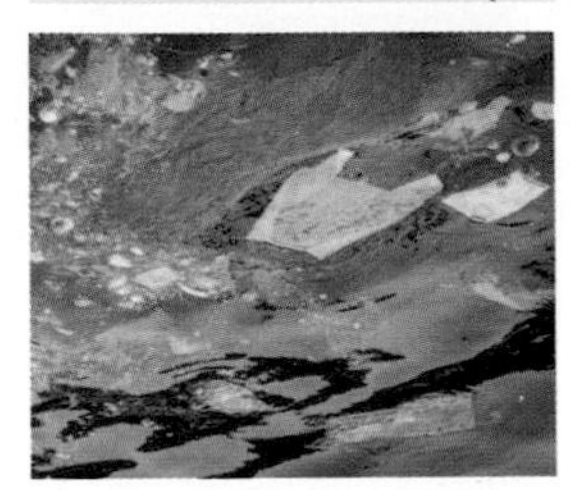

Dans l'océan Pacifique Nord, des déchets plastiques qui flottent se sont accumulés pour constituer une poubelle, appelée le « septième continent », grande comme 6,2 fois la France.

Des scientifiques estiment que cette poubelle géante représente 7×10^8 tonnes de plastique et contient $7,5 \times 10^5$ déchets par km².

On donnera les résultats en notation scientifique.

a. Sachant que la superficie de la France est d'environ 55×10^4 km², quelle est la superficie actuelle de cette poubelle géante ?

b. Combien y a-t-il de déchets dans cette poubelle géante ?

c. Le projet *The Ocean Cleanup* espère pouvoir nettoyer les océans en 5 ans en récupérant les déchets.
Estimer la masse de déchets plastiques, en kg, qui seraient ainsi récupérés chaque jour (on suppose que chaque année a 365 jours).

92 Déterminer un ordre de grandeur

Chercher • Calculer • Communiquer

L'Atomium est un monument de Bruxelles, construit pour l'Exposition universelle de 1958, représentant les 9 atomes d'un cristal de fer agrandi 165 milliards de fois.
Huit sphères sont disposées sur les sommets d'un cube et la neuvième en occupe le centre. Chacune des sphères a un diamètre de 18 m.

a. Donner un ordre de grandeur du diamètre, en m, d'un atome de cristal de fer.

b. Deux sphères situées à deux sommets consécutifs du cube sont reliées par un tube en acier de 29 m de long.
Gaston affirme : « La longueur de l'arête du cube d'un cristal de fer est supérieure à 25 nm. »
A-t-il raison ? Expliquer.

c. Calculer la longueur, en m, des tubes reliant la sphère centrale aux autres sphères de l'Atomium.
Donner une valeur approchée à l'unité près.

93 Conjecturer, puis prouver

Raisonner • Calculer • Communiquer

Voici un programme de calcul.

- Choisir un nombre.
- Multiplier par 10^{11}.
- Multiplier par 10^{-5}.
- Diviser par 1 000.

1. Quel nombre obtient-on avec ce programme de calcul lorsqu'on choisit au départ :
a. 2 ? **b.** –5 ? **c.** 0,35 ?

2. Que peut-on conjecturer ?

3. On note x le nombre choisi au départ.
Exprimer en fonction de x le nombre obtenu avec le programme.
Cela valide-t-il la conjecture émise à la question **2** ?

94 Expliquer un calcul

Raisonner • Calculer • Communiquer

Le professeur a lancé un défi à ses élèves.
Voici une multiplication :

$$\begin{array}{r} 298\,023\,223\,876\,953\,125 \\ \times \quad 33\,554\,432 \\ \hline \end{array}$$

Il ajoute : « Le premier facteur est égal à 5^{25} et le second à 2^{25}. »

C'est trop compliqué, je n'y arriverai pas !
Tom

Moi j'ai trouvé sans poser l'opération.
Manon

Expliquer le calcul effectué par Manon et donner le résultat.

95 Compter... impossible !

Modéliser • Calculer • Communiquer

On considère que 100 grains de sable occupent un volume de 5,2 mm³. Au saut en longueur, la fosse de réception est un rectangle de 9 m par 2,75 m.
Elle est remplie de sable sur une épaisseur de 10 cm.
Combien contient-elle de grains de sable ?

J'utilise mes compétences

96 Communiquer en anglais 

Calculer • Communiquer

Matthew's bedroom has a volume of 40 cubic meters.
There are $3{,}4 \times 10^9$ particles of dust per cubic meter.
a. Calculate how many particles of dust are present in Matthew's bedroom.
Express the answer in scientific notation.
b. A dust particle has a mass of $7{,}53 \times 10^{-10}$ g.
Find out the weight of dust in Matthew's bedroom.

97 Organiser un calcul Chimie

Calculer • Communiquer

Une pièce de 5 centimes d'euro est faite d'acier plaqué de cuivre. Sa masse est de 3,93 g et elle ne contient que 6,8 % de cuivre.
La masse d'un atome de cuivre est $1{,}055 \times 10^{-25}$ kg.
Calculer le nombre d'atomes de cuivre contenus dans une pièce de 5 centimes d'euro.

98 Calculer avec les puissances de 10

Chercher • Calculer • Communiquer

Trouver 4 carrés formés de 4 cases dont le produit des nombres qu'elles contiennent est égal à 10^3.

10^{-1}	10^2	10^{-1}	10^4	10^3	10^{-1}
10^{-1}	1	10	10^{-2}	10^2	1
10^3	10	10^2	10^{-1}	10	10^{-2}
10^2	10^{-1}	10^2	1	10^3	1
10^4	1	10^{-4}	10	10^4	10^{-1}
10^{-2}	10^{-1}	10^3	10^{-4}	10^2	10

99 Relever un défi

Chercher • Calculer • Communiquer

1. a. Déterminer le nombre de chiffres de l'écriture décimale de :
• 2^8 • 5^8 • 10^8
b. Faire de même pour 2^{10}, 5^{10} et 10^{10}.
c. Que peut-on conjecturer ?
2. Si 2^{2016} a m chiffres et que 5^{2016} en a n, déterminer la valeur de $m + n$.

100 Imaginer une expression

Calculer • Communiquer

Écrire une expression égale à 2 000 en utilisant une seule fois chacun des nombres 2 ; 3 ; 4 ; 5.

101 Prendre des initiatives SVT

Raisonner • Calculer • Communiquer

La fréquence cardiaque est le nombre de battements de cœur (pulsations) par minute.

Âge	Nombre moyen de battements par minute
Moins d'1 an	140
Entre 1 et 3 ans	110
Entre 3 et 6 ans	105
Entre 6 et 13 ans	95
Entre 13 et 70 ans	70
Plus de 70 ans	65

En France, l'espérance de vie à la naissance est actuellement proche de 82 ans.
Déterminer un ordre de grandeur du nombre moyen de battements cardiaques d'une personne au cours de sa vie.

102 Imaginer une stratégie

Raisonner • Calculer • Communiquer

Le mathématicien américain Donald Knuth a imaginé en 1976 une nouvelle notation avec des flèches.
Exemples : $3\uparrow\uparrow 2 = 3^3 = 27$ et $2\uparrow\uparrow 3 = 2^{(2^2)} = 2^4 = 16$.
Combien de chiffres possède l'écriture décimale du nombre $3\uparrow\uparrow 3$?

103 Narration de recherche 

Problème

Trouver tous les nombres entiers relatifs a, n, p tels que $(a^n)^p = 256$.

Raconter sur la feuille les différentes étapes de la recherche, les remarques qui ont fait changer de méthode ou qui ont permis de trouver.

104 Problème ouvert

Chercher • Calculer • Communiquer

Anna a oublié le mot de passe de son téléphone. Elle se rappelle seulement qu'il s'agit d'une puissance de 2 comprise entre 1 000 et 2 milliards, qu'il est à la fois le carré d'un nombre entier, le cube d'un nombre entier et la puissance d'exposant 5 d'un nombre entier.
Quel est le mot de passe d'Anna ?

Je fais le point sur mes compétences

105 Identifier une notation scientifique

Dans chaque cas, une seule réponse est exacte. Recopier la bonne réponse.

a. La notation scientifique de 587 000 000 est :
• $5{,}87 \times 10^{-8}$ • 587×10^{6} • $5{,}87 \times 10^{8}$

b. La notation scientifique de $10^2 \times 21 \times 10^{-7}$ est :
• 21×10^{-5} • $2{,}1 \times 10^{-4}$ • $2{,}1 \times 10^{-9}$

c. La notation scientifique de $(4 \times 10^{-3})^2$ est :
• 16×10^{-6} • 8×10^{-6} • $1{,}6 \times 10^{-5}$

d. La notation scientifique de $\dfrac{5 \times 10^4}{0{,}8 \times 10^{-2}}$ est :
• $6{,}25 \times 10^{6}$ • 6 250 000 • $6{,}25 \times 10^{2}$

Conseil
c. L'expression écrite est le produit de deux facteurs égaux à 4×10^{-3}.

106 Comprendre l'affichage de la calculatrice

Voici trois calculs effectués à la calculatrice.
Détailler ces calculs afin de comprendre les résultats donnés par la calculatrice.

a. $8 \times 10^{15} + 2 \times 10^{15} = 1 \times 10^{16}$

b. $\dfrac{8 \times 10^{3} \times 28 \times 10^{-2}}{14 \times 10^{-3}} = 160\,000$

c. $\dfrac{5 \times 10^{6} \times 1{,}2 \times 10^{-8}}{2{,}4 \times 10^{5}} = 2{,}5 \times 10^{-7}$

Conseil
b. et **c.** Pour calculer un produit ou un quotient de nombres sous la forme $a \times 10^n$, on multiplie les puissances de 10 entre elles et on multiplie les nombres en écriture décimale entre eux.

107 Rester vigilant avec la calculatrice

a. Quelle est l'écriture décimale du nombre $\dfrac{10^5 + 1}{10^5}$?
b. Contrôler avec la calculatrice.
c. Noah utilise sa calculatrice pour calculer le nombre suivant : $\dfrac{10^{15} + 1}{10^{15}}$. Le résultat affiché est 1.
Noah pense que ce résultat n'est pas exact.
A-t-il raison ? Expliquer.

Conseil
c. Que sais-tu sur le numérateur et le dénominateur d'une fraction égale à 1 ?

108 Estimer une grandeur

Dans chaque cas, une seule réponse est exacte. Recopier la bonne réponse.

a. Quelle est approximativement la masse de la Terre ?
• 32 tonnes • 6×10^{24} kg • 7×10^{-10} g

b. La distance de la Terre à la Lune est :
• $3{,}844 \times 10^{5}$ km • $3{,}844 \times 10^{-5}$ km • 3,844 km

Conseil
a. 1 t = 1 000 kg.

109 Organiser un calcul

$$A = \frac{15 - 9 \times 10^{-3}}{5 \times 10^{2}}$$

a. Calculer l'expression A en présentant les étapes.
b. Contrôler avec la calculatrice.

Conseil
a. Pense aux priorités opératoires.

110 Comprendre une situation

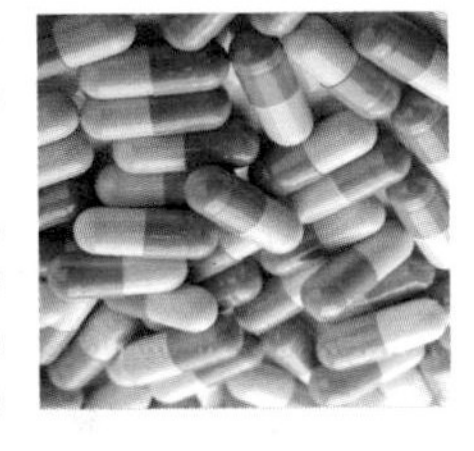

Un laboratoire pharmaceutique produit des gélules de paracétamol.
Chaque gélule contient 500 mg.
Une gélule est constituée de deux demi-sphères de 7 mm de diamètre et d'un cylindre de hauteur 14 mm.

a. L'usine de fabrication produit 5 tonnes de paracétamol (1 t = 1 000 kg).
Combien de gélules de 500 mg l'usine peut-elle produire ?

b. Une boîte contient deux plaquettes de 8 gélules chacune. Combien de boîtes peuvent être produites avec ces 5 tonnes ?

c. Calculer le volume, en mm³, d'une gélule.
Donner une valeur approchée à l'unité près.

Conseil
c. Le volume $\mathcal{V}$ d'une boule de rayon R est donné par la formule $\mathcal{V} = \dfrac{4}{3}\pi R^3$.

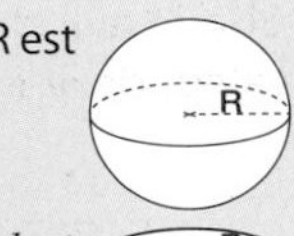

Le volume $\mathcal{V}$ d'un cylindre de hauteur h et dont la base a pour rayon R est $\mathcal{V} = \pi R^2 h$.

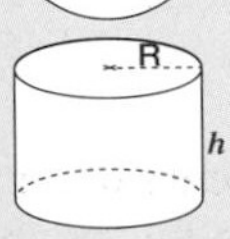

111 Expliquer des affirmations

Toutes les questions sont indépendantes.

a. Anna affirme : « 2^{40} est le double de 2^{39}. » A-t-elle raison ?

b. 2 048 est une puissance de 2. Laquelle ?

c. Détailler ce calcul effectué à la calculatrice afin de comprendre le résultat affiché.

$$28 \times 10^{23} - 8 \times 10^{23} = 2 \times 10^{24}$$

112 Traiter un QCM

Dans ce questionnaire à choix multiples, pour chaque question, des réponses sont proposées et une seule est exacte. Pour chacune des questions, donner la bonne réponse. Aucune justification n'est attendue.

1. Quelle est la notation scientifique de :

$$\frac{5 \times 10^{6} \times 1{,}2 \times 10^{-8}}{2{,}4 \times 10^{5}} \ ?$$

a. 25×10^{-8} **b.** $2{,}5 \times 10^{-7}$ **c.** $2{,}5 \times 10^{3}$

2. L'écriture en notation scientifique du nombre 0,000 456 est :

a. $4{,}56 \times 10^{-3}$ **b.** $4{,}56 \times 10^{-4}$ **c.** $4{,}56 \times 10^{3}$

3. La notation scientifique de $\dfrac{49 \times 10^{-6} \times 6 \times 10^{5}}{3 \times 10^{4} \times 7 \times 10^{-2}}$ est :

a. $1{,}4 \times 10^{-2}$ **b.** $1{,}4 \times 10^{-1}$ **c.** $1{,}4 \times 10^{2}$

4. Le produit de 18 facteurs égaux à -8 s'écrit :

a. -8^{18} **b.** $(-8)^{18}$ **c.** $18 \times (-8)$

5. Le nombre 5×10^{-3} s'écrit aussi :

a. 50^{-3} **b.** $-5\,000$ **c.** $0{,}005$

113 Contrôler des réponses

Anissa et Ben décident de calculer chacun une des expressions suivantes :

$A = \dfrac{5}{4} - \dfrac{2}{3} \times \dfrac{9}{16}$ et $B = \dfrac{16 \times 10^{-5} \times 3 \times 10^{4}}{24 \times 10^{-3}}$

a. Calculer A et donner le résultat sous forme d'une fraction la plus simple possible.

b. Calculer B et donner le résultat sous forme d'un nombre entier.

c. Anissa calcule A et propose $A = \dfrac{21}{24}$; Ben calcule B et propose $B = 2 \times 10^{2}$.

Ces réponses semblent-elles satisfaisantes ? Justifier.

114 Calculer une vitesse

Un vaisseau spatial a mis 20 ans pour faire le voyage de la planète X à la Terre.

Sachant que la planète X est située à 4,5 années-lumière de la Terre et qu'une année-lumière est égale à $9{,}5 \times 10^{12}$ km, calculer la vitesse moyenne de ce vaisseau spatial, exprimée en km par an.

Donner la notation scientifique du résultat.

115 Utiliser la notation scientifique

Pour chacune des expressions suivantes :

a. donner la notation scientifique de chacun de ses facteurs ;

b. calculer l'expression.

$$A = \frac{100\,000 \times 10\,000 \times 1\,000\,000\,000}{10 \times 1000}$$

$B = 50\,000\,000 \times 0{,}000\,002$

$C = (30\,000 \times 300)^{2}$

$D = 0{,}000\,003^{4}$

116 Comprendre les expressions littérales

Recopier puis compléter après avoir effectué les calculs.

a	$2a$	a^2	$2a^2$	$(2a)^2$
2				
-3				
	$\frac{4}{3}$			

117 Calculer avec des puissances

Dans chaque cas, donner l'écriture décimale et la notation scientifique.

Vérifier avec la calculatrice.

$A = \dfrac{65 \times 10^{3} \times 10^{-5}}{26 \times 10^{2}}$

$B = 153 \times 10^{-4} + 32 \times 10^{-3} - 16 \times 10^{-5}$

$C = \dfrac{1{,}6 \times 10^{-12}}{4 \times 10^{-9}}$

$D = \dfrac{0{,}3 \times 10^{2} \times 5 \times 10^{-3}}{4 \times 10^{-4}}$

118 Justifier une égalité

Prouver que :

a. $\dfrac{2 + \dfrac{3}{4}}{\dfrac{3}{4} - 5} = -\dfrac{11}{17}$ **b.** $\dfrac{35 \times 10^{2} \times 2 \times (10^{-2})^{6}}{42 \times 10^{-10}} = \dfrac{5}{3}$

c. $\dfrac{3 \times 10^{4} + 5 \times 10^{-3}}{10^{-2}} = 3\,000\,000{,}5$

119 Utiliser les règles de calcul

a. Écrire sous forme d'une puissance d'un nombre entier.

$A = (2^{2})^{3}$ $B = 5^{4} \times 3^{4}$

b. $C = 2 \times 10^{-8} \times 3 \times 10^{6}$

Écrire C sous forme d'un produit entier par une puissance de dix, puis sans utiliser de puissance de dix.

Je prends des initiatives

Avec une aide

120 Travailler avec une vitesse Physique

Lancé le 26 novembre 2011, le robot Curiosity de la NASA est chargé d'analyser la planète Mars.

Via le satellite Mars Odyssey, des images prises et envoyées par le robot ont été transmises au centre de la NASA.
Les premières images ont été émises de Mars à 7 h 48 le 6 août 2012.
La distance parcourue par le signal a été de 248×10^6 km, à une vitesse moyenne de 300 000 km/s environ.
À quelle heure ces premières images sont-elles parvenues au centre de la NASA ? Donner une réponse à la minute près.

Conseil

Souviens-toi que $v = \dfrac{d}{t}$. Ici, tu cherches la durée t.

121 Utiliser une expression littérale Physique

1. Une unité astronomique (ua) est la distance moyenne de la Terre au Soleil.

1 ua = 149 597 870 700 m.

Donner la notation scientifique, en m, d'une ua.

2. La loi de Titius-Bode (ou loi des planètes) permet de calculer une valeur approchée de la distance D au Soleil en ua de certaines planètes.

$$D = 0{,}4 + 0{,}3 \times 2^{n-1}$$

où n est le rang de la planète par rapport au Soleil.
$n = 1$ pour Vénus, $n = 2$ pour la Terre et $n = 3$ pour Mars.

a. Calculer la distance au Soleil en ua des planètes Vénus, Terre et Mars avec cette formule.

b. Exprimer ces distances en km.

c. Jupiter est la planète se situant après Mars.
Elle est distante du Soleil de $77{,}85 \times 10^7$ km.
La loi de Titius-Bode est-elle vérifiée pour Jupiter ?

Conseil

2. Pense aux règles de priorité opératoire : on effectue d'abord les puissances.

Sans aide maintenant

122 Donner la notation scientifique

Le Rubik's Cube est un casse-tête inventé en 1974 par le Hongrois Erno Rubik. Des mathématiciens ont cherché le nombre de combinaisons possibles. Pour simplifier l'écriture du résultat, ils ont utilisé une notation particulière :

$$8! = 8 \times 7 \times 6 \times 5 \times 4 \times 3 \times 2 \times 1.$$

1. Le nombre de combinaisons possibles est $8! \times 3^7 \times 12! \times 2^{10}$.

a. Estimer la notation scientifique de ce nombre.

b. Rebecca affirme : « Même si je pouvais tester un milliard de combinaisons par seconde, il me faudrait plus de 1 200 ans pour les essayer toutes ! »
Son affirmation est-elle vraie ? Justifier.

2. Le Rubik's Revenge est une adaptation du Rubik's Cube. Une face est composée de 16 petits cubes.
Le Rubik's Revenge peut prendre

$\dfrac{8! \times 3^7 \times 24! \times 24!}{(4!)^6 \times 24}$ positions différentes.

Estimer la notation scientifique de ce nombre.

123 Utiliser les puissances de dix

Au format VGA, un pixel est un carré de 0,45 mm de côté.
La superficie des terres émergées sur la Terre est $1\,486{,}47 \times 10^5$ km^2.
Donner un ordre de grandeur du nombre de pixels nécessaires pour recouvrir les terres émergées.

124 Utiliser des unités de volume

Dans 1 mm^3 de sang, il y a 5 millions de globules rouges.
1 L de sang est composé d'environ 450 cm^3 de globules rouges.
Quel est le volume d'un globule rouge, en µm^3 ?

125 Chercher un nombre mystérieux

Zoé affirme : « Le nombre 153 est égal à la somme des cubes de ses chiffres. »

a. A-t-elle raison ?

b. Trouver un autre nombre de trois chiffres qui a cette propriété.

CHAPITRE 2

Utiliser le calcul littéral pour résoudre ou démontrer

Les robots sociaux sont en passe de transformer notre vie quotidienne.
Pour programmer leurs déplacements et leurs mouvements, les ingénieurs ont résolu de nombreuses équations et inéquations.

Vu au Cycle 4

Pour chaque question, une réponse ou plusieurs sont exactes.

		a	b	c
1	x désigne un nombre relatif. L'expression réduite de $5x - 4x$ est…	1	$9x$	x
2	x désigne un nombre relatif. L'expression développée de $(x+4)(x-1)$ est…	$5x - 4$	$x^2 + 3x - 4$	$x^2 - 4$
3	a désigne un nombre relatif. Une expression factorisée de $12a - 6$ est…	$2(6a - 3)$	$6(2a - 1)$	$6 \times 2a - 6 \times 1$
4	L'équation $4x - 5 = 6x + 1$ a pour solution…	-3	2	3
5	Léo a 50 €. Il souhaite acheter des BD, toutes au même prix. L'équation $3x - 1 = 50$ traduit la (les) situation(s)…	Pour acheter 3 BD, il lui manque 1 €. Quel est le prix d'une BD ?	S'il achète 3 BD, il lui reste 1 €. Quel est le prix d'une BD ?	Avec 1 € de plus, il aurait pu acheter 3 BD. Quel est le prix d'une BD ?

D'autres exercices sur ***le site compagnon*** 

Vérifie tes réponses ➲ *p. 259*

Activité 1 Découvrir des identités remarquables

1 a et b désignent des longueurs, donc des nombres positifs.

a. Utiliser la figure ci-contre pour exprimer l'aire du carré de côté $a + b$ de deux façons différentes.

b. Recopier et compléter : $(a + b)^2 = \dots + 2 \dots + \dots$.

2 **Une preuve.** a et b désignent des nombres relatifs.
Développer puis réduire $(a + b)^2$, c'est-à-dire $(a + b)(a + b)$.

3 a et b désignent des nombres relatifs.
Recopier et compléter, en développant et en réduisant :

a. $(a - b)^2 = (a - b)(a - b) = \dots$

b. $(a + b)(a - b) = \dots$

4 Marouane affirme : « J'ai réussi à calculer mentalement $18{,}5^2 - 11{,}5^2$. »
Comment a-t-il fait ?

Activité 2 Mettre un problème en équation pour le résoudre

a. Avec son argent de poche, lundi, Noé a acheté trois posters, tous au même prix.
Il lui reste 7,98 €. On désigne par x le prix d'un de ces posters.
Exprimer, en fonction de x, le montant des économies de Noé avant son achat.

b. Le lendemain, mardi, il constate que le prix de ces posters a baissé de 2 €. Il se dit :
« Avec la somme d'argent que j'avais hier, j'aurais pu acheter exactement 5 posters à ce prix-là. »
Donner, en fonction de x, une nouvelle expression des économies de Noé avant son achat.

c. Traduire cette situation par une équation d'inconnue x et résoudre cette équation.

d. Conclure sur le prix d'un poster acheté par Noé. En déduire le montant de ses économies.

Activité 3 Résoudre une inéquation du premier degré

1 **a.** Observer les deux lignes de ce tableau.

b. Faire de même pour les inégalités : • $t \leqslant 2$ • $u > 4$.

Phrase	Inégalité	Représentation
x est strictement inférieur à 3.	$x < 3$	–1 0 1 2 3 4 5
y est supérieur ou égal à –2 .	$y \geqslant -2$	–4 –3 –2 –1 0 1 2

2 **a.** Choisir deux nombres relatifs a et b tels que $a > b$.
Comparer les nombres $a + c$ et $b + c$, puis les nombres $a - c$ et $b - c$ lorsque : • $c = 4$ • $c = 0{,}5$.

b. Choisir deux nombres relatifs a et b tels que $a > b$.
Comparer les nombres $a \times c$ et $b \times c$ lorsque : • $c = 3$ • $c = -7$ • $c = 8$ • $c = -12$.

c. Conjecturer la comparaison des nombres : • $a + c$ et $b + c$ • $a - c$ et $b - c$ • $a \times c$ et $b \times c$.

3 **a.** Anaïs a commencé à résoudre l'inéquation $-3x + 4 > 1 - 2x$.
Indiquer à chaque étape la règle qu'elle a utilisée.

$-3x + 4 > 1 - 2x$
$-x + 4 > 1$
$-x > -3$

b. Terminer la résolution. Décrire par une phrase les nombres qui sont solutions.

J'apprends le cours

1 Identités remarquables

Propriétés

Développement	Développement	Développement
$(a+b)^2 = a^2 + 2ab + b^2$	$(a-b)^2 = a^2 - 2ab + b^2$	$(a+b)(a-b) = a^2 - b^2$
Factorisation	Factorisation	Factorisation

Exemples • Développer $A = (x+6)^2$ et $B = (3x-4)^2$.

$A = x^2 + 2 \times x \times 6 + 6^2$
$A = x^2 + 12x + 36$

$B = (3x)^2 - 2 \times 3x \times 4 + 4^2$
$B = 9x^2 - 24x + 16$

• Factoriser $C = 4x^2 - 25$.
$C = (2x)^2 - 5^2$
$C = (2x+5)(2x-5)$

2 Résolution algébrique d'une équation du 1er degré

Propriété (admise) Une équation du premier degré à une inconnue $ax + b = cx + d$ (avec $a \neq c$) admet **une solution et une seule.**

Exemple **Résolution de l'équation $5x - 1 = x - 9$**

$5x - 1 = x - 9$
On soustrait x à chaque membre : $5x - 1 - x = x - 9 - x$
$4x - 1 = -9$
On ajoute 1 à chaque membre : $4x - 1 + 1 = -9 + 1$
$4x = -8$
On divise par 4 chaque membre : $\frac{4x}{4} = \frac{-8}{4}$
$x = -2$

-2 est la solution.

3 Inéquation du 1er degré à une inconnue

Exemple L'inégalité $3x - 1 \geqslant -4$ est une inéquation du 1er degré à une inconnue x.
Pour $x = 2$, $3x - 1 = 3 \times 2 - 1 = 6 - 1 = 5$. Or $5 \geqslant -4$, donc 2 est une solution de l'inéquation.

Règles (admises) On résout algébriquement une inéquation du 1er degré à l'aide de ces règles.

R'_1 On additionne ou on soustrait un même nombre aux deux membres de l'inéquation.

R'_2 On multiplie ou on divise les deux membres de l'inéquation :
- par un même nombre **strictement positif en conservant le sens** de l'inégalité ;
- par un même nombre **strictement négatif** mais **en changeant le sens** de l'inégalité.

Exemple Résolution de l'inéquation $-4x + 1 > 7 - 2x$.

$-2x + 1 > 7$
$-2x > 6$
On divise chaque membre par -2, qui est négatif. Donc on change le sens de l'inégalité.
$x < -3$

Les nombres strictement inférieurs à -3 sont les solutions de l'inéquation.

Solutions
$-6\ -5\ -4\ -3\ -2\ -1\ 0\ 1$

4 Désignation de nombres

Exemple 1 n désigne un entier relatif.
- Le **suivant** de n est $n + 1$.
- Le **précédent** de n est $n - 1$.
- Un **multiple de 3** s'écrit sous la forme $3n$ ($n \geqslant 0$).

Exemple 2 n désigne un entier.
- Un **nombre pair** s'écrit sous la forme $2n$.
- Un **nombre impair** s'écrit sous la forme $2n + 1$.

J'apprends à ▶ Étudier un problème qui se ramène au 1er degré

Exercice résolu

1 **Énoncé**

On considère le programme de calcul ci-contre.

a. Quel est le résultat lorsque le nombre choisi est -6 ?

b. Le programme donne 0 pour deux nombres.
Déterminer ces deux nombres.

- Choisir un nombre.
- Ajouter 1.
- Calculer le carré de cette somme.
- Soustraire 9 au résultat.

Solution

a. $-6 \to -5 \to 25 \to 16$

Si l'on choisit -6 au départ, on obtient 16.

b. On note n le nombre choisi au départ.

$n \to n+1 \to (n+1)^2 \to (n+1)^2-9$

Le programme donne 0, donc $(n+1)^2-9=0$.

On factorise le membre de gauche.

$(n+1)^2-9=(n+1)^2-3^2$

$(n+1)^2-9=(n+1+3)(n+1-3)$

$(n+1)^2-9=(n+4)(n-2)$

Résoudre l'équation $(n+1)^2-9=0$ revient à résoudre l'équation $(n+4)(n-2)=0$.

Un produit est nul dans le seul cas où l'un de ses facteurs est nul, c'est-à-dire :

$n+4=0$ ou $n-2=0$

$n=-4$ ou $n=2$

-4 et 2 sont les solutions de l'équation.

Donc le programme donne 0 si l'on choisit -4 ou 2 comme nombre de départ.

Conseils

- Attention ! $(-5)^2=25$.
- On ne cherchera pas à trouver ces deux nombres en faisant des essais. On se place dans un cas général.
- On modélise la situation par une équation.
- On repère une différence de deux carrés ; on utilise l'identité remarquable : $a^2-b^2=(a+b)(a-b)$ avec $a=n+1$ et $b=3$.
- **Les solutions d'une équation « produit nul » $(ax+b)(cx+d)=0$ sont les nombres x tels que :**
  $$ax+b=0 \text{ ou } cx+d=0.$$
- Penser à répondre à la question.

Sur le même modèle

2 Voici un programme de calcul.

- Choisir un nombre.
- Ajouter 2.
- Élever au carré.
- Soustraire 25.

a. Quel est le résultat si le nombre choisi est -4 ?

b. Le programme donne 0 pour deux nombres.
Déterminer ces deux nombres.

3 Inès : « Je choisis un nombre, je l'élève au carré puis je soustrais 36. J'obtiens 0. Est-ce possible ? »
Tommy : « Facile ! Tu as choisi le nombre 6 ! »
Inès : « Eh non ! J'aurais pu, mais ce n'est pas 6 ! »
Quel nombre a choisi Inès ? Justifier.

4 Lou affirme : « Si n désigne un nombre entier positif, n^2-6n+9 est toujours différent de 0. »

a. Pour savoir si cette affirmation est vraie ou fausse, Mehdi résout l'équation $n^2-6n+9=0$.

$n^2-6n+9=0$
Je reconnais une identité remarquable ;
je factorise : $n^2-6n+9=(\ldots-\ldots)^2$.

Recopier et terminer le travail de Mehdi.

b. La solution de l'équation $n^2-6n+9=0$ est-elle un nombre entier positif ?
Conclure pour l'affirmation de Lou.

5 Développer à l'aide du modèle indiqué.

Carré d'une somme	Carré d'une différence
$(a+b)^2 = a^2 + 2ab + b^2$	$(a-b)^2 = a^2 - 2ab + b^2$
$A = (t+3)^2$ $B = (x+10)^2$	$E = (x-4)^2$ $F = (y-6)^2$
$C = (x+0{,}5)^2$ $D = (8+y)^2$	$G = (t-1)^2$ $H = (7-y)^2$

6 On sait qu'en multipliant la somme de deux nombres par leur différence, on obtient :

$$(a+b)(a-b) = a^2 - b^2$$

Développer : • $I = (x+8)(x-8)$ • $J = (t-5)(t+5)$

7 Associer chaque expression de gauche à sa forme factorisée de droite.

Expression développée	Expression factorisée
$A = 4x + 20$	❶ $x(x-5)$
$B = 7x - 35$	❷ $4(x+5)$
$C = x^2 - 5x$	❸ $7(x-5)$

8 Factoriser chaque expression avec une identité remarquable.

a. $x^2 + 2x + 1$ **b.** $x^2 - 10x + 25$ **c.** $x^2 + 12x + 36$

9 Reconnaître une différence de deux carrés dans chaque expression, puis factoriser.

a. $x^2 - 81$ **b.** $x^2 - 1$ **c.** $9x^2 - 4$

10 $E = 4x^2 - 4x + 1$.
Pour factoriser E, Louise a écrit $E = 4x(x-1)$.
A-t-elle raison ? Expliquer.

11 Yaël achète quatre roues et un grip à 15 € pour son skate. Elle donne un billet de 50 € ; le vendeur lui rend 3 €.
Quel est le prix de chaque roue ?

12 La formule ci-dessous donne le coût, en €, de location d'une planche de surf en fonction du nombre d'heures où on la loue.

Coût = 25 × nombre d'heures + 10

Pendant combien d'heures Hugo a-t-il loué une planche s'il a payé 60 € ?

13 Résoudre chaque équation.

a. $x - 3 = -1$ **b.** $2y = 5$ **c.** $5x = 2x + 9$

14 **a.** Pour quelle valeur de x le produit $5 \times x$ est-il nul ?
b. Amélie affirme : « Pour la valeur de x que j'ai choisie, le produit $5 \times (x-2)$ est nul. »
Quelle est cette valeur de x ?
c. Lire en complétant :
« a et b désignent deux nombres relatifs.
• Si $a = 0$ ou $b = 0$, alors le produit $a \times b = \ldots$.
• Si $a \times b = 0$, alors $a = \ldots$ ou $b = \ldots$. »

15 x désigne un nombre relatif.
Dans chaque cas, lire l'inégalité et proposer deux valeurs de x qui conviennent.

a. $x > 5$ **b.** $x \leqslant -3$ **c.** $x \geqslant 7$ **d.** $x < -4$

16 x est un nombre tel que $4x - 9 \geqslant 1$.
a. Ajouter 9 à chaque membre de cette inégalité. Énoncer la nouvelle inégalité obtenue.
b. Que doit-on faire ensuite pour obtenir une inégalité de la forme « $x \square \ldots$ » ?
Énoncer cette inégalité.

17 Reprendre les questions de l'exercice 16 dans le cas où x est un nombre tel que :

$$-2x - 9 \geqslant -3.$$

Calcul mental

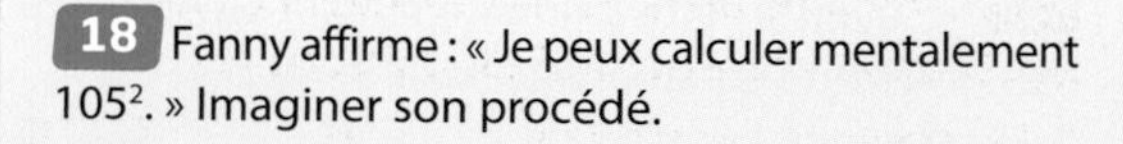

18 Fanny affirme : « Je peux calculer mentalement 105^2. » Imaginer son procédé.

19 Imaginer un procédé pour calculer mentalement : • 99^2 • 102×98 • 31^2

20 Dans chaque cas, décider mentalement si le nombre -2 est solution ou non de l'équation.

a. $2x + 3 = 3x + 5$ **b.** $t + 4 = 2t - 2$ **c.** $6 - 3x = 0$

21 Résoudre mentalement chaque équation.

a. $(x+1)(x-5) = 0$ **b.** $(x-6)^2 = 0$ **c.** $(y+3)^2 = 0$

22 Dans chaque cas, décider mentalement si le nombre -3 est une solution ou non de l'inéquation.

a. $3 - 4x \leqslant 15$ **b.** $2t + 1 > 3t$ **c.** $x + 3 \geqslant 2x$

23 n désigne un nombre entier. Quel est le nombre entier qui suit n ? celui qui précède n ?

Expressions littérales

Pour les exercices 24 et 25, développer et réduire chaque expression.

24 $A = 3(5 - 4x)$ $B = -2(3y - 8)$ $C = -4(a + 4)$
$D = x(3 - x)$ $E = t(2t + 5)$ $F = 3y(y - 2)$

25 $G = (x + 7)(x + 3)$ $H = (x - 5)(x + 2)$
$I = (2x + 1)(x - 4)$ $J = (x - 3)(3x - 2)$

26 **ALGO** x désigne un nombre positif.
Voici un rectangle dont les côtés ont des longueurs variables.

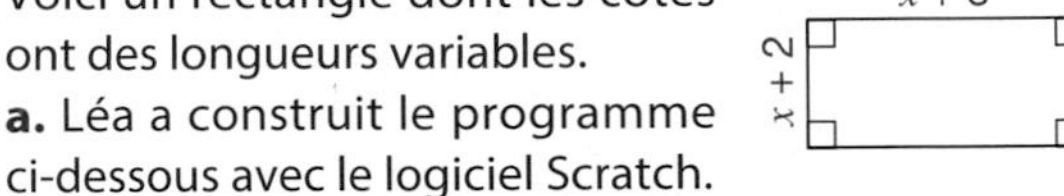

a. Léa a construit le programme ci-dessous avec le logiciel Scratch.

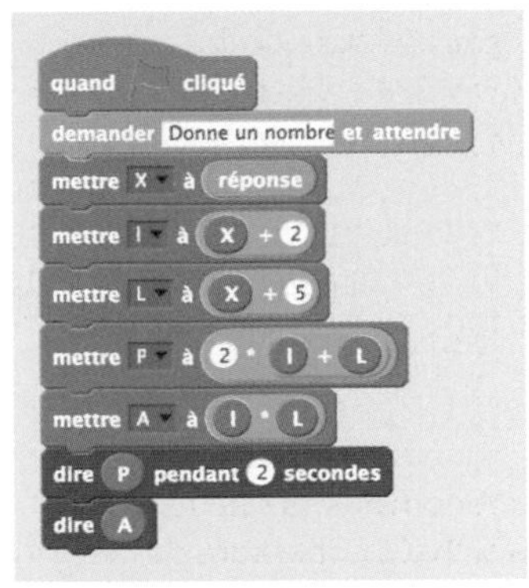

Que représentent les variables l et L ?
b. Quel est le rôle du programme de Léa ?
c. Léa affirme : « $P = 3x + 9$ et $A = x^2 + 7x + 10$. »
A-t-elle raison ? Expliquer.
d. Réaliser ce programme. Le tester en donnant à x la valeur 3, puis la valeur 10.

Pour les exercices 27 à 31, développer et réduire chaque expression à l'aide d'une identité remarquable.

27 $A = (x + 3)^2$ $B = (x + 8)^2$ $C = (x + 12)^2$

28 $D = (x - 5)^2$ $E = (x - 2)^2$ $F = (x - 9)^2$

29 $G = (x + 7)(x - 7)$ $H = (x - 6)(x + 6)$

30 $A = (x + 1)^2$ $B = (x + 5)(x - 5)$ $C = (4 - x)^2$

31 $D = (x - 2{,}5)^2$ $E = (1 - x)(1 + x)$
$F = (6 + x)^2$ $G = (x - 3)(x + 3)$

32 Voici deux programmes de calcul.

Programme A
- Choisir un nombre.
- Soustraire 1.
- Élever au carré.
- Soustraire 1.

Programme B
- Choisir un nombre.
- Soustraire 2.
- Multiplier par le nombre choisi.

a. Appliquer chaque programme aux nombres :
• 3 • 10 • –5 • un autre nombre choisi au hasard
Que constate-t-on ? Émettre une conjecture.
b. On note n le nombre choisi au départ.
Exprimer en fonction de n le résultat obtenu avec chaque programme.
Démontrer la conjecture émise à la question **a.**

33 **TICE** x désigne un nombre positif.
Le solide ci-contre est formé de deux pyramides identiques, de hauteur 6 cm, dont le côté de la base carrée commune ABCD mesure $x + 1$ (en cm).

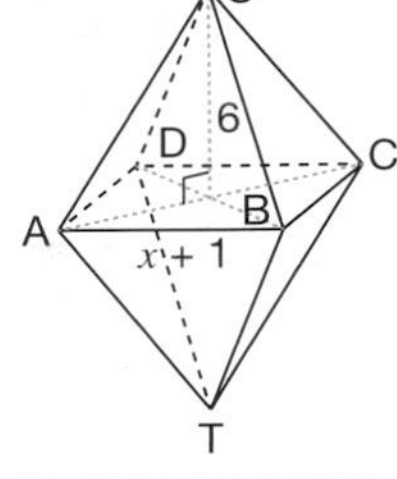

a. Exprimer, en fonction de x, le volume V du solide, sous forme développée et réduite.
b. Utiliser un tableur pour trouver la valeur de x pour laquelle V est égal à 900 cm³.

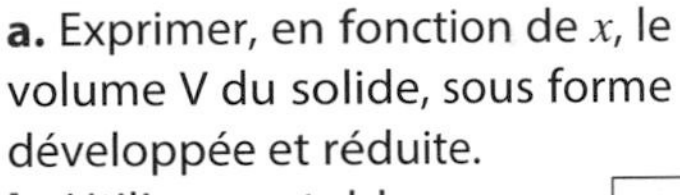

	A	B
1	x	V
2	0	4
3	1	16

Pour les exercices 34 à 36, développer et réduire chaque expression.

34 $A = (2x + 1)^2$ $B = (3x + 7)^2$ $C = (5x + 9)^2$

35 $D = (3x - 5)^2$ $E = (4x - 3)^2$ $F = (2x - 0{,}5)^2$

36 $G = (4x + 5)(4x - 5)$ $H = (3x - 1)(3x + 1)$

37 x désigne un nombre supérieur ou égal à 2.
ABCD est un carré et ABEF est un rectangle.

B E C
F
A D
$x + 3$ $x - 2$

1. Exprimer en fonction de x :
a. la longueur AD ;
b. l'aire $\mathcal{A}$ du carré ABCD ;
c. l'aire $\mathcal{B}$ du rectangle ABEF ;
d. l'aire $\mathcal{C}$ du rectangle ECDF.
2. a. Exprimer les aires $\mathcal{B}$ et $\mathcal{C}$ et leur somme sous forme développée et réduite.
b. Vérifier que cette somme est égale à $\mathcal{A}$.

38 Mettre en évidence un facteur commun, puis factoriser.

$A = 3x - 3$ $B = 4y + 6$ $C = 8 + 2n$

$D = 7x^2 - 5x$ $E = 30a + 36a^2$ $F = -2x^2 - 2$

39 x désigne un nombre relatif.
En utilisant des identités remarquables, recopier et compléter le tableau ci-dessous.

	Forme factorisée	Forme développée
a.	$(x+5)^2$	
b.		$x^2 - 12x + 36$
c.		$4x^2 + 40x + 100$
d.	$(x+10)(x-10)$	
e.		$x^2 - 121$
f.		$49x^2 - 14x + 1$

40 Recopier et compléter à l'aide d'une identité remarquable.

a. $4x^2 + 12x + 9 = (\ldots + \ldots)^2$

b. $16x^2 - 40x + 25 = (\ldots - \ldots)^2$

c. $9x^2 - 64 = (\ldots + \ldots)(\ldots - \ldots)$

d. $49 - 70x + 25x^2 = (\ldots - \ldots)^2$

41 Factoriser à l'aide d'une identité remarquable.

$A = x^2 - 16$ $B = 9x^2 - 24x + 16$ $C = x^2 + 20x + 100$

42 Reconnaître une différence de deux carrés et factoriser.

$D = (x+1)^2 - 4$ $E = (x-2)^2 - 9$ $F = (3x-1)^2 - 1$

Équations

Pour les exercices 43 à 45, résoudre chaque équation.

43 **a.** $5x + 7 = 2x - 2$ **b.** $3x + 2 = x - 10$

44 **a.** $2x - 5 = 5x + 1$ **b.** $3 - 7x = 3x + 2$

45 **a.** $5x - 6 = -x + 3$ **b.** $2x - \frac{1}{3} = 1$

46 Voici quatre équations. Trouver celles qui ont la même solution.

❶ $4(x+2) = x - 1$ ❷ $5y + 1 = 3(y-1) - 2$

❸ $3n - 1 = 2(n+1)$ ❹ $4(a+1) - 5 = 6a + 5$

47 Élias affirme : « Ces équations ont toutes un nombre entier relatif pour solution. » A-t-il raison ?

a. $2(4x-5) = 4 + x$ **b.** $2(x+8) + 3 = 4 - 3x$

c. $12x - 1 = 2(5x-2) + 1$ **d.** $(x-3)^2 = x(x-5)$

48 **a.** La somme de 5 et du double d'un nombre est égale à 41. Quel est ce nombre ?

b. Au triple d'un nombre, on retranche 5 et on trouve 9. Quel est ce nombre ?

49 Maud et Victor choisissent un même nombre.
Maud le multiplie par 8, puis soustrait 5 au résultat.
Victor le multiplie par 10, puis ajoute 2 au résultat.
Ils obtiennent le même résultat.
Quel nombre Maud et Victor ont-ils choisi ?

50 Zoran, âgé de 15 ans, se renseigne sur les tarifs d'une piste de karting.

Moins de 16 ans	
Carte de membre	20 €
Séance (15 min)	8 €

La carte est valable une année.

a. Zoran envisage de faire 1 h de karting par mois, pendant 10 mois.
Quel sera le montant de sa dépense ?

b. Zoran dispose de 300 €. Combien de séances de karting pourra-t-il faire dans l'année ?

51 Recopier et compléter selon la règle indiquée.
On peut noter x le nombre manquant sur la ligne du bas.

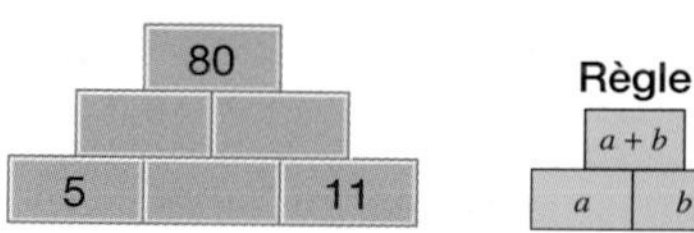

52 Ugo a 14 ans et sa mère Anna a 40 ans.
On se propose de déterminer dans combien d'années l'âge d'Anna sera le double de l'âge d'Ugo.
Pour résoudre ce problème, Lise note n le nombre d'années cherché et résout une équation.

a. Parmi ces équations, laquelle traduit la situation ?

❶ $n + 40 = 2 \times 14$ ❷ $40 = 2 \times (n + 14)$

❸ $40 + n = 2 \times (n + 14)$

b. Résoudre l'équation choisie, et conclure.

53 Cléa : « Mon père a 25 ans de plus que moi. Dans 11 ans, il aura le triple de l'âge que j'ai aujourd'hui. »
Quel âge a Cléa ?

54 AENT est un carré dont le périmètre est 56 cm.
PAE est un triangle isocèle en P.
a. Calculer AE.
b. Pour quelle longueur de [AP] le périmètre du pentagone PENTA est-il égal à 60 cm ? Justifier.

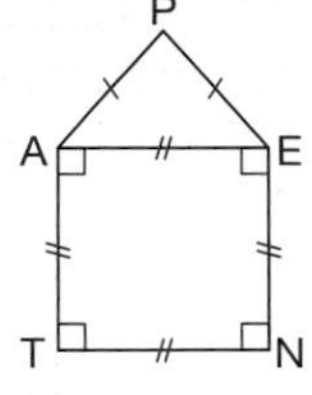

55 L'unité de longueur est le centimètre.
x désigne un nombre ($x > 1$).
a. Pour quelle valeur de x le périmètre du quadrilatère QUAD est-il 32 cm ?
b. Quelle est alors la nature quadrilatère QUAD ?

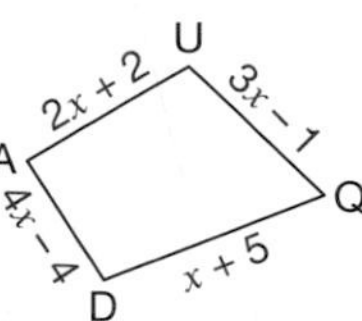

56 Résoudre chaque équation « produit nul ».
a. $(x + 8)(x - 5) = 0$ **b.** $5x(4 - x) = 0$ **c.** $(x + 3)^2 = 0$

Pour les exercices 57 et 58, résoudre chaque équation.

57 **a.** $(2x + 7)(3x - 12) = 0$ **b.** $(5y - 2)(6y + 9) = 0$

58 **a.** $2x(4x - 5) = 0$ **b.** $(3 - 2n)(n + 4) = 0$

59 Nick affirme : « Les solutions de ces deux équations sont des nombres rationnels. »
A-t-il raison ? Justifier.
a. $(2x + 1)(3x - 5) = 0$ **b.** $2(4y - 3)(6y + 1) = 0$

Pour les exercices 60 à 62, factoriser le membre de gauche puis résoudre l'équation.

60 **a.** $x^2 - 5x = 0$ **b.** $6x^2 - 18x = 0$

61 **a.** $x^2 - 4 = 0$ **b.** $x^2 - 6x + 9 = 0$

62 **a.** $4x^2 - 1 = 0$ **b.** $(x - 3)^2 - 4 = 0$

63 Voici un programme de calcul.

- Choisir un nombre.
- Le doubler.
- Ajouter 5.
- Élever au carré.

a. Appliquer ce programme aux nombres : • 4 • 0 • −6.
b. Quel(s) nombre(s) doit-on choisir au départ pour obtenir 0 comme résultat ?

Inéquations du premier degré

64 Dans chaque cas, citer la règle qui permet de passer de l'inégalité à l'inégalité écrite en dessous.
a. $x + 3 < 2$
$x < -1$
b. $x - 4 > 1$
$x > 5$
c. $3x \geqslant 4 + 2x$
$x \geqslant 4$
d. $3x \leqslant -6$
$x \leqslant -2$
e. $-2x > 8$
$x < -4$
f. $-3x < -15$
$x > 5$

65 Dire si -2 est une solution de l'inéquation.
a. $1 - 2x \leqslant 2$ **b.** $2t - 3 > t - 5$ **c.** $4x + 2 \geqslant 2x - 3$

66 Associer chaque inéquation avec la représentation de ses solutions sur une droite graduée (en rouge).
a. $x > 2$
b. $x \leqslant 2$
c. $x \geqslant 2$
d. $x < 2$

❶ 0 1 2
❷ 0 1 2
❸ 0 1 2
❹ 0 1 2

Pour les exercices 67 à 69, résoudre chaque inéquation.

67 **a.** $x - 3 > 2$ **b.** $y + 4 \leqslant 1$ **c.** $2 - x < 5$

68 **a.** $4t \geqslant -20$ **b.** $-5x > 2$ **c.** $\frac{x}{3} \leqslant 2$

69 **a.** $5x + 3 > 8$ **b.** $2a - 5 \leqslant -4$ **c.** $1 - 2x \geqslant -3$

70 On considère l'inéquation $4x - 5 \leqslant x + 7$.
a. Pour chacun des nombres suivants, dire s'il est solution de cette inéquation : • −5 • 0 • 4 • 10.
b. Résoudre cette inéquation.
c. Représenter les solutions sur une droite graduée.

Pour les exercices 71 et 72, résoudre chaque inéquation.

71 **a.** $5x + 3 > 2x - 9$ **b.** $4x + 1 \geqslant 6x - 2$

72 **a.** $2x + 3 \leqslant 3x + 1$ **b.** $5x + 4 < 2 - 3x$

73 Une famille espère économiser 250 € par an en récupérant de l'eau de pluie dans une citerne.
Au bout de combien d'années les économies réalisées pourront-elles compenser l'achat de la citerne, qui a coûté 910 € ?

Je m'entraîne

74 Maïa, nouvelle adhérente d'un club de squash, étudie les deux tarifs proposés :

- Tarif A : 5,50 € par séance.
- Tarif B : achat d'une carte Privilège à 40 € pour l'année, donnant droit au tarif réduit de 4 € par séance.

1. On note n le nombre de séances. Exprimer, en fonction de n, la dépense totale pour n séances :
a. avec le tarif A ; **b.** avec le tarif B.

2. a. Résoudre l'inéquation $4n + 40 \leqslant 5{,}5n$.
b. Expliquer, en rédigeant la réponse, à quoi correspondent pour Maïa les nombres entiers qui sont solutions de cette inéquation.

Désignation de nombres

75 On se propose de trouver trois nombres entiers consécutifs dont la somme est 2 016.
a. Pour résoudre ce problème, Laura choisit le plus grand des trois nombres comme inconnue et Enzo le plus petit.
Voici leurs deux équations. Retrouver chaque auteur.

❶ $a + a + 1 + a + 2 = 2\,016$

❷ $x - 2 + x - 1 + x = 2\,016$

b. Écrire une troisième équation pour traduire cette situation, en choisissant pour inconnue le « nombre du milieu ».
c. Quels sont ces trois nombres ?

Je m'évalue à mi-parcours

Pour chaque question, une seule réponse est exacte.

	a	b	c	En cas d'erreur
76 51×49 est égal à …	50^2	$50^2 - 1$	$50^2 - 2$	Ex. 19
77 $(x + 5)^2$ est égal à …	$x^2 + 25$	$x^2 + 5x + 25$	$x^2 + 10x + 25$	Cours 1
78 $(x - 4)^2$ est égal à …	$x^2 - 16$	$x^2 - 8x + 16$	$x^2 - 8x - 16$	Ex. 28
79 $(x - 3)(x + 3)$ est égal à …	$x^2 - 9$	$x^2 - 6x + 9$	$2x - 9$	Ex. 29
80 $4x^2 - 49$ peut s'écrire …	$(2x - 7)^2$	$4(x^2 - 9)$	$(2x + 7)(2x - 7)$	Cours 1
81 Pour résoudre l'équation : $2x - 9 = -3 + 4x$, on peut écrire successivement …	$2x - 6 = 4x$ $6x = 6$ $x = 1$	$-2x - 9 = -3$ $-2x = 6$ $x = 3$	$2x - 6 = 4x$ $-6 = 2x$ $x = -3$	Cours 2 et ex. 43
82 Les solutions de l'équation $(3x + 3)(2x - 8) = 0$ sont …	-1 et 4	-1 et -4	1 et -4	Ex. 57
83 Le nombre 1 est une solution de l'inéquation …	$5x - 4 > 6$	$-3x + 2 \geqslant -5$	$4x + 2 < 6$	Cours 3 et ex. 65
84 Les solutions de l'inéquation $-3x - 7 \geqslant 5$ sont les nombres x tels que …	$x \geqslant -4$	$x \leqslant 4$	$x \leqslant -4$	Cours 3 et ex. 67
85 n désigne un nombre entier. Un multiple de 5 s'écrit sous la forme …	$5 + n$	$5n$	5^n	Cours 4

Vérifie tes réponses ➲ p. 259

► Conjecturer avec le tableur, puis démontrer

86 Montrer un résultat général 

On se propose d'étudier la parité de la différence des carrés de deux nombres entiers consécutifs.

1 **a.** Réaliser la feuille de calcul ci-contre.
b. En cellule B2, saisir la formule `=A2+1`.
En cellule C2, saisir la formule `=B2*B2-A2*A2` ou `=B2^2-A2^2`.
Sélectionner la plage A2:C2, puis la recopier vers le bas sur quelques centaines de lignes.
Émettre une conjecture pour les résultats affichés dans la colonne C.

	A	B	C
1	Nombre entier	Entier suivant	Différence des carrés
2	0		
3	1		
4	2		
5	3		
6	4		

2 On note n et $n + 1$ deux nombres entiers consécutifs.
a. Exprimer en fonction de n la différence de leurs carrés.
b. Utiliser un développement ou une factorisation pour réduire cette expression.
En déduire si la conjecture établie à la question **1** **b** est vraie ou fausse.

87 Résoudre un problème 

On considère le programme de calcul ci-contre.
On se propose d'étudier si ce programme permet d'obtenir un résultat négatif et, si oui, pour quelles valeurs du nombre choisi au départ.

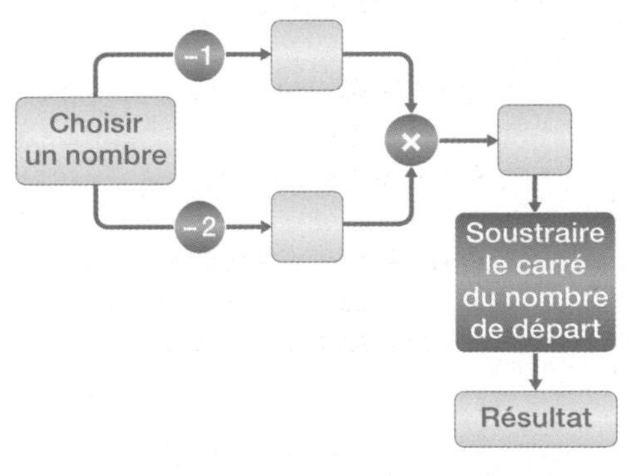

1 **a.** Réaliser la feuille de calcul ci-dessous.

	A	B	C	D	E	F
1	x	$x - 1$	$x - 2$	$(x-1)(x-2)$	x^2	Résultat
2	-10					
3	-9					
4	-8					
5	-7					
6	-6					

b. Écrire les formules qui conviennent dans les cellules B2 à F2.
c. Recopier la plage A2:F2 vers le bas sur plusieurs lignes.
d. Émettre une conjecture à propos du problème posé.

2 On note x le nombre choisi au départ.
a. Exprimer en fonction de x le résultat du programme.
b. Traduire le problème posé par une inéquation.
c. Résoudre cette inéquation après avoir développé et réduit le membre de gauche.
d. Vérifier qu'il y a cohérence avec la conjecture établie à la question **1** **d.**

J'utilise mes compétences

S'initier au raisonnement

88 Montrer un résultat général

Chercher • Raisonner • Communiquer

Prouver que la somme de deux multiples de 3 est un multiple de 3.

Conseil

Un multiple de 3 s'écrit sous la forme $3n$.
Utilise une factorisation.

89 Traduire une situation par une formule

Raisonner • Calculer • Communiquer

- Choisir un nombre.
- Ajouter 4.
- Multiplier par le nombre choisi.
- Ajouter 4.

a. Donner le résultat fourni par le programme de calcul si l'on choisit comme nombre de départ :
• -2 • 5 • 10

b. Montrer que le résultat obtenu est toujours le carré d'un nombre entier.

Conseil

b. Tu peux noter n le nombre choisi au départ. Exprime le résultat en fonction de n et factorise.

90 Traduire une situation par une équation

Modéliser • Raisonner • Communiquer

Une école de musique organise un concert de fin d'année. La recette s'élève à 1 300 €. Dans le public, il y a 100 adultes et 50 enfants. Le tarif enfant coûte 4 € de moins que le tarif adulte.
Quel est le tarif enfant ?

Conseil

Tu peux noter e le tarif enfant. Exprime, en fonction de e, le tarif adulte et le montant de la recette.

91 Relier la géométrie et le numérique

Modéliser • Raisonner • Communiquer

Quelle doit être la longueur du côté du carré ABCD pour que ce carré et le triangle rectangle AED aient la même aire ?

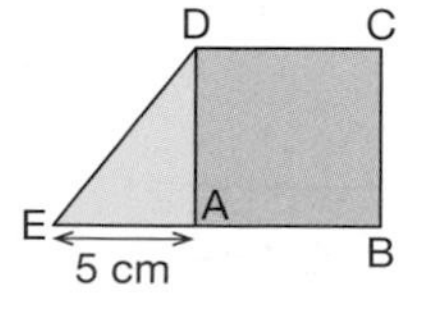

Conseil

Note x la longueur, en cm, du côté du carré ABCD.
Exprime en fonction de x les aires de ABCD et de AED.
Résous l'équation obtenue en factorisant.

92 Utiliser une inéquation

Modéliser • Raisonner • Communiquer

Un institut de recherche en robotique emploie 19 ingénieurs et 28 techniciens. On envisage d'embaucher le même nombre d'ingénieurs et de techniciens.
Combien faut-il embaucher de spécialistes de chaque sorte pour que le nombre d'ingénieurs soit au moins égal aux trois quarts du nombre de techniciens ?

Conseil

Désigne par x le nombre d'ingénieurs embauchés ; x désigne aussi le nombre de techniciens embauchés.

93 Avoir un esprit critique

Représenter • Raisonner • Communiquer

a. Les dimensions, en cm, d'un rectangle sont deux nombres entiers consécutifs. Son périmètre est 106 cm. Quelle est l'aire de ce rectangle ?

b. Reprendre la question **a** pour un périmètre de 124 cm. Que se passe-t-il alors ?

Conseil

Note n la longueur du côté le plus court du rectangle.
Écris son périmètre en fonction de n.
Mets le problème en équation. Observe la solution.

94 Étudier la parité d'un résultat

Modéliser • Raisonner • Communiquer

Dans chaque cas, étudier si la somme est paire ou impaire. Justifier.

a. On additionne un nombre pair et un nombre impair.

b. On additionne les carrés de deux nombres entiers consécutifs.

Conseil

Commence par des essais et prouve ta conjecture.

95 Comprendre une situation

Chercher • Raisonner • Communiquer

Trouver tous les nombres tels que le carré de la somme de ce nombre et de 5 est égal à 25.

Conseil

Pour être sûr(e) de trouver tous les nombres cherchés, résous une équation.

Organiser son raisonnement

96 Choisir l'inconnue

Chercher • Modéliser • Calculer • Communiquer

Zoé affirme : « La somme de cinq nombres entiers consécutifs est égale au quintuple du troisième. » Que peut-on en penser ? Expliquer.

97 Prouver une conjecture

Raisonner • Calculer • Communiquer

Gabriel doit calculer $3{,}5^2$.
« Pas la peine de prendre ta calculatrice, lui dit Mariam, tu n'as qu'à effectuer le produit de 3 par 4 et ajouter 0,25. »

a. Effectuer le calcul proposé par Mariam et vérifier que le résultat obtenu est bien le carré de 3,5.
b. Proposer une façon simple de calculer $7{,}5^2$ et donner le résultat.
c. Mariam propose la conjecture suivante :
$$(n + 0{,}5)^2 = n(n + 1) + 0{,}25$$
où n désigne un nombre entier positif.
Prouver que la conjecture de Mariam est vraie quel que soit le nombre n.

98 Étudier une affirmation

Chercher • Raisonner • Communiquer

« Pour tous les nombres x, on a :
$$(2x + 3)^2 = 2x(2x + 3) + 9. »$$
Préciser si cette affirmation est vraie ou fausse. Justifier.

99 Effectuer des calculs remarquables

Chercher • Représenter • Communiquer

a. Effectuer les calculs ci-dessous.
• $2 \times 4 - 3^2$ • $7 \times 9 - 8^2$ • $11 \times 13 - 12^2$
b. Émettre une conjecture sur le résultat de la différence $(n - 1)(n + 1) - n^2$, si n est un entier.
c. Prouver que cette conjecture est vraie.

100 Envisager plusieurs cas

Chercher • Raisonner • Communiquer

On a représenté ci-contre à main levée un triangle ABC.
x désigne un nombre positif.
Pour quelle(s) valeur(s) de x ce triangle ABC est-il isocèle ?

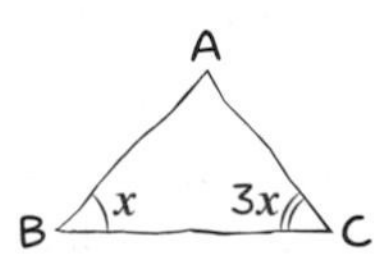

101 Comparer deux tarifs

Raisonner • Modéliser • Communiquer

Certains fournisseurs d'énergie proposent de l'électricité « verte », produite à partir de sources d'énergies renouvelables.

Une famille étudie deux tarifs.

	Tarif 1	Tarif 2
Abonnement mensuel (en €)	8,10	9,48
Prix du kWh distribué (en €)	0,150 3	0,147 9

Trouver le tarif le plus avantageux pour cette famille en fonction de sa consommation.

102 Étudier une inéquation

Raisonner • Communiquer

Chacune des affirmations ci-dessous concerne l'inéquation $-5x + 1 \leqslant 6$.
Lesquelles sont vraies ? Expliquer.
• Anatole : « 0 est une solution. »
• Capucine : « – 1 est la solution. »
• Esteban : « Les solutions sont tous les nombres inférieurs ou égaux à – 1. »
• Loubna : « Tous les nombres positifs sont solutions. »
• Max : « Aucun nombre négatif n'est solution. »

103 Participer à un débat

Modéliser • Raisonner • Communiquer

1. Sacha affirme : « Pour résoudre l'équation $x^2 = 25$, je soustrais 25 à chaque membre, puis je factorise $x^2 - 25$ et j'obtiens une équation "produit nul". Je trouve deux solutions : 5 et – 5. »
Ninon répond : « Trop compliqué ! 25 est le carré de 5 et de – 5. On trouve les solutions mentalement ! »
Que peut-on penser de ces deux affirmations ?

2. Dire quelle démarche (celle de Sacha ou de Ninon) choisir pour obtenir aisément les solutions de l'équation.
a. $4x^2 = 9$ **b.** $x^2 = 49$ **c.** $(x - 1)^2 = 4$ **d.** $x^2 = 1$

104 Construire une figure

Représenter • Modéliser • Communiquer

Construire un triangle ABC rectangle en A, tel que [AB] mesure 6 cm et que [BC] mesure 3 cm de plus que [AC].

J'utilise mes compétences

105 Communiquer en anglais

Raisonner • Modéliser • Communiquer

The three angles of a triangle are $a°$, $(a + 10)°$, $(a + 20)°$. Find the value of a.

106 Réagir à des informations

Représenter • Communiquer

Fatou choisit trois nombres entiers relatifs consécutifs rangés par ordre croissant.
Lila multiplie le 3e nombre par le double du 1er.
John calcule le carré du 2e nombre, puis il ajoute 2 au résultat obtenu.

1. Lila a écrit 11×18 et John a écrit $10^2 + 2$.
a. Effectuer ces calculs.
b. Quels sont les trois nombres choisis par Fatou ?

2. Fatou choisit trois nouveaux nombres entiers et, surprise ! Lila et John obtiennent le même résultat.
a. Est-il possible que Fatou ait choisi 6 comme 2e nombre ? qu'elle ait choisi -7 ?
b. Fatou prétend qu'en prenant pour inconnue le 2e nombre entier (qu'elle appelle n), l'équation $n^2 - 4 = 0$ permet de trouver le (ou les) nombre(s) qu'elle a choisi(s).
A-t-elle raison ? Justifier en expliquant comment obtenir cette équation, puis donner les valeurs possibles des nombres entiers qu'elle a choisis.

107 Lier formule et graphique TICE

Représenter • Communiquer

Un fabricant propose une éolienne pour laquelle la puissance P, en watts, est donnée par la formule :

$$P = -2v^3 + 55v^2 - 210v + 186$$

où v est la vitesse du vent (en m/s), avec $4 \leqslant v \leqslant 23$.

1. Calculer la puissance P pour un vent de :
a. 5 m/s **b.** 10 m/s **c.** 20 m/s

2. a. Réaliser la feuille de calcul ci-dessous, pour des valeurs de v comprises entre 4 et 23 m/s.

	A	B
1	v (en m/s)	P (en W)
2	4	
3	5	

b. Avant de la recopier vers le bas, saisir en cellule B2 la formule `=-2*A2^3+55*A2^2-210*A2+186`.
c. Sélectionner la plage A1:B21 et insérer un diagramme (choisir XY dispersion).
d. Déterminer une valeur approchée à 1 m/s près de la vitesse du vent nécessaire pour que la puissance développée par l'éolienne soit maximale.

108 Résoudre un problème du XVe siècle Histoire

Chercher • Raisonner • Communiquer

En 1484, le mathématicien français Nicolas Chuquet présenta l'énigme suivante dans son traité d'algèbre *Triparty en la science des nombres* à propos d'un marchand.
Résoudre cette énigme.

« Je pose que le premier jour où j'entre à Paris, on me double tout l'argent que j'ai en bourse et ce même jour je dépense un gros. De même le second jour, on me triple tout l'argent qui m'est resté et ce second jour, je dépense 2 gros. De même, le troisième jour, on me quadruple tout mon argent et ce même jour je dépense 3 gros. Et après je regarde dans ma bourse et je trouve que je n'ai plus que 3 gros.
On veut savoir combien j'avais d'argent au départ. »

109 Imaginer une stratégie

Raisonner • Modéliser • Communiquer

Six nombres 1 ; 7 ; 11 ; 19 ; 30 et un nombre inconnu ont pour moyenne le triple de ce nombre.
Quel est ce nombre ?

110 Prendre des initiatives

Modéliser • Raisonner • Communiquer

Soustraire 6 à un nombre ou le diviser par 6 donne le même résultat.
Quel est ce nombre ?

111 Narration de recherche 

Problème

Le rectangle dessiné ci-contre est partagé en 9 carrés.
Chaque carré bleu a 10 cm de côté.
Quelle est la longueur du côté du carré blanc ?

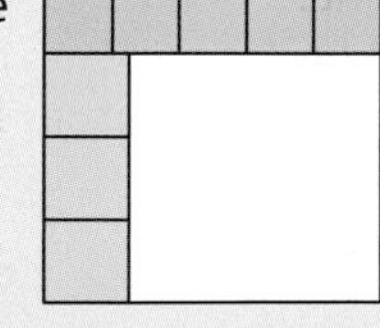

D'après Kangourou des mathématiques

Raconter sur une feuille les différentes étapes de la recherche et les remarques qui ont fait changer de méthode ou qui ont permis de trouver.

112 Problème ouvert

Chercher • Raisonner • Communiquer

Trouver deux nombres entiers relatifs consécutifs dont le produit est égal à leur somme diminuée de 1.

Je fais le point sur mes compétences

113 Traiter un QCM

Dans chaque cas, une seule réponse est exacte. Recopier la bonne réponse.

a. Si l'on développe et réduit l'expression $(x + 2)(3x - 1)$, on obtient :

- $3x^2 + 5x - 2$
- $3x^2 + 6x + 2$
- $3x^2 - 1$

b. La forme développée de $(x - 1)^2$ est :

- $(x - 1)(x + 1)$
- $x^2 - 2x + 1$
- $x^2 + 2x + 1$

c. Une expression factorisée de $(x - 1)^2 - 16$ est :

- $(x + 3)(x - 5)$
- $(x + 4)(x - 4)$
- $x^2 - 2x - 15$

d. Une expression factorisée de $x^2 - 36$ est :

- $(x - 6)^2$
- $(x + 18)(x - 18)$
- $(x - 6)(x + 6)$

Conseil

Au brouillon, fais des tests ou bien développe ou factorise selon la question.
Pour les questions **b**, **c**, **d**, pense aux identités remarquables.

114 Identifier des solutions

Dans chaque cas, une seule réponse est exacte. Recopier la bonne réponse.

a. Une solution de l'équation $2x^2 + 3x - 2 = 0$ est :

- 0
- 2
- -2

b. Les solutions de l'équation $(x + 1)(5x - 10) = 0$ sont :

- -1 et -2
- 1 et 2
- -1 et 2

c. Les solutions de l'inéquation $-3x + 5 \geqslant 9$ sont les nombres x tels que :

- $x \leqslant \frac{-4}{3}$
- $x = \frac{-4}{3}$
- $x \geqslant \frac{-4}{3}$

d. La (ou les) solution(s) de l'inéquation $-2(x + 7) \leqslant -16$ sont :

- tous les nombres inférieurs ou égaux à 1
- tous les nombres supérieurs ou égaux à 1
- 1

Conseil

Pour la question **a**, teste l'équation avec les valeurs proposées. Pour les autres questions, il est préférable de résoudre l'équation ou l'inéquation au brouillon.

115 Résoudre une équation du 1er degré

Résoudre l'équation : $5x - 2 = 3x + 7$.

Conseil

Utilise les règles du cours. Vérifie si la valeur trouvée est bien solution de l'équation initiale.

116 Dire si une affirmation est vraie ou fausse

Dans chaque cas, dire si l'affirmation est vraie ou fausse. Justifier la réponse.

a. Le nombre 3 est solution de l'équation :

$$x^2 + 2x - 15 = 0.$$

b. On note x un nombre relatif.
$A = 2x^2 + 9x + 5$.
L'expression A est égale au produit de la somme de x et de 5 par la différence entre $2x$ et 1.

Conseil

b. Traduis la phrase « L'expression A… » par une écriture de la forme $(\ldots + \ldots) \times (\ldots - \ldots)$.

117 Utiliser une identité remarquable

a. n désigne un nombre quelconque.
Développer et réduire l'expression $(2n + 5)(2n - 5)$.

b. En utilisant la question **a**, calculer 205×195.

Conseil

$205 = 200 + 5$ et $195 = 200 - 5$.

118 Étudier un programme de calcul

Voici un programme de calcul.

- Prendre un nombre.
- Lui ajouter 8.
- Multiplier le résultat par 3.
- Enlever 24.
- Enlever le nombre de départ.

Voici ce qu'affirment quatre élèves :

- Sophie : « Quand je prends 4 comme nombre de départ, j'obtiens 8. »
- Martin : « En appliquant le programme à 0, je trouve 0. »
- Gabriel : « Moi, j'ai pris -3 au départ et j'ai obtenu -9. »
- Faïza : « Pour n'importe quel nombre choisi, le résultat est égal au double du nombre choisi. »

Pour chacun de ces élèves, expliquer s'il a raison ou tort.

Conseil

Pour chaque élève, écris les résultats successifs obtenus. Pour Faïza, note n le nombre choisi au départ ; n'oublie pas les parenthèses.

Avec une aide

119 Utiliser un programme de calcul

Trouver le nombre auquel je pense.

- Je pense à un nombre.
- Je lui soustrais 10.
- J'élève le tout au carré.
- Je soustrais au résultat le carré du nombre auquel j'ai pensé.
- J'obtiens alors : – 340.

Conseil

Fais un essai au brouillon en choisissant un nombre, pour bien comprendre le programme.
Désigne ensuite par x le nombre cherché. Écris chaque étape en fonction de x. Développe et réduis le résultat R obtenu. Enfin, résous l'équation $R = -340$.

120 Montrer un résultat général

Manon : Je prends un nombre entier. Je lui ajoute 3 et je multiplie le résultat par 7. J'ajoute le triple du nombre de départ au résultat et j'enlève 21. J'obtiens toujours un multiple de 10.

Est-ce vrai ? Justifier.

Conseil

Un multiple de 10 s'écrit sous la forme $10n$, où n est un nombre entier.

121 Relier la géométrie au numérique

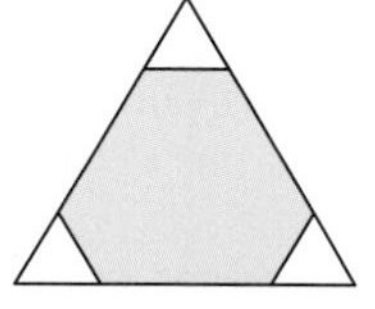

Trois triangles équilatéraux identiques sont découpés dans les coins d'un triangle équilatéral de côté 6 cm.
La somme des périmètres des trois petits triangles est égale au périmètre de l'hexagone vert restant.
Quelle est la longueur du côté des petits triangles ?

Conseil

Note x la longueur du côté d'un petit triangle équilatéral. Exprime en fonction de x le périmètre de chaque petit triangle, la longueur de chaque côté de l'hexagone et le périmètre de cet hexagone.
Résous une équation.

Sans aide maintenant

122 Utiliser une inéquation

Anissa habite Toulouse et sa meilleure amie vient de déménager à Bordeaux. Elles décident de continuer à se voir. Voici les tarifs de train entre les deux villes :
- un aller-retour coûte 80 € ;
- avec un abonnement annuel à 442 €, un aller-retour coûte alors moitié prix.

Aider Anissa à choisir la formule la plus avantageuse en fonction du nombre de voyages.

123 Comprendre une feuille de calcul TICE

Pauline a réalisé cette feuille de calcul.

	A	B	C	D	E	F	G	H
1	x	-3	-2	-1	0	1	2	3
2	$3x^2 - 9x - 7$	47	23	5	-7	-13	-13	-7
3	$5x - 7$	-22	-17	-12	-7	-2	3	8

a. Déduire du tableau ci-dessus une solution de l'équation $3x^2 - 9x - 7 = 5x - 7$.

b. Cette équation a-t-elle une autre solution que celle trouvée grâce au tableur ? Justifier.

124 Envisager un résultat général

Léo pense qu'en multipliant deux nombres impairs consécutifs et en ajoutant 1, le résultat obtenu est toujours un multiple de 4.

1. Calculer $5 \times 7 + 1$. Léo a-t-il raison dans ce cas ?

2. a. Développer et réduire l'expression :

$$(2x + 1)(2x + 3) + 1.$$

b. Montrer que le résultat est bien un multiple de 4.

125 Étudier une figure TICE

ABC est un triangle tel que :

AB = 5 cm, BC = 7,6 cm et AC = 9,2 cm.

On a construit ce triangle avec GeoGebra, puis on a placé un point P sur le segment [AC], on a tracé les triangles APB et BPC et on a affiché le périmètre de chaque triangle.

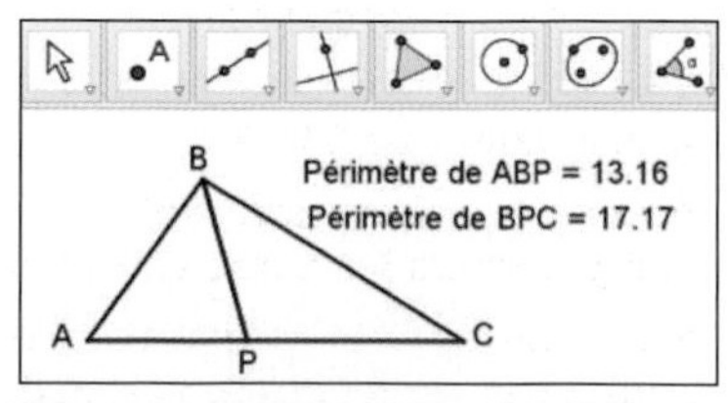

Où faut-il placer le point P pour que les deux triangles ABP et BPC aient le même périmètre ?

126 La maison

Un couple a acheté une maison pour la louer, de juin à septembre.
Le reste de l'année, elle est inoccupée.
Le couple a effectué un emprunt auprès de sa banque.
Ils prévoient qu'en 2016, le montant des dépenses liées à la maison sera 6 % plus élevé qu'en 2015.
À quel tarif minimal doit-il louer sa maison entre le 2 juillet et le 20 août pour couvrir les frais engendrés par la maison sur toute l'année 2016 ?
Donner une valeur approchée à 10 € près.

Doc. 1 Le remboursement de l'emprunt

Chaque mois, le couple verse 700 € à sa banque pour rembourser l'emprunt.

Doc. 2 Les dépenses liées à la maison pour l'année 2015

Dépenses (en €)
600
500
400
300
200
100
0
J F M A M J Jt A S O N D
Mois

Doc. 3 Tarifs de location de la maison

- Les locations se font du samedi au samedi.
- La maison est louée du samedi 4 juin au samedi 24 septembre 2016.
- Les tarifs :

Début	Fin	Nombre de semaines	Prix de la location par semaine (en €)
04/06	02/07	4	750
02/07	20/08	7	...
20/08	24/09	5	750

127 La tombola

Une association décide d'organiser une tombola afin de financer une sortie pour ses adhérents d'un montant de 2 660 €.
a. L'association pourra-t-elle financer cette sortie ?
b. Pour le même nombre de tickets vendus, proposer un prix de ticket permettant de financer un voyage d'une valeur de 10 000 €. Quel serait le prix minimal ?

Doc. 1 Les tickets

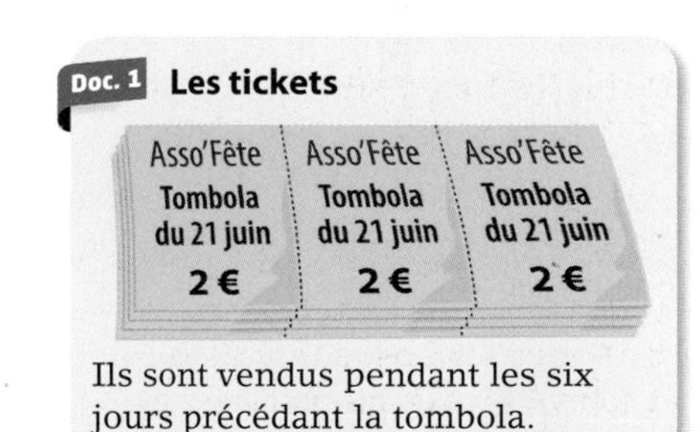

Ils sont vendus pendant les six jours précédant la tombola.

Doc. 2 Les tickets gagnants

- Le 1er ticket tiré au sort fera remporter le gros lot d'une valeur de 300 €.
- Les 10 tickets suivants tirés au sort feront remporter un lot d'une valeur de 25 € chacun.
- Les 20 tickets suivants tirés au sort feront remporter un lot d'une valeur de 5 € chacun.

L'association finance entièrement les lots.

Doc. 3 La vente des tickets

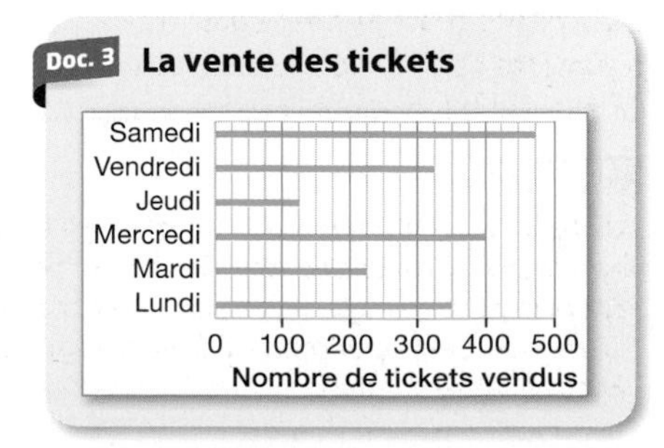

CHAPITRE

3 Découvrir et utiliser les nombres premiers

Une heure, c'est 12 fois 5 minutes.
Si l'on exprime une durée en fractions d'heure, alors $\frac{3}{12}$ d'heure, c'est 3 fois 5 minutes, c'est-à-dire $\frac{1}{4}$ d'heure.

Vu au Cycle 4

Pour chaque question, une réponse ou plusieurs sont exactes.

		a	b	c
1	Le reste de la division euclidienne d'un nombre par 3 peut être…	2	3	0
2	Le nombre 414 est divisible par…	2	3	9
3	Le nombre 25 a exactement…	2 diviseurs	3 diviseurs	4 diviseurs
4	Un multiple de 17 est…	255	267	289
5	La proportion $\frac{4}{5}$ est égale à…	$\frac{80}{100}$	$\frac{6}{7}$	$\frac{9}{10}$
6	Une fraction simplifiée égale à $\frac{24}{18}$ est…	$\frac{12}{9}$	$\frac{48}{36}$	$\frac{3}{4}$

Vérifie tes réponses p. 259

D'autres exercices sur ***le site compagnon*** 

Activité 1

Décomposer un nombre entier en produit de facteurs premiers

1 Nombres premiers

a. Quels sont les diviseurs :

• de 11 ? • de 13 ? • de 5 ? • de 1 ?

b. Un nombre qui n'a que **deux diviseurs**, 1 et lui-même, est appelé **un nombre premier**. Écrire tous les nombres premiers parmi les nombres de 0 à 30.

c. Expliquer pourquoi les nombres suivants ne sont pas premiers :

• 32 • 45 • 51 • 72 • 81

2 Décomposition

a. On a demandé d'écrire le nombre 40 comme produit de nombres premiers.
Quels produits vérifient cette consigne ?

• 4×10 • $2 \times 2 \times 10$ • $2 \times 2 \times 2 \times 5$ • $16 \times 2{,}5$ • 5×8 • $2^3 \times 5$

b. Écrire le nombre 180 comme produit de nombres premiers.

Activité 2

Rendre irréductible une fraction

Dans un collège de 840 élèves, il y a 360 demi-pensionnaires.
$\frac{360}{840}$ représente la proportion d'élèves demi-pensionnaires du collège.

1 On se propose de simplifier cette fraction à la main.

a. Les nombres 360 et 840 sont divisibles par 10.
En déduire une fraction simplifiée égale à $\frac{360}{840}$.

b. La fraction obtenue est encore simplifiable par 4. Quelle fraction obtient-on ?

c. Par quel nombre peut-on encore simplifier la fraction obtenue ?
Quelle fraction obtient-on ?

d. La fraction obtenue peut-elle être encore simplifiée ? Expliquer pourquoi.
On dit alors que cette fraction est **irréductible**.

2 Pour rendre irréductible une fraction, on peut aussi écrire le numérateur et le dénominateur comme produits de facteurs premiers.

a. Vérifier que $360 = 2^3 \times 3^2 \times 5$ et $840 = 2^3 \times 3 \times 5 \times 7$.

b. Utiliser les propriétés sur les puissances pour rendre irréductible la fraction $\frac{360}{840}$.

J'apprends le cours

1 Nombres premiers

Définition Un **nombre premier** est un nombre entier qui n'a que deux diviseurs : 1 et lui-même.

Liste des nombres premiers inférieurs à 65

2 3 5 7 11 13 17 19 23 29 31 37 41 43 47 53 59 61

Exemples de nombres non premiers

- 8 n'est pas un nombre premier car il est divisible par 1, 2, 4 et 8.
- 1 n'est pas un nombre premier car il admet un seul diviseur, lui-même.
- 0 n'est pas un nombre premier car il est divisible par n'importe quel nombre non nul.

2 Décomposition en produit de facteurs premiers

Propriété (admise) Un nombre entier supérieur ou égal à 2 se décompose en produit de facteurs premiers. Cette décomposition est unique, à l'ordre près.

Exemple 1 Décomposition de 84 en produit de facteurs premiers

La décomposition est unique : elle ne dépend pas du procédé utilisé pour l'obtenir.

1re méthode : on cherche ses diviseurs premiers dans l'ordre croissant.

- 84 est divisible par 2 : $84 = 2 \times 42$
- 42 est divisible par 2 : $84 = 2 \times 2 \times 21$
- 21 est divisible par 3 : $84 = 2 \times 2 \times 3 \times 7$

Or, 7 est premier, donc la décomposition de 84 en produit de facteurs premiers est terminée.

On écrit cette décomposition : $\mathbf{84 = 2^2 \times 3 \times 7}$.

2e méthode : on écrit d'abord un produit quelconque égal à 84.

$$84 = 4 \times 21 \text{ donc } 84 = 2 \times 2 \times 3 \times 7$$

Les nombres 2, 3 et 7 sont premiers, donc la décomposition de 84 en produit de facteurs premiers est : $\mathbf{84 = 2^2 \times 3 \times 7}$.

Exemple 2 Décomposition de 1 600 en produit de facteurs premiers

$1\,600 = 16 \times 100 = 4 \times 4 \times 4 \times 25$ donc $1\,600 = 2^2 \times 2^2 \times 2^2 \times 5^2$.

La décomposition de 1 600 en produit de facteurs premiers est : $\mathbf{1\,600 = 2^6 \times 5^2}$.

3 Fraction irréductible

Définition Une fraction est dite **irréductible** lorsque le numérateur et le dénominateur n'ont pas de diviseur commun autre que 1.

Exemple Fraction irréductible égale à $\frac{84}{30}$

On peut décomposer le numérateur et le dénominateur en produit de facteurs premiers.

$$\frac{84}{30} = \frac{2^2 \times 3 \times 7}{2 \times 3 \times 5} = \frac{2 \times 2 \times 3 \times 7}{2 \times 3 \times 5} = \frac{2 \times 7}{5} = \frac{14}{5}$$

J'apprends à ▶ Utiliser une décomposition en produit de facteurs premiers

Exercice résolu

1 Énoncé

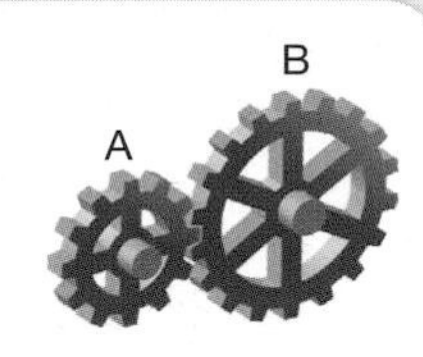

Une roue d'engrenage A a 12 dents.
Elle est en contact avec une roue B de 18 dents.
Au bout de combien de tours de chacune des roues seront-elles de nouveau, et pour la première fois, dans la même position ?

Solution

• Lorsque les roues sont à nouveau dans la même position, elles ont tourné d'un nombre entier de tours, donc :
– A a tourné d'un nombre de dents qui est un multiple de 12 ;
– B a tourné d'un nombre de dents qui est un multiple de 18.
• On décompose 12 et 18 en produit de facteurs premiers :
$12 = 4 \times 3 = 2^2 \times 3$ $18 = 2 \times 9 = 2 \times 3^2$
On observe que le premier multiple non nul commun à 12 et 18 est obtenu en multipliant 12 par 3 et 18 par 2. Ce multiple commun est donc $2^2 \times 3^2$.
• Ainsi, les roues occuperont à nouveau la même position pour la première fois lorsque A aura fait 3 tours et B, 2 tours.

Conseils

• Pour de petits nombres comme 12 et 18, on peut trouver un multiple commun en écrivant les listes de multiples non nuls.
– Multiples de 12 : 12, 24, **36**, 48, 60,...
– Multiples de 18 : 18, **36**, 54, 72,...
• $36 = 3 \times 12$, donc A fait 3 tours.
$36 = 2 \times 18$, donc B fait 2 tours.

Sur le même modèle

Pour les exercices 2 et 3, deux roues d'engrenage A et B sont en contact. Au bout de combien de tours de chacune de ces roues seront-elles de nouveau, et pour la première fois, dans la même position ?

2 A a 12 dents et B a 8 dents.

3 A a 15 dents et B a 25 dents.

4 Un primeur dispose de 24 pommes et 36 poires. Il souhaite préparer avec ces fruits des paquets de composition identique.
a. S'il fait 4 paquets, quelle est leur composition ?
b. Décomposer 24 et 36 en produits de facteurs premiers.
c. Combien de paquets le primeur peut-il faire au maximum ?

5 Deux bus A et B partent en même temps du terminus à 7 h.
Le bus A part toutes les 36 min du terminus alors que le bus B part toutes les 24 min.
À quelle heure les deux bus partiront de nouveau en même temps :
a. pour la première fois ?
b. pour la deuxième fois ?
c. pour la cinquième fois ?

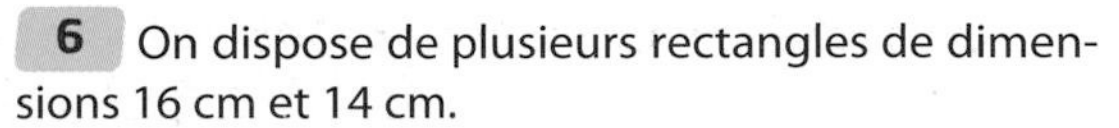

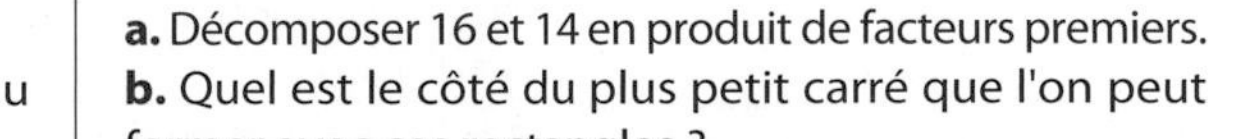

6 On dispose de plusieurs rectangles de dimensions 16 cm et 14 cm.
a. Décomposer 16 et 14 en produit de facteurs premiers.
b. Quel est le côté du plus petit carré que l'on peut former avec ces rectangles ?

À L'oral

7 Jian affirme : « 2 est le seul nombre premier et pair. » A-t-il raison ? Expliquer.

8 Kelly affirme : « Un nombre premier ne peut pas avoir 0 comme chiffre des unités. »
Que peut-on en penser ? Expliquer.

9 Qui a raison ? Expliquer.

10 Timothée affirme : « Tous les nombres impairs sont des nombres premiers. »
Que peut-on en penser ? Expliquer.

11 Dans la liste suivante, un seul nombre est un nombre premier. Lequel ?

44	56	25	17	18	14

12 Alan possède un nombre premier de macarons.
Pourra-t-il les partager avec ses amis de manière équitable ? Expliquer.

13 Quel est le plus petit diviseur premier de :
a. 18 ? **b.** 25 ? **c.** 51 ? **d.** 77 ? **e.** 405 ?

14 Marie a écrit : « $180 = 15 \times 12$ est la décomposition en produit de facteurs premiers de 180. »
A-t-elle raison ? Si non, donner la bonne décomposition de 180.

15 « Les nombres 2 et 5 sont des facteurs de la décomposition en produit de facteurs premiers de 20. »
Est-ce vrai ou faux ? Expliquer.

16 Giulia a écrit : $24 = 6 \times 4$.
Tarik a écrit : $24 = 8 \times 3$.
Mathis a écrit : $24 = 2 \times 12$.
Utiliser chacune de ces écritures pour déterminer une décomposition en produit de facteurs premiers du nombre 24.
Trouve-t-on la même dans chaque cas ?

17 On cherche un nombre premier qui divise à la fois 20 et 35.
Quel est ce nombre premier ?

18 Voici deux décompositions en produit de facteurs premiers :
$$286 = 2 \times 11 \times 13 \quad \text{et} \quad 308 = 2^2 \times 7 \times 11$$
Rendre irréductible la fraction $\frac{286}{308}$.

Calcul mental

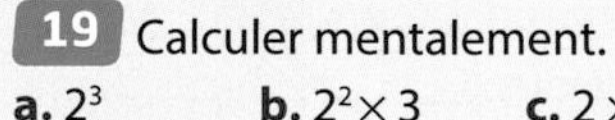

19 Calculer mentalement.
a. 2^3 **b.** $2^2 \times 3$ **c.** 2×5^2 **d.** 3^4

20 Dans chaque cas, dire si 3 figure dans la décomposition en produit de facteurs premiers du nombre.
a. 1 153 **b.** 8 307 **c.** 555 555 **d.** 321 123

21 Associer chaque nombre à sa décomposition en produit de facteurs premiers.

30 •	• $A = 2 \times 3 \times 5$
110 •	• $B = 3^2 \times 7$
60 •	• $C = 2 \times 5 \times 11$
63 •	• $D = 2^2 \times 3 \times 5$

22 **a.** Calculer $2^2 \times 5^2$.
b. En déduire la décomposition en produit de facteurs premiers de chacun des nombres suivants :
• 100 • 200 • 300 • 400 • 500

23 Simplifier mentalement chaque fraction.
a. $\frac{35}{55}$ **b.** $\frac{24}{50}$ **c.** $\frac{63}{27}$ **d.** $\frac{200}{40}$ **e.** $\frac{25}{50}$

24 **a.** Déterminer la décomposition en produit de facteurs premiers de 15, puis de 35.
b. Quel est l'unique nombre premier qui divise à la fois 15 et 35 ?
c. Rendre irréductible la fraction $\frac{15}{35}$.

Nombres premiers

25 Appliquer les critères de divisibilité pour expliquer pourquoi chaque nombre n'est pas premier.
a. 145 **b.** 381 **c.** 372 **d.** 156 **e.** 240 **f.** 175

26 Pour chaque nombre, dire s'il est premier ou non. Expliquer.
a. 13 **b.** 18 **c.** 23 **d.** 27 **e.** 51 **f.** 123

27 La somme de deux nombres impairs est-elle un nombre premier ? Expliquer.

28 Arthur a-t-il raison ? Expliquer.

29 Myriam a-t-elle raison ? Expliquer.

30 TICE n désigne un nombre entier.
Laura affirme : « Les nombres de la forme $2n + 3$ sont des nombres premiers. »
Utiliser le tableur pour dire si Laura a raison ou non.

31 Théo annonce un nombre. On doit trouver un nombre premier inférieur et le plus proche de celui annoncé.
Quel nombre premier faut-il trouver si Théo annonce :
a. 8 ? **b.** 20 ? **c.** 34 ? **d.** 42 ?

32 En mathématiques, un couple de nombres premiers « sexy » est un couple de nombres premiers dont la différence est 6.
Parmi les couples suivants, lesquels sont des couples de nombres premiers « sexy » ?
• 3 et 9 • 7 et 13 • 5 et 11 • 11 et 17

33 **a.** Déterminer la liste des diviseurs de 24.
b. Quels sont les diviseurs de 24 qui sont des nombres premiers ?

34 Dans chaque cas, dire, sans calcul, si A est un nombre premier.
a. $A = 2 \times 9 \times 5 + 3$ **b.** $A = 36 \times 5 \times 7 + 27$

35 Pour sortir du labyrinthe, il faut passer d'une pièce à l'autre en passant uniquement par des nombres premiers. Trouver la sortie.

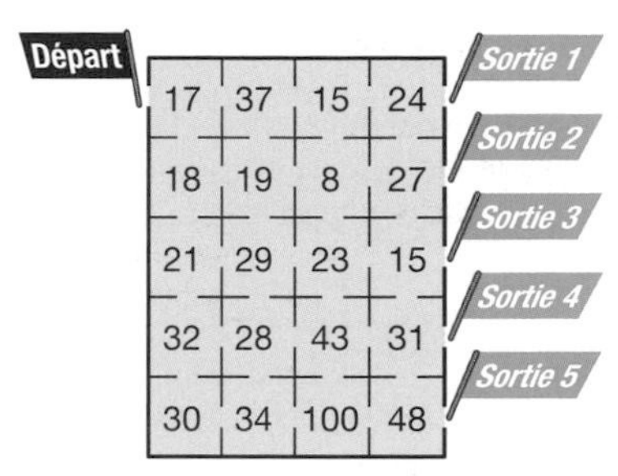

36 Patricia place ses 24 pions sur une grille de façon à former le plus grand nombre de rectangles de dimensions différentes.
En voici un exemple. On compte ces deux rangements comme une seule possibilité.

a. Trouver toutes les possibilités de Patricia pour placer ainsi ses 24 pions.
b. Léo affirme : « Avec le nombre de pions que je possède, je n'ai qu'une possibilité. »
Que peut-on en déduire pour le nombre de pions de Léo ?

37 **a.** Écrire les nombres entiers de 1 à 100 dans un tableau tel que celui commencé ci-dessous :

1	2	3	4	5	6	7	8	9	10
11	12	13	14	15	16	17	18	19	20
[illegible]	[illegible]	23	24	25	26	27	28	29	30

b. Barrer 1, puis barrer tous les multiples de 2 sauf 2.
c. Le premier nombre non barré après 2 est 3.
Barrer tous les multiples de 3 sauf 3.
d. Le premier nombre non barré après 3 est 5.
Barrer tous les multiples de 5 sauf 5.
e. Continuer ainsi.
Tous les nombres non barrés sont des nombres premiers inférieurs à 100.
Ce procédé est appelé le crible d'Ératosthène, du nom du mathématicien grec (IIIe siècle avant J.-C.) qui l'a établi.

Je m'entraîne

Pour les exercices 38 à 40, utiliser le crible d'Ératosthène obtenu à l'exercice 37.

38 Écrire les nombres premiers plus petits que 100 tels que, quand on échange le chiffre des dizaines et celui des unités, on obtient encore un nombre premier. On dit que ces nombres sont des nombres premiers palindromes.

39 Julia annonce : « La date du jour de mon anniversaire est un nombre premier plus grand que 10 et dont la somme des chiffres est 11. »
Quelle est la date du jour de son anniversaire ?

40

J'ai choisi deux nombres premiers dont le produit est 391.

Sofiane

Retrouver les deux nombres premiers choisis par Sofiane.

Décomposition en facteurs premiers

41 Parmi les produits suivants, trouver les décompositions en produit de facteurs premiers du nombre 100 et du nombre 102.

- 2×51
- $10 \times 5 \times 2$
- $5 \times 2 \times 2$
- $2 \times 2 \times 5 \times 5$
- $2 \times 17 \times 3$
- 2×50

42 Jules a écrit : $224 = 7 \times 8 \times 4$.
a. Est-ce la décomposition en produit de facteurs premiers du nombre 224 ?
b. Déterminer la décomposition en produit de facteurs premiers du nombre 224.

43 Nadia a remarqué que $256 = 16 \times 16$.
À l'aide de cette remarque, écrire la décomposition en produit de facteurs premiers du nombre 256.

44 Décomposer chaque nombre en produit de facteurs premiers.
a. 45 **b.** 65 **c.** 34 **d.** 48

45 Décomposer chaque nombre en produit de facteurs premiers.
a. 56 **b.** 42 **c.** 93 **d.** 110

46 Décomposer chaque nombre en produit de facteurs premiers.
a. 550 **b.** 320 **c.** 425 **d.** 1 000

47 Dans chaque cas, décomposer en produit de facteurs premiers.
a. 27×24 **b.** 26×38 **c.** 63×23

48 Dans chaque cas, décomposer en produit de facteurs premiers.
a. $64 \times 15 \times 10$ **b.** $28^2 \times 49$ **c.** $21^2 \times 35^4$

49 Dans un restaurant, un client choisit trois plats : il a le choix entre un nombre premier d'entrées, un nombre premier de plats principaux, un nombre premier de desserts.
Le plus grand de ces nombres premiers est le nombre de desserts.
Sachant que le client a le choix entre 30 menus différents, combien y a-t-il de desserts ?

50 **a.** Décomposer 56, puis 49, en produit de facteurs premiers.
b. Quel est le seul nombre premier qui divise à la fois 56 et 49 ?

51 **1.** On sait que $6 = 2 \times 3$.
a. Utiliser cette décomposition pour écrire la liste des diviseurs de 6.
b. Recopier et compléter cet arbre.

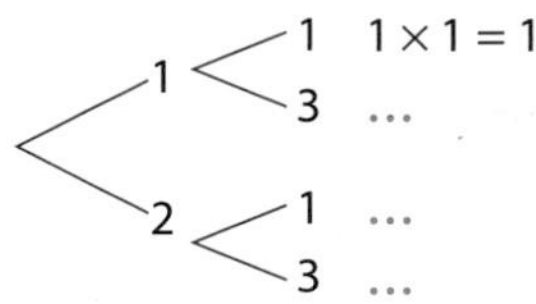

Relier les résultats obtenus avec ceux obtenus à la question **a**.
2. a. Décomposer 105 en produits de facteurs premiers.
b. Dresser un arbre analogue à celui de la question **1** et l'utiliser pour écrire la liste des diviseurs de 105.

52 **1.** Écrire la décomposition en produit de facteurs premiers de 8 712 en remarquant que $8\,712 = 88 \times 99$.
2. Observer la décomposition obtenue et dire, sans calcul, si chaque nombre est un diviseur de 8 712.
a. 6 **b.** 33 **c.** 8
d. $2^2 \times 3 \times 11$ **e.** $3^2 \times 11^2$ **f.** $2^2 \times 7$

53 **1.** Écrire la décomposition en produit de facteurs premiers de 45, puis de 150.

2. Dans chaque cas, dire, sans calcul, si le nombre est un diviseur de 45, puis de 150.

a. 3 **b.** $3^2 \times 5$ **c.** 2×5^2
d. 3×5^2 **e.** 5×7 **f.** $2 \times 3 \times 11$

3. Utiliser les décompositions obtenues à la question **1** pour donner le plus grand diviseur commun à 45 et 150.

Fractions irréductibles

54 Rendre irréductible les fractions avec les critères de divisibilité, puis vérifier avec la calculatrice.

a. $\frac{60}{40}$ **b.** $\frac{126}{198}$ **c.** $\frac{105}{90}$

55 Rendre irréductible chaque fraction.

a. $\frac{2^3 \times 5 \times 11}{2 \times 3 \times 5^2}$ **b.** $\frac{2^2 \times 3^4 \times 5^2 \times 7}{2^4 \times 3^2 \times 5^2 \times 7^2}$

56 Voici deux décompositions en produit de facteurs premiers.

$520 = 2^3 \times 5 \times 13$ $390 = 2 \times 3 \times 5 \times 13$

Rendre irréductible chaque fraction, puis vérifier avec la calculatrice.

a. $\frac{520}{390}$ **b.** $\frac{52}{390}$ **c.** $\frac{26}{39}$ **d.** $\frac{1\,040}{780}$

57 Décomposer 224 et 280 en produit de facteurs premiers et rendre irréductible la fraction $\frac{224}{280}$.

58 **1.** Décomposer en produits de facteurs premiers chaque nombre.

a. 68 **b.** 96 **c.** 180

2. Rendre irréductible chaque fraction.

a. $\frac{96}{68}$ **b.** $\frac{180}{96}$ **c.** $\frac{68}{180}$

59 Rendre irréductible chaque fraction en décomposant le numérateur et le dénominateur en produit de facteurs premiers.

a. $\frac{48}{75}$ **b.** $\frac{126}{180}$ **c.** $\frac{360}{252}$ **d.** $\frac{220}{100}$

60 Rendre irréductible chaque fraction en précisant la méthode utilisée.

a. $\frac{16}{28}$ **b.** $\frac{250}{100}$ **c.** $\frac{180}{190}$ **d.** $\frac{245}{65}$

61 Voici un écran de calculatrice.
Est-ce que la calculatrice a rendu irréductible la fraction $\frac{495}{528}$? Justifier.

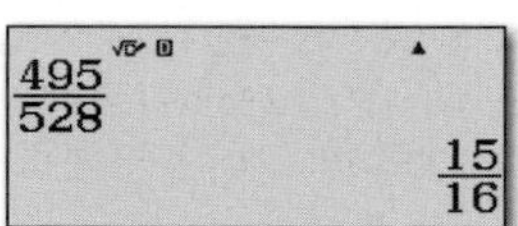

62 **a.** Rendre irréductible la fraction $\frac{125}{75}$.

b. Mattias doit calculer $\frac{125}{75} + \frac{1}{3}$.
Sa voisine Leila a déjà trouvé mentalement à l'aide de la question **a**.
Comment a-t-elle pu faire ?

63

La fraction 220/11 est irréductible car 11 est un nombre premier.
William

William a-t-il raison ? Expliquer.

64 Margot affirme : « Lorsque le numérateur d'une fraction est un nombre premier, alors cette fraction est irréductible. »
Que peut-on en penser ? Expliquer.

65 Swann affirme : « Pour calculer $\frac{8}{12} + \frac{16}{30}$, je commence par rendre irréductible chaque fraction. »
Calculer cette somme avec la méthode de Swann.

66 Dans chaque cas, rendre la fraction irréductible.
Dire ensuite s'il existe une fraction décimale qui lui est égale.
Si oui, donner l'écriture décimale.

a. $\frac{49}{140}$ **b.** $\frac{15}{54}$ **c.** $\frac{25}{40}$ **d.** $\frac{72}{320}$

67 Une boîte contient 150 bonbons au chocolat noir et 120 au chocolat blanc.

a. Donner sous forme d'une fraction irréductible la proportion de bonbons au chocolat noir dans la boîte.

b. Hugo mange 3 bonbons au chocolat noir et 3 bonbons au chocolat blanc. A-t-on encore la même proportion de bonbons au chocolat noir dans la boîte ?

Je m'entraîne

68 On s'intéresse au format de cinq rectangles, dont la longueur et la largeur (en mm) sont indiquées ci-dessous.

Rectangle n°	①	②	③	④	⑤
Longueur L	32	36	60	80	128
Largeur ℓ	18	27	45	45	72

a. Pour chaque rectangle, calculer le quotient $\frac{L}{\ell}$, appelé format du rectangle. Donner la forme irréductible de chaque quotient.
b. Un rectangle dont la largeur mesure 54 mm est au format $\frac{16}{9}$. Quelle est sa longueur ?

69 Grâce à un algorithme trouvé sur Internet, Paul a obtenu les résultats suivants :
- $33\,291 = 3^5 \times 137$
- $59\,535 = 3^5 \times 5 \times 7^2$

Lors d'un match de rugby, le stade comptait 59 535 spectateurs dont 33 291 supporters de l'équipe française.
Donner la fraction irréductible représentant la proportion de supporters de l'équipe française.

70 En France, la production électrique a été de 545 TWh en 2015.
a. Quelle proportion de cette production pourrait fournir un parc éolien offshore produisant 85 MWh par an ?
Donner le résultat sous forme d'une fraction irréductible.

1 TWh = 10^9 kWh
1 MWh = 10^6 kWh

b. En supposant que ce parc comprend 20 éoliennes, combien d'éoliennes seraient nécessaires pour couvrir la production électrique française de 2015 ?
Donner une valeur approchée à l'unité près.

71 On donne $r = \frac{105}{273}$.
1. Écrire r sous forme d'une fraction irréductible.
2. Lorsque cela est possible, donner une fraction égale à r :
a. dont le numérateur est -85 ;
b. dont le dénominateur est 247 ;
c. dont le dénominateur est 236.

Je m'évalue à mi-parcours

Pour chaque question, une seule réponse est exacte.

	a	b	c	En cas d'erreur
72 Un nombre premier est …	15	27	29	*Cours 1 et ex. 26*
73 La décomposition en produit de facteurs premiers de 72 est …	$2^3 \times 3^2$	$2^2 \times 3^2$	$2^3 \times 3^3$	*Cours 2 et ex. 44*
74 $A = 3 \times 5^2$ et $B = 3^2 \times 5$. Un multiple commun à A et B est …	$3 \times 5 \times 7$	$3^2 \times 5^2$	$3^3 \times 5$	*Cours 2 et ex. 1*
75 $A = 2^2 \times 7 \times 11$. Un diviseur de ce nombre est …	$2^2 \times 5$	2×7	2×11^2	*Cours 1 et ex. 52*
76 La fraction irréductible égale à $\frac{2^2 \times 5^3 \times 11}{5^2 \times 11^2}$ est …	$\frac{4}{11}$	$\frac{20}{11}$	4	*Cours 3 et ex. 55*
77 La fraction irréductible égale à $\frac{250}{200}$ est …	$\frac{25}{20}$	$\frac{125}{100}$	$\frac{5}{4}$	*Cours 3*
78 Une fraction irréductible est …	$\frac{37}{25}$	$\frac{224}{620}$	$\frac{783}{546}$	*Cours 3 et ex. 54*

Vérifie tes réponses p. 259

▶ Utiliser les nombres premiers

79 Vérifier si un nombre est premier avec le tableur

On se propose de vérifier, avec le tableur, que le nombre 17 est premier.

1 **a.** Réaliser la feuille de calcul ci-contre.

b. Pour vérifier si le nombre 17 est divisible par 2, on utilise la fonction MOD, qui donne le reste d'une division euclidienne.
Dans la cellule B2, saisir la formule `=MOD(B$1;A2)` .

c. Recopier cette formule vers le bas.

d. Parmi les nombres de 2 à 16, y a-t-il un diviseur de 17 ?

e. Conclure.

	A	B
1		17
2	2	
3	3	
4	4	
5	5	
6	6	
7	7	
8	8	
9	9	
10	10	
11	11	
12	12	
13	13	
14	14	
15	15	
16	16	

2 Procéder de façon analogue avec le tableur pour vérifier si chacun de ces nombres est premier ou non.

a. 19 **b.** 53 **c.** 59 **d.** 91 **e.** 111

3 Existe-t-il un nombre premier entre 125 et 130 ?

80 Décomposer avec la calculatrice

Voici un exemple montrant comment décomposer 1 014 en produit de facteurs premiers avec la calculatrice.

Casio *fx*-92 Spéciale-Collège

1 014 EXE

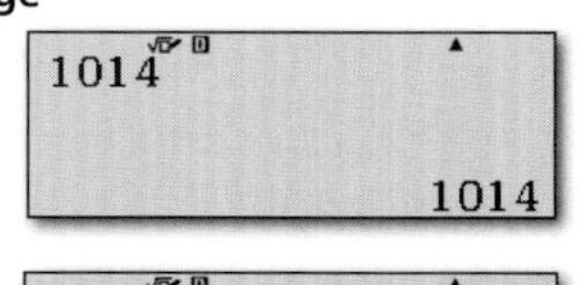

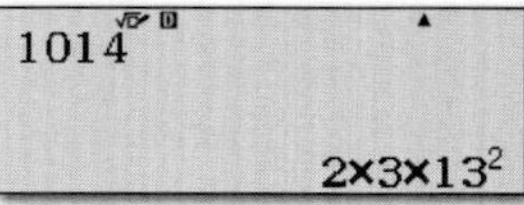

TI-Collège Plus Solaire

1 014 2nde ▸simp (▸ décomp)

1014▸décomp
2×3×13²

1 **a.** Avec la calculatrice, décomposer 374 en produit de facteurs premiers.

b. Jules a une montre qui sonne toutes les 1 014 s et un réveil qui sonne toutes les 374 s.
Sa montre et son réveil viennent de sonner en même temps.
Dans combien d'heures, minutes, secondes vont-ils de nouveau sonner en même temps pour la première fois ?

2 **a.** Avec la calculatrice, décomposer en produit de facteurs premiers les nombres 1 457 et 8 756.

b. En déduire que la fraction $\frac{1457}{8756}$ est irréductible.

3 **a.** Avec la calculatrice, décomposer en produit de facteurs premiers les nombres 972 et 360.

b. Observer l'affichage ci-contre. Pouvait-on prévoir qu'un dénominateur commun à ces deux fractions serait 9 720 ?

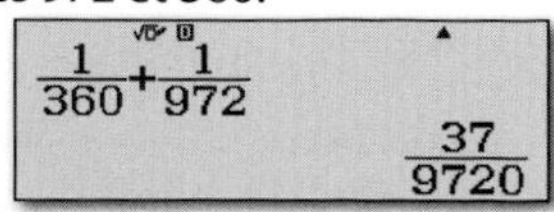

J'utilise mes compétences

S'initier au raisonnement

81 Étudier la divisibilité par 5

Chercher • Raisonner • Communiquer

n désigne un nombre entier à trois chiffres dont le chiffre des centaines est c, le chiffre des dizaines est d et le chiffre des unités est u.

a. Recopier et compléter :

$$n = \ldots \times c + \ldots \times d + u.$$

b. Expliquer pourquoi le nombre $100c + 10d$ est divisible par 5.

c. En déduire que n est divisible par 5 dans le seul cas où son chiffre des unités est 0 ou 5.

Conseil

Utilise la décomposition d'un nombre entier à l'aide des puissances de 10.
Par exemple : $573 = 5 \times 100 + 7 \times 10 + 3$.

82 Étudier la divisibilité par 3, par 9

Chercher • Raisonner • Communiquer

n désigne un nombre entier à trois chiffres dont le chiffre des centaines est c, le chiffre des dizaines est d et le chiffre des unités est u.

1. Expliquer pourquoi :

$$n = 99c + 9d + c + d + u.$$

2. a. Expliquer pourquoi le nombre $99c + 9d$ est divisible par 3.

b. En déduire que n est divisible par 3 dans le seul cas où $c + d + u$ est divisible par 3.

3. Démontrer de façon analogue que n est divisible par 9 dans le seul cas où la somme de ses chiffres est divisible par 9.

Conseil

3. Utilise ici aussi la décomposition :

$$n = 99c + 9d + c + d + u.$$

83 Étudier la divisibilité par 4

Chercher • Raisonner • Communiquer

n désigne un nombre entier à trois chiffres.
Démontrer que n est divisible par 4 dans le seul cas où le nombre formé par les chiffres des dizaines et des unités de n est divisible par 4.

Conseil

Écris encore $n = 100c + 10d + u$.

84 Chercher une formule ?

Modéliser • Raisonner • Communiquer

1. a. Vérifier que les nombres premiers 3, 5, 7, 11, 13, 17 et 19 s'écrivent sous la forme $4n + 1$ ou $4n + 3$, où n désigne un nombre entier.

b. En utilisant la division euclidienne par 4, expliquer pourquoi un nombre entier est de l'une des formes $4n$ ou $4n + 1$ ou $4n + 2$ ou $4n + 3$.

c. Expliquer pourquoi un nombre premier supérieur ou égal à 3 est de l'une des formes $4n + 1$ ou $4n + 3$.

d. Existe-t-il des nombres de la forme $4n + 1$ ou $4n + 3$ qui ne sont pas premiers ?

2. a. Expliquer de même pourquoi un nombre premier supérieur ou égal à 5 est de l'une des formes $6n + 1$ ou $6n + 5$.

b. Existe-t-il des nombres de la forme $6n + 1$ ou $6n + 5$ qui ne sont pas premiers ?

Conseil

Au **1. b**, souviens-toi des restes possibles dans la division euclidienne par 4.

85 Utiliser le calcul littéral

Modéliser • Raisonner • Communiquer

Voici un programme de calcul :

- Choisir un nombre premier différent de 2.
- Multiplier ce nombre par lui-même.
- Soustraire 1.

1. a. Mettre en œuvre ce programme en prenant 5 au départ, puis 13.
Obtient-on un multiple de 4 ?

b. Prendre un nombre premier de son choix, lui appliquer ce programme et observer si l'on obtient un multiple de 4.

c. Émettre une conjecture.

2. On note p un nombre premier différent de 2.

a. Exprimer en fonction de p le nombre obtenu avec le programme de calcul.

b. Expliquer pourquoi $p + 1$ et $p - 1$ sont des nombres pairs.

c. En déduire que le nombre obtenu avec ce programme est un multiple de 4.

Conseil

À la question **2**, tu penseras à factoriser avec une identité remarquable.

Organiser son raisonnement

Pour les exercices 86 à 88, on peut s'aider du crible d'Ératosthène obtenu à l'exercice 37, p. 47.

86 Organiser l'information

Chercher • Communiquer

En 2004, l'écrivain anglais Daniel Tammet a énuméré en public 22 514 décimales de π.
On cherche l'année de sa naissance.
On sait que :
- le nombre formé par les deux chiffres du milieu est un nombre premier ;
- le nombre formé par le chiffre des dizaines et des unités est un nombre premier ;
- la somme des chiffres de son année de naissance est divisible par 13.

En quelle année est né Daniel Tammet ?

87 Mélanger les connaissances

Chercher • Communiquer

Le numéro de l'appartement de Bastien est un nombre premier plus petit que 100. Celui de son voisin Noé est le numéro précédent. Il est divisible par 3 et 5.
a. Peut-on connaître le numéro d'appartement de Bastien ?
b. Le numéro de l'appartement de Noé est divisible par 4. Quel est le numéro de l'appartement de Bastien ?

88 Tester une conjecture Histoire

Chercher • Communiquer

La conjecture de Goldbach dit que tout nombre pair supérieur à 3 est la somme de deux nombres premiers. Cette conjecture, formulée en 1742 par le mathématicien allemand Christian Goldbach, est l'un des plus anciens problèmes non encore résolus.
a. Vérifier que cette conjecture est vraie pour le nombre pair 8.
b. Lena a trouvé quatre possibilités pour écrire 36 comme la somme de deux nombres premiers. Retrouver lesquelles.
c. Trouver toutes les possibilités d'écrire 48 comme la somme de deux nombres premiers.

89 Calculer une probabilité

Calculer • Communiquer

Konye choisit au hasard un nombre entier entre 1 et 20. Quelle est la probabilité d'obtenir un nombre premier ?

90 Composer des nombres

Raisonner • Communiquer

a. Quel est le plus petit nombre ayant trois diviseurs premiers distincts ? cinq diviseurs premiers distincts ?
b. Quel est le plus petit nombre ayant 1, 2, 3, 4 et 5 comme diviseurs ?

91 Étudier des nombres premiers particuliers

Chercher • Raisonner • Communiquer

1. Est-il possible que deux nombres premiers supérieurs à 3 se suivent ? Justifier.
2. Deux nombres premiers sont jumeaux lorsqu'ils ne diffèrent que de 2. Les nombres proposés sont-ils des nombres premiers jumeaux ?
a. 5 et 7 **b.** 11 et 13 **c.** 13 et 15 **d.** 29 et 27

92 Étudier des périodes de révolution Physique

Raisonner • Communiquer

Io et Europe sont deux satellites de la planète Jupiter. Io met 42 h pour faire le tour complet de Jupiter alors qu'Europe met 85 h.
Céline, passionnée d'astronomie, a observé qu'à cet instant, Io, Europe et Jupiter étaient alignés.
Dans combien de temps, exprimé en jours et heures, Céline pourra-t-elle de nouveau observer cet alignement ?

93 Écrire une liste de diviseurs

Chercher • Communiquer

a. Décomposer en produit de facteurs premiers le nombre 28.
b. Déterminer tous les diviseurs du nombre 28.
c. Un nombre est dit parfait s'il est égal à la somme de ses diviseurs, sauf lui-même.
Vérifier que 28 est un nombre parfait.

94 Chercher le plus grand commun diviseur

Raisonner • Communiquer

On se propose de déterminer le plus grand diviseur commun à 140 et 150.

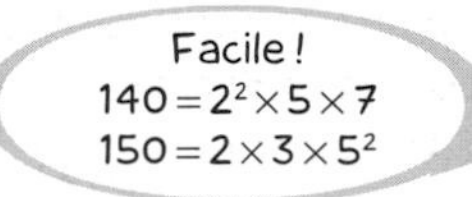
Facile !
$140 = 2^2 \times 5 \times 7$
$150 = 2 \times 3 \times 5^2$

Issa

En utilisant l'idée d'Issa, déterminer le plus grand nombre qui divise à la fois 140 et 150.

J'utilise mes compétences

95 Communiquer en anglais 

Chercher • Communiquer

a. Draw as many different rectangles that contain 12 squares. The length and width are whole numbers.
b. Draw as many different rectangles that contain 7 squares. The length and width are whole numbers.

96 Compter les intervalles

Chercher • Raisonner • Communiquer

Un jardinier veut planter, le long des bords d'une plate-bande rectangulaire, un certain nombre de rosiers également espacés. Il souhaite que la distance d'un rosier au suivant soit un nombre entier de centimètres entre 100 et 200. De plus, il prévoit de planter un rosier à chaque coin de la plate-bande.
Cette plate-bande a pour dimensions 14,84 m sur 10,60 m.
a. Décomposer 1 484 et 1 060 en produit de facteurs premiers.
b. Combien de rosiers ce jardinier doit-il planter ?

97 Tester une formule TICE

Calculer • Communiquer

En 1772, Leonhard Euler a proposé la formule $n(n + 1) + 41$ (où n désigne un nombre entier) pour écrire les nombres premiers
1. On se propose de vérifier cette formule pour n allant de 1 à 10.
a. Réaliser la feuille de calcul ci-dessous.

	A	B
1		n(n+1)+41
2	1	
3	2	
4	3	
5	4	
6	5	
7	6	
8	7	
9	8	
10	9	
11	10	

b. Dans la cellule B2, saisir la formule =A2*(A2 +1) + 41 et la recopier vers le bas.
c. Les nombres calculés par cette formule dans les cellules de B2 à B11 sont-ils des nombres premiers ?
2. Vérifier que, si $n = 40$, alors le nombre calculé par cette formule n'est pas un nombre premier.

98 Prendre des initiatives

Raisonner • Communiquer

Deux cyclistes effectuent des tours de piste. Le premier met 3 min 18 s et le second 3 min 45 s pour chaque tour. Ils partent ensemble sur la ligne de départ.
Au bout de combien de temps se retrouveront-ils à nouveau tous les deux sur cette ligne de départ ?

99 Imaginer une stratégie

Modéliser • Raisonner • Communiquer

On range les nombres entiers à partir du nombre 6 dans six colonnes, comme commencé ci-dessous.

6	7	8	9	10	11
12	13	14	15	16	17

Anaïs affirme : « Tous les nombres premiers sont dans les 2e et 6e colonnes. » A-t-elle raison ? Justifier.

D'après IREM de Lyon

100 Narration de recherche 

Problème

Cinquante personnes font la queue devant un bloc de cents tiroirs fermés numérotés de 1 à 50.
La première personne ouvre tous les tiroirs.
La deuxième ferme tous les tiroirs dont le numéro est pair.
La troisième s'intéresse aux multiples de 3 : si le tiroir est ouvert, elle le ferme et si le tiroir est fermé, elle l'ouvre.
La quatrième s'intéresse aux multiples de 4 : si le tiroir est ouvert, elle le ferme et si le tiroir est fermé, elle l'ouvre.
Et ainsi de suite jusqu'à la 50e personne.
Les tiroirs portants les numéros 7, 19, 43, 45 sont-ils ouverts ?

D'après IREM Paris Nord

Raconter sur une feuille les différentes étapes de la recherche et les remarques qui ont fait changer de méthode ou qui ont permis de trouver.

101 Problème ouvert

Modéliser • Raisonner • Communiquer

Les spectateurs d'un festival de musique sont entre 500 et 1 000.
Lorsqu'ils se partagent en groupes de 24, en groupes de 20 ou en groupes de 18, il en reste 9 à chaque fois.
a. Quel est le nombre de spectateurs de ce festival ?
b. Peuvent-ils se ranger en carré (c'est-à-dire de façon à avoir autant de rangées que de colonnes) ?

Je fais le point sur mes compétences

102 Justifier des affirmations

Voici trois affirmations.

❶ Un multiple de 10 est aussi un multiple de 5.

❷ Un nombre divisible par 3 est divisible par 9.

❸ Tous les nombres écrits avec les chiffres 5, 4, 8, 1 sont divisibles par 9.

Pour chaque affirmation, dire si elle est vraie ou fausse. Justifier.

Conseil

Les critères de divisibilité te permettent de répondre.

103 Rendre une fraction irréductible

a. Comment, sans calcul, peut-on justifier que la fraction $\frac{1848}{2\,040}$ n'est pas irréductible ?

b. Décomposer 1 848 et 2 040 en produits de facteurs premiers.

c. Simplifier la fraction $\frac{1848}{2\,040}$ pour la rendre irréductible.

Conseil

Au **b**, tu peux diviser ces nombres par les nombres premiers pris dans l'ordre croissant.

104 Déterminer les diviseurs d'un nombre

1. a. Parmi les nombres premiers 2, 3 et 5, lesquels sont des diviseurs du nombre 140 ?

b. Décomposer 140 en produit de facteurs premiers.

c. Dans chaque cas, sans calcul, dire si le nombre est un diviseur de 140.

• $2 \times 5 \times 7$ • 2^3 • $2^2 \times 5^2$

d. Déterminer tous les diviseurs du nombre 140.

2. a. Décomposer 1 001 en produit de facteurs premiers. Pour cela, diviser par les nombres premiers pris dans l'ordre croissant.

b. Déterminer tous les diviseurs du nombre 1 001.

Conseil

Au **1. d.**, à partir de la décomposition en produit de facteurs premiers, il est possible de déterminer tous les diviseurs. Tu peux utiliser le tableau suivant :

$\times$	$5^0 \times 7^0 = 1$	$5^1 \times 7^0 = 5$	$5^0 \times 7^1 = 7$	$5^1 \times 7^1 = 35$
$2^0 = 1$				
$2^1 = 2$				
$2^2 = 4$				

105 Simplifier une proportion

Dans un collège de 588 élèves, 126 élèves affirment manger au moins cinq fruits et légumes par jour. Donner la fraction irréductible représentant la proportion de ces élèves.

Conseil

Plusieurs méthodes sont possibles : l'utilisation des critères de divisibilité ou la décomposition en produit de facteurs premiers de 126 et 588.

106 Chercher un multiple commun

Élise prend grand soin des fleurs de ses jardinières. Ainsi, elle arrose ses bégonias tous les 6 jours et ses géraniums tous les 4 jours.

Aujourd'hui, elle a arrosé ces deux variétés de fleurs.

a. Dans combien de temps au minimum arrosera-t-elle à nouveau ces deux variétés ?

b. Dans combien de temps arrosera-t-elle à nouveau ces deux variétés pour la 5e fois ?

Conseil

Tu peux écrire la liste des multiples de 6 et noter lesquels sont des multiples de 4.

Tu peux aussi utiliser la décomposition en produit de facteurs premiers de 6 et de 4.

107 Conjecturer, puis prouver

1. Conjecturer

a. Calculer :

• $1 \times 2 \times 3 \times 4 + 1$

• $2 \times 3 \times 4 \times 5 + 1$

• $3 \times 4 \times 5 \times 6 + 1$

b. Mélanie conjecture que, pour chaque calcul, le résultat est le carré d'un nombre premier.

Que peut-on en penser ?

2. Une preuve

n désigne un nombre entier.

$$p = n(n+1)(n+2)(n+3)$$

a. Vérifier que $(n+1)(n+2) = n(n+3) + 2$

b. On pose $a = (n+1)(n+2)$.

Expliquer pourquoi $p = a(a-2)$.

c. En déduire que $p + 1 = (a-1)^2$

d. Peut-on affirmer que le résultat est le carré d'un nombre premier ? Justifier.

Conseil

Au **2. b**, pense que tu peux déduire du **2. a** que :

$$a - 2 = n(n+3).$$

Je prends des initiatives

Avec une aide

108 Chercher un diviseur commun

Emma et Arthur ont acheté pour leur mariage 3 003 dragées au chocolat et 3 731 dragées aux amandes.

1. Arthur propose de répartir ces dragées de façon identique dans 20 corbeilles.
Chaque corbeille doit avoir la même composition.
Combien lui reste-t-il de dragées non utilisées ?

2. Emma et Arthur changent d'avis et décident de proposer des petits ballotins dont la composition est identique. Ils souhaitent qu'il ne leur reste pas de dragées.

a. Emma propose d'en faire 90. Ceci convient-il ? Justifier.

b. Ils se mettent d'accord pour faire un maximum de ballotins.
Combien en feront-ils et quelle sera leur composition ?

Conseil

À la question **2. b**, tu peux penser à décomposer 3 003 et 3 731 en produit de facteurs premiers.
Mais tu peux aussi t'aider de la question **2. a**.

109 Démontrer un critère de divisibilité

Maï affirme : « Un nombre est divisible par 25 lorsque le nombre composé du chiffre des dizaines et des unités est 25, 50, 75 ou 00. »
Maï a-t-elle raison ?

Conseil

Tu peux considérer un nombre à quatre chiffres, où m est le chiffre des milliers, c est le chiffre des centaines, d est le chiffre des dizaines, u est le chiffre des unités.

110 Étudier un phénomène périodique

a. Deux bateaux partent de Marseille l'un tous les 7 jours, le second tous les 12 jours. Ils partent tous les deux le 1er mars.
À quelle prochaine date partiront-ils tous les deux ensemble de Marseille ?

b. Le 1er mars, un 3e bateau part également de Marseille. Celui-ci part tous les 14 jours.
À quelle prochaine date les trois bateaux partiront-ils à nouveau ensemble ?

Conseil

À la question **a**, tu peux écrire les multiples communs à 7 et à 12.

Sans aide maintenant

111 Reconnaître une situation

À la fin d'une fête de village, tous les enfants présents se partagent équitablement les 397 ballons de baudruche qui ont servi à la décoration. Il reste alors 37 ballons.
L'année suivante, les mêmes enfants se partagent les 598 ballons utilisés cette année-là. Il en reste alors 13.
Combien d'enfants, au maximum, étaient présents ?

112 Chercher un multiple commun

Dans une course automobile, deux voitures partent en même temps sur la ligne de départ à 13 h 00.
Cette course s'effectue sur 12 tours de circuit.
La voiture A fait le tour du circuit en 36 minutes alors que la voiture B met 30 minutes.

a. À quelle heure est arrivée la première de ces deux voitures ?

b. Combien de fois se seront de nouveau croisées les deux voitures sur la ligne de départ pendant la course ?

113 Utiliser les puissances

a. $A = 2^2 \times 3 \times 5^3 \times 7$.
Donner la décomposition de A^2 en produit de facteurs premiers.

b. $B = 2^4 \times 3^6 \times 5^4$
Prouver que B est le carré d'un nombre entier. Préciser ce nombre. On dit alors que B est **un carré parfait.**

c. Décomposer 3 136 en produit de facteur premiers et en déduire que 3 136 est un carré parfait.

114 Relier le numérique et la géométrie

Une boîte a la forme du parallélépipède rectangle à base carrée ci-contre.

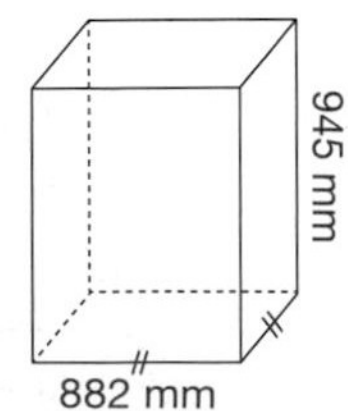

On souhaite remplir cette boîte avec des cubes tous identiques, dont l'arête a est un nombre entier non nul : les cubes doivent remplir complètement la boîte sans laisser d'espace vide.

a. Décomposer 882 et 945 en produit de facteurs premiers.

b. Quelle est la plus grande valeur possible pour a ?

c. Quelles sont toutes les valeurs possibles pour a ?

J'extrais des informations

115 Confectionner un couvre-lit

Pour réaliser un « titafai » (genre de couvre-lit), Tina, une jeune Polynésienne, doit découper des carrés dans sa pièce de tissu. Tout le tissu doit être utilisé.
Chaque carré doit avoir le plus grand côté possible.

1. a. Décomposer 260 et 90 en produit de facteurs premiers.
b. Montrer que la longueur du côté d'un carré est 10 cm.
c. Combien de carrés obtiendra-t-elle ?

2. Sur certains carrés, Tina veut faire imprimer un « tiki » et sur d'autres, un « tipanier ». La société *Arii porinetia* lui propose un devis créé à l'aide d'un tableur.
Recopier cette feuille de calcul et la compléter.
Quel est le montant total du devis ?

Les prix sont donnés en francs Pacifique (F).

Doc. 1 Le tissu

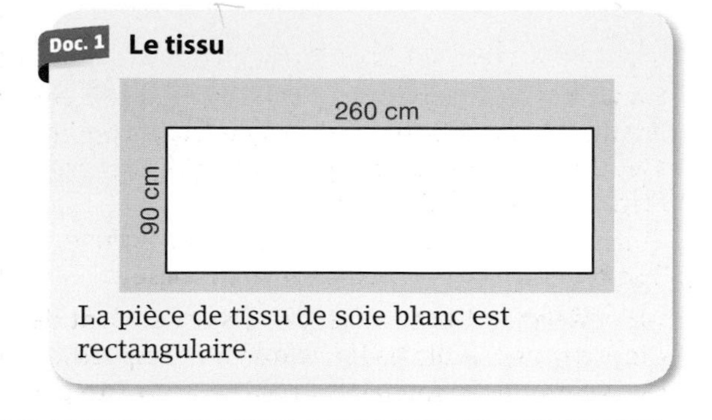

La pièce de tissu de soie blanc est rectangulaire.

Doc. 2 Le devis

◇	A	B	C	D
1	Impression du motif	Prix unitaire (en F)	Quantité	Prix total (en F)
2	Tiki	75		
3	Tipanier	80		
4	TOTAL			

116 Mathématiser un problème concret

Le CDI d'un collège doit être réaménagé en deux parties distinctes : une salle de recherche et une salle de travail. On souhaite recouvrir le sol de la salle de travail d'un nombre entier de dalles carrées identiques de côté c le plus grand possible.

1. a. Donner, en cm, les dimensions de la salle de travail.
b. L'objectif des documentalistes est-il réalisé ?

2. a. Décomposer 550 et 800 en produit de facteurs premiers.
b. En déduire la valeur de c.
Combien de dalles sont nécessaires pour recouvrir le sol de la salle de travail ?
c. Les dalles coûtent 13,50 € le m². Quelle sera la dépense pour recouvrir le sol de la salle de travail ?

Doc. 1 Vue de la surface du sol du CDI

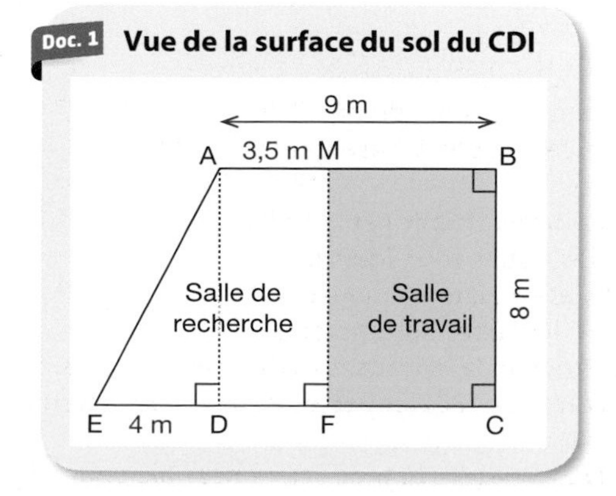

Doc. 2 L'objectif

Les documentalistes souhaitent placer la séparation [MF] de façon que les deux salles de travail aient la même aire.

CHAPITRE

4 Calculer et interpréter des caractéristiques

Les 80 dernières panthères de l'Amour à l'état sauvage habitent les forêts de l'est de la Russie et de la Chine. Victimes de la déforestation et du braconnage, elles ont perdu 90 % de leur domaine vital.

Vu au Cycle 4

Pour chaque question, une réponse ou plusieurs sont exactes.

		a	b	c
1	La moyenne de la série : 3 ; 10 ; 8 ; 19 ; 15 est…	11	43	55
2	La médiane de la série : 3 ; 10 ; 8 ; 19 ; 15 est…	8	9	10
3	L'étendue de la série : 3 ; 10 ; 8 ; 19 ; 15 est…	5	12	16
4	Pour la série statistique : 95 ; 210 ; 100 ; 135 ; 110 ; 70, on peut affirmer que…	la moyenne est 120	la médiane est 105	l'étendue est 140
5	Pour la série statistique : (voir tableau ci-dessous) on peut affirmer que…	la moyenne est 32	la médiane est 30	l'étendue est 2

Valeur	25	30	35	40
Effectif	8	9	6	7

Vérifie tes réponses ➲ *p. 259*

D'autres exercices sur ***le site compagnon*** 

Activité

Comparer deux séries

Le tableau ci-dessous donne la durée quotidienne moyenne, en h, d'écoute de la télévision en 2014 pour deux catégories de téléspectateurs. *Source :* Médiamétrie

Mois	J	F	M	A	M	J	Jt	A	S	O	N	D
Individus de 15 à 34 ans	2,6	2,6	2,5	2,4	2,5	2,5	2,5	2,2	2,3	2,4	2,5	2,4
Femmes de moins de 50 ans	4	4	3,8	3,6	3,5	3,4	3,2	3	3,5	3,7	3,8	3,7

1 **a.** Déterminer la moyenne m et la médiane M de chaque série.

b. Adrien affirme : « En moyenne, par jour, en 2014, une femme de moins de 50 ans a regardé la télévision pendant 1 h 9 min de plus qu'un individu de 15 à 34 ans. »
Est-ce exact ? Expliquer.

2 **a.** Déterminer l'étendue de chaque série.

b. Comparer ces deux résultats.

c. Recopier et compléter par les mots *homogène* et *dispersée*.
« La série des femmes de moins de 50 ans est plus ... que la série des individus de 15 à 34 ans, qui est plus .... »

3 Samya a schématisé les résultats pour la première série.
Faire de même pour la deuxième série.

Min m M Max
2 2,2 2,6 3
Étendue

J'apprends le cours

Caractéristiques d'une série statistique

Définition • La **moyenne** et la **médiane** d'une série sont des caractéristiques de **position**.
On dit aussi que ce sont des indicateurs de tendance centrale.
• L'**étendue** d'une série est une caractéristique de **dispersion**.

Exemple Voici les notes obtenues en SVT par deux élèves d'une même classe au 1er trimestre.

Lucas : 3 ; 7 ; 13 ; 15 ; 17 **Nour :** 8 ; 8 ; 13 ; 13 ; 13

• *Moyenne*

Lucas : $\frac{3+7+13+15+17}{5} = \frac{55}{5} = 11$ Nour : $\frac{8\times 2+13\times 3}{5} = \frac{55}{5} = 11$

• *Médiane*

Les cinq notes sont rangées par ordre croissant. La médiane est la 3e note.

Lucas : 13 Nour : 13

• *Étendue*

Lucas : 17 – 3 = 14 Nour : 13 – 8 = 5

• *Bilan :* on peut remarquer que les deux séries de notes ont la même moyenne (11) et la même médiane (13), mais que les notes de Lucas sont plus dispersées que celles de Nour.

J'applique le cours

J'apprends à ▶ Interpréter des caractéristiques d'une série

Exercice résolu

1 Énoncé

Ce diagramme présente la répartition des prix hors taxes pratiqués en 2015 dans 28 pays de l'Union européenne pour une même automobile neuve.

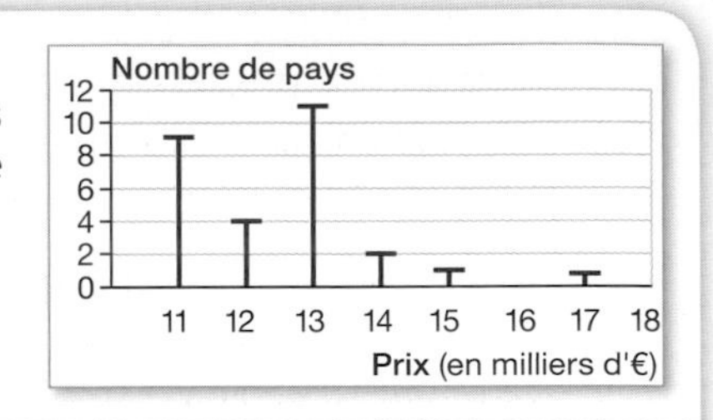

a. Calculer le prix moyen m, en euros. Interpréter ce résultat.
b. Déterminer le prix médian, en euros. Interpréter ce résultat.
c. Calculer l'étendue de la série, en euros.

Solution

a. $m = \dfrac{11 \times 9 + 12 \times 4 + 13 \times 11 + 14 \times 2 + 15 + 17}{9 + 4 + 11 + 2 + 1 + 1}$

$m = \dfrac{350}{28} = 12{,}5$ (milliers d'euros).

Ainsi, le prix moyen de l'une de ces voitures est 12 500 €.

Interprétation. La somme totale des prix pratiqués dans ces 28 pays serait la même si, dans chaque pays, cette automobile était vendue 12 500 €.

b. L'effectif total est 28 et $28 = 2 \times 14$.
Donc la médiane est la demi-somme des 14ᵉ et 15ᵉ valeurs. Or, ces deux valeurs sont 13 milliers d'euros.
Donc le prix médian est 13 000 €.

Interprétation. Dans au moins 50 % de ces pays, le prix pratiqué est inférieur ou égal à 13 000 €, et dans au moins 50 %, il est supérieur ou égal à 13 000 €.

c. $17 - 11 = 6$. Ainsi, l'étendue de la série est 6 milliers d'euros.
Donc l'étendue est 6 000 €.

Conseils

- On peut présenter les données du diagramme dans un tableau d'effectifs, plus facile à utiliser.

Prix	11	12	13	14	15	16	17
Effectif	9	4	11	2	1	0	1

- Ici, 24 pays sur 28 (soit environ 86 %) pratiquent un prix inférieur ou égal au prix médian et 15 pays sur 28 (soit environ 54 %) pratiquent un prix supérieur ou égal au prix médian.

Sur le même modèle

2 Ce diagramme donne la répartition des classes d'un collège selon le nombre d'élèves par classe.

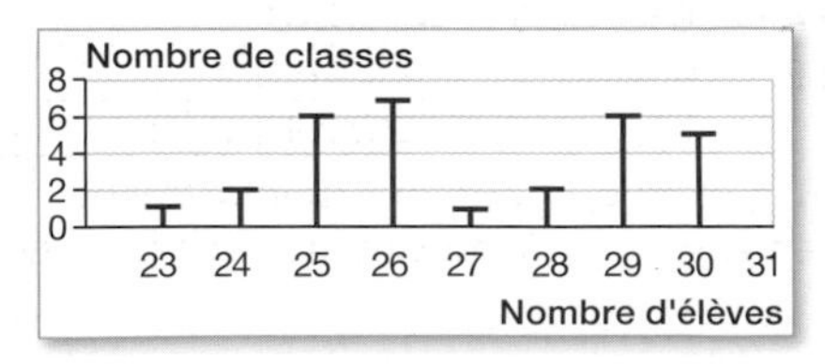

a. Déterminer le nombre moyen et le nombre médian d'élèves par classe. Interpréter ces résultats.
b. Calculer l'étendue.

3 Voici les notes obtenues par une classe de 3ᵉ à un devoir.

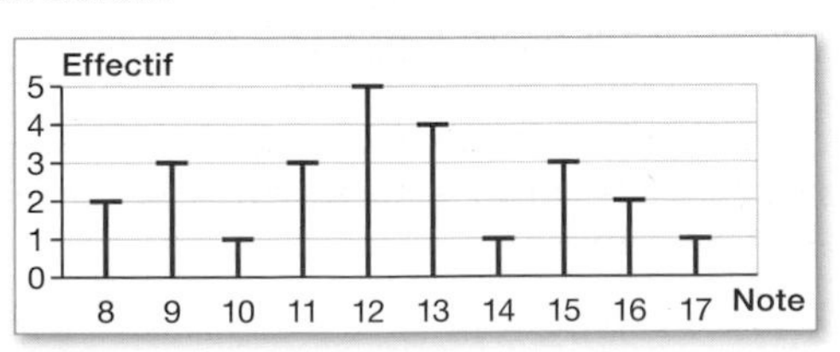

a. Déterminer la moyenne et la médiane des notes. Interpréter ces résultats.
b. Calculer l'étendue.

À L'oral

4 Voici la répartition des âges des élèves d'une école de cirque.

Âge (en ans)	13	14	15
Effectif	1	5	4

1. Quelle est la fréquence des élèves ayant 14 ans ?

2. a. Pour pouvoir participer à un festival, le groupe doit avoir un âge moyen inférieur ou égal à 14 ans. Est-ce le cas ?

b. Le responsable a la possibilité d'accepter un nouvel élève, soit de 11 ans, soit de 16 ans. Lequel va-t-il choisir ? Pourquoi ?

c. Le groupe peut-il alors participer au festival ?

5 Lors d'une course, sept concurrentes ont couru le 100 m avec le temps ci-dessous (en secondes) :

20,19	19,44	20,57	20,00	19,32	19,90	19,84

a. Quelle est l'étendue de la série ?

b. Anaïs a réussi le temps médian de la série. Quel a été son temps ?

6 Voici un résumé des salaires nets mensuels, en euros, des salariés d'une grande entreprise.

Minimum	Moyenne	Médiane	Maximum
1 100 €	2 297 €	1 875 €	9 000 €

Pour chaque affirmation, dire si elle est vraie ou fausse.

a. La moitié des salariés gagnent plus de 2 297 € par mois.

b. Si l'on ne prend pas en compte le salaire du PDG, le salaire moyen reste le même.

c. Si l'on ne prend pas en compte les salaires du PDG et de la personne qui a le plus bas salaire, le salaire médian reste le même.

7 Le tableau ci-dessous présente l'évolution des températures minimales (T_{min}) et maximales (T_{max}) observées en différents lieux de Nouvelle-Calédonie au cours des 40 dernières années.

	Nouméa	Thio	Koné	La Roche
T_{min} (en °C)	+ 1,3	+ 1,2	+ 1,2	+ 1,5
T_{max} (en °C)	+ 1,3	+ 1,0	+ 0,8	+ 1,0

a. Ce tableau traduit-il une augmentation ou une diminution des températures ? Expliquer.

b. En quel lieu la température minimale a-t-elle le plus augmenté ?

c. Calculer l'augmentation moyenne des températures minimales et celle des températures maximales depuis 40 ans.

8 Deux classes d'un collège ont répondu à la question suivante : « Combien de livres avez-vous empruntés au CDI durant les 12 derniers mois ? ». Les deux classes ont communiqué leurs réponses de deux façons différentes.

Classe n° 1

Nombre de livres	1	2	3	6	7
Nombre d'élèves	1	4	8	5	3

Classe n° 2

Effectif total : 25 — Moyenne : 4
Étendue : 8 — Médiane : 5

a. Comparer les nombres moyens de livres empruntés dans chaque classe.

b. Un « grand lecteur » est un élève qui a emprunté 5 livres ou plus.
Quelle classe a le plus de « grands lecteurs » ?

c. Dans quelle classe se trouve l'élève ayant emprunté le plus de livres ? Expliquer.

Calcul mental

9 **a.** Calculer mentalement la moyenne de cette série.

Valeur	1	4	6	8	30
Effectif	2	2	4	7	1

b. La valeur 30 de cette série est exceptionnelle. Calculer mentalement la moyenne de la série privée de la valeur 30.

10 Calculer mentalement l'étendue de la série.

a. 125 ; 138 ; 115 ; 127 ; 175 ; 149 ; 152 ; 162.

b. 18,5 ; 15,6 ; 19 ; 30,2 ; 16,5 ; 18,4 ; 18.

11 Voici quatre séries de nombres.

- **Série A :** 2 ; 8 ; 9 ; 1 ; 6
- **Série B :** 5 ; 9 ; 4 ; 10
- **Série C :** 1 ; 2 ; 2 ; 2 ; 3 ; 5
- **Série D**

Valeur	4	6	7	8
Effectif	2	1	3	7

Pour chaque série, déterminer mentalement :
a. la médiane ; **b.** la moyenne ; **c.** l'étendue.

12 15 ; ... ; 8 ; 11 ; 20 ; 6
Compléter mentalement le nombre manquant de cette série pour que sa médiane soit 10.

13 Une compagnie aérienne teste un nouveau vol quotidien entre Toulouse et Nice pendant deux semaines. Ce vol s'effectue à bord d'un avion qui peut transporter au maximum 72 passagers.
La compagnie s'est fixé comme objectif d'avoir un nombre moyen de passagers supérieur aux 80 % de la capacité maximale de l'avion.
Voici le nombre de passagers enregistrés par jour de la semaine.

	L	Ma	Me	J	V	S	D
Semaine 1	55	65	50	62	70	65	70
Semaine 2	50	45	55	58	65	67	63

L'objectif est-il atteint ?

14 En ville, la vitesse est limitée à 50 km/h.
Un dispositif est mis en place pour mesurer les dépassements de la vitesse autorisée dans une zone où il y a des excès de vitesse.
Le tableau ci-dessous indique les résultats de 125 mesures effectuées sur des véhicules en excès de vitesse.

Dépassement (en km/h)	1	2	3	4	5	6	7	8	9	10
Nombre de véhicules	5	6	5	5	12	7	6	7	6	4

Dépassement (en km/h)	11	12	13	14	15	16	17	18	19	20
Nombre de véhicules	5	6	5	5	11	8	6	7	6	3

a. Calculer la moyenne des dépassements de la vitesse autorisée.
b. Quel est le pourcentage des véhicules qui dépassent la vitesse autorisée d'au moins 5 km/h ?
c. Déterminer la médiane M de cette série.
d. Calculer le pourcentage d'excès de vitesse supérieurs ou égaux à M.
Donner une valeur approchée à l'unité près.

15 Une entreprise de transport a dépensé en tout 18 200 € en 2015 pour l'entretien de ses véhicules.
1. Recopier et compléter le tableau ci-dessous.

Marque	A	B	C	D	E
Effectif	2	3	3	4	8
Dépense par véhicule (en €)	375	1 250	...	1 675	560

2. Calculer la dépense moyenne par véhicule.
Cette moyenne décrit-elle correctement les dépenses effectuées ?
3. a. Calculer la dépense médiane par véhicule.
b. Dylan affirme : « La dépense pour plus d'un véhicule sur deux a dépassé la dépense médiane. »
A-t-il raison ? Expliquer.

16 Voici le classement général des sept premiers coureurs à l'issue de la 21e étape du tour de France 2015.

	Prénom et nom	**Temps**
1	Christopher Froome	84 h 46 min
2	Nairo Quintana	84 h 47 min
3	Alejandro Valverde	84 h 51 min
4	Vincenzo Nibali	84 h 55 min
5	Alberto Contador	84 h 56 min
6	Robert Gesink	84 h 57 min
7	Bauke Mollema	85 h 01 min

1. Calculer la différence entre les temps de course de Bauke Mollema et de Christopher Froome.
2. On considère la série statistique des temps de course.
a. Que représente pour la série statistique la différence calculée à la question **1** ?
b. Quelle est la médiane de cette série ?

17 Physique TICE Lors d'un TP de physique, des élèves ont contrôlé avec des multimètres d'un même modèle si les lots de conducteurs ohmiques dont ils disposent ont bien une résistance de 1 000 Ω.
1. Les résultats d'un groupe d'élèves figurent dans cette feuille de calcul.

	A	B	C	D	E	F	G	H
1	998	1 001	1 001	999	1 005	1 003	1 000	1 002
2	1 002	1 000	1 005	1 001	1 001	1 002	1 001	1 000
3	1 003	997	1 002	1 003	999	1 003	1 000	1 002
4	1 000	998	1 003	999	997	1 000	1 003	997
5	1 001	1 000	999	997	1 004	998	1 002	1 000
6	1 004	1 005	999	1 003	999	998	1 003	997

a. Réaliser cette feuille de calcul.
b. Déterminer à l'aide du tableur la moyenne, la médiane et l'étendue des mesures.
2. Les résultats d'un autre groupe d'élèves figurent dans cette feuille de calcul.

	A	B	C	D	E	F	G	H
1	990	997	998	999	1 000	1 001	1 004	1 010
2	9	4	7	5	4	8	12	11

a. Réaliser cette feuille de calcul.
b. Déterminer la moyenne, la médiane et l'étendue des mesures.
c. Comparer ces deux séries de mesures.
Que peut-on remarquer ?
Quelle série est la moins dispersée ?

▶ Étudier une série avec le tableur

18 Comparer des séries

	Moyenne	Médiane	Étendue
Léo			
Julie			
Jordy			

On se propose de comparer les séries de notes en anglais de trois élèves, Léo, Julie et Jordy, à l'aide de trois caractéristiques : moyenne, médiane et étendue.

a. Recopier le tableau ci-dessus. Il sera à compléter au fur et à mesure des questions.

b. Réaliser la feuille de calcul ci-contre. En particulier, saisir les formules qui conviennent dans les cellules B3, B4, B5.

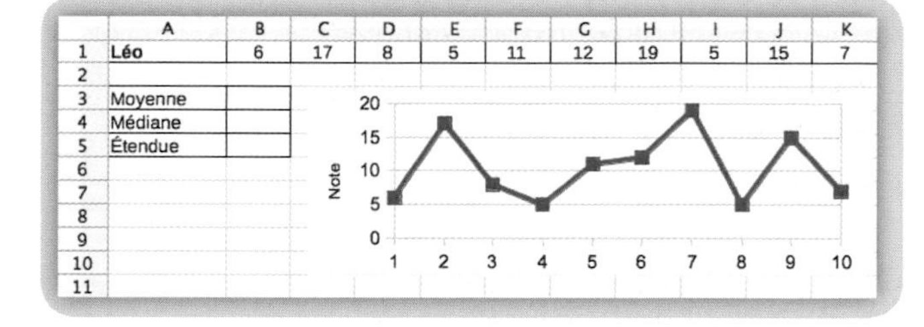

	A	B	C	D	E	F	G	H	I	J	K
1	Léo	6	17	8	5	11	12	19	5	15	7
2											
3	Moyenne										
4	Médiane										
5	Étendue										

Noter les valeurs des caractéristiques dans le tableau.

Pour réaliser le graphique, choisir Ligne, puis Points et lignes.

Observer le graphique.

c. Remplacer les notes de Léo par celles de Julie, puis par celles de Jordy.

Julie	9	9	12	10	13	9	12	9	9	13
Jordy	18	15	14	10	12	9	4	8	6	9

d. Comparer les moyennes, médianes et étendues des trois séries de notes. Commenter.

e. Retrouver le destinataire de chaque appréciation écrite par le professeur d'anglais.

❶ « Résultats moyens obtenus grâce à un travail soutenu. »

❷ « Que de capacités gâchées ! Après un bon début, les résultats se sont écroulés. »

❸ « Élève fantaisiste mais capable. Un travail régulier s'impose pour progresser. »

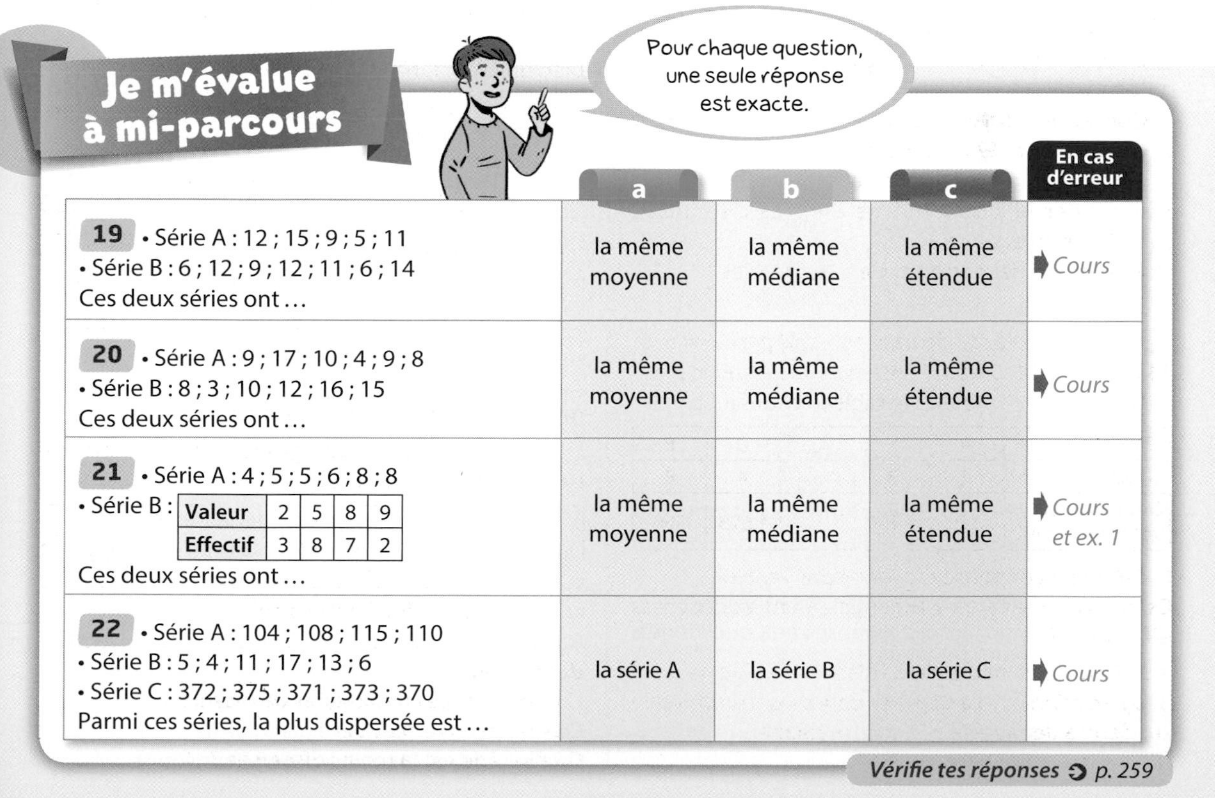

Je m'évalue à mi-parcours

	a	b	c	En cas d'erreur
19 • Série A : 12 ; 15 ; 9 ; 5 ; 11 • Série B : 6 ; 12 ; 9 ; 12 ; 11 ; 6 ; 14 Ces deux séries ont …	la même moyenne	la même médiane	la même étendue	*Cours*
20 • Série A : 9 ; 17 ; 10 ; 4 ; 9 ; 8 • Série B : 8 ; 3 ; 10 ; 12 ; 16 ; 15 Ces deux séries ont …	la même moyenne	la même médiane	la même étendue	*Cours*
21 • Série A : 4 ; 5 ; 5 ; 6 ; 8 ; 8 • Série B : Valeur : 2 ; 5 ; 8 ; 9 / Effectif : 3 ; 8 ; 7 ; 2 Ces deux séries ont …	la même moyenne	la même médiane	la même étendue	*Cours et ex. 1*
22 • Série A : 104 ; 108 ; 115 ; 110 • Série B : 5 ; 4 ; 11 ; 17 ; 13 ; 6 • Série C : 372 ; 375 ; 371 ; 373 ; 370 Parmi ces séries, la plus dispersée est …	la série A	la série B	la série C	*Cours*

Vérifie tes réponses p. 259

S'initier au raisonnement

23 Interpréter une moyenne

Modéliser • Raisonner • Communiquer

L'occupation moyenne d'un appartement par des vacanciers a été de 315 jours par an au cours des dix dernières années.

Déterminer si l'on peut déduire les affirmations suivantes de cette information. Expliquer.

ⓐ On peut dire avec certitude que l'appartement a été occupé pendant exactement 315 jours par des vacanciers au cours d'au moins une des dix dernières années.

ⓑ En théorie, il est possible qu'au cours des dix dernières années, l'appartement ait été occupé par des vacanciers plus de 315 jours chaque année.

ⓒ En théorie, il est possible qu'au cours d'une des dix dernières années, l'appartement n'ait pas été occupé du tout par des vacanciers.

Remarque. On compte qu'il y a 365 jours par an.

D'après Évaluation PISA

Conseil

ⓒ Tu peux faire des essais.

24 Valider une observation

Chercher • Raisonner • Communiquer

On a relevé les tailles des danseuses de deux groupes. On nomme ces danseuses par une lettre de A à M.

• **Groupe 1**

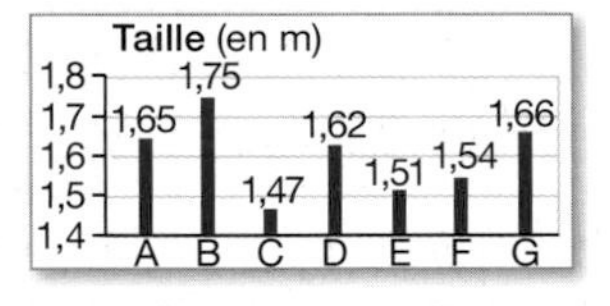

• **Groupe 2**

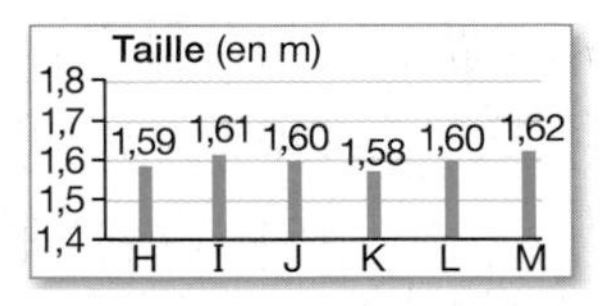

a. En observant ces diagrammes, que peut-on remarquer à propos des tailles des danseuses de chacun des groupes ?

b. Calculer la taille moyenne dans chaque groupe.

c. Expliquer pourquoi les réponses aux questions **a** et **b** sont néanmoins cohérentes.

Conseil

Au **a**, pense à utiliser une caractéristique pour valider.

Organiser son raisonnement

25 Comparer des données économiques

Chercher • Raisonner • Communiquer

1. En 2013, le salaire moyen brut des Français était de 2 912 € par mois.

Le salaire net (celui qui est réellement perçu) était égal au salaire brut diminué de 24,4 %.

Quel était alors le salaire moyen net par mois ?

Donner une valeur approchée à l'unité près.

2. a. En 2013, le salaire médian net des Français s'élevait à 1 772 € par mois.

Expliquer à quoi correspond ce salaire médian.

b. Comparer le salaire médian net et le salaire moyen net des Français en 2013.

Comment peut-on expliquer cette différence ?

3. Selon l'Insee, le seuil de pauvreté, qui était de 1 000 € mensuels en 2013, touchait 8,7 millions de personnes parmi les 66 millions de Français.

Calculer le pourcentage de Français concernés.

Donner une valeur approchée à l'unité près.

26 Découvrir une caractéristique de position

Raisonner • Calculer • Communiquer

Une entreprise fabrique des clés USB de capacité 16 Go.

On s'intéresse à la série statistique des capacités réelles, en Go, d'un lot de clés qui sortent de la chaîne de fabrication.

Elles sont rangées par ordre croissant.

15,7 15,8 15,9 16 16 16,1 16,2 16,3 16,3

a. On vend au rabais les clés de ce lot dont la capacité est inférieure à une capacité Q_1.

Déterminer cette valeur Q_1 de la série telle qu'au moins 25 % des capacités lui soient inférieures ou égales.

On dit que Q_1 est le **premier quartile** de la série.

b. On recycle les clés dont la capacité est supérieure à une capacité Q_3.

Déterminer cette valeur Q_3 de la série telle qu'au moins 75 % des capacités lui soient inférieures ou égales.

On dit que Q_3 est le **troisième quartile** de la série.

c. Esteban affirme : « Au moins 50 % des clés du lot ont une capacité comprise entre Q_1 (inclus) et Q_3 (inclus). » A-t-il raison ?

d. Calculer le pourcentage de clés du lot qui ont :

• une capacité inférieure ou égale à Q_1,

• une capacité supérieure ou égale à Q_3.

Donner une valeur approchée à l'unité près.

Je fais le point sur mes compétences

27 Calculer moyenne et fréquence TICE

Une coopérative collecte le lait dans plusieurs exploitations agricoles. Les détails de la collecte du jour ont été saisis dans une feuille de calcul.

	A	B
1	**Exploitation agricole**	**Quantité de lait collecté** (en L)
2	Beauséjour	1 250
3	Le Verger	2 130
4	La Fourragère	1 070
5	Petit pas	2 260
6	La Chausse Pierre	1 600
7	Le Palet	1 740
8	*Quantité totale de lait collecté*	

a. Laquelle de ces formules peut être saisie dans la cellule B8 pour obtenir la quantité totale de lait collecté ?

SOMME(B2:B7) SOMME(B2:B8)

=SOMME(B2:B7) =SOMME(B2:B8)

b. Calculer la moyenne des quantités de lait collecté dans ces exploitations.

c. Quel pourcentage de la collecte provient de l'exploitation « Petit pas » ?
Donner une valeur approchée à l'unité près.

Conseil

Utilise la calculatrice pour répondre aux questions **b** et **c**. Attention aux erreurs de frappe !

28 Déterminer moyenne, médiane et étendue

On a relevé ci-dessous les points obtenus par Jules et Nadia lors de sept parties de fléchettes.
Le résultat de Nadia lors de la partie ❻ a été éffacé.

Partie	❶	❷	❸	❹	❺	❻	❼
Jules	40	35	85	67	28	74	28
Nadia	12	62	7	100	81		30

a. Calculer le nombre moyen de points de Jules.

b. Nadia a obtenu en moyenne 51 points par partie.
Calculer le nombre de points effacé (6e partie).

c. Déterminer la médiane de la série de points obtenus par Jules, puis par Nadia.

d. Calculer l'étendue de chaque série de points.

e. Qui, de Jules ou de Nadia, a obtenu la série la plus homogène ? Expliquer.

Conseil

Au **c**, range chaque série par ordre croissant.

Je prends des initiatives

Avec une aide

29 Comparer médiane et moyenne

a. La médiane de la série de valeurs :

7 ; 8 ; 12 ; 12 ; 14 ; 15 ; 15 ; 41

est-elle supérieure ou inférieure à la moyenne de cette série ?

b. En observant les valeurs de la série, donner un argument qui explique pourquoi les valeurs de la moyenne et de la médiane sont différentes.

Conseil

b. Calcule l'étendue de la série ; observe si la série est dispersée ou homogène.

Sans aide maintenant

30 Analyser des données

Voici le bilan des médailles d'or reçues par les pays participant aux Jeux olympiques pour le cyclisme masculin de 1896 à 2012.

Source : CIO

Nombre de médailles d'or	1	2	3	4	5	6	7
Effectif	11	3	2	1	2	2	1

Nombre de médailles d'or	11	13	14	16	26	32	41
Effectif	1	1	2	1	1	1	1

1. a. Calculer la moyenne de cette série.
Donner une valeur approchée à l'unité près.

b. Déterminer la médiane de cette série.

c. En observant les valeurs de la série, donner un argument qui explique pourquoi les valeurs de la moyenne et de la médiane sont différentes.

2. Pour le cyclisme masculin, 71 % des pays médaillés ont obtenu au moins une médaille d'or.
Quel est le nombre de pays qui n'ont obtenu que des médailles d'argent ou de bronze ?
Donner une valeur approchée à l'unité près.

31 Argumenter

Voici les tailles, en cm, de 29 plantules de blé 10 jours après la mise en germination.

Taille (en cm)	0	10	15	17	18	19	20	21	22
Effectif	1	4	6	2	3	3	4	4	2

a. Déterminer la médiane de cette série.

b. Prouver que si l'on ajoute une donnée à cette série, la médiane ne change pas.

CHAPITRE

5

Calculer des probabilités

La couleur des yeux d'un enfant dépend de celle de ses parents.
Si les deux parents ont les yeux marron, la probabilité que l'enfant ait des yeux marron est supérieure à 70 %. Si les deux parents ont les yeux bleus, l'enfant aura les yeux bleus de façon presque certaine.

Vu au Cycle 4

Pour chaque question, une réponse ou plusieurs sont exactes.

		a	b	c
1	Un dé équilibré a 3 faces bleues, 2 faces rouges et 1 face verte. On lance ce dé et on note la couleur de la face du dessus. La probabilité d'obtenir une face rouge est …	$\frac{1}{6}$	$\frac{2}{6}$	$\frac{1}{3}$
2	On tire au hasard une boule de l'urne puis, sans la remettre, on tire une 2e boule au hasard. On note les numéros obtenus. Le nombre d'issues de l'expérience est … 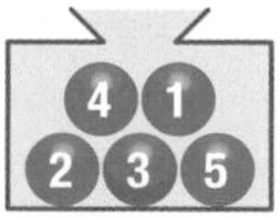	9	25	20
3	Lou tire au hasard une carte dans un jeu de 32 cartes. « Lou a autant de chances de tirer un roi que de tirer une dame » est une affirmation …	vraie	fausse	dont on ne peut savoir si elle est vraie
4	On lance un grand nombre de fois un dé équilibré à six faces numérotées de 1 à 6. La fréquence de nombres pairs obtenue est proche de …	0,17	0,25	0,5

Vérifie tes réponses ➲ p. 259

D'autres exercices sur ***le site compagnon***

Activité 1

Étudier un événement

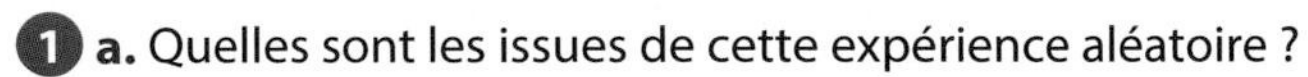

Ce sac opaque contient dix boules indiscernables au toucher, numérotées 1, 2, 3 ou 4.
On tire au hasard une boule de ce sac et on relève son numéro.

1 **a.** Quelles sont les issues de cette expérience aléatoire ?
b. Donner la probabilité de chacune de ces issues.
c. Recopier et compléter l'arbre des issues pondéré par les probabilités ci-contre.

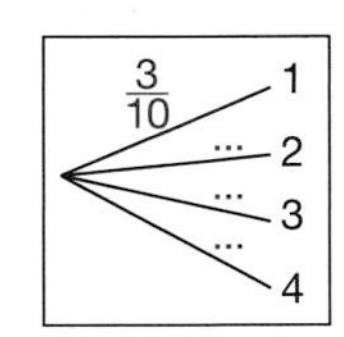

2 Lisa s'apprête à tirer une boule dans le sac et souhaite obtenir un nombre pair.
a. Quelles issues permettent de réaliser le souhait de Lisa ?
On dit que **ces issues réalisent l'événement P** : « Obtenir un nombre pair ».
b. Proposer une façon de calculer la probabilité de l'événement P, c'est-à-dire la probabilité que le souhait de Lisa se réalise.

Activité 2

Décrire des trajets

Le plan ci-dessous représente les rues qui mènent de l'habitation (Ha) de Kévin à son collège (Co).
Kévin suit les directions fléchées et ne revient pas en arrière.

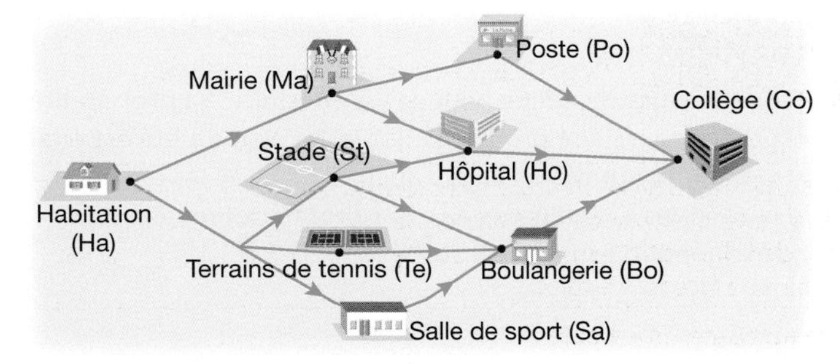

1 **a.** Établir la liste des six trajets possibles (par exemple : Ha-Ma-Po-Co).
b. Chaque matin, Kévin choisit un trajet au hasard parmi les trajets possibles pour se rendre au collège. Pour chaque trajet, quelle est la probabilité que Kévin l'emprunte ?

2 Voici un événement A : « Le trajet passe par l'hôpital (Ho) ».
a. Écrire la liste des trajets qui réalisent l'événement A et celle des trajets qui ne réalisent pas l'événement A.
On note $\overline{A}$ l'événement : « Le trajet ne passe pas par l'hôpital ».
b. Donner la probabilité de chacun des événements A et $\overline{A}$.

3 B est l'événement : « Le trajet passe par la boulangerie (Bo) ».
Existe-t-il des trajets qui réalisent les deux événements A et B ?

J'apprends le cours

1 Notion d'événement

Définition Un **événement** est constitué par certaines issues d'une expérience aléatoire. On dit que chacune de ces issues réalise l'événement.

Exemple

On tourne la roue de loterie équilibrée ci-contre et on relève le numéro du secteur qui s'arrête en face du repère rouge.
Les issues de l'expérience sont 1, 2, 3 et 4.
L'événement A : « Le nombre obtenu est pair » est réalisé par les issues 2 et 4.

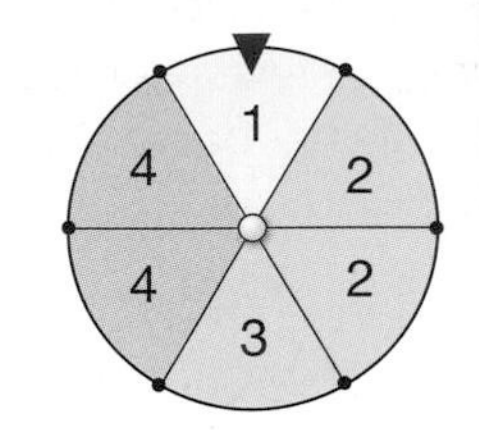

2 Probabilité d'un événement

Définition/Propriété La **probabilité d'un événement** est la somme des probabilités des issues qui réalisent cet événement.
La probabilité d'un événement est comprise entre 0 et 1.

Exemple

On reprend l'exemple de la roue du paragraphe 1.
L'événement A est réalisé par les issues 2 et 4.
Sa probabilité, notée P(A), est la somme des probabilités de ces issues :

$$P(A) = \frac{1}{3} + \frac{1}{3} = \frac{2}{3}.$$

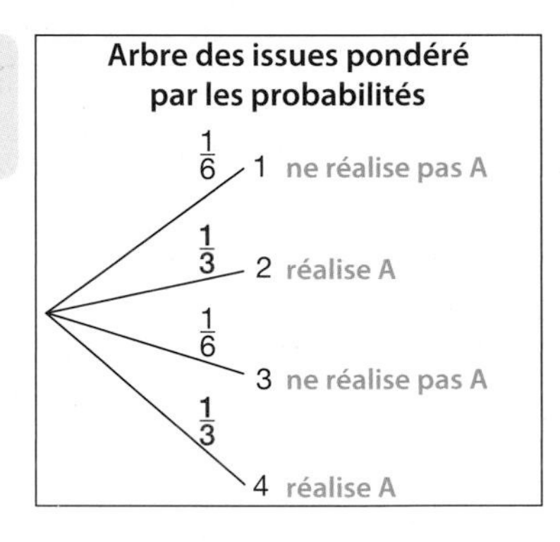

Événements particuliers

- Un événement est dit **impossible** s'il ne peut pas se produire. **Sa probabilité est égale à 0.**
- Un événement est dit **certain** s'il se produit toujours. **Sa probabilité est égale à 1.**
- Deux événements sont **incompatibles** lorsqu'aucune issue ne les réalise en même temps.

Dans l'exemple de la roue, les événements A : « Le nombre obtenu est pair » et B : « Le nombre obtenu est 1 » sont incompatibles.

3 Événement contraire

Définition L'**événement contraire** d'un événement A est l'événement qui se réalise lorsque A ne se réalise pas. On le note $\overline{A}$.

Propriété La somme des probabilités d'un événement et de son événement contraire est égale à 1.

Exemple

On reprend l'exemple de la roue du paragraphe 1.
L'événement contraire de A est l'événement $\overline{A}$: « Le nombre obtenu est impair ».
$\overline{A}$ est réalisé par les issues 1 et 3. Ainsi, $P(\overline{A}) = \frac{1}{6} + \frac{1}{6} = \frac{1}{3}$.
On a bien $P(A) + P(\overline{A}) = \frac{2}{3} + \frac{1}{3} = 1$.

J'apprends à ▶ Calculer la probabilité d'un événement

Exercice résolu

1 **Énoncé**

Kenza a chargé ses titres favoris sur son téléphone : 7 chansons de variété française (V), 3 titres de rap (R), 4 de pop internationale (I) et 6 de jazz (J).
Elle utilise la fonction « aléatoire » de son téléphone qui choisit au hasard parmi les titres celui diffusé par le téléphone. On s'intéresse au type de musique du 1er titre diffusé.
a. Dessiner l'arbre des issues pondéré par les probabilités écrites sous forme de fractions irréductibles.
b. Calculer la probabilité de l'événement E : « Le titre diffusé n'est pas du jazz ».

Solution

a. Les titres se répartissent de la façon suivante :

Type de musique	V	R	I	J	Total
Effectif	7	3	4	6	20

La probabilité que le type du 1er titre diffusé soit :
- de la variété française est $\frac{7}{20}$;
- du rap est $\frac{3}{20}$;
- de la pop internationale est $\frac{4}{20}$, c'est-à-dire $\frac{1}{5}$;
- du jazz est $\frac{6}{20}$, soit $\frac{3}{10}$.

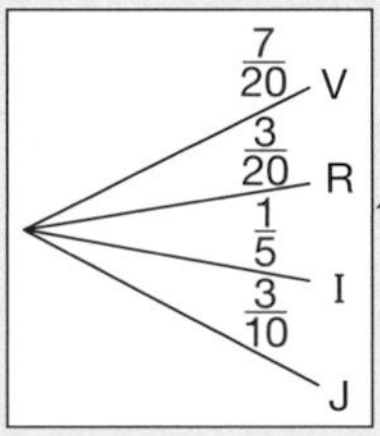

b. L'événement contraire de l'événement E est $\bar{E}$: « Le titre diffusé est du jazz » et $P(\bar{E}) = \frac{3}{10}$.
Donc l'événement E a pour probabilité :

$$P(E) = 1 - \frac{3}{10} = \frac{7}{10}.$$

Conseils

- Le téléphone choisit le titre au hasard parmi les 20 titres.
Il y a 7 titres de variété française, donc la probabilité que le 1er titre diffusé soit de la variété française est $\frac{7}{20}$.
- On peut vérifier que la somme des probabilités des issues est égale à 1.
- Les issues qui réalisent l'événement E sont V, R et I. Donc, on peut aussi écrire :
$P(E) = \frac{7}{20} + \frac{3}{20} + \frac{1}{5} = \frac{14}{20} = \frac{7}{10}$.

Sur le même modèle

2 Une urne opaque contient dix boules. Sur chacune d'elles est inscrite une des lettres du mot :
MISSISSIPI.
On tire une boule au hasard de l'urne et on lit la lettre obtenue.

a. Dessiner l'arbre des issues pondéré par les probabilités écrites sous forme de fractions irréductibles.
b. Calculer la probabilité de l'événement E : « La lettre obtenue n'est pas une voyelle ».

3 Un commerçant propose des boissons sur un marché.
Dans son réfrigérateur, on trouve 30 bouteilles de thé glacé (T), 32 de jus d'ananas (J), 18 de soda (S) et 40 d'eau gazeuse (E).
Ces bouteilles sont de même forme.
Le commerçant prélève au hasard une bouteille dans son réfrigérateur.
a. Dessiner l'arbre des issues pondéré par les probabilités écrites sous forme de fractions irréductibles.
b. Calculer la probabilité de l'événement E : « La bouteille n'est pas une bouteille d'eau gazeuse ».

À L'oral

4 Un itinéraire doit passer une seule fois par trois villes A, B et C.
Par exemple, CAB est un trajet possible.
a. Énoncer tous les trajets possibles.
b. Combien d'entre eux commencent par la ville B ?

5 Dans une urne, on place 100 jetons numérotés 00, 01, 02, ..., 98, 99.
On tire un jeton au hasard et on lit le numéro obtenu.
Citer toutes les issues qui réalisent l'événement :
E : « Le chiffre 9 figure au moins une fois dans le numéro ».

6 La fonction du tableur :
ALEA.ENTRE.BORNES (1;100)
renvoie un nombre entier aléatoire compris entre 1 et 100.
Quelle est la probabilité de l'événement :
F : « Le nombre obtenu est un multiple de 10 » ?

7 Enzo tire une carte au hasard dans un jeu de 32 cartes. On s'intéresse aux événements :
- E : « La carte tirée est un 10 »,
- F : « La carte tirée est une figure (roi, dame ou valet) ».

Expliquer pourquoi les événements E et F sont incompatibles.

8 Tania lance au hasard un dé dont les faces sont numérotées de 1 à 6. Elle lit le numéro sorti.
E est l'événement : « Tania lit un nombre pair ».
Citer les issues qui réalisent E, puis celles qui réalisent son événement contraire $\overline{E}$.

9 On lance deux fois de suite une pièce de monnaie.
On note E l'événement : « Obtenir au moins une fois Pile ».
Énoncer l'(les) issue(s) qui réalise(nt) l'événement contraire de E.

10 La roue de loterie ci-dessous est équilibrée et partagée en huit secteurs identiques.
On fait tourner la roue et on observe le numéro repéré.

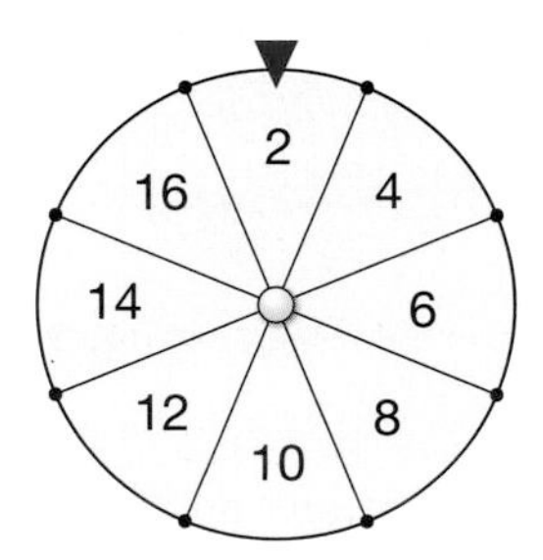

Expliquer pourquoi l'événement E : « Le numéro repéré est divisible par 4 » et son événement contraire ont la même probabilité.

Calcul mental

11 Voici les probabilités des issues d'une expérience aléatoire.

Issue	1	2	3	4
Probabilité	0,26	0,32	0,19	0,23

Calculer mentalement la probabilité de chaque événement.
a. E : « L'issue est un nombre pair »
b. F : « L'issue est un nombre supérieur ou égal à 3 »

12 Dans chaque cas, calculer mentalement la probabilité de l'événement contraire de E.
a. $P(E) = 0{,}3$ **b.** $P(E) = \frac{1}{3}$ **c.** $P(E) = 0{,}85$

13 Les issues d'une expérience aléatoire ont toutes la même probabilité égale à $\frac{1}{20}$.
L'événement E est réalisé par 5 issues.
Donner mentalement sa probabilité sous la forme d'une fraction irréductible, puis donner son écriture décimale.

14 Lors d'une expérience aléatoire, les issues qui réalisent l'événement E ont pour probabilités $\frac{1}{12}$, $\frac{1}{6}$ et $\frac{1}{2}$.
Calculer mentalement la probabilité de l'événement E sous la forme d'une fraction irréductible.

Probabilité d'un événement

15 On écrit sur les faces d'un dé équilibré chacune des lettres du mot ARMURE.
On lance ce dé et on lit la lettre inscrite sur la face supérieure.

1. a. Quelles sont les issues de cette expérience ?
b. Donner la probabilité de chacune d'elles.

2. Déterminer la probabilité de l'événement :
a. E_1 : « Obtenir une lettre du mot RAMEUR » ;
b. E_2 : « Obtenir une lettre du mot COTON » ;
c. E_3 : « Obtenir une lettre du mot MALIN » ;
d. E_4 : « Obtenir une consonne ».

16 Un sac opaque contient huit jetons numérotés de 1 à 8. On tire au hasard un jeton et on note son numéro.

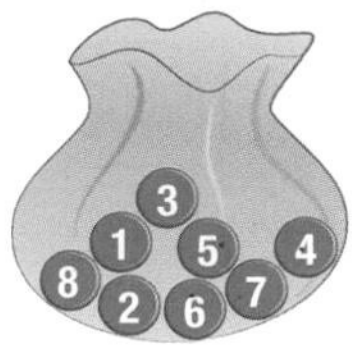

1. Dans chaque cas, indiquer les issues qui réalisent l'événement :
a. E_1 : « Obtenir un multiple de 2 » ;
b. E_2 : « Obtenir un nombre supérieur ou égal à 4 » ;
c. E_3 : « Obtenir un nombre pair supérieur ou égal à 4 ».

2. Donner l'écriture décimale de chaque probabilité.
a. $P(E_1)$ **b.** $P(E_2)$ **c.** $P(E_3)$

17 On dispose d'un dé cubique truqué. On le lance un grand nombre de fois et on estime la probabilité d'obtenir chaque face. Voici ces estimations :

Face	1	2	3	4	5	6
Probabilité	0,05	0,1		0,2	0,25	0,3

a. Quelle est la probabilité manquante d'obtenir 3 ?
b. Donner la probabilité de chacun des événements :
• A : « Obtenir un nombre multiple de 3 » ;
• B : « Obtenir 4 ou plus » ;
• C : « Obtenir un nombre entier n tel que $n \leqslant 2$ ou $n \geqslant 5$ ».
c. Pauline affirme : « Il y a autant de chances d'obtenir un nombre pair qu'un nombre impair. »
Est-ce exact ? Expliquer.

18 Une urne contient uniquement des jetons jaunes (J), rouges (R) et verts (V).
On sait que $P(J) = \frac{1}{3}$, $P(R) = 0,25$.
Calculer $P(V)$.

19 La répartition des groupes sanguins dans la population française est présentée dans le tableau ci-dessous.

		Groupe sanguin			
		O	A	B	AB
Rhésus	positif	36 %	38 %	8 %	3 %
	négatif	6 %	7 %	1 %	1 %

On choisit au hasard une personne. On assimile les probabilités aux fréquences observées.
Quelle est la probabilité de l'événement :
a. B : « La personne est du groupe B » ?
b. R+ : « La personne est de rhésus positif » ?
c. A– : « La personne est du groupe A rhésus négatif » ?

20 On interroge 100 clients d'un hypermarché pour connaître leur avis sur deux produits A et B.
Tous les clients ont répondu.
20 clients sont satisfaits des deux produits, 35 clients sont satisfaits du produit A et 27 clients ne sont satisfaits que du produit B.

1. Recopier et compléter le tableau suivant :

Nombre de clients	**satisfaits de A**	**non satisfaits de A**	Total
satisfaits de B			
non satisfaits de B			
Total			100

2. Pour un client choisi au hasard parmi les 100, calculer la probabilité qu'il soit :
a. satisfait du produit B ;
b. satisfait du produit A seulement ;
c. satisfait d'un seul des deux produits ;
d. satisfait d'au moins un des deux produits.

21 On tire au hasard une carte dans un jeu de 32 cartes.

1. a. Combien l'expérience compte-t-elle d'issues ?
b. Quelle est la probabilité de chaque issue ?

2. a. Indiquer les issues qui réalisent chacun des événements :
• E : « La couleur de la carte tirée est rouge (cœur ou carreau) » ;
• F : « La carte tirée est un as ».
b. Donner la probabilité de chacun de ces événements.

3. Existe-t-il des issues qui réalisent les deux événements E et F en même temps ?
Quelles sont-elles ?

Je m'entraîne

22 Voici la répartition des salaires dans une entreprise.
On compte cinq catégories de salaires : A, B, C, D et E.

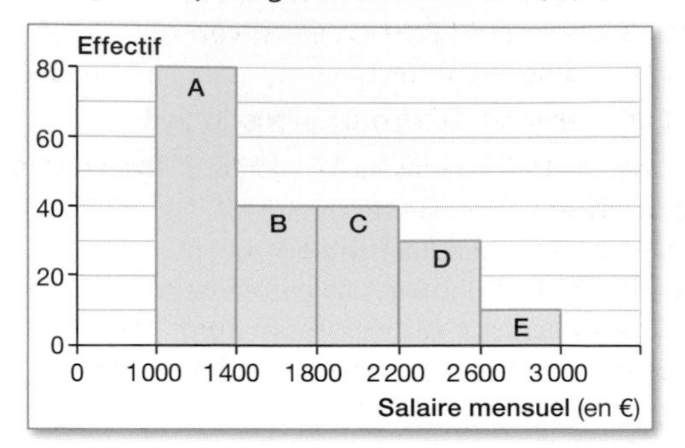

Par exemple, un salarié de la catégorie A touche un salaire mensuel compris entre 1 000 € inclus et 1 400 € exclu.
On rencontre au hasard un salarié de l'entreprise et on lui demande sa catégorie de salaire.

a. Dessiner l'arbre des issues pondéré par les probabilités écrites sous forme de fractions irréductibles.

b. Donner la probabilité de chacun des événements :
- U : « Le salarié gagne au moins 1 800 € par mois » ;
- V : « Le salarié gagne strictement moins de 2 200 € par mois ».

23 La roue équilibrée ci-dessous est partagée en dix secteurs identiques numérotés de 1 à 10.

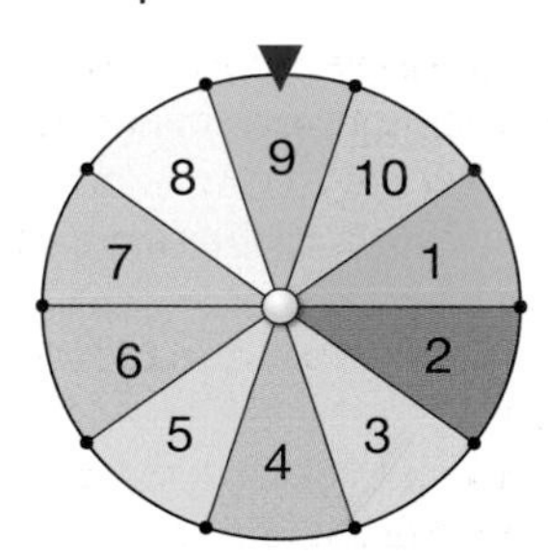

Léa fait tourner la roue et observe le numéro repéré.
Elle s'intéresse aux événements suivants :
E : « Le numéro repéré est pair » ;
F : « Le numéro repéré est multiple de 3 » ;
G : « Le numéro repéré est multiple de 5 ».

1. Dresser la liste des issues qui réalisent chacun des événements E, F et G.

2. Dans chaque cas, dire si les événements sont incompatibles ou non. Justifier la réponse.
a. E et F **b.** E et G **c.** F et G

3. Donner la probabilité de chacun des événements E, F et G.

Expériences à deux épreuves

24 Anissa (A), Baptiste (B), Coralie (C) et Dylan (D) tirent les rois.
Ils ont deux galettes (une à la frangipane et une briochée) qui contiennent chacune une fève.
Les quatre amis partagent chaque galette en quatre parts égales et mangent tous une part de chaque galette.
On s'intéresse à la répartition des fèves.

1. a. Recopier et compléter l'arbre ci-dessous.

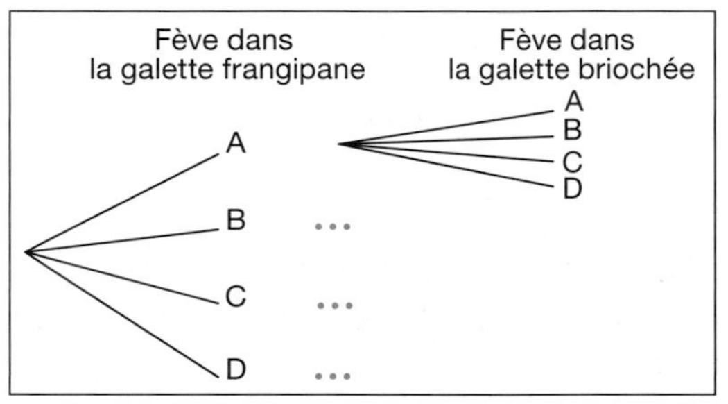

b. Combien y a-t-il d'issues possibles pour la répartition des deux fèves ?

2. Donner la probabilité de chacun des événements suivants :
a. E : « Anissa a les deux fèves » ;
b. F : « Baptiste n'a pas de fève » ;
c. G : « Coralie a exactement une fève » ;
d. H : « Dylan a au moins une fève ».

25 On lance deux fois de suite un dé équilibré a quatre faces numérotées de 1 à 4. On repère à chaque lancer le numéro qui figure sur la face cachée du dé.

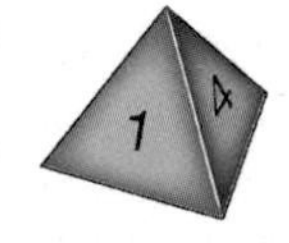

1. a. Dessiner un arbre afin d'obtenir toutes les issues de l'expérience.
b. Quelle est la probabilité de chaque issue ?

2. a. Donner les issues qui réalisent l'événement :
E : « La somme des deux numéros est égale à 5 ».
b. Quelle est la probabilité de cet événement ?

3. Que dire de chaque événement ?
a. F : « La somme des deux numéros est égale à 1 ».
b. G : « La somme des deux numéros est inférieure à 10 ».

26 On lance deux dés non truqués à six faces numérotées de 1 à 6, et on lit les numéros des faces supérieures.
Quelle est la probabilité d'obtenir :
a. le même nombre sur les deux dés ?
b. deux nombres différents ?

27 Sohan a dans sa poche quatre pièces de 1 € : une provenant d'Allemagne, une d'Espagne, une de France et une d'Italie.
Il prend au hasard une première pièce dans sa poche, puis, sans la remettre, en prend une deuxième.
Sohan s'intéresse à la provenance de ces pièces.

1. a. Recopier et compléter l'arbre ci-dessous.

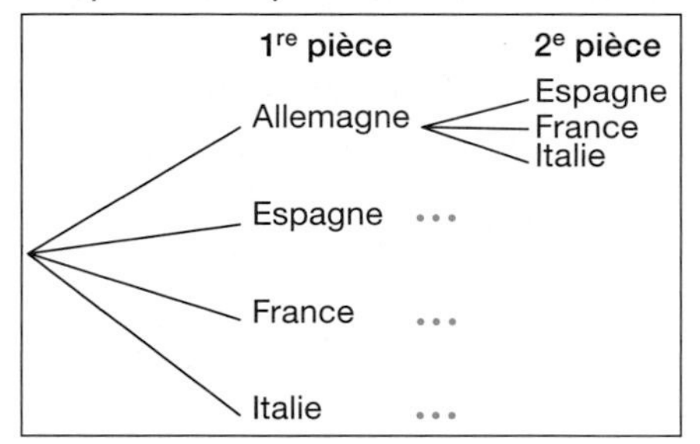

b. Quelle est la probabilité de chaque issue ?

2. Indiquer les issues qui réalisent chacun des événements :

a. M_1 : « Une pièce exactement vient de France » ;

b. M_2 : « Au moins une pièce vient de France » ;

c. M_3 : « Aucune pièce ne vient de France ».

3. Donner la probabilité de chacun des événements M_1 et M_3.

28 Mathis lance une pièce équilibrée de 1 €, note le résultat : Pile (P) ou Face (F), puis tire au hasard une boule du sac et observe sa couleur : rouge (R), vert (V), bleu (B), noir (N) ou jaune (J).

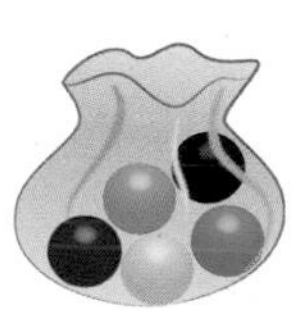

1. a. Recopier et compléter l'arbre ci-dessous.

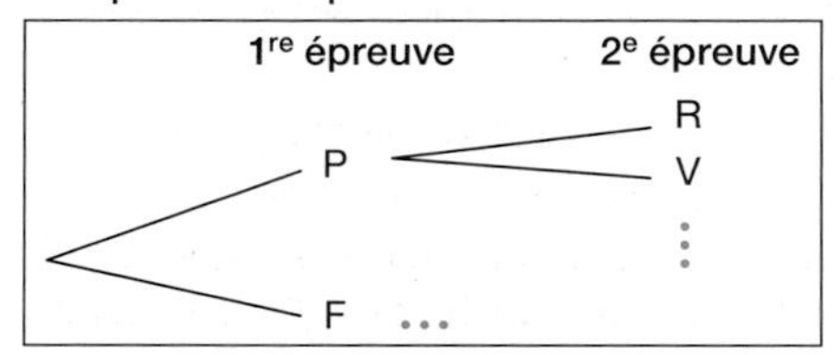

b. Combien l'expérience compte-t-elle d'issues ?

2. Donner la probabilité de chacun des événements :
- E_1 : « Obtenir la couleur rouge » ;
- E_2 : « Ne pas obtenir la couleur jaune ».

29 Une boîte B_1 contient 3 boules noires numérotées 1, 2, 3, 4. Une boîte B_2 contient 3 boules blanches numérotées 2, 3, 5. On tire au hasard une boule de B_1, puis une boule de B_2 et on note les numéros obtenus. Utiliser un arbre des issues pour déterminer la probabilité d'obtenir deux boules numérotées 2.

Événement contraire

30 Tessa écrit au hasard, dans chacune des cases A, B et C représentées ci-contre, le chiffre 0 ou le chiffre 1.

Exemple

0	1	1
A	B	C

1. Combien y a-t-il d'écritures possibles ?

2. On note U l'événement : « Les deux chiffres 0 et 1 apparaissent dans l'écriture ».

a. Définir l'événement contraire $\overline{U}$.
Quelles sont les écritures qui le réalisent ?

b. Donner la probabilité de l'événement $\overline{U}$.

c. En déduire la probabilité de l'événement U.

31 On dispose d'un dé truqué et on estime que les probabilités d'obtenir chacune des faces sont données dans le tableau suivant :

Face	1	2	3	4	5	6
Probabilité	0,12	0,23	0,09	0,31	0,08	0,17

On lance le dé et on note le numéro obtenu.
E est l'événement : « Le nombre sorti est inférieur ou égal à 5 ».

1. a. Définir l'événement contraire $\overline{E}$.
Quelle est sa probabilité ?

b. En déduire la probabilité de l'événement E.

2. Retrouver P(E) par un autre calcul.

32 Dans son dressing, Sarah possède quatre robes (une blanche, une noire, une rouge et une bleue) et deux chapeaux (un rouge et un bleu).
Ce matin, elle choisit au hasard une robe et un chapeau.

a. Dessiner un arbre afin d'obtenir toutes les issues de l'expérience.

b. E est l'événement : « Sarah a choisi une robe et un chapeau de la même couleur ».
Quelle est la probabilité de cet événement ?

c. Définir l'événement contraire de E et calculer sa probabilité.

33 On écrit, sur les faces d'un dé équilibré à six faces, chacune des lettres du mot NOTOUS.
On lance le dé et on regarde la lettre inscrite sur la face supérieure.
Déterminer la probabilité de chacun des événements :

a. E_1 : « On obtient la lettre O » ;

b. E_2, l'événement contraire de E_1 ;

c. E_3 : « On obtient une consonne » ;

d. E_4 : « On obtient une lettre du mot CAGOUS ».

Je m'entraîne

34 Sur chacun des morceaux de papier représentés ci-dessous, Antoine a écrit une lettre du mot ROSE.

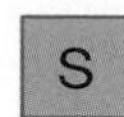

Il place ces morceaux de papier dans un sac, puis il tire au hasard un 1er morceau de papier, le remet dans le sac et tire un 2e morceau de papier. Il lit les lettres obtenues.

1. a. Dessiner un arbre afin d'énumérer les issues de l'expérience.

b. Quelle est la probabilité de chaque issue ?

2. Antoine s'intéresse à l'événement :

M : « J'ai tiré au moins une fois la lettre O ».

a. Définir l'événement contraire $\overline{M}$ de M.

b. Donner la probabilité de l'événement $\overline{M}$.

c. En déduire la probabilité de l'événement M.

d. Retrouver la probabilité P(M) d'une autre façon.

35 Un enfant dispose de 3 crayons de couleurs différentes : un rouge (R), un bleu (B) et un jaune (J).

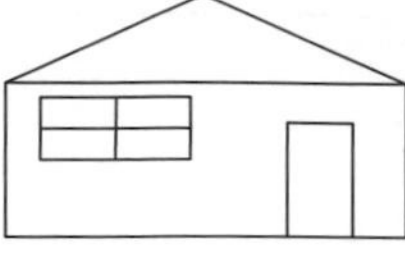

Il colorie le toit, la fenêtre et la porte de la maison ci-dessus.

1. a. Recopier et compléter l'arbre suivant :

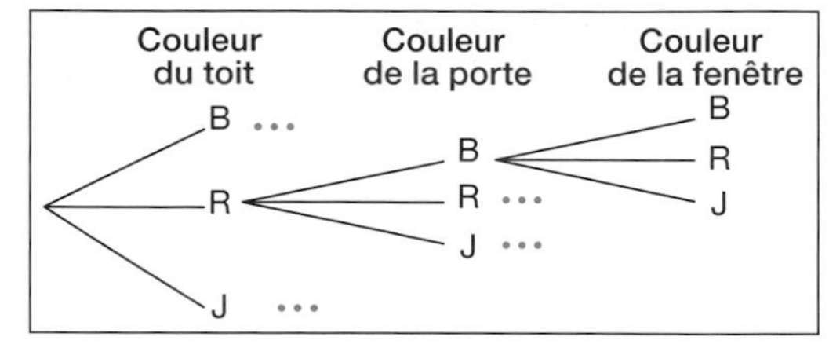

b. Quel est le nombre de dessins coloriés possibles ?

2. A est l'événement : « L'enfant a utilisé au moins deux couleurs différentes ».

Donner la probabilité de l'événement $\overline{A}$, puis de A.

Je m'évalue à mi-parcours

Pour chaque question, une seule réponse est exacte.

	a	b	c	En cas d'erreur
36 On lance un dé équilibré dont les faces sont numérotées de 1 à 6. La probabilité d'obtenir un nombre multiple de 3 est…	$\frac{1}{2}$	$\frac{1}{3}$	$\frac{1}{6}$	*Cours 1 et 2 et ex. 1*
37 Marion écrit sur les faces d'un dé, chacune des lettres de son prénom. Elle lance le dé. L'événement « Obtenir une lettre du prénom Romain »…	est certain	a pour probabilité 0,5	a pour probabilité 0,99	*Cours 2 et ex. 15*
38 Un sac contient les jetons numérotés : 7, 10, 11, 13, 27. On tire au hasard un jeton. Les événements : E : « Obtenir un multiple de 3 » et F : « Obtenir un multiple de 5 » sont…	impossibles	certains	incompatibles	*Cours 2 et ex. 23*
39 Une urne contient les boules A, B, C, D. On tire au hasard une 1re boule de cette urne, puis on la remet dans l'urne et on tire une 2e boule. La probabilité d'obtenir deux fois la même lettre est…	$\frac{1}{2}$	$\frac{1}{3}$	$\frac{1}{4}$	*Ex. 24*
40 Alix a calculé la probabilité d'un événement E et a trouvé $\frac{9}{25}$. La probabilité de l'événement contraire $\overline{E}$ est…	0,64	0,36	1	*Cours 3 et ex. 30*

Vérifie tes réponses p. 259

▶ Utiliser le tableur pour estimer une probabilité

41 Estimer la probabilité d'un événement

Sur une droite graduée, on place au hasard deux points A et B d'abscisses respectives a et b comprises entre 0 et 1.
On s'intéresse à la distance AB et on souhaite estimer la probabilité que cette distance soit strictement supérieure à 0,5.
Pour cela, on réalise une simulation de l'expérience aléatoire avec le tableur.

1 Simuler l'expérience aléatoire

a. Saisir comme ci-dessous la plage A1:F1 d'une feuille de calcul.

	A	B	C	D	E	F
1	a	b	Max(a;b)	Min(a;b)	Distance AB	AB > 0,5
2	0,534949087	0,216574054	0,5349490866	0,2165740542	0,3183750324	0
3						
4						

b. Saisir la formule `=ALEA()` dans les cellules A2 et B2.
La fonction ALEA() renvoie un nombre aléatoire compris entre 0 et 1.

c. Saisir la formule `=MAX(A2;B2)` dans la cellule C2 et la formule `=MIN(A2;B2)` dans la cellule D2.
Quel est le rôle de chacune de ces formules ?

d. Quelle formule saisir dans la cellule E2 pour afficher la distance AB ? Saisir cette fomule.

e. Dans la cellule F2, saisir la formule `=SI(E2>0,5;1;0)`.
Si la distance AB est strictement supérieure à 0,5, alors la cellule F2 prend la valeur 1 ; sinon, elle prend la valeur 0.

2 Répéter la simulation

a. Recopier la plage A2:F2 vers le bas jusqu'à la ligne 101 afin de répéter 100 fois la simulation de l'expérience aléatoire.

b. Dans la cellule G1, écrire « Effectif » et dans la cellule H1, écrire « Fréquence ».

E	F	G	H
Distance AB	AB > 0,5	Effectif	Fréquence
0,0784804975	0		
0,681700028	1		
0,3021816232	0		
0,1948134855	0		
0,0681192165	0		

c. Dans la cellule G2, saisir la formule `=NB.SI(F2:F101;1)`. Interpréter la valeur de cette cellule.

d. Saisir enfin, dans la cellule H2, la formule qui donne la fréquence de réalisation de l'événement : « AB > 0,5 ».

3 Estimer la probabilité

a. Recalculer plusieurs fois la feuille de calcul (appuyer en même temps sur les touches Ctrl, Maj et F9).

b. Proposer une estimation de la probabilité de l'événement « AB > 0,5 ».

S'initier au raisonnement

42 Utiliser un tableau

Représenter • Raisonner • Communiquer

Arthur possède deux dés équilibrés (un rouge, l'autre vert) dont les faces sont numérotées de 1 à 6.
Il lance ses deux dés et calcule la somme des deux nombres obtenus.
Quelle est la probabilité que cette somme soit égale à 8 ?

Conseil

Reproduis et complète le tableau ci-contre. Compte le nombre d'issues qui réalisent l'événement : « La somme des deux nombres est égale à 8 ».

Somme		Dé rouge					
		1	2	3	4	5	6
Dé vert	1	2	3	4	5	6	7
	2	3					
	3						
	4						
	5						
	6						

43 Appliquer un programme ALGO

Représenter • Raisonner • Communiquer

À la fin du programme ci-dessous, le lutin du logiciel Scratch énonce deux valeurs A et B.

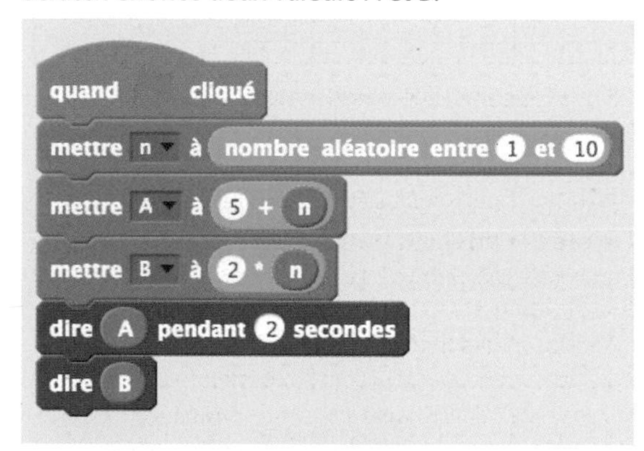

Quelle est la probabilité de l'événement « A = B » ?

Conseil

Pour chaque nombre entier aléatoire n compris entre 1 et 10, écris les valeurs de A et B calculées par le programme.

n	A	B
1	6	2
2		
⋮		
10		

Organiser son raisonnement

44 Compter des lignes et des colonnes

Raisonner • Calculer • Communiquer

Sur cet échiquier, sont placés des pions blancs et des pions noirs.
On choisit au hasard une rangée (ligne ou colonne) de cet échiquier et on observe les pions de cette rangée.

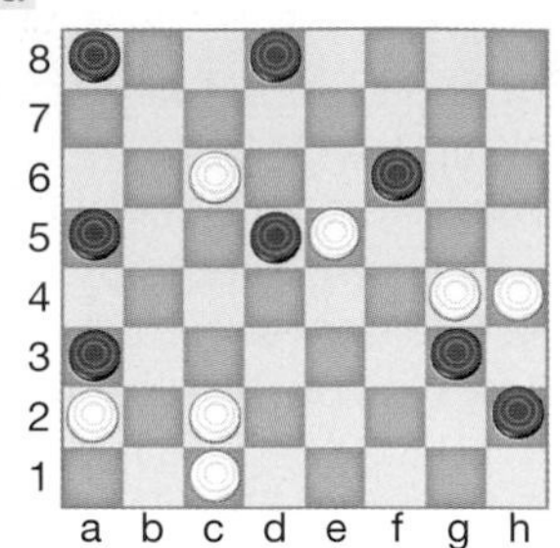

1. a. Combien l'expérience a-t-elle d'issues ?
b. Quelle est la probabilité de chacune d'elles ?

2. A est l'événement : « La rangée compte exactement deux pions ».
a. Combien de rangées réalisent l'événement A ?
b. Donner alors sa probabilité.

3. B est l'événement : « Il y a au moins un pion noir sur la rangée ». Déterminer la probabilité de l'événement B.

45 Compléter et lire un tableau

Représenter • Raisonner • Communiquer

Lors d'une course cycliste, le peloton compte 200 coureurs.
15 % des coureurs, dont 10 Français, ont moins de 25 ans et participent au classement du meilleur jeune coureur.
L'organisation constate que 80 % du peloton sont formés de coureurs étrangers.

1. Reproduire et compléter le tableau suivant :

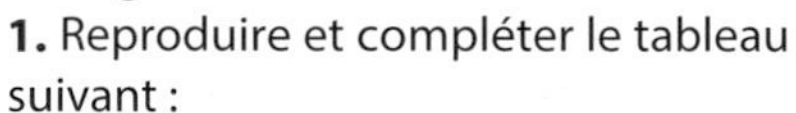

	Jeunes coureurs de moins de 25 ans	Coureurs de 25 ans ou plus	Total
Coureurs français			
Coureurs étrangers			
Total			200

2. Dans le cadre de la lutte antidopage, un coureur est contrôlé au hasard à l'arrivée.
Il n'y a pas eu d'abandon pendant la course.
a. Quelle est la probabilité que le coureur contrôlé soit :
• un jeune ? • un jeune Français ?
b. Le coureur contrôlé est un coureur étranger.
Quelle est la probabilité qu'il ait 25 ans ou plus ?

46 Déterminer des probabilités

Représenter • Calculer • Communiquer

Allison possède deux dés cubiques équilibrés très particuliers, dont les faces sont les suivantes :

Dé n° 1 : 1, 2, 2, 3, 3, 3 **Dé n° 2** : 1, 1, 1, 2, 2, 3

Elle lance ses deux dés et calcule le produit des nombres obtenus.

1. Reproduire et compléter le tableau ci-dessous.

Produit		Dé n° 1					
		1	**2**	**2**	**3**	**3**	**3**
Dé n° 2	**1**	1	2	2	3	3	3
	1						
	1						
	2	2	4	4			
	2						
	3						

2. Donner la probabilité de chacun des événements :
- E : « Allison trouve un produit égal à 6 » ;
- F : « Le produit est inférieur ou égal à 4 ».

47 Construire un arbre des issues

Représenter • Calculer • Communiquer

Un contrôle comporte quatre questions.

Pour chacune d'elles, le professeur propose deux réponses : l'une juste, l'autre fausse.

On les nommera, par exemple, pour la question 1 : J1, F1 ; pour la question 2 : J2, F2 ; …

Un élève n'ayant pas appris sa leçon répond au hasard à chacune des questions.

Une réponse complète est donc une liste de 4 résultats, par exemple (J1, F2, F3, J4).

1. a. Reproduire et compléter l'arbre suivant afin d'obtenir toutes les réponses complètes possibles.

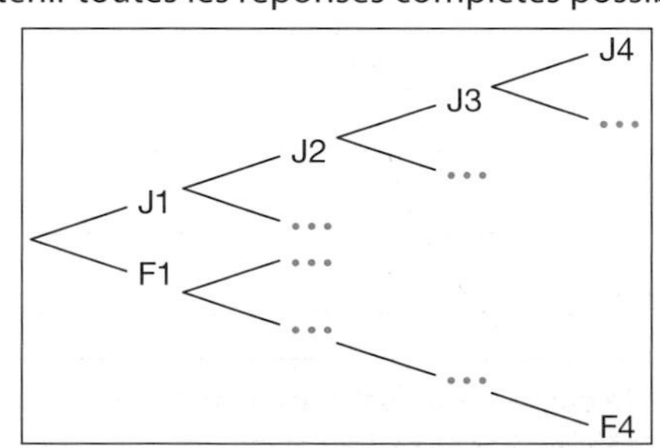

b. Combien y a-t-il de réponses complètes possibles ?

2. Donner la probabilité de chacun des événements suivants, sous forme d'une fraction irréductible :
- E : « L'élève a donné quatre réponses justes » ;
- F : « L'élève a donné une seule réponse juste » ;
- G : « L'élève a donné au moins une réponse juste ».

48 Comparer une fréquence et une probabilité TICE

Raisonner • Calculer • Communiquer

Une roue de loterie équilibrée est divisée en six secteurs identiques numérotés de 1 à 6.

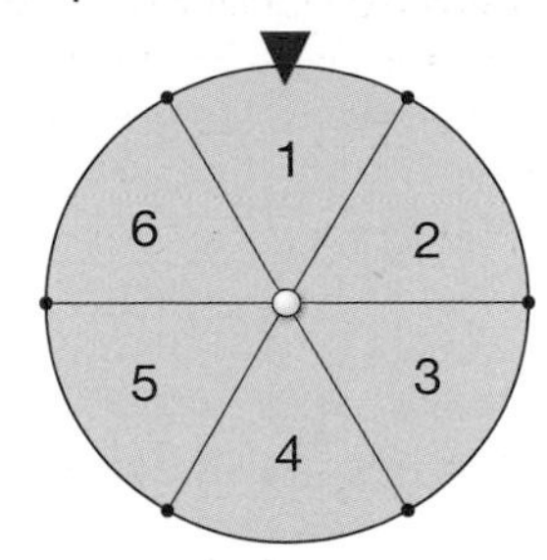

On fait tourner la roue deux fois de suite et on s'intéresse à l'événement E : « Le plus grand des deux nombres obtenus est 5 ».

1. Simuler l'expérience aléatoire

a. Saisir la plage A1:F1 de cette feuille de calcul.

	A	B	C	D	E	F
1	1er nombre	2e nombre	Maximum	E réalisé : 1	Effectif	Fréquence
2	5	4	5	1		
3	6	4	6	0		
4	6	2	6	0		
5	2	4	4	0		
6	5	5	5	1		
7	4	2	4	0		
8	4	1	4	0		
9	1	5	5	1		
10	1	5	5	1		
11	6	5	6	0		
12	4	2	4	0		
13	3	5	5	1		

b. Dans les cellules A2 et B2, saisir la formule : =ALEA.ENTRE.BORNES(1;6) .

c. Dans la cellule C2, saisir la formule : =MAX(A2;B2) .

d. Dans la cellule D2, saisir la formule : =SI(C2=5;1;0) .
Si le maximum des deux nombres obtenus est 5, la valeur affichée dans cette cellule est égale à 1, sinon elle est égale à 0.

e. Recopier vers le bas la plage A2:D2 jusqu'à la ligne 101 afin de simuler 100 fois l'expérience.

f. Dans la cellule E2, saisir la formule =NB.SI(D2:D101;1). Interpréter la valeur affichée dans cette cellule.

g. Afficher enfin la fréquence de l'événement E dans la cellule F2.

h. Recalculer plusieurs fois la feuille de calcul et observer les fréquences obtenues.

2. Déterminer la probabilité de E

a. Déterminer, à l'aide d'un tableau, le nombre total d'issues de l'expérience et le nombre d'issues qui réalisent l'événement E.

b. En déduire la probabilité de l'événement E.

c. Comparer cette probabilité aux fréquences trouvées lors des simulations.

49 Communiquer en anglais

Chercher • Raisonner • Communiquer

A cat wanders around two buildings with square bases. It chooses its path randomly and may at any time go back. Travelling along one side takes 1 min.
We observe the cat's movements for 3 min.

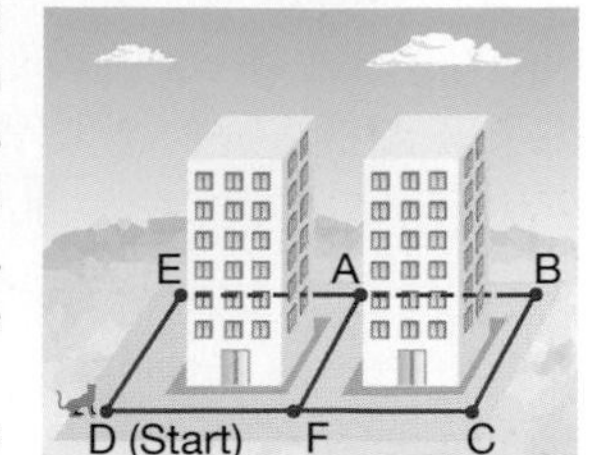

a. List all the possible paths.
b. What is the probability that the cat reaches point A after 3 min ?

50 Comprendre un programme ALGO

Raisonner • Calculer • Communiquer

Voici un programme écrit avec le langage Scratch.

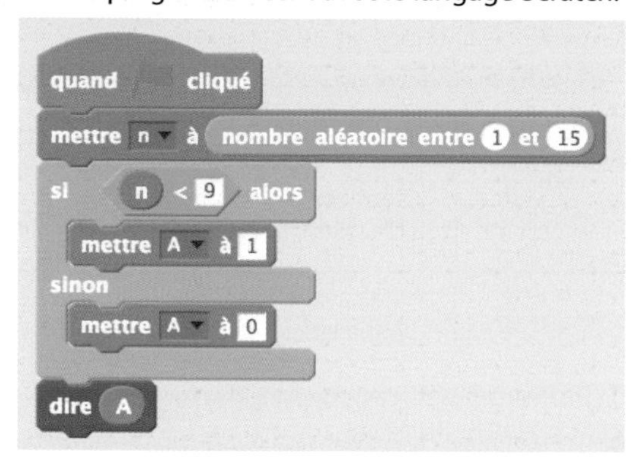

a. Quelle valeur le lutin énonce-t-il à la fin du programme lorsque la valeur affectée à n est :
• 2 ? • 10 ? • 3 ? • 9 ? • 15 ?
b. On considère l'expérience aléatoire qui consiste à lire le nombre énoncé par le lutin à la fin du programme. Donner les issues de cette expérience et déterminer leurs probabilités.

51 Imaginer une stratégie

Représenter • Raisonner • Communiquer

Dans la famille Aléa, on a trouvé une façon originale de désigner celui des trois enfants qui fera la vaisselle. On lance deux fois de suite une pièce équilibrée de 1 € :
• si la pièce tombe deux fois sur Face, ce sera Matéo ;
• si la pièce tombe deux fois sur Pile, ce sera Élisa ;
• si la pièce tombe sur deux faces différentes, ce sera Léo.
Cette façon de faire vous semble-t-elle équitable ?

52 Prendre des initiatives

Raisonner • Calculer • Communiquer

Un photocopieur est installé dans un collège. Des professeurs de six disciplines l'utilisent et un code est attribué à chacune des disciplines.
À la fin de la première année d'utilisation, la direction du collège détermine les fréquences d'utilisation par discipline.

Code discipline	1	2	3	4	5	6
Fréquence	0,21	p	0,13	0,14	q	0,16

La fréquence d'utilisation par la discipline 5 est le double de celle de la discipline 2.
Un professeur vient faire une photocopie.
Quelle est la probabilité qu'il enseigne l'une des disciplines 1, 2 ou 3 ?
(Les probabilités sont assimilées aux fréquences des disciplines.)

53 Narration de recherche

Problème

Un scarabée part de A, à la vitesse d'une arête par minute. À chaque sommet, il choisit au hasard une des trois arêtes issues de ce sommet.
Le scarabée marche 3 min.
Quelle est la probabilité qu'il ait atteint le point G ?

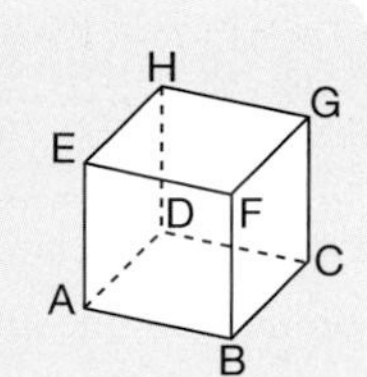

Raconter sur une feuille les différentes étapes de la recherche et les remarques qui ont fait changer de méthode ou qui ont permis de trouver.

54 Problème ouvert

Modéliser • Représenter • Communiquer

Yasmine tire à l'arc. Elle touche la cible une fois sur deux.

Elle effectue trois tirs successifs. Quelle est la probabilité qu'elle touche la cible au moins une fois ?

55 Compter des issues

On place des boules de couleur toutes indiscernables au toucher dans un sac.
Sur chaque boule est inscrite une lettre.
Le tableau suivant présente la répartition des boules.

Lettre \ Couleur	Rouge	Vert	Bleu
A	3	5	2
B	2	2	6

1. Combien y a-t-il de boules dans le sac ?

2. On tire une boule au hasard, on note sa couleur et sa lettre.
a. Vérifier qu'il y a une chance sur dix de tirer une boule bleue portant la lettre A.
b. Quelle est la probabilité de tirer une boule rouge ?
c. A-t-on autant de chances de tirer une boule portant la lettre A que de tirer une boule portant la lettre B ?

Conseil
Demande-toi quelles sont les issues de l'expérience et quelle est leur probabilité.

56 Prendre en compte des informations

À l'entrée d'un immeuble, un digicode commande l'ouverture de la porte. Le code d'ouverture est composé d'une lettre A ; B ou C suivie d'un chiffre 1 ; 2 ou 3.

1. Quels sont les différents codes possibles ?

2. Anna compose au hasard le code A1.
a. Quelle probabilité a-t-elle d'obtenir le bon code ?
b. En tapant ce code A1, Anna s'est trompée à la fois de lettre et de chiffre. Elle change donc ses choix.
Quelle probabilité a-t-elle de trouver le bon code à son deuxième essai ?
c. Justifier que si, lors de ce deuxième essai, Anna ne se trompe que de lettre, elle est sûre de pouvoir ouvrir la porte lors d'un troisième essai.

Conseil
Dessine un arbre pour trouver tous les codes possibles.

57 Comparer une fréquence et une probabilité

Avec le tableur, on simule 1 000 lancers de deux dés équilibrés classiques.
Ce diagramme représente les effectifs des sommes obtenues par les dés.

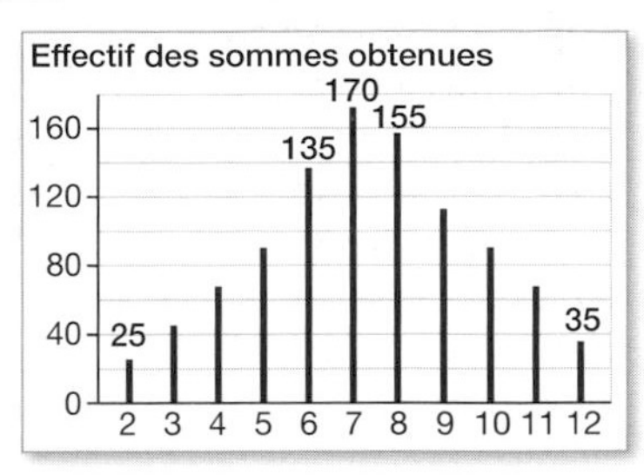

a. Quel est, pour cette simulation, le nombre de lancers qui donnent la somme 7 ?
En déduire la fréquence en pourcentage représentée par ces lancers.
b. Utiliser un tableau pour trouver les différentes possibilités d'obtenir une somme égale à 7 avec deux dés. Calculer la probabilité d'obtenir cette somme. Comparer avec la réponse donnée à la question **a**.

Conseil
À la question **b**, détermine la probabilité de chaque issue et le nombre d'issues qui donnent une somme égale à 7.

58 Lire des données dans un tableau

Dans une classe de collège, après la visite médicale, on a dressé le tableau suivant :

	Porte des lunettes	Ne porte pas de lunettes
Fille	3	15
Garçon	7	5

Les fiches individuelles de renseignements tombent par terre et s'éparpillent.
1. L'infirmière en ramasse une au hasard.
Quelle est la probabilité que cette fiche soit celle :
a. d'une fille qui porte des lunettes ?
b. d'un garçon ?
2. Les élèves qui portent des lunettes dans cette classe représentent 12,5 % de ceux qui en portent dans tout le collège.
Combien y a-t-il d'élèves qui portent des lunettes dans le collège ?

Conseil
Compte le nombre d'élèves de la classe.

Avec une aide

59 Interpréter des fréquences, des probabilités

a. Une bouteille opaque contient 20 billes dont les couleurs peuvent être différentes. Chaque bille a une seule couleur. En retournant la bouteille, on fait apparaître au goulot une seule bille à la fois. La bille ne peut pas sortir de la bouteille.
Des élèves de 3e cherchent à déterminer les couleurs des billes contenues dans la bouteille et leur effectif. Ils retournent la bouteille 40 fois et obtiennent le tableau suivant :

Couleur apparue	rouge	bleue	verte
Nombre d'apparitions de la couleur	18	8	14

Ces résultats permettent-ils d'affirmer que la bouteille contient exactement 9 billes rouges, 4 billes bleues et 7 billes vertes ?

b. Une seconde bouteille opaque contient 24 billes qui sont soit bleues, soit rouges, soit vertes. On sait que la probabilité de faire apparaître une bille verte en retournant la bouteille est égale à $\frac{3}{8}$ et la probabilité de faire apparaître une bille bleue est égale à $\frac{1}{2}$.
Combien de billes rouges contient la bouteille ?

Conseil
À la question **b**, détermine déjà la probabilité de faire apparaître une bille rouge.

60 Utiliser une inconnue

Dans un bus, il y a 10 joueurs de ping-pong, 12 coureurs de fond et 18 gymnastes. Lors d'un arrêt, ils sortent du bus en désordre.

a. Quelle est la probabilité que le premier sportif à sortir du bus soit un joueur de ping-pong ? un coureur ou un gymnaste ?

b. Après cet arrêt, ils remontent dans le bus et accueillent un groupe de nageurs. Sachant que la probabilité que ce soit un nageur qui sorte du bus en premier, lors de l'arrêt suivant, est $\frac{1}{5}$, déterminer le nombre de nageurs présents dans le bus.

Conseil
À la question **b**, si n est le nombre de nageurs, la proportion de nageurs dans le bus est $\frac{n}{40+n}$.

Sans aide maintenant

61 Utiliser l'arbre des issues

Dans le jeu pierre-feuille-ciseaux, deux joueurs choisissent en même temps l'un des trois « coups » suivants :
– pierre en fermant la main ;
– feuille en tendant la main ;
– ciseaux en écartant deux doigts.

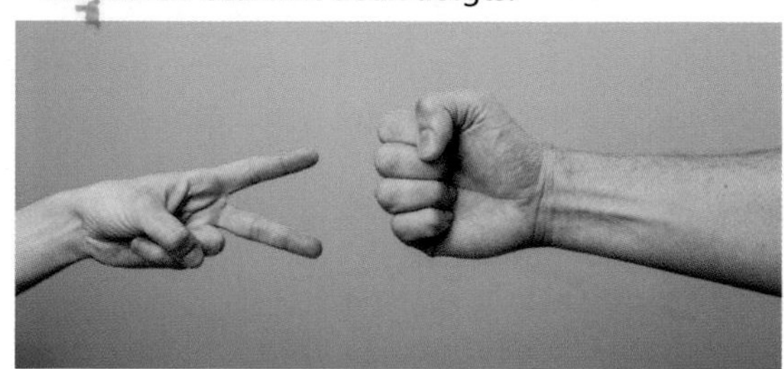

Ce jeu fut inventé en Chine vers la fin de la période Ming. Il n'y a aucune trace de ce jeu en Occident avant qu'il n'y ait eu des contacts directs avec l'Asie.

Règle du jeu
– La pierre bat les ciseaux (en les cassant).
– Les ciseaux battent la feuille (en la coupant).
– La feuille bat la pierre (en l'enveloppant).
– Il y a match nul si les deux joueurs choisissent le même coup (par exemple si chaque joueur choisit « feuille »).

1. Je joue une partie face à un adversaire qui joue au hasard et je choisis de jouer « pierre ».
a. Quelle est la probabilité que je perde la partie ?
b. Quelle est la probabilité que je ne perde pas la partie ?

2. Je joue deux parties de suite et je choisis de jouer « pierre » à chaque partie.
Mon adversaire joue au hasard.
a. Construire l'arbre des issues de l'adversaire pour ces deux parties.
On notera P, F, C respectivement pour pierre, feuille, ciseaux.
b. Déterminer la probabilité de chacun des événements suivants :
- M : « Je gagne les deux parties » ;
- N : « Je perds les deux parties » ;
- Q : « Je gagne une seule partie » ;
- R : « Je ne perds aucune des deux parties ».

c. Définir l'événement contraire de R et calculer sa probabilité.

J'extrais des informations

62 Des proportions inconnues

Un sac contient 20 jetons qui sont soit orange, soit verts, soit rouges, soit bleus. On considère l'expérience suivante : tirer au hasard un jeton, noter sa couleur et remettre le jeton dans le sac.
Chaque jeton a la même probabilité d'être tiré.

1. Le professeur, qui connaît la composition du sac, a simulé un grand nombre de fois l'expérience avec un tableur. Il a représenté (doc. 1) la fréquence d'apparition des différentes couleurs après 1 000 tirages.

a. Quelle couleur est la plus présente dans le sac ?

b. Dans la feuille de calcul (doc. 2), quelle formule le professeur a-t-il saisie dans la cellule C2 avant de la recopier vers le bas ?

2. On sait que la probabilité de tirer un jeton rouge est $\frac{1}{5}$. Combien y a-t-il de jetons rouges dans le sac ?

Doc. 1 **Représentation graphique des fréquences**

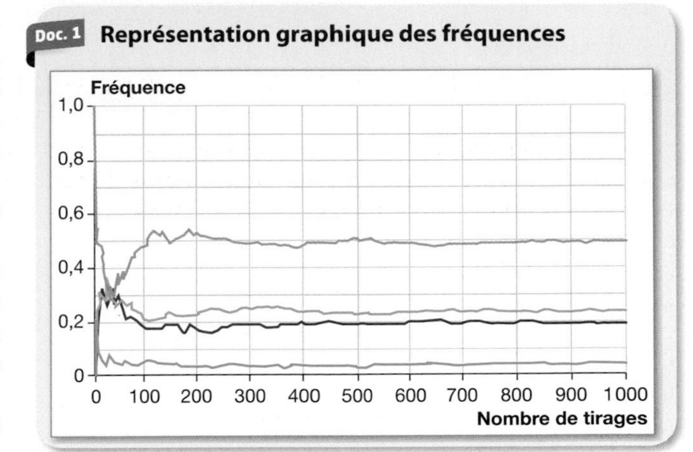

Doc. 2 **Feuille de calcul**

	A	B	C
1	Nombre de tirages	Nombre de fois où un jeton rouge est apparu	Fréquence d'apparition de la couleur rouge
2	1	0	0
3	2	0	0
4	3	0	0
5	4	0	0
6	5	0	0
7	6	1	0,1666666667
8	7	1	0,1428571429
9	8	1	0,125
10	9	1	0,1111111111
11	10	1	0,1

63 La partie de dés

Jules possède deux dés équilibrés (un rouge et un vert). Il propose à Paola un jeu au cours duquel chacun des joueurs lance les deux dés à tour de rôle et gagne des points suivant les règles énoncées ci-dessous.

Doc. 1 **Règle de la paire**

- Si, lors d'un lancer, un joueur fait deux « 1 », c'est-à-dire une paire de 1, il remporte 1 000 points.
- Si un joueur obtient une paire de 2, il obtient 100 fois la valeur de 2, soit 200 points.
- De même, si un joueur obtient une paire de 3 ou de 4, ou de 5, ou de 6, il obtient 100 fois la valeur du dé, soit 300 points ou 400 points ou ...

Doc. 2 **Règle des autres lancers**

Si un joueur obtient un résultat autre qu'une paire, il obtient 50 points.

Doc. 3 **Gain de la partie**

Le gagnant de la partie est le premier à atteindre un total de 1 000 points.

Paola a déjà effectué 2 lancers et a obtenu 650 points. Elle s'apprête à lancer les dés une nouvelle fois.
Quelle est la probabilité qu'elle gagne la partie à son 3e lancer ?

CHAPITRE

6 Comprendre et utiliser la notion de fonction

La puissance d'une éolienne varie en particulier en fonction de la vitesse du vent. Lorsque les éoliennes sont installées en mer, on parle d'installation offshore (« au large des côtes »).

Vu au Cycle 4

Pour chaque question, une réponse ou plusieurs sont exactes.

		a	b	c
1	On note x le nombre choisi. Le nombre obtenu est … • Choisir un nombre. • Lui ajouter 4. • Multiplier par 5.	$x+4+5$	$5x+4$	$5(x+4)$
2	La distance D de sécurité, en m, entre deux voitures est donnée par : $D = 8 + 0{,}2\,V + 0{,}003\,V^2$ où V est la vitesse en km/h. À 50 km/h, la distance de sécurité est …	18,022 5 m	25,5 m	417,5 m
3	Le point A a pour coordonnées …	(–1 ; 3)	(–3 ; –1)	(3 ; –1)
4	Le point de coordonnées (2 ; 0) est …	B	C	D

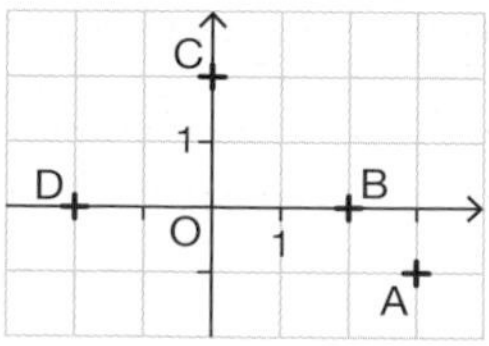

D'autres exercices sur ***le site compagnon***

Vérifie tes réponses ➲ *p. 259*

Activité 1 — Définir une fonction avec un programme de calcul

Voici un programme de calcul.

- Choisir un nombre.
- Élever au carré.
- Soustraire 4.
- Écrire le nombre obtenu.

Il peut être représenté par la machine ci-dessous :

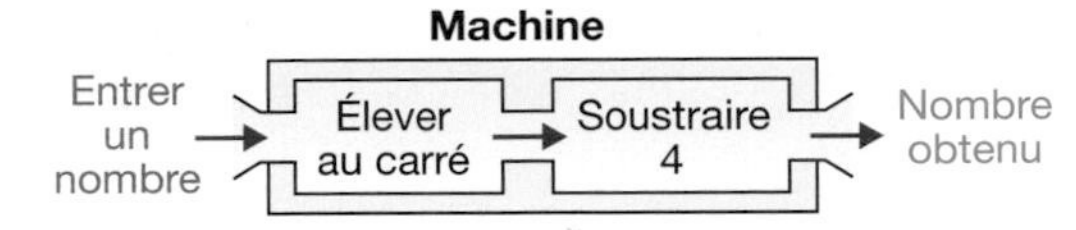

1 **a.** Vérifier qu'en choisissant le nombre 4, on obtient 12.

b. Quel nombre obtient-on lorsqu'on choisit au départ le nombre 7 ? le nombre –7 ?

c. Quels nombres peut-on choisir pour obtenir 0 ?

2 À un nombre x de départ, ce programme associe le nombre $x^2 - 4$.
On dit que l'on définit la **fonction** qui, à un nombre x, associe son image $x^2 - 4$.
Par la suite, on note f cette fonction ; l'image de x par f est notée $f(x)$ (lire « f de x »).
Ainsi, $f(x) = x^2 - 4$.

a. Vérifier que $f(4) = 12$.

b. Comment note-t-on l'image de –1 par la fonction f ? Calculer cette image.

c. Trouver les nombres qui ont pour image 21 par la fonction f.
On dit que ces nombres sont les **antécédents** de 21 par cette fonction.

Activité 2 — Définir une fonction avec un graphique

Le graphique ci-dessous donne l'évolution de la température dans l'espace en fonction de l'altitude, d'après les relevés d'un ballon-sonde.

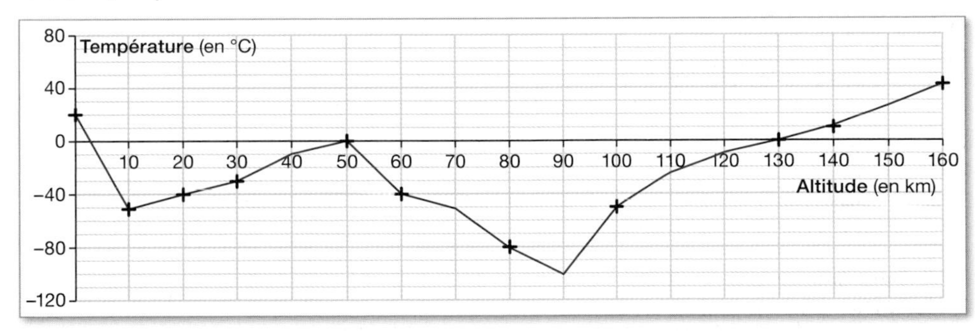

On définit ainsi une fonction T qui, à une altitude a en km, comprise entre 0 et 160 km, associe la température T(a), en °C, relevée par le ballon-sonde à cette altitude.

a. À partir du graphique, recopier et compléter le tableau ci-dessous :

a en km	0	10	20	30	50	60	80	100	140	160
T(a) en °C										

b. Lire approximativement sur le graphique :
- les antécédents de 0 par la fonction T ;
- la valeur de a pour laquelle T(a) est minimale.

c. Interpréter les réponses à la question **b** pour la situation étudiée.

J'apprends le cours

1 Notion de fonction

Définition À un nombre x, une fonction f associe un nombre **et un seul** que l'on note $f(x)$ (lire « f de x »).
On dit que $f(x)$ est **l'image** de x par la fonction f.

Fonction f
$x \mapsto f(x)$
L'image de x par f

Exemple
À un nombre, on associe son double. On définit ainsi une fonction, car un nombre donné n'a qu'un seul double.
Pour cette fonction, l'image de **3** est 6 et l'image de **– 4** est – 8.

Définition Lorsque l'image d'un nombre a par une fonction f est un nombre b (c'est-à-dire $f(a) = b$), on dit aussi que a est **un antécédent** de b par f.

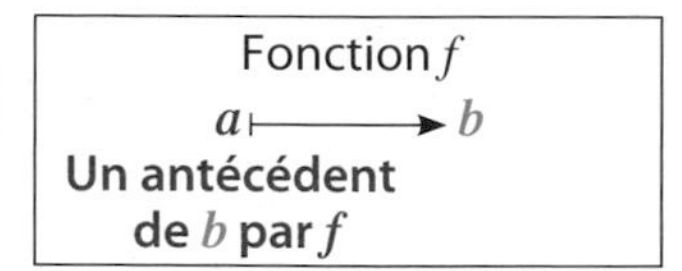

Exemple
À un nombre, on associe son double. L'image de 5 est son double 10.
Donc l'antécédent de 10 est 5 (sa moitié).

2 Définir une fonction

Exemple 1 **Avec un graphique**
Ce graphique définit une fonction f qui, à chaque nombre x (lu sur l'**axe des abscisses**), associe un nombre $f(x)$ (lu sur l'**axe des ordonnées**).
Par exemple, on peut lire que :
- $f(\mathbf{3}) = 2$
- 1 a trois antécédents : **–1** ; **0** et **2**.

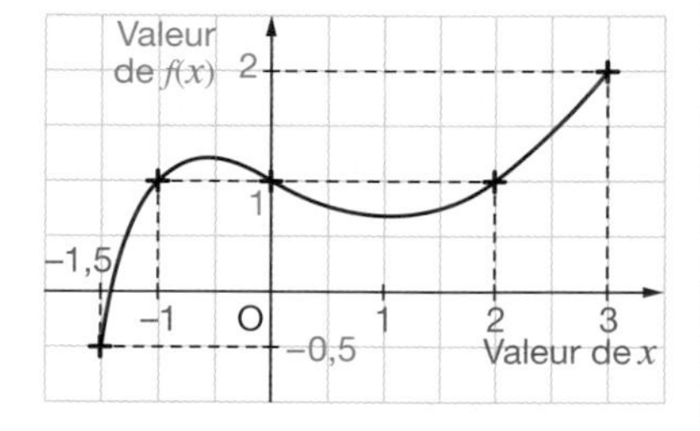

Exemple 2 **Avec un tableau**
Ce tableau définit une fonction g qui, à chaque nombre x de la **première ligne**, associe un nombre $g(x)$ de la **deuxième ligne**.
Par exemple, on peut lire que :
- $g(\mathbf{1}) = -3$
- 0 a deux antécédents : **2** et **4**.

Nombre x	0	1	2	3	4	5
Image $g(x)$	–5	–3	0	5,2	0	7

Exemple 3 **Avec une formule**
h est la fonction $x \mapsto x^2 - 1$.
À chaque nombre x, on associe le nombre $h(x)$ obtenu en appliquant le programme de calcul ci-contre.
On peut obtenir un tableau de valeurs :

- Choisir un nombre.
- Élever au carré.
- Soustraire 1.

Nombre x	–2	–1	0	1
Image $x^2 - 1$	3	0	–1	0

J'apprends à ▶ Lire une image ou un antécédent

Exercice résolu

1 **Énoncé**

Le graphique ci-contre représente la hauteur, par rapport au sol, à laquelle se trouve une cabine de grande roue en fonction du temps écoulé depuis que cette cabine a quitté le sol.

On note h la fonction qui, au temps t, en min, associe la hauteur, en m.

Répondre aux questions suivantes en laissant les tracés apparents sur le graphique.

a. Lire l'image de 5 par la fonction h.
Interpréter la réponse.

b. Lire les antécédents de 100 par la fonction h.
Interpréter les réponses.

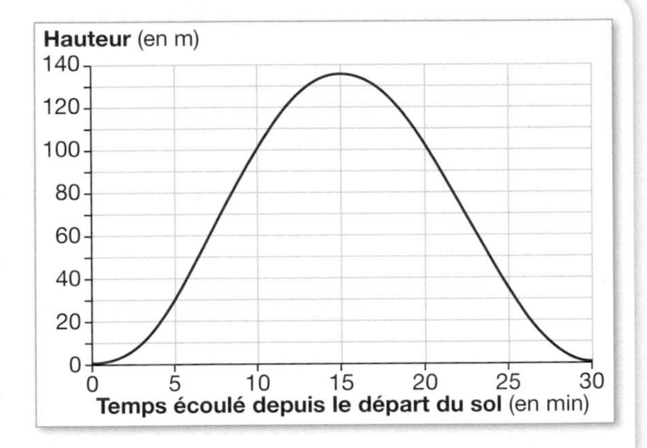

Solution

a. L'image de 5 est 30.
Au bout de 5 min, la cabine est à 30 m au-dessus du sol.

b. Les antécédents de 100 sont 10 et 20.
La cabine se trouve à 100 m au-dessus du sol au bout de 10 min et au bout de 20 min.

Remarque. On lit les images sur l'axe des ordonnées et les **antécédents** sur l'**axe des abscisses**.

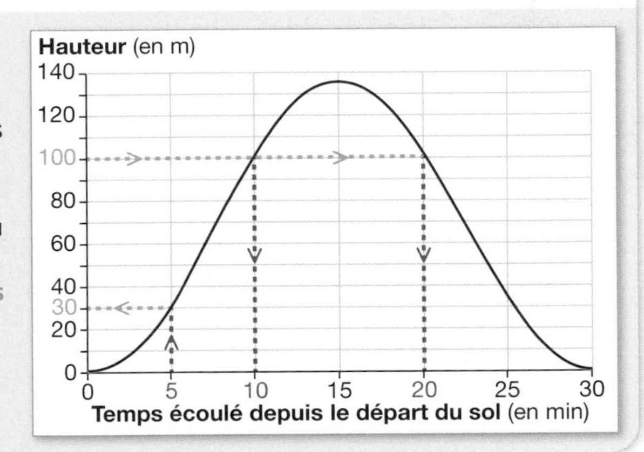

Sur le même modèle

2 f est la fonction définie par ce graphique.

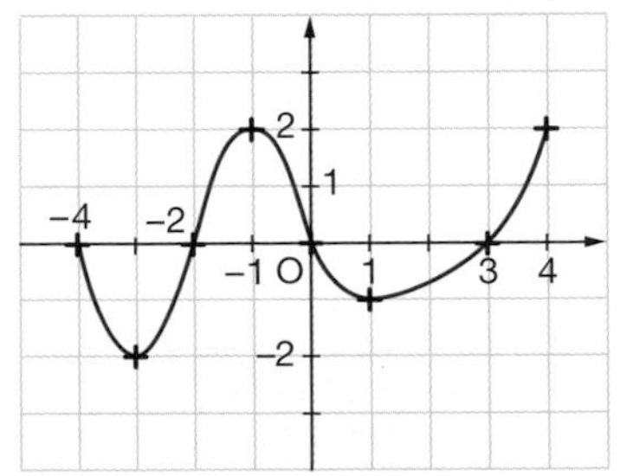

a. Lire l'image de 0.
b. Lire l'image de 4.
c. Lire les antécédents de 0.
d. Lire approximativement les antécédents de 1.

3 g est la fonction définie par le graphique ci-dessous.

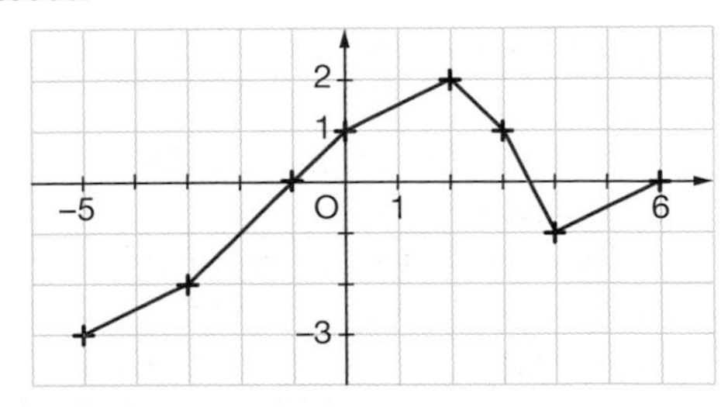

a. Lire l'image de 0.
b. Lire les antécédents de 1, puis celui de −2.
c. Citer un nombre qui n'a pas d'antécédent.
d. Citer un nombre qui a trois antécédents.

À L'oral

4 Voici une machine que l'on assimile à une fonction p.

Machine

Entrer un nombre → Prendre le quart → Élever au carré → Nombre obtenu

a. Vérifier que si l'on entre le nombre 20, alors on obtient le nombre 25.
b. Que signifie l'écriture $p(-12) = 9$ pour cette machine ?
Vérifier que cette égalité est vraie.

5 Voici des informations sur une fonction h.

- $h(-3) = 3$ • $h(-1) = 2$ • $h(0) = -2$
- $h(1) = -2$ • $h(3) = 2$ • $h(5) = 0$

1. Quelle est l'image par la fonction h du nombre :
a. -1 ? **b.** 1 ? **c.** 5 ?

2. Citer un antécédent par la fonction h du nombre :
a. -2 **b.** 3 **c.** 0

3. Citer un nombre dont l'image par h est 2.

6 Dans chaque cas, dire si l'on définit une fonction.
a. Sur une journée, à chaque heure, on associe la température mesurée à cette heure-là.
b. À une température, on associe l'heure de la journée à laquelle elle a été mesurée.

7 Théo a complété un tableau de valeurs de la fonction $g : x \mapsto 2x + 3$.
Voici le tableau qu'il a obtenu.

x	-1	0	2	3
$g(x)$	1	5	7	9

Il a commis une erreur.
Retrouver cette erreur et la corriger.

8 Le graphique qui suit donne l'évolution de la taille (en cm) d'un jeune tigre du Bengale en fonction de son âge (en mois).

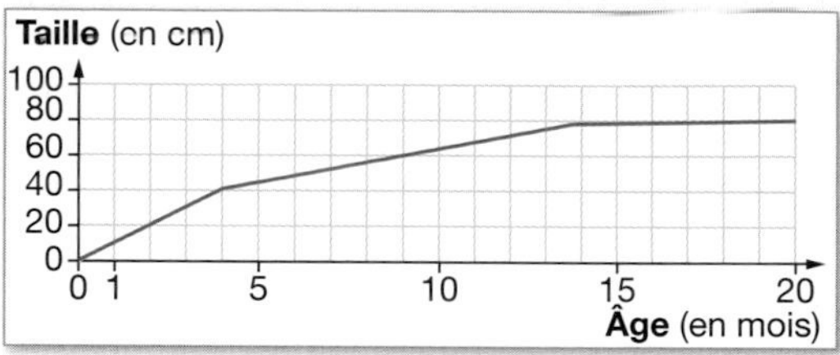

a. Lire de façon exacte la taille du tigre à 2 mois, puis à 9 mois.
b. Lire de façon approchée l'âge du tigre lorsqu'il mesure 45 cm, puis 80 cm.

9 f est la fonction définie par ce graphique.

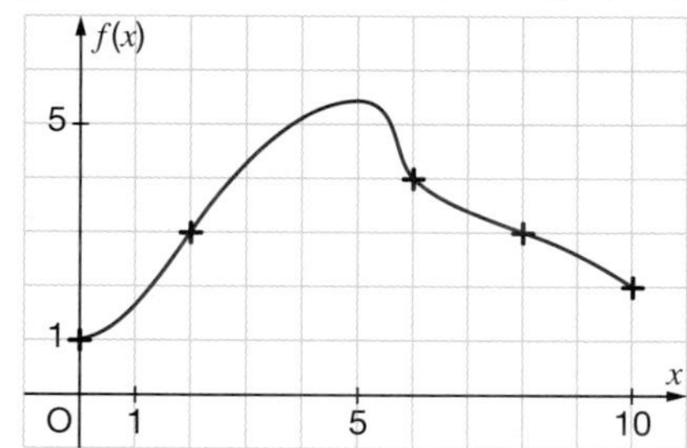

1. Lire de façon exacte :
a. l'image de : • 10 • 6 • 2
b. le ou les antécédents de : • 3 • 1

2. Lire de façon approchée :
a. l'image de : • 1 • 5
b. les antécédents de : • 2 • 5

Calcul mental

10 f est la fonction qui, à un nombre, associe son triple. Calculer mentalement :
a. l'image de 3 ; **b.** $f(-4)$;
c. l'antécédent de 6 ; **d.** l'antécédent de 1,5.

11 g est la fonction qui, à un nombre, associe la somme de 4 et du quart du nombre.
Dans chaque cas, dire si l'affirmation est vraie ou fausse. Expliquer.
a. L'image de 4 est 4.
b. 12 est l'antécédent de 7.

12 h est la fonction définie par $h(x) = x^2 - 5$.
Calculer mentalement :
a. l'image de 2 ; **b.** l'image de 0 ;
c. $h(-5)$; **d.** $h(8)$.

13 Un rectangle a pour longueur 7 cm.
p est la fonction qui, à la largeur (en cm) du rectangle, associe son périmètre (en cm).
a. Calculer mentalement $p(3)$.
b. Vérifier mentalement que 5,5 est un antécédent de 25 par la fonction p.

Notion de fonction

14 Voici un programme de calcul.

- Choisir un nombre.
- Ajouter 3.
- Multiplier par 2.

a. Quel résultat obtient-on lorsqu'on choisit le nombre 5 ?

b. On note f la fonction qui, au nombre choisi, associe le résultat obtenu.
Calculer $f(-4)$.

15 g désigne une fonction.
Traduire chaque égalité par une phrase où intervient le mot « image ».

a. $g(4) = 2$ **b.** $g(-5) = -2$ **c.** $g\left(\frac{1}{2}\right) = -3$

16 h désigne une fonction.
Traduire chaque égalité par une phrase où intervient le mot « antécédent ».

a. $h(0) = 1$ **b.** $h(2,5) = -2$ **c.** $h(-1) = 0$

17 f désigne une fonction.

a. Recopier et compléter le tableau suivant :

Notation mathématique	En français
$f(7) = 2$	L'image de … est ….
$f(8) = -3$	Un antécédent de … est ….
$f(…) = …$	4 a pour image 5.
$f(…) = …$	1 a pour antécédent –6.

b. Traduire en français l'égalité $f(-3) = 4$ de deux façons différentes.

18 Voici une machine que l'on assimile à une fonction f.

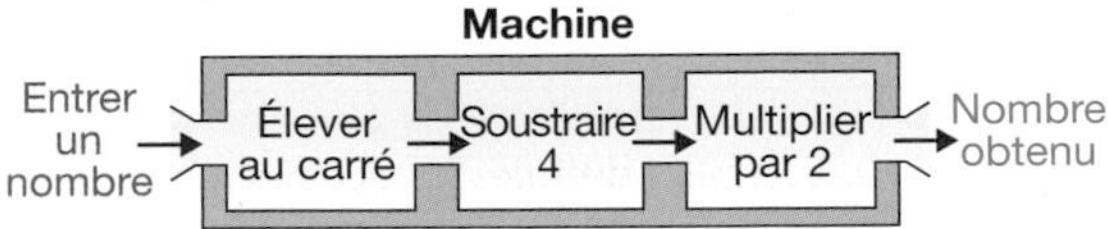

a. Vérifier que la machine transforme 4 en 24.

b. Recopier et compléter :
- $f(7) = …$.
- L'image de 7 par la fonction f est … .
- Un antécédent de 90 par la fonction f est … .

c. Quelle est l'image de –8 par la fonction f ?

d. On note x le nombre entré dans la machine.
Parmi les expressions suivantes, quelle est celle de $f(x)$?
- $x^2 - 4 \times 2$
- $2(x^2 - 4)$
- $(2x - 4)^2$

19 On considère les trois fonctions suivantes :
- $f : x \mapsto 2x$
- $g : x \mapsto -x$
- $h : x \mapsto \frac{1}{2}x$

a. Quelle est la fonction qui, à un nombre, associe son opposé ?

b. Définir par une phrase chacune des deux autres fonctions.

c. Calculer l'image de 10 par chacune de ces fonctions.

20 f est la fonction qui, à un nombre, associe la somme de son triple et de 1.

a. Parmi les notations suivantes, quelles sont celles qui sont correctes pour définir la fonction f ?

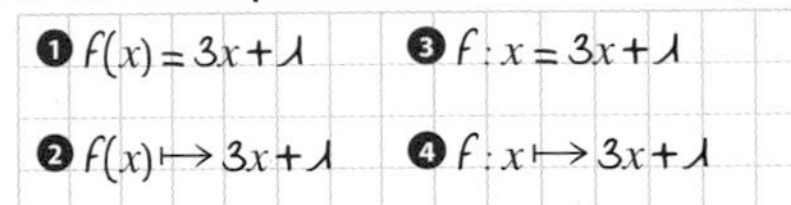

b. Calculer l'image de –1.

c. Est-il vrai que – 4 est un antécédent de 0 ?

21 Pour chaque situation, imaginer une fonction associant une grandeur à une autre.

a.

b.
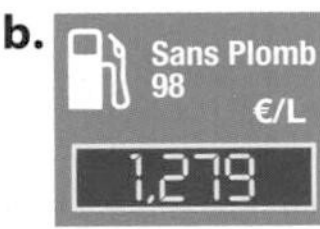

c.

Avec un graphique

22 Ce graphique donne l'évolution du poids d'un enfant en fonction de son âge durant sa première année.

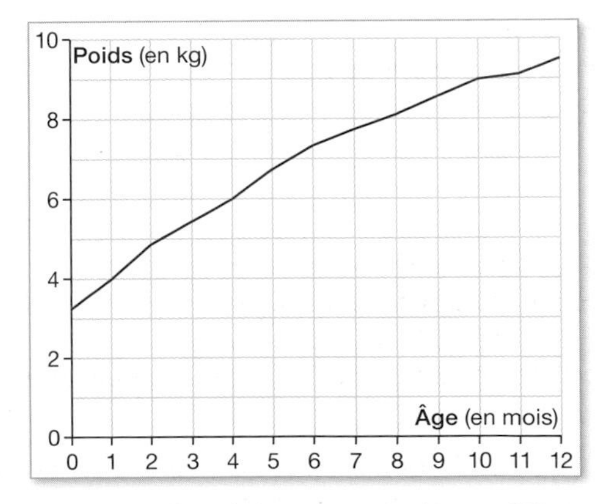

a. Recopier et compléter : « Ce graphique définit une fonction p qui, à …, associe …. »

b. Quel était le poids de l'enfant à 4 mois ?

c. À quel âge l'enfant pesait-il 4 kg ? 9 kg ?

d. Interpréter l'égalité $p(0) = 3,3$ pour la situation.

23 *@ssr* La distance de freinage d'un véhicule correspond à la distance parcourue depuis le début du freinage jusqu'à l'arrêt.
Ce graphique définit la fonction f qui, à une vitesse (en km/h), associe la distance de freinage (en m).

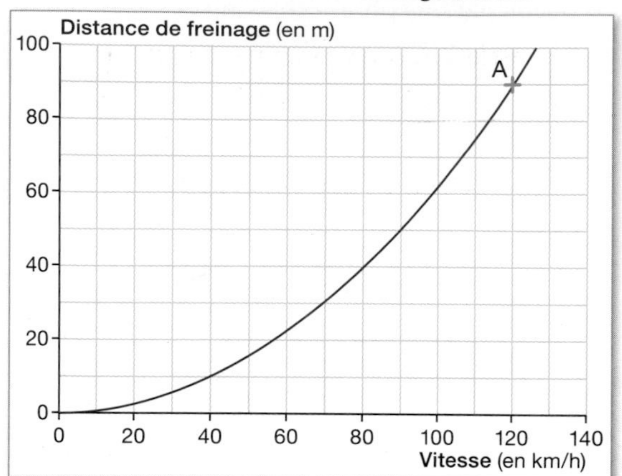

1. a. Lire les coordonnées du point A. En déduire une égalité de la forme $f(\ldots) = \ldots$.
b. Interpréter la lecture précédente.

2. a. Donner une valeur approchée de la distance de freinage d'un véhicule roulant à 50 km/h.
b. À quelle vitesse roule un véhicule lorsque la distance de freinage est égale à 50 m ?

24 f est la fonction définie par ce graphique.

1. Sur quel axe lit-on :
a. les images ?
b. les antécédents ?

2. Lire :
• $f(0{,}5)$ • $f(-1{,}5)$ • $f(0)$.

3. Citer un nombre qui :
a. n'a aucun antécédent ; **b.** a un seul antécédent ;
c. a deux antécédents ; **d.** a trois antécédents.

4. Karim affirme : « Il y a un nombre qui a plus de trois antécédents. »
A-t-il raison ? Expliquer.

25 Ce graphique définit une fonction g.

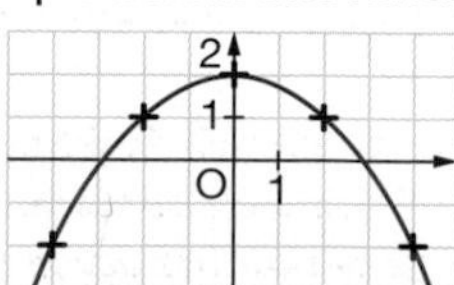

a. Lire l'image de 2, puis de 0 par la fonction g.
b. Lire les antécédents de –2 par la fonction g.

26 Le graphique ci-dessous donne l'évolution de la température (en °C) à la station météo de Paris-Montsouris le 1er août 2015. On note T la fonction qui, à l'heure, associe la température en ce lieu.

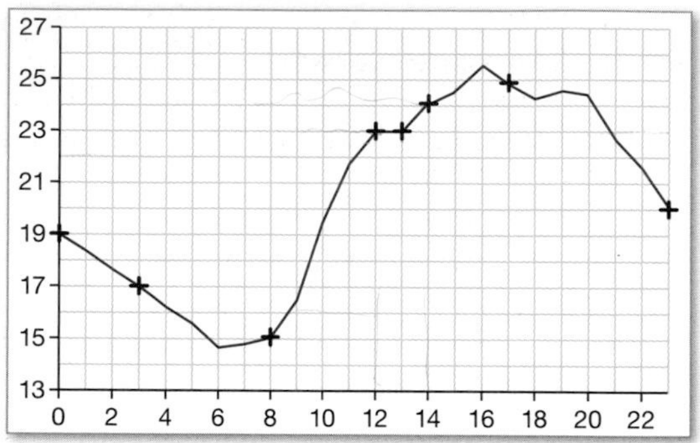

1. Quelle légende peut-on écrire sur chaque axe ?

2. a. Lire T(8), T(12) et T(14).
b. Lire approximativement les antécédents de 16.

3. Interpréter les lectures faites à la question **2**.

Avec un tableau

27 Sur un site Internet, on a compté le nombre de lignes de chaque petite annonce. Ce tableau définit la fonction N qui, à un nombre de lignes, associe le nombre de petites annonces correspondant.

Nombre de lignes	Nombre d'annonces
1	3
2	6
3	24
4	38
5	24
6	15
7	9

a. Que signifie l'écriture N (7) = 9 pour cette situation ?
b. Par la fonction N : • quelle est l'image de 6 ?
• quels sont les antécédents de 24 ?

28 Ce tableau définit une fonction f.

x	–1	0	1	2	3
$f(x)$	2	5	–1	5	0

Recopier et compléter.
a. 1 a pour … –1. **b.** 0 et 2 sont des … de 5.
c. 0 a pour … 3. **d.** 2 est l'… de –1.

29 En associant un nombre de la première ligne de ce tableau à un nombre de la deuxième ligne, montrer qu'on ne définit pas une fonction.

x	1	2	–1	4	–3	4
y	2	8	3	–7	0	1

30 T est la fonction qui, à la masse, associe le tarif d'affranchissement d'une lettre verte en France métropolitaine au 1er janvier 2016.
Cette fonction est définie par le tableau ci-contre.

Masse jusqu'à	Tarif
20 g	0,70 €
100 g	1,40 €
250 g	2,80 €
500 g	4,20 €
3 kg	5,60 €

a. Quel est le tarif d'affranchissement d'une lettre verte de 18 g ? de 80 g ?
b. Lire T(20) et T(250).
c. Emma a affranchi une lettre verte avec un timbre à 4,20 €.
Quelles informations a-t-elle sur la masse de sa lettre ?

31 g est la fonction définie par le tableau suivant :

x	-3	-2	-1	2	5	10
$g(x)$	10	5	2	-2	10	12

a. Donner l'image de :
• 2 • −2 • 5
b. Donner un antécédent de :
• 2 • −2 • 5
c. Léa affirme : « $g(10) = -3$ ».
A-t-elle raison ? Si non, expliquer son erreur.
d. On recherche un nombre a tel que $h(a) = 10$.
Indiquer une (des) valeur(s) possible(s) de a.

32 Le tableau ci-dessous donne la hauteur (en m) d'un ballon de basket lors d'un lancer franc en fonction du temps (en s).
On note h la fonction ainsi définie.

Temps (en s)	Hauteur (en m)
0	2,4
0,1	3
0,2	3,6
0,3	4
0,4	4,3
0,5	4,4
0,6	4,4
0,7	4,2
0,8	3,8
0,9	3,4
1	3

1. a. Que signifie pour cette situation $h(0) = 2,4$?
b. Lire $h(0,5)$.
c. Lire les antécédents de 3 par h.
2. a. Tracer un repère avec pour unités :
• 1 cm pour 0,1 s sur l'axe des abscisses ;
• 1 cm pour 0,4 m sur l'axe des ordonnées.
b. Représenter graphiquement ce tableau.

Avec une formule

33 f est la fonction définie par $f(x) = -3x + 2$.
Calculer l'image de : **a.** 1 **b.** 0 **c.** −2 **d.** $\frac{2}{3}$

34 g est la fonction $x \mapsto x(4x - 1)$. Calculer :
a. $g(2)$ **b.** $g(0)$ **c.** $g(-3)$ **d.** $g\left(\frac{1}{2}\right)$

35 h est la fonction définie par $h(x) = -7x$.

Mais non ! 28 est l'image de -4.
Justine

Qui a raison ? Expliquer.

36 f est la fonction $x \mapsto x(x + 3)$.
1. Recopier et compléter : $f(x) = \ldots$
2. Est-il vrai que :
a. l'image de −3 est 0 ? **b.** 70 a pour antécédent 7 ?
c. 2 a pour image 7 ? **d.** −4 est un antécédent de 4 ?

37 f est la fonction $x \mapsto x - 5$. Calculer :
a. l'image de −3 ;
b. le nombre qui a pour antécédent 7 ;
c. le nombre qui a pour image 7 ;
d. l'antécédent de 4.

38 Voici un programme de calcul.

• Choisir un nombre.
• Calculer son carré.
• Multiplier par 5.
• Ajouter 10.

1. a. Marc choisit 2 pour nombre de départ et obtient 30. Est-ce exact ?
b. Robin choisit 0,1 pour nombre de départ.
Quel résultat obtient-il ?
2. a. On note p la fonction qui, au nombre x choisi, associe le résultat obtenu.
Déterminer l'expression de $p(x)$.
b. Calculer $p(-1)$, $p(3)$ et $p(0)$.
c. Vérifier que 0,2 est un antécédent de 10,2.

Pour les exercices 39 et 40, écrire un programme de calcul qui, appliqué à un nombre, donne pour résultat l'image de ce nombre par la fonction.

39 $f : x \mapsto 4x - 7$

40 $h : x \mapsto 2x^2 + 5$

Je m'entraîne

41 x désigne un nombre positif.
On note $\mathscr{A}$ la fonction qui, à une longueur x en cm, associe l'aire, en cm², du triangle rectangle représenté ci-contre.

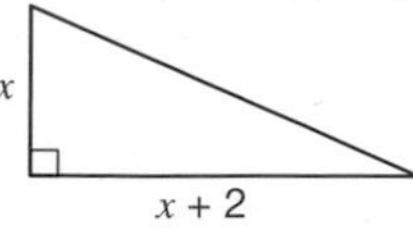

a. Calculer $\mathscr{A}(3)$.
b. Donner l'expression de $\mathscr{A}(x)$.
c. Est-il vrai que 5 est un antécédent de 17,5 par la fonction $\mathscr{A}$?

42 Dans chaque cas, donner une expression de l'image de x par la fonction.
a. f est la fonction qui, au côté x (en cm) d'un cube, associe son volume (en cm³).
b. g est la fonction qui, au rayon x (en cm) d'un disque, associe son aire (en m²).
c. h est la fonction qui, au côté x (en cm) d'un triangle équilatéral, associe son périmètre (en cm).

43 h est la fonction qui, à un nombre, associe le produit de 4 par la somme de 2 et du nombre.
a. Donner l'expression de $h(x)$.
b. Est-il vrai que :
- l'image de 8 par h est 14 ?
- un antécédent de 10 par h est 0,5 ?

44 h est la fonction définie par $h(x) = 2(x - 1)^2$.
Recopier et compléter le tableau ci-dessous.

x	−5	−1	0		5	101
$h(x)$				0		

45 TICE g est la fonction définie par $g(x) = \frac{x}{5} + 1$.
1. Voici un tableau de valeurs obtenu avec le tableur.

	A	B	C	D	E	F	G
1	x	1	2	3	4	5	6
2	$g(x)$	1,2	1,4	1,6	1,8	2	2,2

Quelle formule a-t-on saisie en cellule B2, puis étendue vers la droite ?
2. Pour chaque affirmation, dire si elle est vraie ou fausse. Expliquer.
a. L'image de 5 est 2. **b.** $g\left(\frac{1}{2}\right) = 11$. **c.** $g(3) = \frac{8}{5}$.
d. 0 n'a pas d'image. **e.** 15 a pour antécédent −2.

46 Voici un programme de calcul.

On note f la fonction qui, à un nombre x entré, associe le nombre $f(x)$ obtenu. Donner l'expression de $f(x)$.

Je m'évalue à mi-parcours

Pour chaque question, une seule réponse est exacte.

	a	b	c	En cas d'erreur
47 f est la fonction qui, à un nombre, fait correspondre la somme de 3 et du carré de ce nombre. Alors, f est la fonction …	$x \mapsto (3 + x)^2$	$x \mapsto 3 + x^2$	$x \mapsto x + 3^2$	Cours 1 et ex. 20
48 Ce graphique représente une fonction g. Le nombre 3 a … 	pour image 0	pour antécédent 0	trois antécédents	Cours 2 et ex. 1
49 Dans ce tableau, on peut lire que … (tableau ci-dessous)	8 a pour image 12 par f	l'antécédent de 4 par f est 0	$f(8) = 3$	Cours 2 et ex. 28
50 g est la fonction définie par $g(x) = x^2 + 2$. Alors, $g(-4)$ est égal à …	10	−14	18	Cours 2 et ex. 34

x	8	4	12
$f(x)$	3	0	8

Vérifie tes réponses p. 259

▶ Utiliser le tableur

51 Obtenir un tableau de valeurs d'une fonction

On note f la fonction définie par $f(x) = x - x^2 + 1$.

1 Avec le tableur, afficher les nombres entiers consécutifs de –3 à 3 sur la ligne 1, puis réaliser le tableau de valeurs de la fonction f indiqué ci-contre. Pour cela, saisir la formule =B1–B1^2+1 dans la cellule B2 et la recopier vers la droite.

B2 | =B1-B1^2+1

	A	B	C	D	E	F	G	H
1	x	-3	-2	-1	0	1	2	3
2	f(x)	-11	-5	-1	1	1	-1	-5

2 On se propose maintenant de modifier les nombres écrits dans la plage B1:H1.

a. Taper –1 dans la cellule B1, saisir la formule =B1+0,5 dans la cellule C1 et la recopier vers la droite. On obtient ainsi les images par f des nombres compris entre –1 et 2 avec un pas de 0,5.

C1 | =B1+0,5

	A	B	C	D	E	F	G	H
1	x	-1	-0,5	0	0,5	1	1,5	2
2	f(x)	-1	0,25	1	1,25	1	0,25	-1

b. Modifier à nouveau la plage B1:H1 pour obtenir les nombres compris entre 1,4 et 2 avec un pas de 0,1. Afficher leurs images par f.
Maya affirme : « Un antécédent de 0 par f est compris entre 1,6 et 1,7. »
Qu'a-t-elle remarqué dans le tableau de valeurs pour pouvoir affirmer cela ?

c. Utiliser le tableur pour déterminer une valeur approchée au centième près de l'antécédent de 0 par f compris entre 1,6 et 1,7.

52 Représenter graphiquement un tableau

Au cours d'un déjeuner, un homme de 80 kg a consommé 3 verres de vin à 11° d'alcool. Ce tableau donne l'évolution de son taux d'alcoolémie en fonction du temps qui passe. On définit ainsi une fonction T qui, à un temps x (en h), associe le taux d'alcoolémie (en g/L) constaté au bout de x heures.

	A	B	C	D	E	F	G	H	I	J	K	L	M	N	O	P
1	Temps (en h)	0	0,5	1	1,5	2	2,5	3	3,5	4	4,5	5	5,5	6	6,5	7
2	Taux d'alcoolémie (en g/L)	0	0,2	0,4	0,6	0,8	0,7	0,6	0,5	0,4	0,3	0,23	0,16	0,1	0,05	0

1 Saisir ce tableau dans une feuille de calcul.

2 **a.** Sélectionner la plage B1:P2 et insérer un diagramme ( ).

b. Dans l'assistant de diagramme qui s'ouvre, choisir le type Ligne ( ) puis Points et lignes ( ).

c. Dans Plage de données , sélectionner Série de données en lignes puis Première ligne comme étiquette .

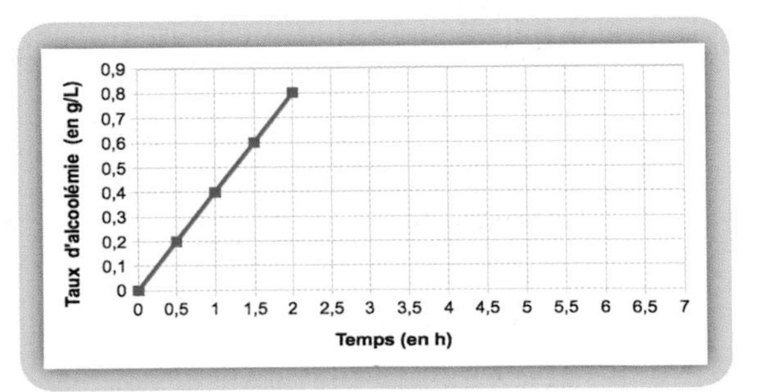

d. Dans Éléments du diagramme, compléter les titres des axes et décocher la légende.
Afficher les grilles sur chaque axe. On obtient ainsi le graphique commencé ci-dessus.

J'utilise mes compétences

S'initier au raisonnement

53 Lire et comprendre des graphiques

Chercher • Raisonner • Communiquer

Voici les graphiques obtenus pour deux machines très bruyantes d'une usine.

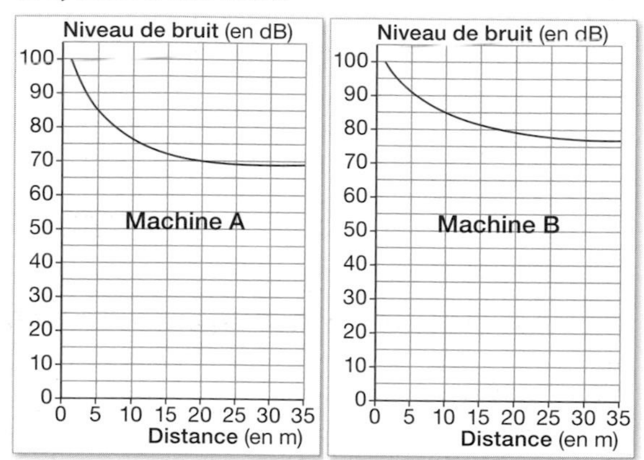

Dans l'usine, le port d'un casque antibruit est obligatoire à partir d'un niveau de bruit identique pour toutes les machines. Pour la machine A, il est obligatoire quand on se trouve à moins de 5 mètres de la machine. En utilisant ces graphiques, déterminer cette distance pour la machine B.

Conseil

Lis une information pour A, puis pour B.

54 Envisager plusieurs cas

Raisonner • Calculer • Communiquer

On prend pour unité de longueur le côté d'un carreau et, pour unité d'aire, le carreau.
AB = 10 et M est un point du segment [AB]. On note x la distance AM et $f(x)$ l'aire de la partie verte.

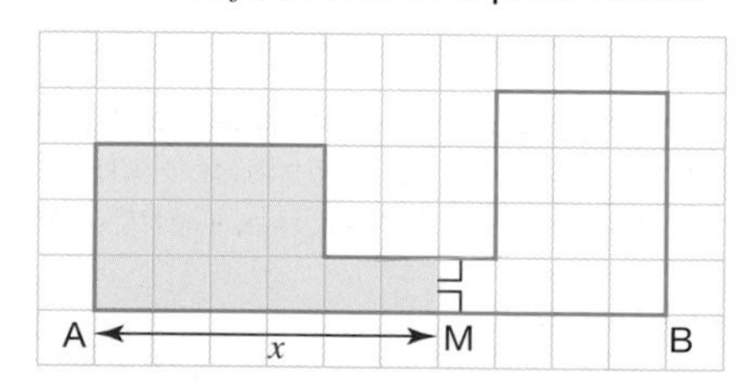

Donner l'expression de $f(x)$ lorsque :

a. $0 \leqslant x \leqslant 4$ **b.** $4 \leqslant x \leqslant 7$ **c.** $7 \leqslant x \leqslant 10$

Conseil

Selon la position du point M, la partie verte se compose de un, deux ou trois rectangles.

55 Déterminer des antécédents

Raisonner • Calculer • Communiquer

Voici un programme de calcul.

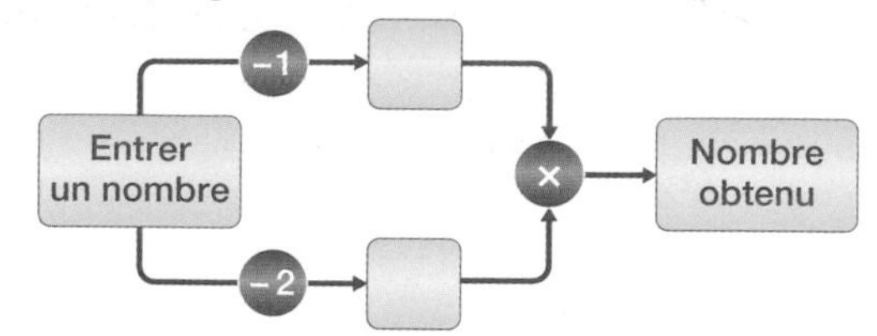

On note f la fonction qui, à un nombre x entré, associe le résultat obtenu.
Déterminer deux antécédents de 0 par la fonction f.

Conseil

Comment peux-tu obtenir un produit égal à 0 ?

56 Distinguer abscisse et ordonnée

Chercher • Raisonner • Communiquer

Voici un tableau de valeurs d'une fonction f.

x	3	−2	1	2
$f(x)$	−3	0	2	3

Dans chaque cas, dire pourquoi le graphique ne peut pas correspondre à ce tableau de valeurs.

a.

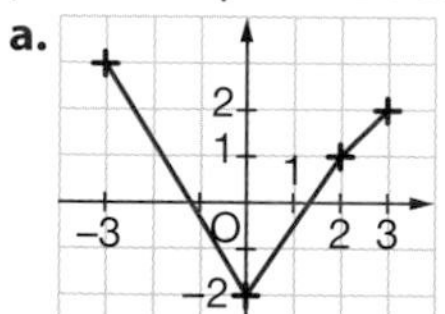

b.

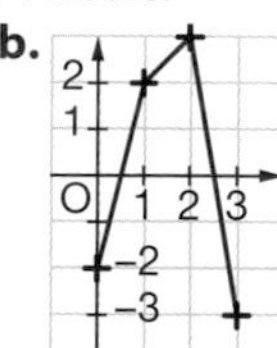

Conseil

Vérifie si pour les nombres 3, −2, 1 et 2, on lit les mêmes images dans le tableau et sur le graphique.

57 Conjecturer et démontrer

Raisonner • Calculer • Communiquer

f et g sont des fonctions définies par :
• $f(x) = (2x + 3)(x - 4)$ • $g(x) = 2x^2 - 5x - 12$
Tom dit : « $f(0) = g(0)$ et $f(1) = g(1)$. »
Emma affirme : « $f(x) = g(x)$ quel que soit le nombre choisi. »

a. Vérifier l'affirmation de Tom.
b. Prouver qu'Emma a raison.

Conseil

Au **b**, il ne faut pas remplacer x par une valeur particulière, mais prouver cette égalité dans le cas général.

Organiser son raisonnement

58 Comprendre une feuille de calcul TICE

Chercher • Calculer • Communiquer

Fazia a utilisé un tableur pour obtenir les images de différentes valeurs de x par la fonction f définie par :

$$f(x) = \frac{x}{x-5}.$$

Voici une copie de l'écran obtenu.

	A	B	C	D	E	F	G	H
1	**x**	-1	0	1	2	3	4	5
2	**f(x)**	0,1666667	0	-0,25	-0,666667	-1,5	-4	#DIV/0!

1. Quelle formule a-t-elle saisie dans la cellule B2 avant de la recopier vers la droite ?

2. Expliquer l'affichage dans la cellule H2.

3. a. Parmi les nombres affichés sur la ligne 2, certains sont des valeurs approchées. Lesquels ?

b. Retrouver par le calcul les valeurs exactes de ces nombres.

59 Comprendre un graphique Physique

Chercher • Modéliser • Communiquer

Ce graphique donne la puissance (en kW) délivrée par une éolienne selon la vitesse du vent (en m/s).

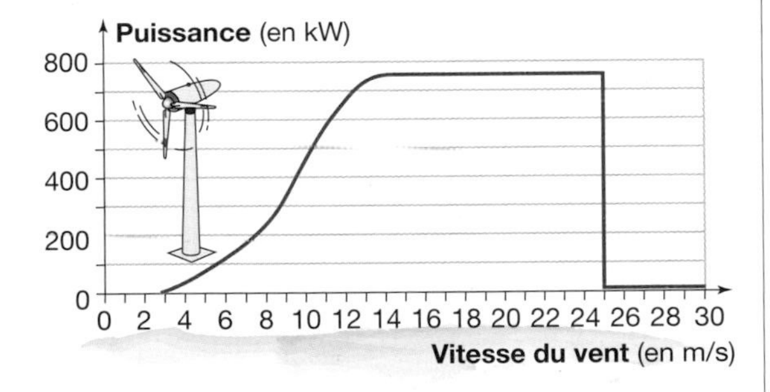

a. À partir de quelle vitesse de vent cette éolienne produit-elle de l'électricité ?

b. Quelle puissance délivre l'éolienne avec un vent de 8 m/s ?

c. Cette éolienne a une puissance nominale (c'est-à-dire maximale) de 750 kW.
Pour quelles vitesses de vent est-elle atteinte ?

d. À partir de quelle vitesse de vent arrête-t-on cette éolienne ?

e. Pour quelles vitesses de vent l'éolienne délivre-t-elle une puissance supérieure à 500 kW ?

f. En s'appuyant sur le cas d'un vent de 25 m/s, expliquer pourquoi ce graphique ne représente pas une fonction.
Expliquer.

60 Argumenter

Chercher • Communiquer

Dans chaque cas, indiquer si le graphique peut représenter une fonction. Expliquer.

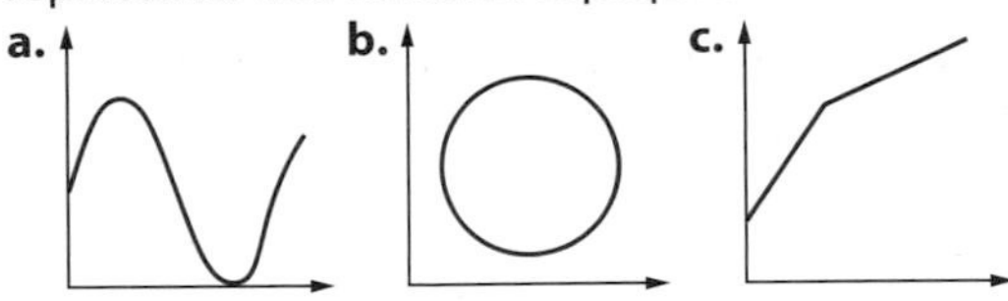

61 Relier fonction et géométrie TICE

Modéliser • Raisonner • Communiquer

Une salle de classe est représentée par un carré ABCD de 6 m de côté.

Un spot placé en A éclaire la surface AECF où E est un point du côté [DC] et F un point du côté [BC] tels que :

$DE = CF = t$ (en m).

1. Expliquer pourquoi :

$0 \leqslant t \leqslant 6$

2. a. Réaliser la figure avec un logiciel de géométrie :
- construire un carré ABCD de côté 6 ;
- créer un curseur t variant de 0 à 6 ;
- placer le point E sur [DC] tel que $DE = t$;
- placer le point F sur [BC] tel que $CF = t$;
- créer le polygone AECF et afficher son aire.

b. Déplacer le curseur et émettre une conjecture sur l'aire de AECF.

3. On note S la fonction qui, à t, associe l'aire (en m^2) de AECF. Prouver la conjecture de la question **2. b**.

62 Passer d'un graphique à un autre

Chercher • Représenter • Communiquer

Un automobiliste a parcouru une distance de 200 km en 2 h 30 min. Ce graphique est celui de la fonction f qui, à chaque instant, associe la distance qu'il a parcourue.

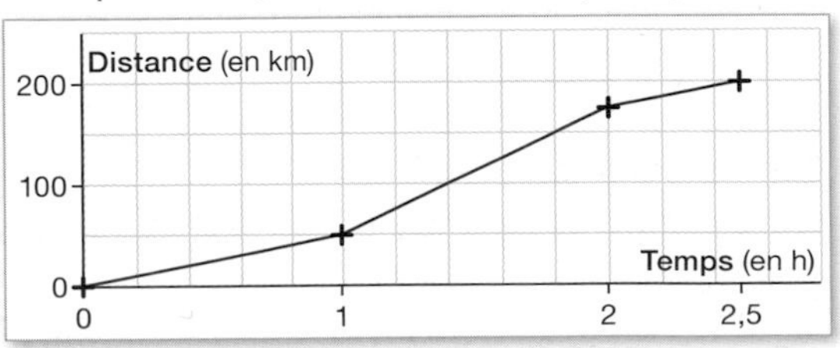

Représenter graphiquement la fonction g qui, à un instant, associe la distance restant à parcourir.

63 Communiquer en anglais

Modéliser • Calculer • Communiquer

From an equilateral triangle of side x (in cm) :
- we divide each side into three line segments of equal length ;
- we construct an equilateral triangle on each middle line segment ;
- we erase each middle line segment.

We note P the function which, to x, associates the perimeter of the blue star obtained.
Give the expression of $P(x)$.

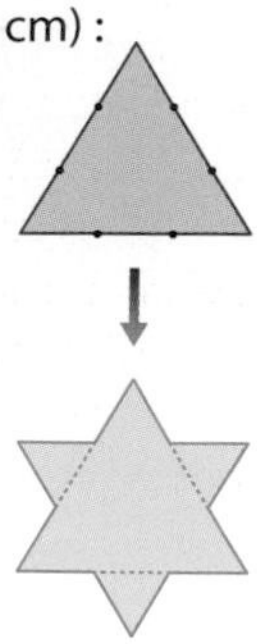

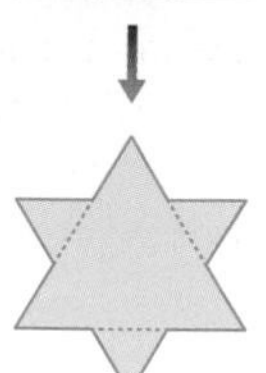

64 Conjecturer, puis prouver

Raisonner • Calculer • Communiquer

f et g sont les fonctions définies par :
$f(x) = (x-1)(11-x) + 5(x-1)^2$ et
$g(x) = 2(x-1)(2x+3)$.

a. Recopier et compléter le tableau :

x	−3	−2	−1	0	1	2	3
$f(x)$							
$g(x)$							

b. Que peut-on conjecturer ? Prouver cette conjecture.

65 Imaginer une stratégie

Chercher • Modéliser • Communiquer

Vincent vient d'ouvrir un restaurant, avec une formule unique à 12 €.
La courbe ci-dessous représente le coût de production de x repas, pour x compris entre 0 et 70.

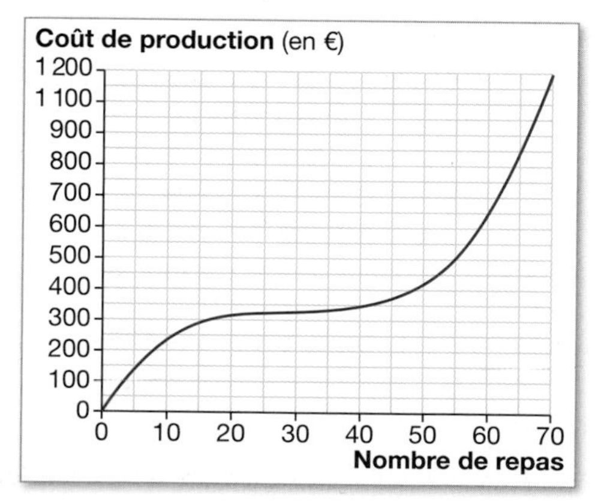

Vincent souhaite réaliser un bénéfice d'au moins 100 €.
Est-ce possible ? Si oui, pour combien de repas servis cet objectif est-il réalisé ? (On répondra avec la précision permise par le graphique.)

66 Prendre des initiatives

Chercher • Raisonner • Communiquer

Ce graphique présente les variations de vitesse d'une voiture sur un circuit plat de 3 km au cours du 2e tour.

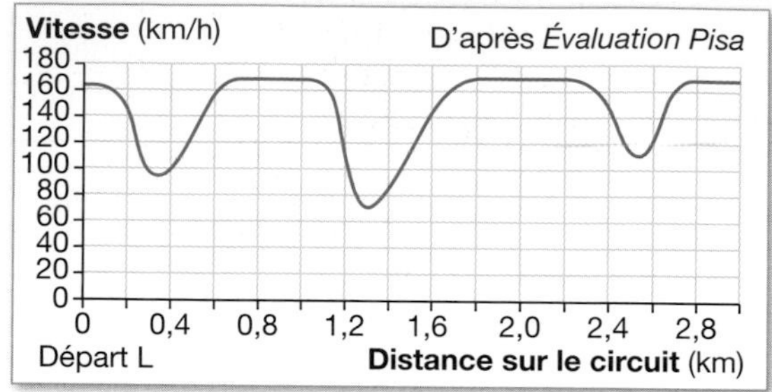

Voici le tracé de cinq circuits.
Sur lequel de ces circuits la voiture roulait-elle ?

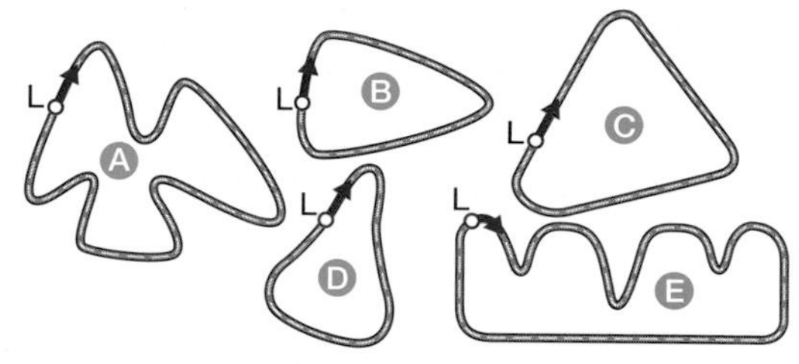

67 Narration de recherche

Problème

On remplit le réservoir représenté ci-contre à raison de 1 L/s.
Il est vide au départ.
Quel graphique illustre la façon dont le niveau d'eau évolue dans le temps ?

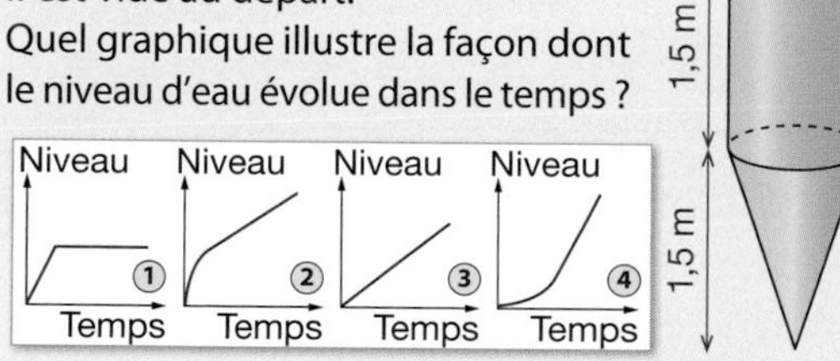

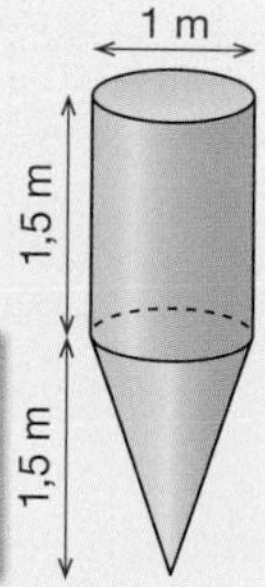

Raconter sur une feuille les différentes étapes de la recherche et les remarques qui ont fait changer de méthode ou qui ont permis de trouver.

68 Problème ouvert

Représenter • Raisonner • Communiquer

Voici le graphique d'une fonction $x \mapsto f(x)$ lorsque $x \geqslant 0$.
On sait de plus que pour tout nombre $x \leqslant 0$:
$$f(x) = f(-x).$$
Compléter le graphique de f.

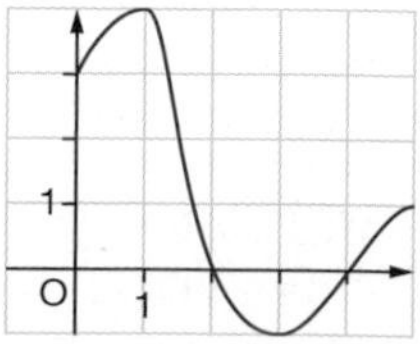

69 Utiliser le tableur TICE

On appelle f la fonction définie par :

$$f(x) = (x - 1)(2x - 5).$$

On a utilisé le tableur pour calculer les images de différentes valeurs par cette fonction f.

	A	B	C	D	E	F	G	H	I	J
1	x	0	1	2	3	4	5	6	7	8
2	f(x)	5	0	-1	2	9	20	35	54	77

a. Pour chacune des affirmations suivantes, indiquer si elle est vraie ou fausse. Justifier.

Affirmation 1 : $f(2) = 3$

Affirmation 2 : L'image de 11 par la fonction f est 170.

b. Une formule a été saisie dans la cellule B2 puis recopiée vers la droite.

Quelle formule a-t-on saisie dans la cellule B2 ?

c. Donner un antécédent de 0 par la fonction f.

Conseil

Pour justifier l'affirmation 2, un calcul est nécessaire.

70 Utiliser un graphique

Le graphique ci-dessous représente la quantité de principe actif d'un médicament dans le sang, en fonction du temps écoulé, depuis la prise de ce médicament.

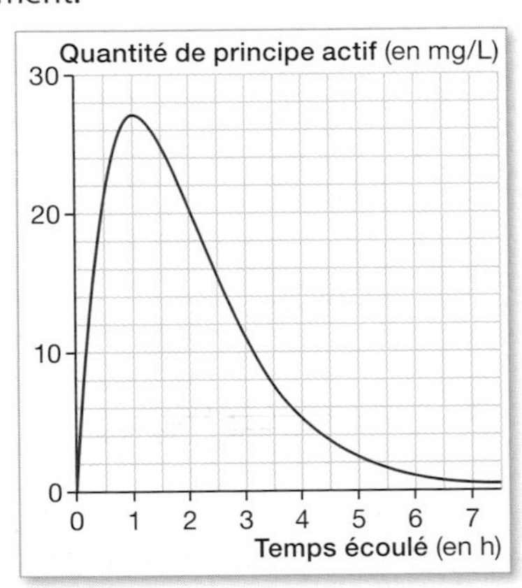

a. Pendant combien de temps la quantité de principe actif du médicament dans le sang est-elle supérieure à 20 mg/L ?

b. Pour que le médicament soit efficace, la quantité de principe actif du médicament dans le sang doit être supérieure à 5 mg/L. Pendant combien de temps, approximativement, le médicament est-il efficace ?

Conseil

Repère 5 mg/L sur l'axe des ordonnées.

71 Exploiter un graphique

L'objectif du passage à l'heure d'été est de faire correspondre au mieux les heures d'activité avec les heures d'ensoleillement pour limiter l'utilisation de l'éclairage artificiel.

Le graphique ci-dessous représente la puissance consommée en mégawatts (MW), en fonction des heures de deux journées : J_1, avant le passage à l'heure d'été, et J_2, après le passage à l'heure d'été.

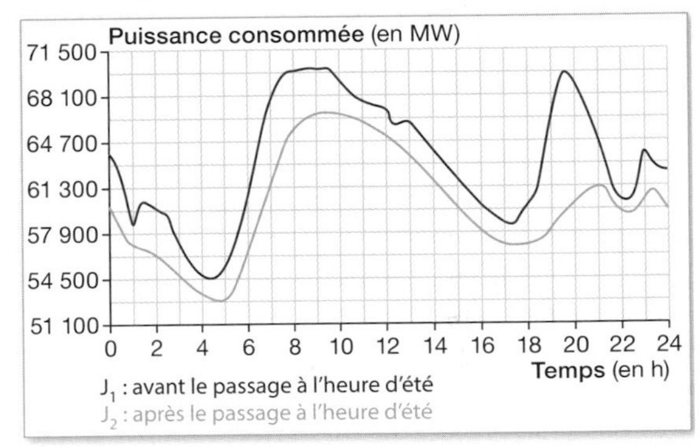

Par lecture graphique, répondre aux questions suivantes en donnant, si nécessaire, des valeurs approchées à la demi-heure près.

a. Pour la journée J_1, quelle est la puissance consommée à 7 h ?

b. Pour la journée J_2, quelle est la puissance consommée à 7 h ?

Quelle puissance consommée a-t-on économisée à 7 h ?

c. Pour la journée J_2, à quelle(s) heure(s) de la journée a-t-on une puissance consommée de 54 500 MW ?

d. Pour la journée J_1, à quelles(s) heure(s) de la journée a-t-on une puissance consommée de 54 500 MW ?

e. À quel moment de la journée le passage à l'heure d'été permet-il le plus d'économies ?

f. Quelle puissance consommée a-t-on économisée à 19 h 30 ?

g. Quelle puissance consommée a-t-on économisée à 9 h ?

Conseil

- Commence par bien comprendre la signification des valeurs portées en abscisses, puis celles portées en ordonnées.
- Ensuite, comprends bien la légende du graphique. Elle te permet de repérer la courbe qui correspond à chacune des journées J_1 et J_2.

Je prends des initiatives

Avec une aide

72 Lire et calculer

Pour son anniversaire, Julien a reçu un coffret de tir à l'arc. Il tire une flèche. La trajectoire de la pointe de la flèche est représentée ci-après.
La courbe donne la hauteur (en m) en fonction de la distance horizontale (en m) parcourue par la flèche.

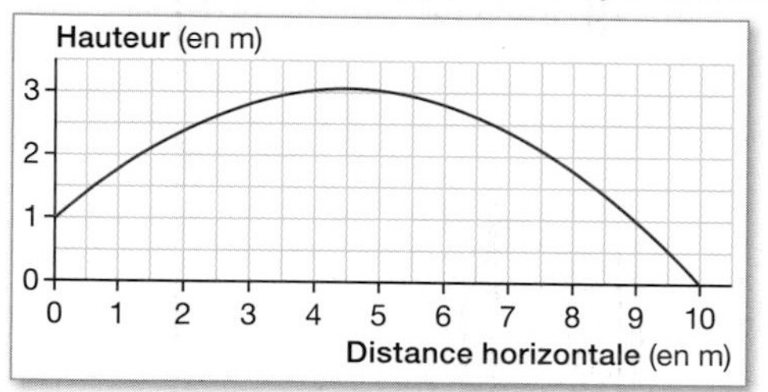

1. *Dans cette partie, les réponses seront données grâce à des lectures graphiques.*
a. De quelle hauteur la flèche est-elle tirée ?
b. À quelle distance de Julien la flèche retombe-t-elle au sol ?
c. Quelle est la hauteur maximale atteinte par la flèche ?

2. *Dans cette partie, les réponses seront justifiées par des calculs.*
La courbe ci-dessus représente la fonction f définie par $f(x) = -0{,}1x^2 + 0{,}9x + 1$.
a. Calculer $f(4)$ et $f(5)$.
b. La flèche s'élève-t-elle à plus de 3 m de hauteur ?

Conseil
À la question **2. b**, tu dois t'aider de la réponse à la question **2. a** et du graphique, pour penser à envisager certaines valeurs de x.

73 Traiter un QCM

Recopier la bonne réponse.
a. f est la fonction définie $f(x) = x^2 - x$.
L'image de -1 est : • -2 • 0 • 2
b. La fonction g est définie par $g(x) = 2x^2 - 5x + 3$.
L'image de -3 est : • 36 • -36 • -6
c. On considère la fonction $h : x \mapsto 3x + 2$.
Un antécédent de -7 est : • -19 • -3 • -7

Conseil
Au **c**, soit on résout l'équation $h(x) = -7$, soit on calcule $h(-19)$, $h(-3)$, … et on observe où l'on trouve -7.

Sans aide maintenant

74 Reconnaître un graphique

Pense-bête : toutes les formules données correspondent bien à des formules d'aires ou volumes. On ne sait pas à quoi elles correspondent, mais elles peuvent quand même être utiles pour résoudre l'exercice.

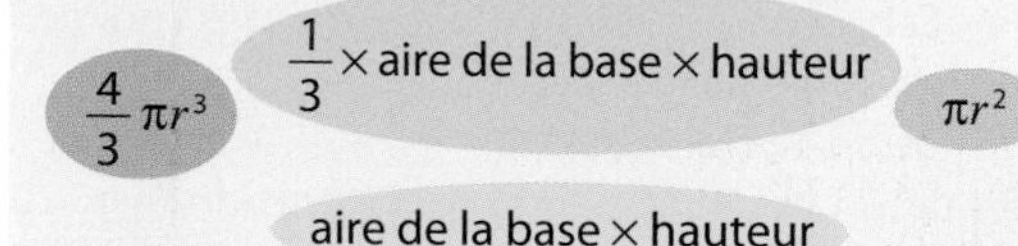

Voici une bouteille constituée d'un cylindre et d'un tronc de cône surmonté par un goulot cylindrique.
La bouteille est pleine lorsqu'elle est remplie jusqu'au goulot.
Les dimensions sont notées sur le schéma.

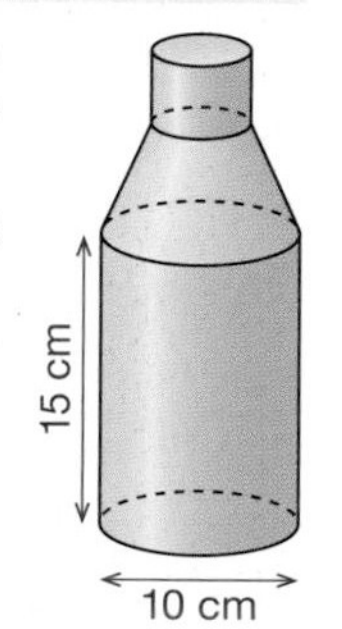

a. Calculer le volume exact, en cm³, de la partie cylindrique de la bouteille, puis en donner une valeur approchée à l'unité près.
b. Parmi ces graphiques, l'un d'eux représente le volume $V(h)$ d'eau dans la bouteille en fonction de la hauteur h de remplissage. Quel est ce graphique ? Pourquoi les autres ne conviennent-ils pas ?

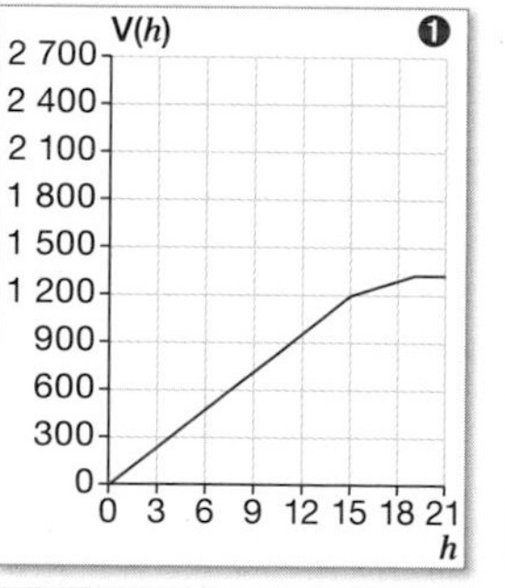

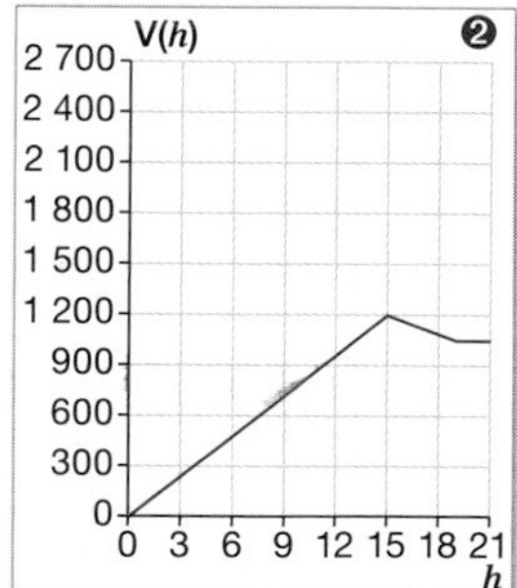

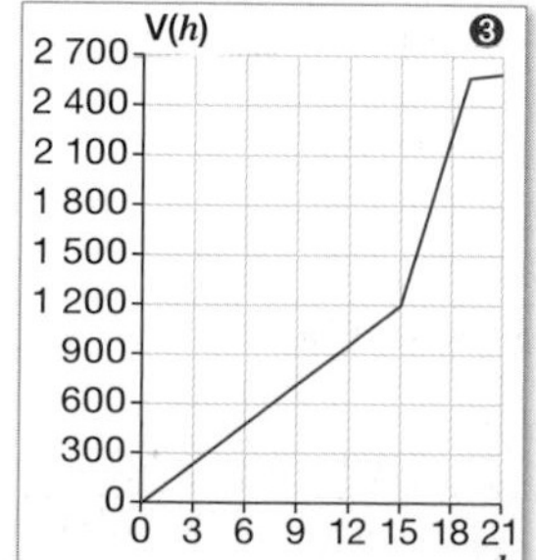

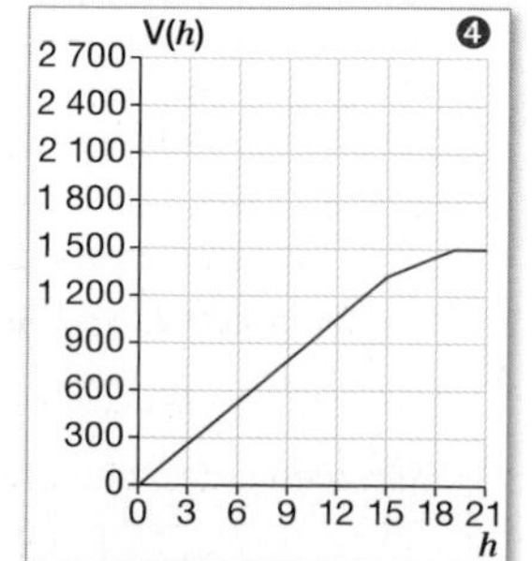

J'extrais des informations

75 Le directeur de théâtre

Un directeur de théâtre a constaté qu'une réduction du prix de la place entraînait une augmentation du nombre de spectateurs.
Il a étudié deux fonctions S et R : au montant x de la réduction accordée (en €), la fonction S associe le nombre de spectateurs et la fonction R associe la recette du spectacle (en €).

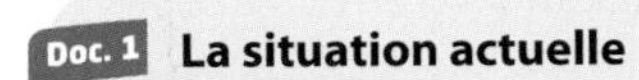

Doc. 1 La situation actuelle

- Prix d'une place : 20 €
- Nombre de spectateurs : 500
- Capacité d'accueil de la salle : 800

Doc. 2 La fonction S

S est la fonction définie par :
$$S(x) = 500 + 50x.$$

Doc. 3 Graphique représentant la fonction R

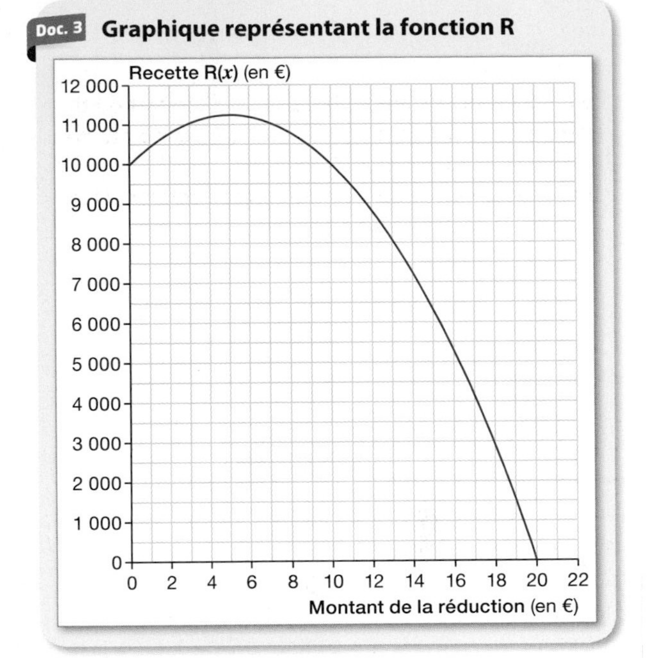

a. Expliquer pourquoi, lorsque le directeur consent une réduction de 2 € sur le prix d'une place, la recette s'élève à 10 800 €.
b. Expliquer pourquoi le directeur peut consentir au maximum 6 € de réduction par place.
Quel est alors le montant de la recette ?
c. Par lecture graphique, déterminer le montant de la réduction qui lui assure une recette maximale.
Quel est alors le prix de la place ?
Quelle est la recette maximale ?

76 Le médecin

Un médecin veut prescrire un médicament à un enfant.
L'aider à établir la posologie adaptée.

Doc. 1 Informations sur le médicament

- Chez les enfants (de 12 mois à 17 ans), la posologie doit être établie en fonction de la surface corporelle du patient.
- Une dose de charge unique de 70 mg par mètre carré (sans dépasser 70 mg par jour) doit être administrée.
- Conditionnement :
comprimé : 20 mg ; sachet : 50 mg.

Doc. 2 Calcul de la surface corporelle

Formule de Mosteller :
$$\text{Surface corporelle en m}^2 = \sqrt{\frac{\text{taille (en cm)} \times \text{masse (en kg)}}{3600}}.$$

Doc. 3 Informations sur le patient

- Âge : 5 ans
- Taille : 1,05 m
- Masse : 17,5 kg

CHAPITRE

7 Relier proportionnalité et fonction linéaire

L'énergie consommée par un appareil électrique s'exprime en kilowattheure (kWh). 1 kWh correspond à l'énergie consommée pendant 1 h par un appareil de puissance 1 000 W.

Vu au Cycle 4

Pour chaque question, une réponse ou plusieurs sont exactes.

		a	b	c
1	Un tableau de proportionnalité est…	3 ; 4 ; 5 / 6 ; 8 ; 10	0 ; 1 ; 4 / 1,5 ; 2,5 ; 10	2 ; 5 ; 7 / 3,2 ; 8 ; 11,2
2	Dans ce tableau de proportionnalité, x est égal à… (5 ; 6 ; y / 4 ; x ; 10)	$4 \times 1{,}2$	$\frac{6 \times 4}{5}$	$6 \times 0{,}8$
3	Dans ce tableau de proportionnalité, y est égal à…	$5 \times 2{,}5$	$\frac{10 \times 5}{4}$	$10 \times 0{,}8$
4	Une situation de proportionnalité est représentée sur le graphique…			
5	f est la fonction $x \mapsto 3{,}5x$. $f(7)$ est égal à…	3,57	2	24,5

Vérifie tes réponses p. 259

D'autres exercices sur ***le site compagnon*** 

Activité 1

Découvrir les fonctions linéaires

1 Un service de transports urbains propose le ticket à l'unité au prix de 1,50 €.

a. Recopier et compléter le tableau ci-dessous.

Nombre de tickets achetés	1	5	10	15	20
Prix payé (en €)					

b. Comment obtient-on le prix à payer à partir du nombre de tickets achetés ?
Que peut-on dire du tableau précédent ?

c. La situation précédente peut être modélisée par la fonction $f: x \mapsto 1{,}5x$.
Que signifie $f(10) = 15$ pour la situation étudiée ?

d. Calculer $f(-5)$ et $f(1{,}5)$. Peut-on interpréter ces résultats pour la situation étudiée ?
Toute fonction du type $x \mapsto ax$ (où a désigne un nombre donné) est appelée **fonction linéaire** de **coefficient** a.
Ainsi, toute situation de proportionnalité peut être modélisée par une fonction linéaire.

2 Ce service de transports propose aussi une carte mensuelle à 20 € qui permet de payer le ticket 0,50 €.
La fonction qui modélise le prix payé avec cette carte est-elle une fonction linéaire ?

Activité 2

Représenter une fonction linéaire Physique

1 L'énergie consommée par un appareil électrique est proportionnelle à sa durée de fonctionnement.
On a la formule : E = P × t où E est l'énergie consommée en Wh (wattheures), P la puissance de l'appareil en W (watts) et t la durée de fonctionnement en h.

a. En mesurant l'énergie consommée par une lampe, on a obtenu le tableau suivant :

t (en h)	0,5	0,75	1	1,25	1,5	1,75
E (en Wh)	20	30	40	50	60	70

Vérifier que ce tableau est un tableau de proportionnalité.
Quelle est la puissance de l'ampoule utilisée ?

b. Dans un repère d'origine O (*unités :* 1 cm pour 0,5 h en abscisses et 1 cm pour 10 Wh en ordonnées), placer les six points obtenus d'après le tableau ci-dessus.
Que peut-on dire de ces points et du point O ?

2 Le graphique ci-contre représente la fonction g qui, à la durée de fonctionnement (en h) d'une ampoule, associe l'énergie consommée (en Wh).

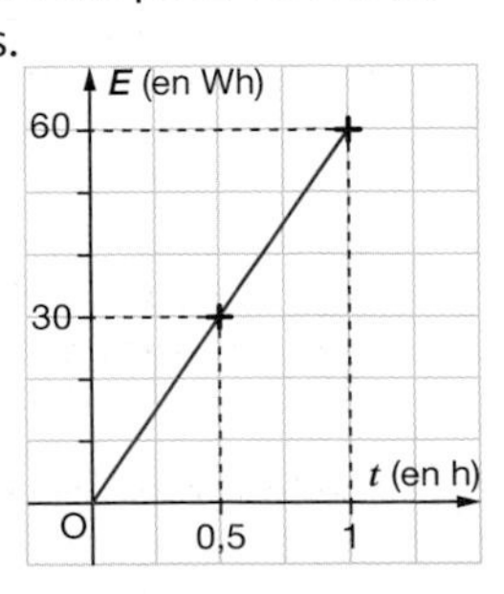

a. Quelle est la puissance de l'ampoule utilisée ?

b. Donner l'expression de $g(t)$.

J'apprends le cours

1 Fonction linéaire

Définition a désigne un nombre.
La **fonction linéaire de coefficient** a est la fonction qui, à un nombre x, associe le nombre ax.
On la note $f : x \mapsto ax$.

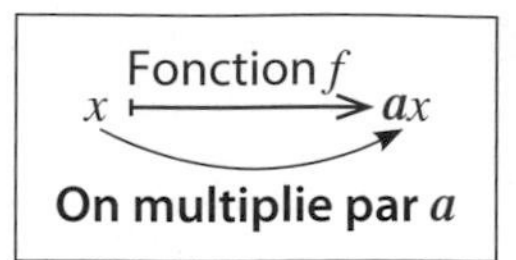

Exemple 1

La fonction linéaire de coefficient **3** est la fonction qui, à un nombre, associe son triple.
Elle est définie par $f(x) = \mathbf{3}x$.
Un tableau de valeurs est un tableau de proportionnalité.

× **3** (de la ligne x à la ligne $f(x)$) ; : **3** (de la ligne $f(x)$ à la ligne x)

x	−5	−2	0	1	4
$f(x)$	−15	−6	0	3	12

À toute situation de proportionnalité, on peut associer une fonction linéaire.
On dit que cette fonction linéaire **modélise** la situation de proportionnalité.

Exemple 2

Un carré a pour côté x cm : son périmètre est égal à $4x$ cm.
Cette situation est modélisée par la fonction linéaire $p : x \mapsto \mathbf{4}x$.
L'égalité $p(3) = 12$ signifie, pour cette situation, qu'un carré de côté 3 cm a un périmètre de 12 cm.
Par cette fonction, −1 a pour image −4, mais cela n'a pas de sens pour la situation étudiée.

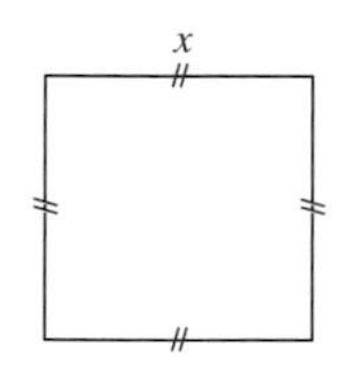

2 Représentation graphique d'une fonction linéaire

Définition Dans un repère, la **représentation graphique** de la fonction linéaire $x \mapsto ax$ est constituée de tous les points de coordonnées $(x ; ax)$.
C'est la droite (OA), où O est l'origine du repère et A le point de coordonnées $(1 ; a)$.

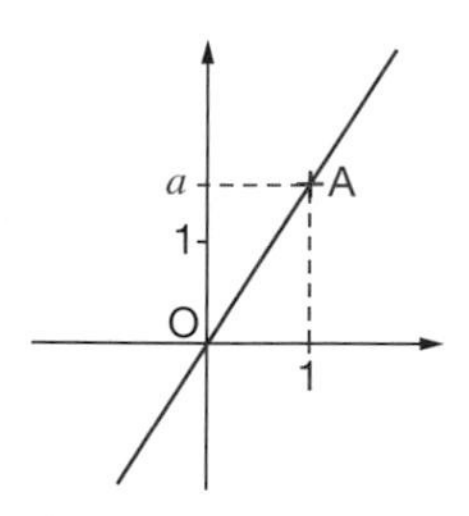

Vocabulaire. On dit que a est le **coefficient directeur** de la droite (OA) : ce nombre indique la direction de la droite.

$a > 0$

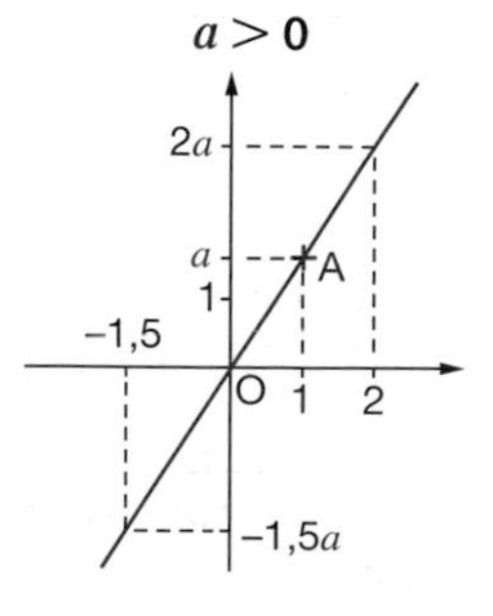

La droite (OA) « monte » (de gauche à droite).

$a = 0$

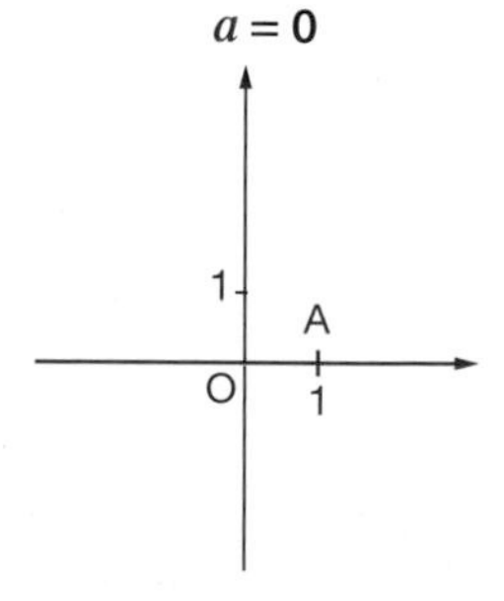

La droite (OA) est confondue avec l'axe des abscisses.

$a < 0$

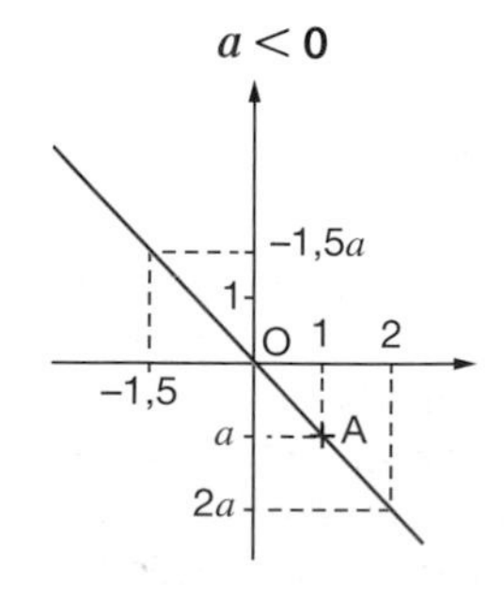

La droite (OA) « descend » (de gauche à droite).

J'apprends à ▶ Utiliser une fonction linéaire

Exercice résolu

1 Énoncé

f est la fonction linéaire définie par $f(x) = -\frac{1}{3}x$.

a. Calculer l'image de -2 par f.

b. Déterminer l'antécédent de 1 par f.

c. Dans un repère, tracer la droite (d) représentant graphiquement la fonction f.

Solution

a. $f(-2) = -\frac{1}{3} \times (-2) = \frac{2}{3}$.

Donc l'image de -2 par f est $\frac{2}{3}$.

b. On cherche un nombre x tel que $f(x) = 1$ c'est-à-dire tel que $-\frac{1}{3}x = 1$.

Ainsi $x = 1 : \left(-\frac{1}{3}\right) = 1 \times (-3) = -3$

L'antécédent de 1 par f est -3.

c. La droite (d) passe par l'origine du repère.

D'après la question **b**, $f(-3) = 1$, donc (d) passe par le point A(-3 ; 1).

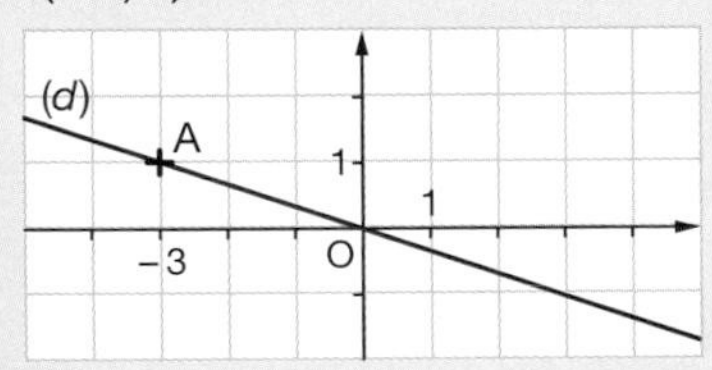

Conseils

• Répondre aux questions **a** et **b** revient à compléter ce tableau de proportionnalité :

x	-2	
$f(x)$		1

$\times\left(-\frac{1}{3}\right)$

• D'après le paragraphe **2** du cours, on aurait dû placer le point de coordonnées $\left(1 ; -\frac{1}{3}\right)$, mais il n'est pas facile à placer.
Il vaut mieux choisir un point à coordonnées entières : (-3 ; 1) par exemple.

Sur le même modèle

2 f est la fonction linéaire définie par :

$$f(x) = -0{,}8x.$$

a. Calculer l'image de 3 par f.

b. Déterminer l'antécédent de -4 par f.

c. Dans un repère, tracer la droite (d) représentant graphiquement la fonction f.

3 t est la fonction linéaire définie par :

$$t(x) = 0{,}95x$$

a. Calculer $t(14)$.

b. Déterminer l'antécédent de 19 par la fonction t.

c. Dans un repère, tracer la droite (d) représentant graphiquement la fonction t.

4 k est la fonction linéaire de coefficient $-1{,}6$.

a. Déterminer l'antécédent de -8 par k.

b. Calculer $k(9)$.

5 g est la fonction linéaire $x \mapsto 4{,}5x$.

a. Calculer l'image de -3 par g.

b. Calculer l'antécédent de 36 par g.

c. Dans un repère, tracer la droite (d) représentant graphiquement la fonction g.

6 h est la fonction linéaire $x \mapsto -\frac{2}{5}x$.

a. Recopier et compléter le tableau :

x		-5		20
$h(x)$	4		0	

b. Dans un repère, tracer la droite représentant graphiquement la fonction h.

7 Dans un repère, représenter graphiquement :

a. la fonction linéaire f définie par $f(x) = 2{,}5x$;

b. la fonction linéaire g de coefficient $-\frac{2}{3}$.

À L'oral

8 Dans chaque cas, dire si le tableau de valeurs peut être celui d'une fonction linéaire.
Si oui, donner son coefficient.

a.

x	0	2	10
$g(x)$	0	5	25

b.

x	-2	0	1
$h(x)$	4	1	-2

9 Sur un marché, des bracelets sont vendus 5 € l'unité et le marchand propose aussi 5 bracelets pour 20 €.
On s'intéresse au prix de n bracelets.
Cette situation peut-elle être modélisée par une fonction linéaire ? Expliquer.

10 Pour chaque situation, dire si elle peut être modélisée par une fonction linéaire.
a. Au côté x, en cm, d'un triangle équilatéral, on associe son périmètre, en cm.
b. Au rayon r, en cm, d'un disque, on associe son aire, en cm^2.

11 Dans chaque cas, dire si la fonction est linéaire.
Si oui, donner son coefficient.
a. $x \mapsto 1 + x$ **b.** $x \mapsto 4x$ **c.** $x \mapsto 1{,}8x$
d. $x \mapsto x - 3$ **e.** $x \mapsto \frac{2}{3}x$ **f.** $x \mapsto 2x + 1$

12 f est la fonction linéaire de coefficient 2,4.
Que calcule-t-on pour la fonction f lorsqu'on effectue :
a. $2{,}4 \times 16$? **b.** $16 : 2{,}4$?

13 Des cerises sont vendues 5 € le kg.
On note p la fonction linéaire qui, à la masse x (en kg) de cerises, associe le prix (en €).

a. Calculer l'image de 1,5 par la fonction p.
b. Déterminer l'antécédent de 30 par la fonction p.
c. Interpréter les réponses pour la situation.

14 f est la fonction linéaire telle que $f(10) = 12$.
Déterminer le coefficient de la fonction linéaire f puis l'expression de $f(x)$.

15 Le graphique représente-t-il une fonction linéaire ? Si oui, donner son coefficient.

❶
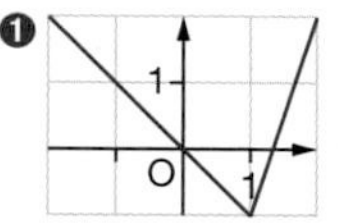

❷
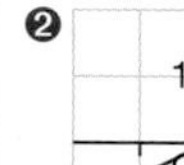

❸
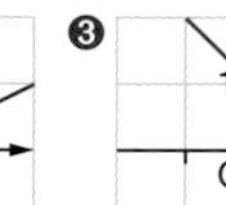

16 Voici une publicité pour un forfait de téléphone.

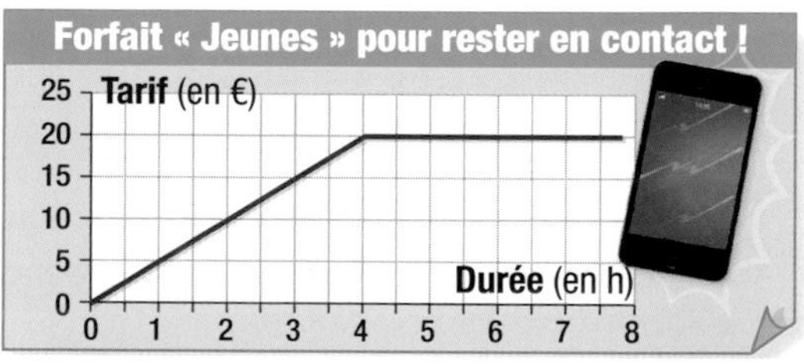

a. Le tarif est-il proportionnel à la durée ? Expliquer.
b. Décrire ce forfait de téléphone par une phrase.

Calcul mental

17 f est la fonction linéaire de coefficient 7.
Déterminer mentalement :
a. $f(-3)$; **b.** le nombre x tel que $f(x) = 4{,}2$;
c. l'image de 4 ; **d.** l'antécédent de -350.

18 À vélo, Lucas parcourt 26 m en 5 tours de pédalier. Au nombre de tours de pédalier, on associe la distance parcourue (en m).
Cette situation peut être modélisée par une fonction linéaire g.
Déterminer mentalement le coefficient de la fonction g et donner l'expression de $g(x)$.

19 g est la fonction linéaire telle que $g(3) = 4$.
Calculer mentalement $g(9)$ et $g(-6)$.

20 Dans un repère, A est le point d'abscisse 4 appartenant à la droite représentant la fonction $x \mapsto 1{,}5x$. Calculer mentalement son ordonnée.

21 Dans un repère, (d) est la droite représentant la fonction linéaire définie par $h(x) = -5x$.
Dans chaque cas, décider mentalement si le point appartient à la droite (d).
a. A(0 ; −5) **b.** B(−1 ; 5) **c.** C(10 ; −2) **d.** D(0,2 ; −1)

Fonctions linéaires

22 f est la fonction linéaire $x \mapsto 5x$.
a. Calculer l'image de – 3,4 par f.
b. Déterminer l'antécédent de 18,2 par f.

23 g est la fonction linéaire de coefficient – 2,4.
a. Déterminer l'antécédent de – 8 par g.
b. Calculer $g(9)$.

24 f est la fonction linéaire définie par $f(x) = -3{,}5x$.
Déterminer :
a. l'image de 3 ; **b.** l'antécédent de – 14 ;
c. $f(-16)$; **d.** le nombre qui a pour image 21.

25 g est la fonction linéaire de coefficient 2,8.
Recopier et compléter le tableau.

x	– 3	– 2	2,5			
$g(x)$				0	– 14	0,7

26 h est la fonction linéaire : $x \mapsto -3{,}2x$.
Recopier et compléter le tableau.

x	– 3		– 1,5		0	
$h(x)$		8		2,4		– 16

27 Dans chaque cas, dire si la fonction f peut être linéaire. Si oui, donner son coefficient.

a.

x	7	8	9
$f(x)$	9	10	11

b.

x	– 3	3	9
$f(x)$	4	– 4	– 12

c.

x	– 10	– 5	– 1	0	2	10	21
$f(x)$	– 11	– 5,5	– 1,1	0	2,2	11	23

28 f est la fonction $x \mapsto x^2$.
a. Calculer l'image de 2 par la fonction f.
b. Calculer $f(3)$.
c. Recopier et compléter :
$f(2) = \ldots \times 2$ et $f(3) = \ldots \times 3$
d. Expliquer pourquoi la fonction f n'est pas une fonction linéaire.

29 Dans chaque cas, dire si la fonction est linéaire. Si oui, donner son coefficient.
a. $x \mapsto 0{,}5x$ **b.** $x \mapsto 4x^2$ **c.** $x \mapsto -x$
d. $x \mapsto 3$ **e.** $x \mapsto 2(x-5)$ **f.** $x \mapsto \frac{x}{4}$

30 Pour chaque programme de calcul, dire si l'on peut lui associer une fonction linéaire.
Si oui, donner son coefficient.

P_1
• Choisir un nombre.
• Multiplier par 7.
• Ajouter 2.

P_2
• Choisir un nombre.
• Multiplier par 7.
• Diviser par 2.

P_3
• Choisir un nombre.
• Ajouter 4.

P_4
• Choisir un nombre.
• Prendre sa moitié.

31 g est une fonction telle que :
• $g(4) = -14$; • l'antécédent de 35 est – 10.
La fonction g peut-elle être linéaire ? Si oui, donner son expression.

32 TICE h est la fonction linéaire de coefficient 5.
À l'aide du tableur, Sacha veut compléter le tableau ci-dessous en recopiant vers la droite les formules qu'il saisira dans les cellules B1 et B3.

	A	B	C	D	E	F	G	H	I
1	Antécédent du nombre								
2	Nombre	-3,4	-1,5	0	1	2,9	3,6	12	15,3
3	Image du nombre								

Quelle formule doit-il saisir :
a. dans la cellule B1 ? **b.** dans la cellule B3 ?

33 k est la fonction linéaire telle que $k(x) = \frac{4}{3}x$.
Déterminer : **a.** l'image de $\frac{9}{2}$; **b.** l'antécédent de 5.

34 Dans chaque cas, déterminer l'expression de la fonction linéaire f telle que :
a. l'image de 4 est 120 ; **b.** l'antécédent de 8 est – 10.

35 f est la fonction linéaire telle que $f(3) = 5$.
Déterminer l'expression de $f(x)$.

36 f, g et h sont trois fonctions linéaires telles que :
• $f(6) = 5$ • $g(-4) = \frac{8}{7}$ • $h\left(\frac{2}{3}\right) = 5$
Déterminer les expressions de $f(x)$, $g(x)$ et $h(x)$.

37 f est une fonction linéaire telle que $f(5) = 8$.
Marine affirme : « Alors je sais que $f(2{,}5) = 4$. »
Abdel, de son côté, affirme : « Moi, je sais qu'on a alors $f(7{,}5) = 12$. »
Que peut-on en penser ? Expliquer.

Situations et proportionnalité

38 Sur un marché, des abricots sont vendus 2,50 € le kg.
À la masse (en kg) d'abricots, on associe le prix (en €).
On note p la fonction linéaire qui modélise cette situation.
a. p est-elle une fonction linéaire ? Expliquer.
b. Reproduire et compléter ce tableau.

x	0	1		4,5	
$p(x)$			6		15

c. Vérifier que $p(5) = 12{,}5$.
Que signifie cette égalité pour la situation ?

39 Joanna commande des DVD au prix de 9,95 € l'un. Elle paye en plus 3,90 € de frais de port.
Elle calcule le prix payé pour une commande de x DVD.
Cette situation peut-elle être modélisée par une fonction linéaire ?

40 Un rectangle a une longueur égale au double de sa largeur.
On note x sa largeur, en cm.
a. À une valeur de x, on associe le périmètre (en cm) du rectangle.
On note P la fonction qui modélise cette situation.
P est-elle une fonction linéaire ?
b. À une valeur de x, on associe l'aire (en cm²) du rectangle.
On note A la fonction qui modélise cette situation.
A est-elle une fonction linéaire ?

41 En fin d'année, une entreprise accorde à tous ses employés une prime correspondant à un 13e mois de salaire.
a. Reproduire et compléter ce tableau.

Salaire annuel (en €)	12 000	15 000	18 000	21 000
Prime (en €)				
Revenu total (en €)				

b. Un employé veut calculer son revenu total à partir de son salaire annuel.
Il note f la fonction qui modélise la situation.
Cette fonction est-elle linéaire ? Si oui, quel est son coefficient ?

42 Aux États-Unis, les distances sont mesurées en miles.
À une distance x exprimée en miles, on associe cette distance exprimée en km.

On note h la fonction linéaire qui modélise cette situation.
a. En utilisant les informations du panneau ci-dessus, donner le coefficient de la fonction h.
b. La distance entre Los Angeles et San Diego est de 121 miles.
Exprimer cette distance en km.
c. La distance entre Lyon et Marseille est de 313 km.
Exprimer cette distance en miles.
Donner une valeur approchée à l'unité près.

43 Lors d'un test d'endurance, la note obtenue est proportionnelle à la distance parcourue.
À chaque distance (en m), on associe une note (sur 20).
Nina a parcouru 1 680 m et a obtenu 12.
1. a. Lou a parcouru 2 030 m.
Quelle est sa note ?
b. Quelle distance doit-on parcourir pour avoir 20 ?
2. On note N la fonction linéaire qui modélise cette situation.
Traduire chaque résultat de la question **1** par une égalité de la forme $N(a) = b$.

44 Un avion se déplace à la vitesse constante de 900 km/h.
On note f la fonction linéaire qui modélise la distance qu'il parcourt (en km) pendant une durée t (en h).

a. Exprimer $f(t)$ en fonction de t.
b. Calculer : • $f(1{,}5)$ • $f(4)$ • $f(5{,}5)$
c. Déterminer l'antécédent de 4 050 par la fonction f.
Interpréter le résultat pour la situation.

45 Le nœud est une unité de vitesse utilisée en navigation maritime ou aérienne.
1 nœud correspond à 1,852 km/h.
Quel est le coefficient de la fonction linéaire n, qui modélise la conversion des km/h en nœuds ?
Donner une valeur approchée au centième près.

Représentation graphique

46 Dans un repère, représenter graphiquement chaque fonction linéaire.
a. f de coefficient 5
b. g qui, à x, associe $-2x$

47 **a.** Tracer un repère d'origine O en prenant pour unités : 1 carreau sur l'axe des abscisses et 2 carreaux sur l'axe des ordonnées.
b. Dans ce repère, représenter graphiquement la fonction linéaire $h : x \mapsto -3{,}5x$.

48 **a.** Tracer un repère d'origine O en prenant pour unités : 1 carreau sur l'axe des abscisses et 3 carreaux sur l'axe des ordonnées.
b. Dans ce repère, représenter graphiquement la fonction linéaire k définie par $k(x) = \frac{5}{3}x$.

49 f est la fonction linéaire $x \mapsto \frac{3}{4}x$ et (d) est la droite la représentant graphiquement dans un repère.
a. Calculer $f(4)$.
b. En déduire les coordonnées d'un point de (d).
c. Tracer la droite (d) dans un repère d'origine O avec pour unité 1 carreau sur chaque axe.

50 g est la fonction linéaire définie par :
$$g(x) = -2{,}5x.$$
a. Dans un repère, tracer la droite (d) représentant graphiquement la fonction g.
b. A est le point de (d) ayant pour abscisse 2.
Lire son ordonnée sur le graphique et retrouver ce résultat par le calcul.
c. B est le point de (d) ayant pour ordonnée 4.
Lire son abscisse sur le graphique et retrouver ce résultat par le calcul.

51 **a.** Dans un repère, tracer la droite (d) représentant graphiquement la fonction linéaire de coefficient 6.
b. Les points A (0,5 ; 3) et B (– 1,25 ; 7,5) appartiennent-ils à la droite (d) ?

52 Dans un repère, la représentation graphique (d) d'une fonction linéaire f passe par le point A (6 ; 9).
Dans chaque cas, dire si l'affirmation est exacte.
a. L'image de 9 est 6.
b. $f(18) = 27$.
c. B (2 ; 3) $\in (d)$.

53 Dans ce repère, la droite (d) est la représentation graphique d'une fonction linéaire f.

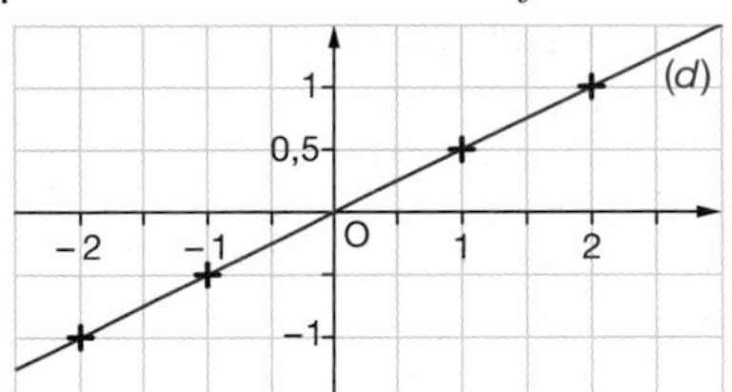

Lire sur le graphique :
a. l'image de 1 par la fonction f ;
b. $f(-1)$;
c. l'antécédent de 1 par la fonction f.

54 Dans ce repère, la droite (d) est la représentation graphique d'une fonction f.

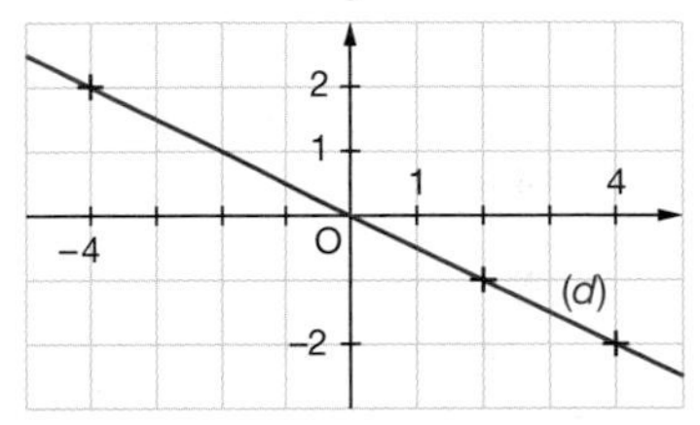

1. Pourquoi f est-elle une fonction linéaire ?
2. Lire sur le graphique :
a. l'image de 2 ;
b. l'antécédent de – 2.
3. Donner l'expression de $f(x)$.

55 Dans chaque cas, utiliser l'information notée sur le graphique pour déterminer le coefficient de la fonction linéaire f représentée. Calculer l'image de 2 et vérifier la cohérence avec une lecture graphique.

a.

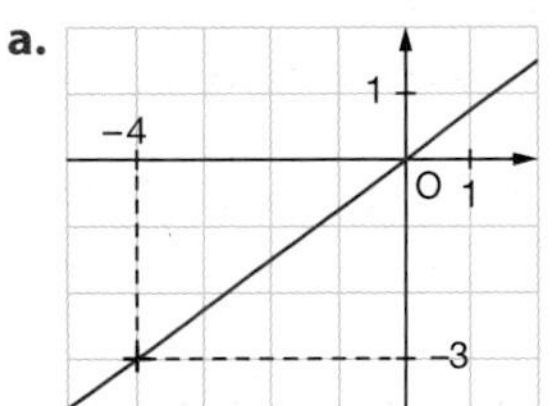

b.

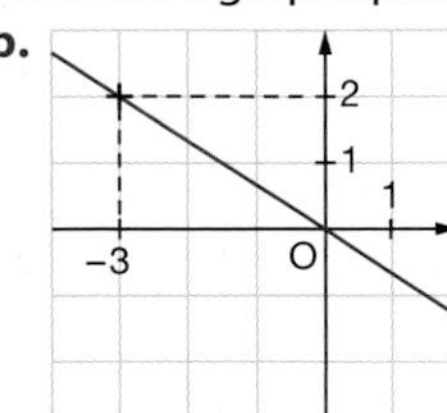

56 Les droites (d_1), (d_2) et (d_3) représentent respectivement les fonctions linéaires f, g et h.

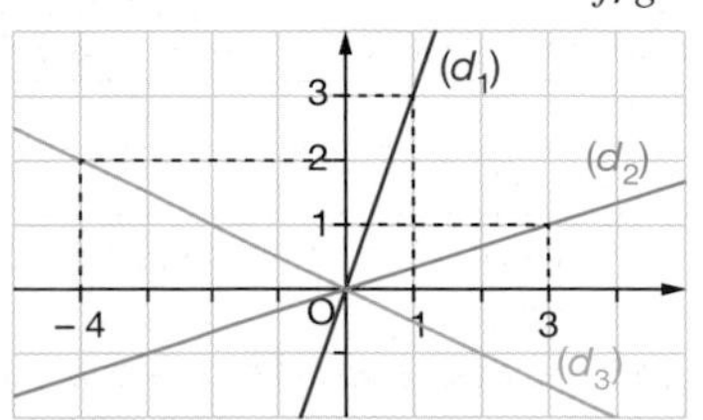

Déterminer les expressions de $f(x)$, $g(x)$ et $h(x)$.

Je m'entraîne

57 À la longueur x (en cm), on associe l'aire du domaine bleu (en cm²). On note A la fonction qui modélise cette situation.

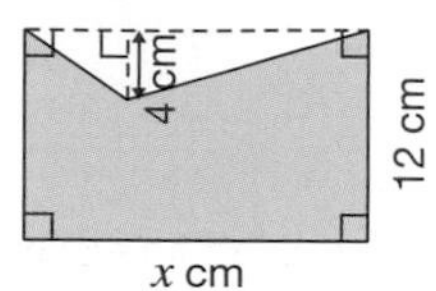

1. a. Donner l'expression de $A(x)$.

b. Expliquer pourquoi la fonction A est linéaire.

2. Dans un repère, représenter graphiquement la fonction A lorsque $x \geqslant 0$. (*unités :* 1 carreau pour 0,5 cm en abscisses et 1 carreau pour 5 cm² en ordonnées)

3. Lire sur le graphique :

a. l'image de 6 ; **b.** l'antécédent de 45.

58 Pour transporter les enseignes qu'elle fabrique, une entreprise contacte la société Vitlivré, qui lui propose le tarif de 3,20 € par kilomètre parcouru. On note f la fonction qui modélise le prix (en €) à payer pour x kilomètres parcourus.

1. Calculer le prix payé pour un trajet de 200 km.

2. a. Déterminer l'expression de $f(x)$.

b. Déterminer l'antécédent de 160 par f. Interpréter le résultat pour la situation.

3. a. Représenter graphiquement la fonction f dans un repère lorsque $x \geqslant 0$. Placer l'origine du repère en bas à gauche de la feuille et prendre 1 cm pour 20 km en abscisses et 1 cm pour 40 € en ordonnées.

b. En utilisant le graphique, retrouver le résultat de la question **2. b** en faisant apparaître les tracés utilisés.

Je m'évalue à mi-parcours

Pour chaque question, une seule réponse est exacte.

	a	b	c	En cas d'erreur
59 f est la fonction linéaire de coefficient 5. L'image de 10 par f est…	15	2	50	*Cours 1 et ex. 22*
60 La fonction linéaire g telle que $g(4) = 5$ a pour coefficient…	$\frac{5}{4}$	1	$\frac{4}{5}$	*Cours 1 et ex. 14*
61 À la vitesse de 50 km/h, la distance (en km) parcourue en x min peut être modélisée par la fonction linéaire…	$x \mapsto 3\,000x$	$x \mapsto \frac{5}{6}x$	$x \mapsto \frac{6}{5}x$	*Cours 1*
62 La fonction $x \mapsto -2x$ est représentée sur le graphique…	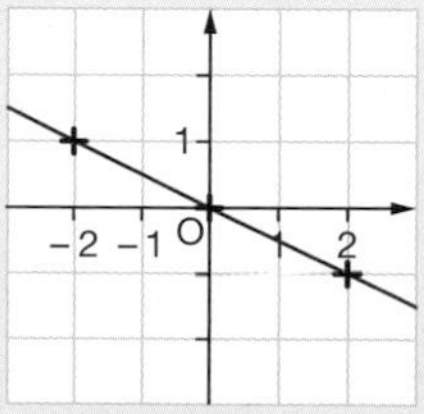	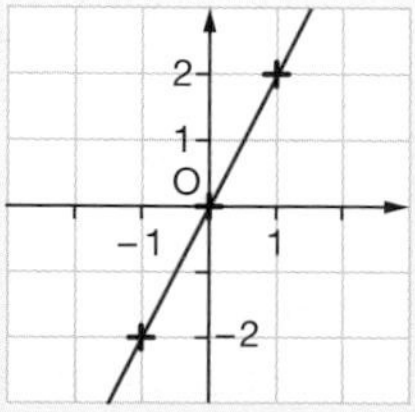	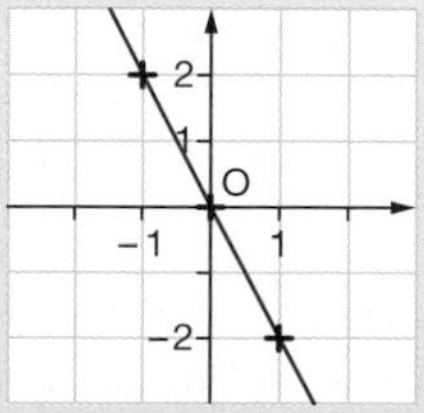	*Cours 2 et ex. 1*
63 Dans un repère, la représentation graphique de la fonction linéaire définie par $f(x) = -4x$ passe par le point…	A(−4 ; 1)	B(0,5 ; −2)	C(4 ; 0)	*Cours 2 et ex. 51*

Vérifie tes réponses ➲ *p. 259*

▶ Utiliser le tableur pour modéliser

64 Modéliser à partir d'une expérience  Physique

Un chercheur chauffe un gaz maintenu à pression constante et mesure le volume V (en cm³) qu'il occupe en fonction de sa température T (en °C).

1 Réaliser cette feuille de calcul.
Cette situation peut-elle être modélisée par une fonction linéaire ?

	A	B	C	D
1	T (en °C)	V (en cm³)	T_K (en K)	V/T_K
2	5	73		
3	10	74,2		
4	20	77		
5	30	79,5		
6	50	84,8		
7	70	90		
8	100	98		

2 Les physiciens utilisent le kelvin (K) comme unité de mesure de la température : $T_K = T_C + 273{,}15$; où T_K désigne la température en kelvin et T_C désigne la température en degrés Celsius (°C).

a. On se propose d'afficher les températures en kelvin dans la colonne C.
Saisir la formule qui convient dans la cellule C2 et la recopier vers le bas.

b. Saisir la formule `=B2/C2` dans la cellule D2 et la recopier vers le bas. Que remarque-t-on ?

c. D'après une loi de la physique : « Quand la pression d'un gaz reste constante, on peut modéliser le volume d'un gaz en fonction de sa température en kelvin par une fonction linéaire. »
Donner une valeur approchée au millième près du coefficient de la fonction linéaire correspondant à l'expérience réalisée.

65 Résoudre un problème graphiquement 

On transfère l'eau contenue dans un réservoir B vers un réservoir A à l'aide d'une pompe.
Après démarrage de la pompe, on constate que la hauteur d'eau dans le réservoir A augmente de 3 cm par minute et que, dans le réservoir B, elle baisse de 5 cm par minute. Au départ, le réservoir A est vide et le réservoir B a une hauteur d'eau de 2 m.
On se propose de déterminer au bout de combien de temps les hauteurs d'eau seront égales dans les deux réservoirs.

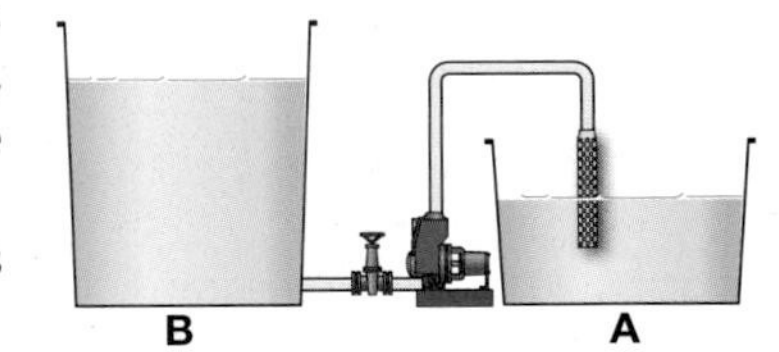

1 On note respectivement f et g les fonctions qui modélisent la hauteur d'eau (en cm) dans le réservoir A et dans le réservoir B en fonction du temps de fonctionnement (en min) de la pompe.

a. Expliquer pourquoi $f(x) = 3x$ et $g(x) = 200 - 5x$.

b. Une de ces fonctions est linéaire. Laquelle ?

2 **a.** Réaliser la feuille de calcul ci-contre.

	A	B	C	D	E	F
1	Temps (en min)	0	10	20	30	40
2	Hauteur d'eau dans le réservoir A (en cm)					
3	Hauteur d'eau dans le réservoir B (en cm)					

b. Saisir la formule `=3*B1` dans la cellule B2 et la formule `=200–5*B1` dans la cellule B3, puis les recopier vers la droite.

c. Sélectionner la plage B1:F3 et insérer un diagramme de type Ligne avec Points et lignes .
Cocher Séries de données en lignes et Première ligne comme étiquette .
Choisir les titres sur les axes et afficher les grilles.

3 Trouver graphiquement le temps au bout duquel l'eau est à la même hauteur dans les deux réservoirs.

J'utilise mes compétences

S'initier au raisonnement

66 Transformer une écriture

Raisonner • Calculer • Communiquer

f est la fonction $x \mapsto 4(x + 3) - 12$.
La fonction f est-elle une fonction linéaire ?
Si oui, donner son coefficient.

Conseil

Développe le produit et observe si l'expression de $f(x)$ peut s'écrire sous la forme ax.

67 Comprendre le vocabulaire

Raisonner • Calculer • Communiquer

g est la fonction linéaire de coefficient $\frac{5}{7}$.

L'image de 49 par la fonction g est aussi l'antécédent de 25 !

Sofiane

Sofiane a-t-il raison ?

Conseil

Calcule l'image de 49 par la fonction g.

68 Justifier

Raisonner • Calculer • Communiquer

La droite (d) ci-contre est la représentation graphique d'une fonction linéaire h.
Les points A (16,38 ; 5,46) et B (– 8,5 ; – 2,8) appartiennent-ils à la droite (d) ?

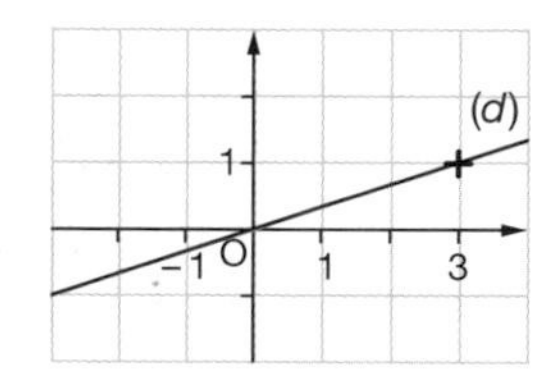

Conseil

À partir du graphique, trouve le coefficient de la fonction h.

69 Comprendre une situation

Raisonner • Calculer • Communiquer

f, g et h sont des fonctions linéaires.
$f : x \mapsto 2x$ et $g : x \mapsto -2x$.
Quel est le coefficient de la fonction h ?

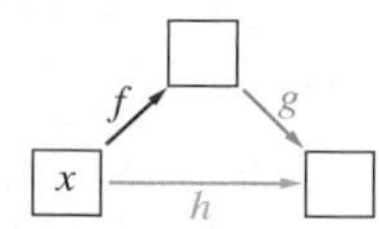

Conseil

Recopie et complète chaque case.

70 Changer d'unités

Modéliser • Raisonner • Communiquer

1. a. Exprimer une vitesse de 1 m/s en km/h.
b. La conversion des m/s en km/h peut être modélisée par une fonction linéaire f.
Quel est son coefficient ?

2. Quel est le coefficient de la fonction linéaire g qui modélise la conversion des km/h en m/s ?

Conseil

Utilise la propriété : « Diviser par un nombre $a \neq 0$, c'est multiplier par son inverse. »

71 Utiliser une formule

Raisonner • Calculer • Communiquer

Une pyramide régulière SABCD a pour base un carré de côté 4 cm.
Sa hauteur SO est variable.
À la hauteur x (en cm) de cette pyramide, on associe son volume (en cm³).

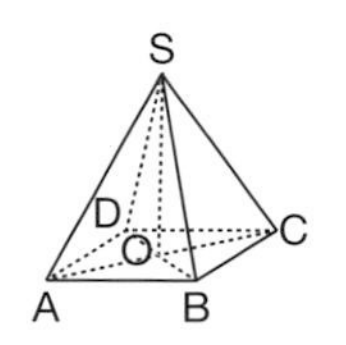

Montrer que cette situation peut être modélisée par une fonction linéaire V dont on déterminera le coefficient.

Conseil

$V = \frac{1}{3} \times$ aire de la base $\times$ hauteur

72 Utiliser une propriété

Raisonner • Calculer • Communiquer

Les points A, C et B sont alignés, de même que les points A, E et F. Les droites (CE) et (BF) sont parallèles.

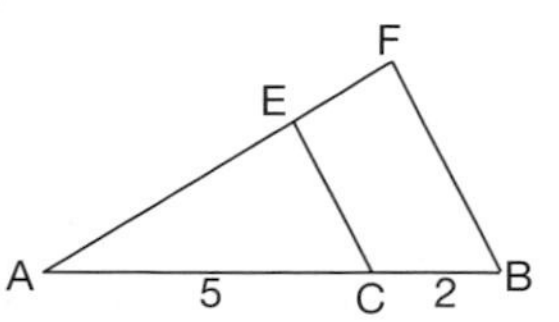

f est la fonction qui, à la longueur AE, associe la longueur AF.
a. Utiliser le théorème de Thalès pour déterminer l'expression de $f(x)$.
b. Calculer AF et BF lorsque AE = 6 et CE = 5,5.

Conseil

N'oublie pas que dans cette situation, les longueurs des côtés du triangle ABF sont proportionnelles à celles des côtés du triangle ACE.

Organiser son raisonnement

73 Choisir des unités appropriées Physique

Modéliser • Représenter • Communiquer

En physique, la tension U (en V) aux bornes d'une résistance est proportionnelle à l'intensité I (en A) du courant qui la traverse.

1. a. Vérifier que ce tableau est un tableau de proportionnalité.

Intensité I (en A)	0,02	0,03	0,04	0,08
Tension U (en V)	3	4,5	6	12

b. Quel est le coefficient de proportionnalité ?

c. Calculer la tension U si l'intensité I vaut 0,07 A.

2. À une intensité I, on associe la tension U correspondante.
On nomme f la fonction qui modélise cette situation. Préciser la nature de la fonction f et donner l'expression algébrique de $f(\text{I})$.

3. a. Tracer un repère d'origine O.
Graduer l'axe des abscisses de 0 à 0,1 et l'axe des ordonnées de 0 à 15.

b. Dans ce repère, tracer la représentation graphique de la fonction f.

4. a. Lire graphiquement une valeur approchée de l'intensité quand U = 10 V.

b. Déterminer par un calcul la valeur exacte de l'intensité quand U = 10 V.

74 Calculer un périmètre

Raisonner • Calculer • Communiquer

ABC est un triangle rectangle en A tel que AB = 15 cm et AC = 8 cm. P est un point de [AB], distinct de A et de B.

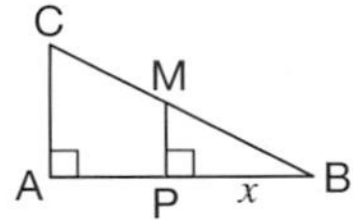

La perpendiculaire à (AB) passant par P coupe [BC] en M. On note x la longueur BP en cm.

1. a. Quelles sont les valeurs possibles de x ?

b. Montrer que PM = $\frac{8}{15}x$.

c. Calculer BC. En déduire que BM = $\frac{17}{15}x$.

2. On note p la fonction qui modélise le périmètre (en cm) du triangle MPB.

a. Monter que p est une fonction linéaire et donner son coefficient.

b. Pour quelles valeurs de x le périmètre de MBP est-il égal à un nombre entier de cm ?

75 Rentabiliser son achat

Modéliser • Calculer • Communiquer

Pendant une douche, on consomme en moyenne 50 L d'eau. En équipant la pomme de douche d'un mousseur, on ne consomme plus que 30 L d'eau.
1 m³ d'eau chaude revient à 5,50 €.
Une famille de quatre personnes achète un mousseur au prix de 10,95 €.
Chaque personne prend une douche par jour.
On note x le nombre de douches prises par cette famille après l'installation du mousseur et g la fonction qui, à x, associe l'économie réalisée (en €).

1. a. Exprimer, en fonction de x, le nombre de litres d'eau ainsi économisés.

b. Donner l'expression de $g(x)$.

2. a. En combien de jours la famille aura-t-elle remboursé l'achat du mousseur ?

b. Calculer le montant (en €) des économies réalisées sur une année (365 jours).

76 Comparer deux situations Physique

Calculer • Communiquer

Le poids d'un corps sur un astre dépend de sa masse et de l'accélération de la pesanteur.
Le poids (en newtons) d'un corps sur un astre est proportionnel à sa masse (en kg) et peut être modélisé par une fonction linéaire dont le coefficient est l'accélération de la pesanteur sur cet astre.

1. L'accélération de la pesanteur sur la Terre est environ 9,8. Calculer le poids (en newtons) sur la Terre d'un homme ayant une masse de 70 kg.

2. On donne ci-dessous le tableau de correspondance poids-masse sur la Lune.

Masse (en kg)	3	10	25	40	55
Poids (en newtons)	5,1	17	42,5	68	93,5

a. Calculer l'accélération de la pesanteur sur la Lune.

b. « Sur la Lune, on pèse 6 fois moins lourd que sur la Terre. »
Cette affirmation est-elle exacte ? Expliquer.

77 Communiquer en anglais 

Modéliser • Calculer • Communiquer

For his trip to London, Mateo changed 200 € into 147 £. He looked on the Internet for the prices of three items of clothing he wants to buy.

	Jacket	Jeans	Sweater
Price in Paris	140 €	90 €	40 €
Price in London	100 £	65 £	30 £

What clothes should he rather buy in London ?

78 Représenter une situation

Modéliser • Représenter • Communiquer

a. Louise court à la vitesse de 15 km/h. À un temps t (en min), $0 \leqslant t \leqslant 8$, on associe la distance $d(t)$, en km, parcourue par Louise pendant ce temps-là.
Donner l'expression de $d(t)$ en fonction de t.
b. Dans un repère, représenter graphiquement la fonction d pour t compris entre 0 et 8.

79 Bien choisir les nombres @ssr

Modéliser • Représenter • Communiquer

On note x la vitesse en km/h d'un véhicule. La distance de réaction en m (distance parcourue par le véhicule pendant le temps de réaction du conducteur) est $\frac{5}{18}x$.
On note d la fonction linéaire qui modélise cette situation.
a. Dans un repère, représenter graphiquement la fonction d.
b. Un conducteur roule à la vitesse de 50 km/h. Déterminer graphiquement une valeur approchée de sa distance de réaction.
c. Lire sur le graphique, la vitesse à partir de laquelle la distance de réaction dépasse 20 m.

80 Prendre des initiatives

Modéliser • Calculer • Communiquer

La piscine de Marius a la forme d'un parallélépipède rectangle.
Pour la remplir, il utilise une pompe qui a un débit de 25 L/min.

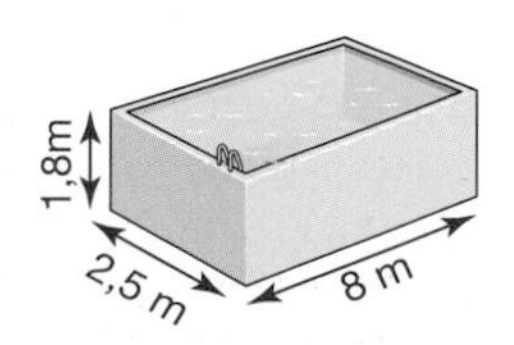

Il souhaite trouver une formule lui permettant de calculer la hauteur d'eau dans sa piscine en fonction de la durée de remplissage.
Aider Marius à trouver une formule donnant la hauteur d'eau, en cm, en fonction de la durée de remplissage, en h.

81 Démontrer des propriétés

Raisonner • Calculer • Communiquer

On note f la fonction linéaire de coefficient 1,5.
1. a. Calculer $f(5) + f(2)$ et $f(5 + 2)$. Comparer.
b. Démontrer que, pour tous nombres x et x' :
$$f(x) + f(x') = f(x + x').$$
2. a. Calculer $3 \times f(4)$ et $f(3 \times 4)$. Comparer.
b. Démontrer que, pour tous nombres k et x :
$$k \times f(x) = f(k \times x).$$

82 Imaginer une stratégie

Représenter • Raisonner • Communiquer

Ce graphique permet de comparer la « marche sur le tapis roulant » et la « marche à côté du tapis roulant » pour deux personnes ayant à peu près la même vitesse de marche.

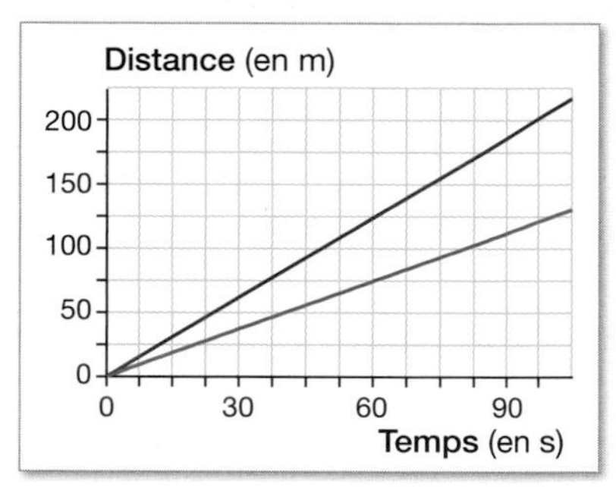

Reproduire ce graphique et ajouter une demi-droite correspondant à une personne qui reste immobile sur le tapis.

83 Narration de recherche 

Problème

Dans un repère, la droite qui passe par les points A (– 78 ; 91) et B (90 ; – 105) représente-t-elle une fonction linéaire ?

Raconter sur une feuille les différentes étapes de la recherche et les remarques qui ont fait changer de méthode ou qui ont permis de trouver.

84 Problème ouvert

Modéliser • Calculer • Communiquer

Peut-on trouver une fonction linéaire f telle que, si x est l'aire du carré, $f(x)$ est l'aire du disque (les deux aires étant mesurées avec la même unité) ?
Si oui, préciser son coefficient.

85 Lire sur un graphique

La droite (d) ci-dessous est la représentation graphique d'une fonction linéaire f.

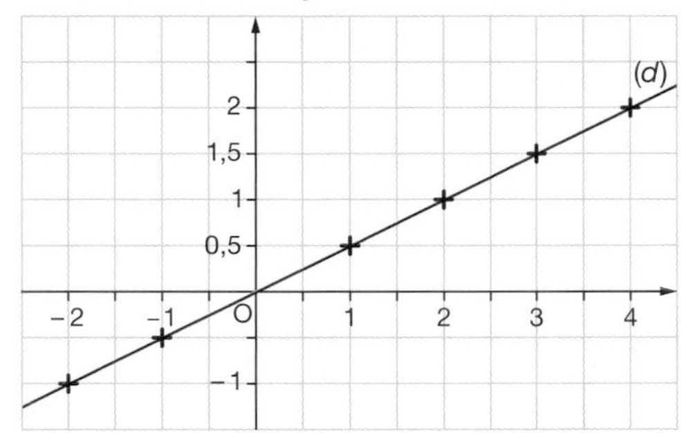

a. Lire sur le graphique l'image de 2 par la fonction f.
b. Lire sur le graphique $f(-1)$.
c. Lire sur le graphique l'antécédent de 2 par la fonction f.
d. À l'aide du graphique, trouver x tel que $f(x) = -1$.

Conseil
On lit les antécédents sur l'axe des abscisses et les images sur l'axe des ordonnées.

86 Modéliser une situation

Pour récupérer l'eau de pluie de son toit, Anna décide d'installer un récupérateur d'eau.
Un fabricant lui propose un modèle en forme de parallélépipède rectangle, représenté ci-dessous, pour lequel x peut varier entre 0,5 m et 1,5 m.

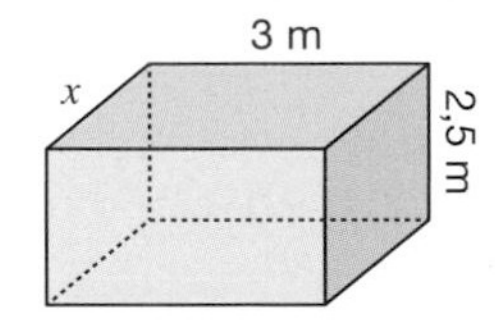

a. Montrer que le volume du réservoir peut être modélisé par la fonction $f : x \mapsto 7{,}5x$.
Préciser la nature de cette fonction.
b. Dans un repère, représenter graphiquement la fonction f pour des valeurs de x comprises entre 0,5 et 1,5.
c. Lire sur le graphique l'antécédent de 9 par la fonction f. Interpréter concrètement le résultat.

Conseil
Au **b**, pense à tracer un segment. Choisis une unité suffisamment grande sur l'axe des abscisses.

87 Se laisser guider par les questions

La formule suivante permet de calculer le taux d'alcool dans le sang (en g/L) pour un homme ayant consommé de la bière à 5° d'alcool.

$$\text{Taux} = \frac{\text{Quantité de liquide bue} \times 0{,}05 \times 0{,}8}{\text{Masse} \times 0{,}7}$$

La quantité de liquide bue est exprimée en mL.
La masse est exprimée en kg.

1. a. Montrer que le taux d'alcool dans le sang d'un homme de 60 kg qui boit deux canettes de bière de 330 mL est d'environ 0,63 g/L.

b. La loi française interdit à toute personne de conduire si son taux d'alcool est supérieur ou égal à 0,5 g/L. D'après le résultat précédent, cette personne a-t-elle le droit de conduire ? Justifier.

2. Par la suite, on considérera un homme de 70 kg. Si x désigne la quantité (en dL) de bière bue, le taux d'alcool dans le sang est donné par :

$$T(x) = \frac{4}{49}x$$

a. Recopier et compléter le tableau suivant (donner des valeurs approchées au centième près).

Quantité d'alcool (en dL)	0	1	5	7
Taux d'alcool (en g/L)				

b. En utilisant les données du tableau, représenter graphiquement le taux d'alcool en fonction de la quantité de bière bue, sur une feuille de papier millimétré.
On prendra pour unités :
- 2 cm pour 1 dL sur l'axe des abscisses ;
- 2 cm pour 0,1 g/L sur l'axe des ordonnées.

3. a. Déterminer graphiquement le taux d'alcool correspondant à une quantité de bière de 3 dL (on laissera apparents les tracés utiles).
b. Déterminer graphiquement la quantité de bière à partir de laquelle cet homme n'est plus autorisé à conduire (on laissera apparents les tracés utiles).

Conseil
Utilise les formules données.
À la question **2. b**, pense bien à respecter les unités demandées.

Je prends des initiatives

Avec une aide

88 Lire sur un graphique

Une famille est composée de quatre personnes. La consommation moyenne d'eau par personne et par jour est estimée à 115 litres.

1. On estime que 60 % de l'eau consommée peut être remplacée par de l'eau de pluie. Montrer que les besoins en eau de pluie de toute la famille pour une année de 365 jours sont d'environ 100 m³.

2. Ce graphique représente le coût de l'eau en fonction de la quantité consommée.

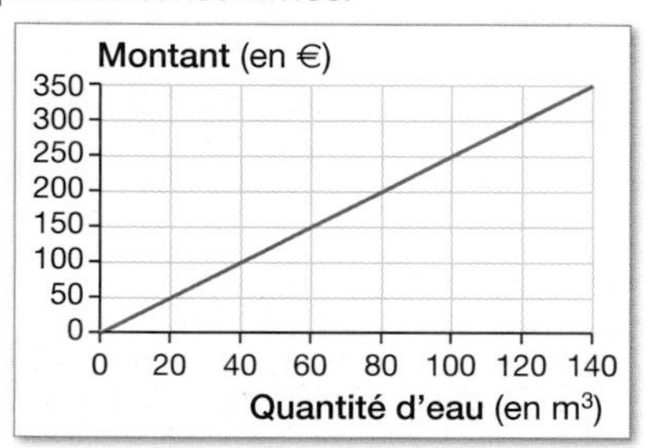

a. En utilisant ce graphique, déterminer le prix payé pour 100 m³ d'eau.
b. On note $p(x)$ le prix en euros de la consommation pour x mètres cubes d'eau. Proposer une expression de $p(x)$ en fonction de x en expliquant la démarche.

Conseil

2. b. Cela revient à déterminer la fonction linéaire p telle que $p(100) = \dots$.

89 Comprendre des informations

Un fournisseur d'électricité propose deux tarifs :

Électricité	Tarif 1	Tarif 2
Abonnement mensuel (en €)	0	15
Prix du kWh (en €)	0,18	0,15

a. On note respectivement f et g les fonctions qui modélisent le coût mensuel pour une consommation de x kWh avec le tarif 1 et avec le tarif 2.
Une de ces fonctions est-elle linéaire ?
b. Trouver pour quelle valeur de x, $f(x) = g(x)$.
Interpréter concrètement le résultat.

Conseil

Écris l'expression de $f(x)$ et celle de $g(x)$.

Sans aide maintenant

90 Reconnaître une fonction linéaire

Ce graphique représente le coût d'un déménagement en fonction du volume à transporter.

a. Quel serait le coût pour un volume de 20 m³ ?
Laisser les tracés apparents.
b. Le coût est-il proportionnel au volume transporté ? Justifier.
c. g est la fonction qui à x, volume à déménager en m³, associe le coût du déménagement avec cette entreprise.
Exprimer $g(x)$ en fonction de x.

91 Comparer des tarifs

Sarah et Arash possèdent un téléphone portable et veulent choisir l'abonnement mensuel le plus adapté à leurs besoins pour communiquer vers l'étranger.
Ils ont sélectionné deux tarifs.

- **Tarif 1 :** 0,10 € par minute de communication vers l'étranger.
- **Tarif 2 :** Le montant de la facture en fonction du temps de communication est représenté par le graphique ci-dessous.

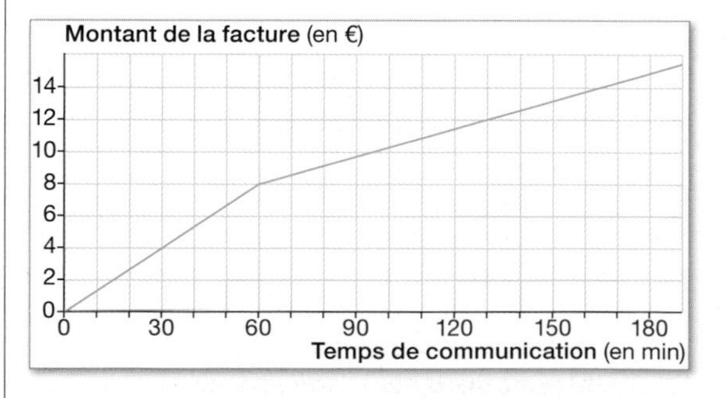

a. Sarah a besoin de téléphoner à l'étranger 1 h 30 min par mois.
Quel est le tarif le plus avantageux pour elle ?
b. Arash ne veut pas dépenser plus de 12 € par mois pour ses communications avec l'étranger tout en souhaitant téléphoner le plus possible.
Quel est le tarif le plus avantageux pour lui ?

92 La pression des pneus

Le bar et le PSI (*Pound per Square Inch*, soit livre par pouce carré) sont deux unités utilisées pour mesurer la pression.
Avant de prendre la route, Jenane vérifie la pression des pneus de sa voiture.
Doit-elle la modifier ?

Doc. 1 Extrait du manuel du véhicule

Pression conseillée : 36 PSI (AV et AR)

Doc. 2 Affichage du gonfleur

Doc. 3 Correspondance entre bar et PSI

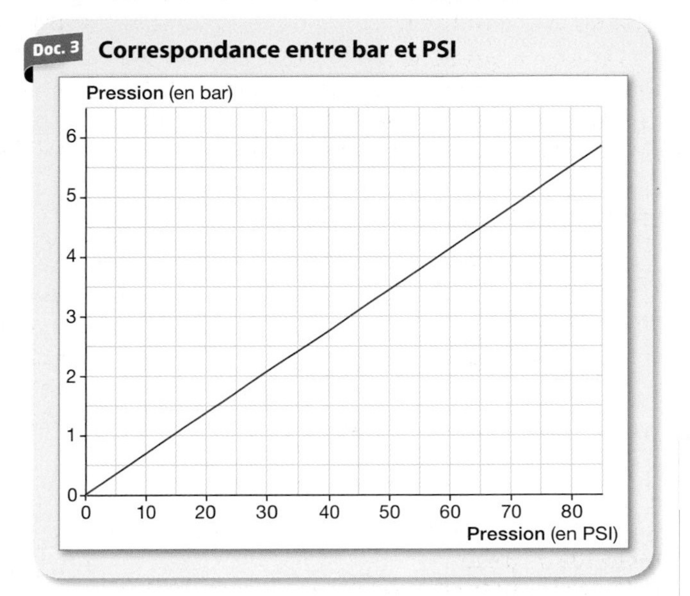

93 La consommation d'essence

Léa part en vacances et effectue le trajet avec sa voiture, qui roule au SP98.
Pour faire des économies de carburant, elle souhaite réduire sa vitesse sur l'autoroute de 20 km/h par rapport aux vitesses limites autorisées.
a. Quelle économie (en €) de carburant réalisera-t-elle ?
b. Combien de temps mettra-t-elle en plus ?

Doc. 1 Consommation du véhicule (en L)

Pour x km parcourus :
- $0{,}06x$ à 90 km/h,
- $0{,}07x$ à 110 km/h,
- $0{,}09x$ à 130 km/h.

Doc. 2 Informations sur le trajet de Léa

Distance totale : 465 km dont 450 km sur autoroute
Trajet sur autoroute : 450 km dont :
- 300 km à la vitesse limitée de 130 km/h,
- 150 km à la vitesse limitée de 110 km/h.

Doc. 3 Prix des carburants (en €/L)

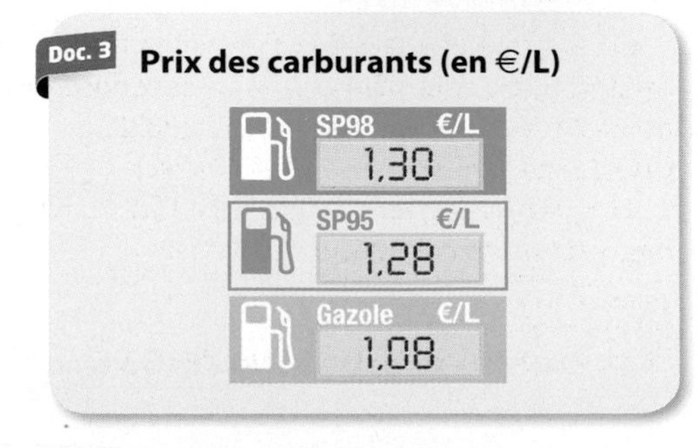

CHAPITRE

8 Connaître les fonctions affines

Une compagnie propose deux formules aux adolescents qui souhaitent prendre des cours de théâtre : paiement au cours ou paiement réduit avec abonnement. Avec chaque formule, le prix à payer en fonction du nombre de cours peut être modélisé par une fonction affine.

Vu au Cycle 4

Pour chaque question, une réponse ou plusieurs sont exactes.

		a	b	c
1	A = $5x - 7$, où x désigne un nombre. Alors …	A = −30 pour $x = 1$	A = −7 pour $x = 0$	A = 3 pour $x = 2$
2	f est la fonction définie par le graphique ci-contre. Alors …	l'image de 1 par f est 2	$f(-1) = 1$	l'image de 0 par f est 2
3	Pour la fonction f définie par le graphique ci-contre, …	0 n'a pas d'antécédent	0 a un seul antécédent	1 a deux antécédents
4	Une fonction linéaire est la fonction …	$x \mapsto 2$	$x \mapsto 2x$	$x \mapsto 2x^2$
5	g est la fonction linéaire telle que : $g(2) = 5$. Alors le coefficient de g est …	−3	$\frac{5}{2}$	0,4

Vérifie tes réponses ➲ *p. 259*

D'autres exercices sur ***le site compagnon***

Activité 1

Découvrir les fonctions affines

Un cinéma propose les tarifs suivants :
- *Tarif A :* 12 € la place.
- *Tarif B :* 48 € l'abonnement pour 12 mois, qui permet d'acheter une place 4 €.
- *Tarif C :* 100 € la carte donnant droit au « ciné à volonté » pendant 12 mois.

a. Recopier et compléter ce tableau selon le nombre de séances dans l'année et le tarif.

	Prix (en €) **payé pour 5 séances**	**Prix** (en €) **payé pour 10 séances**	**Prix** (en €) **payé pour 15 séances**
Tarif A			
Tarif B			
Tarif C			

b. On note respectivement f, g et h les fonctions qui modélisent le prix payé avec le tarif A, le tarif B et le tarif C.
On note x le nombre de séances dans le mois. Donner les expressions de $f(x)$, $g(x)$ et $h(x)$.

c. Une fonction affine est une fonction qui, à un nombre x, associe le nombre $ax + b$, où a et b sont des nombres donnés.
Expliquer pourquoi les fonctions f, g et h sont des fonctions affines.

d. Jeanne et Lorna ont choisi le tarif B. Le mois dernier, Jeanne a vu trois séances de plus que Lorna. Combien a-t-elle payé en plus ?

Activité 2

Représenter une fonction affine

Pour mesurer la température, en France, on utilise le degré Celsius (°C). Aux États-Unis, on utilise le degré Fahrenheit (°F).
À une température x en °C, on associe la température correspondante en °F.
La fonction affine f qui modélise cette situation est définie par :

$$f(x) = 1{,}8x + 32$$

1 On note g la fonction linéaire $x \mapsto 1{,}8x$.

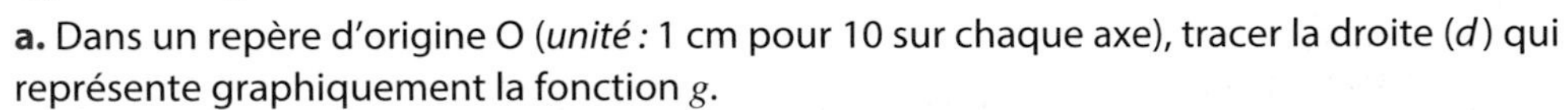

a. Dans un repère d'origine O (*unité :* 1 cm pour 10 sur chaque axe), tracer la droite (d) qui représente graphiquement la fonction g.

b. Placer sur (d) les points A, B, C, D, E d'abscisses respectives – 15 ; 0 ; 10 ; 25 ; 40.

2 **a.** Recopier et compléter le tableau ci-contre.

Point	A′	B′	C′	D′	E′
Abscisse x	– 15	0	10	25	40
Ordonnée $1{,}8x + 32$					

b. Placer les points A′, B′, C′, D′, E′ dans le repère précédent. Que peut-on conjecturer pour ces points ?

c. Par quelle transformation géométrique passe-t-on de A à A′, de B à B′, de C à C′, de D à D′, de E à E′ ?

d. Que peut-on dire alors de la représentation graphique de la fonction affine f ?

J'apprends le cours

1 Fonction affine

Définition Une **fonction affine** est une fonction qui, à un nombre x, associe le nombre $ax + b$, avec a et b nombres donnés.

Pour calculer l'image du nombre x par la fonction affine $x \mapsto ax + b$, on multiplie x par a, puis on ajoute b.

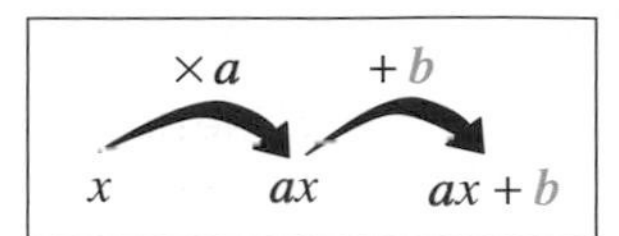

Exemples

- $x \mapsto -3x + 7$ est une fonction affine, avec $a = -3$ et $b = 7$.
- $x \mapsto \frac{1}{2}x - 5$ est une fonction affine, avec $a = \frac{1}{2}$ et $b = -5$.

Cas particuliers

Lorsque $b = 0$, $x \mapsto ax$ est une fonction affine particulière : c'est une **fonction linéaire.**

Lorsque $a = 0$, $x \mapsto b$ est une fonction affine particulière : on dit que c'est une **fonction constante.**

2 Représentation graphique d'une fonction affine

Propriétés • Dans un repère, la représentation graphique d'une fonction affine $x \mapsto ax + b$ est constituée de tous les points de coordonnées $(x\,;ax + b)$. C'est une droite (*d*).

• Cette droite est parallèle à la droite (*d'*) qui représente la fonction linéaire $x \mapsto ax$ et passe par le point B de coordonnées $(0\,;b)$.

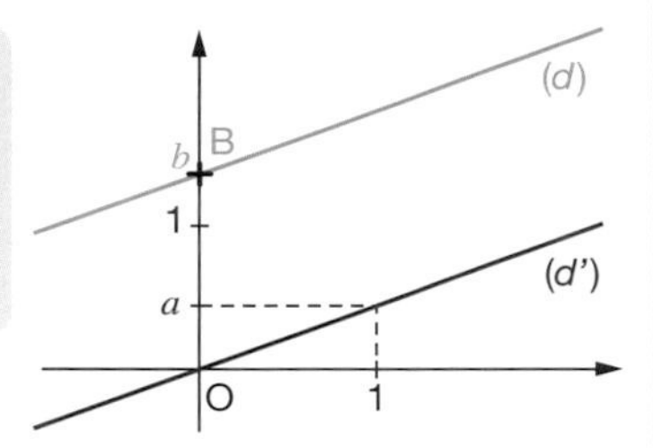

Vocabulaire

Dans un repère, (*d*) est la droite représentant graphiquement la fonction affine $x \mapsto ax + b$.

- Le nombre a est le **coefficient directeur** de la droite (*d*).
- Le nombre b est l'**ordonnée à l'origine** de la droite (*d*).

Exemple 1 $a > 0$

$f : x \mapsto 2x - 3$ $(a = 2, b = -3)$
La droite passe par A $(0\,;-3)$ et B $(2\,;1)$.

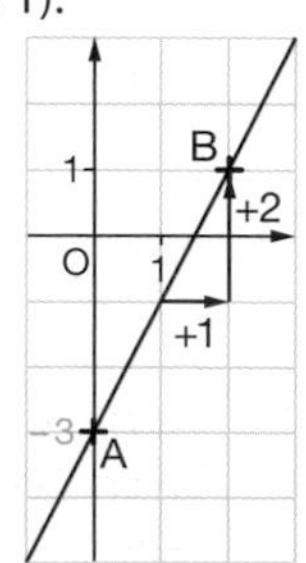

Quand x augmente de 1, $f(x)$ augmente de 2.

Exemple 2 $a = 0$

$g : x \mapsto 4$ $(a = 0, b = 4)$
La droite passe par A $(0\,;4)$ et B $(2\,;4)$.

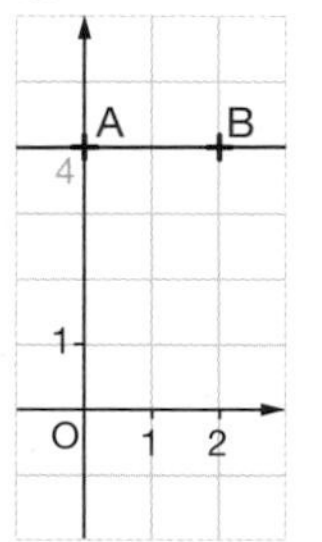

La droite est parallèle à l'axe des abscisses.

Exemple 3 $a < 0$

$h : x \mapsto -3x + 2$ $(a = -3, b = 2)$
La droite passe par A $(0\,;2)$ et B $(2\,;-4)$.

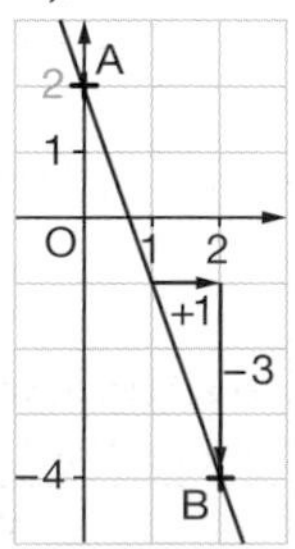

Quand x augmente de 1, $h(x)$ diminue de 3.

J'apprends à ► Calculer une image ou un antécédent

Exercice résolu

1 **Énoncé**

f est la fonction affine définie par $f(x) = -2x + 5$.
a. Calculer l'image de -3 par f.
b. Déterminer l'antécédent de 2 par f.

Solution

a. $f(-3) = -2 \times (-3) + 5 = 6 + 5 = 11$
L'image de -3 par f est 11.
b. On cherche un nombre x tel que $f(x) = 2$, c'est-à-dire tel que :

$$-2x + 5 = 2$$
$$-2x = 2 - 5$$
$$-2x = -3$$

ainsi : $x = \frac{-3}{-2} = \frac{3}{2}$.
L'antécédent de 2 par f est $\frac{3}{2}$.

Conseils

• Pour calculer l'image de -3, on multiplie -3 par -2 et on ajoute 5 :

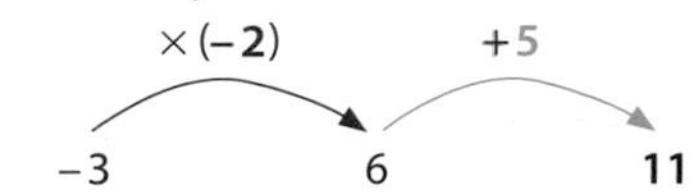

• Pour déterminer l'antécédent de 2, on peut aussi procéder ainsi.

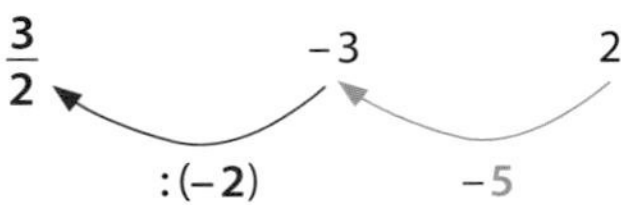

Sur le même modèle

2 f est la fonction affine définie par :
$$f(x) = -3x + 2.$$
a. Calculer l'image de -4 par f.
b. Déterminer l'antécédent de 5 par f.

3 g est la fonction affine définie par :
$$g(x) = 4x + 3.$$
1. Calculer l'image par g de :
a. 2 **b.** 0 **c.** -8
2. Déterminer l'antécédent par g de :
a. 0 **b.** 9 **c.** -1

4 h est la fonction affine $x \mapsto 5x - 4$.
Recopier et compléter le tableau suivant :

x	-1		0		1,6	
$h(x)$		$-6,5$		0		11

5 k est la fonction affine $x \mapsto 2x - 7$. Déterminer :
a. $k(8)$; **b.** le nombre qui a pour image -9 par k.

6 g est la fonction affine $x \mapsto -2x - 1$.
Amar affirme : « L'image d'un nombre par g est toujours négative. »
Que peut-on en penser ? Expliquer.

7 f est la fonction affine $x \mapsto \frac{1}{4}x - 6$.

Programme 1
• Choisir un nombre.
• Multiplier par 4.
• Ajouter 6.

Programme 2
• Choisir un nombre.
• Diviser par 4.
• Soustraire 6.

Programme 3
• Choisir un nombre.
• Soustraire 6.
• Diviser par 4.

Programme 4
• Choisir un nombre.
• Ajouter 6.
• Multiplier par 4.

Quel programme de calcul faut-il appliquer :
a. pour calculer l'image d'un nombre par f ?
b. pour déterminer l'antécédent d'un nombre par f ?

8 f est la fonction définie par $f(x) = 2x + 3$.
Lire en complétant :
« Pour calculer l'image d'un nombre par la fonction f, on … ce nombre par … puis on …. »

9 Dans chaque cas, citer un programme de calcul qui permet d'obtenir l'image d'un nombre par la fonction.
a. $x \mapsto 3x - 4$ **b.** $x \mapsto \frac{1}{2}x + 5$ **c.** $x \mapsto 2 - 7x$

10 Voici des fonctions affines $x \mapsto ax + b$.
Pour chacune d'elles, préciser les valeurs de a et de b.
a. $x \mapsto x + 3$ **b.** $x \mapsto 2x - 1$ **c.** $x \mapsto 2 - 5x$
d. $x \mapsto x$ **e.** $x \mapsto 7$ **f.** $x \mapsto -\frac{1}{2}x$
g. $x \mapsto \frac{x}{3} - 1$ **h.** $x \mapsto -\frac{3}{4} - x$ **i.** $x \mapsto 7 - 0{,}5x$

11 On considère les fonctions suivantes :
• $f : x \mapsto 2x^2 - 5$ • $g : x \mapsto \frac{1}{3}x - 4$ • $h : x \mapsto 0{,}1x$
• $i : x \mapsto (7 - 2)x$ • $j : x \mapsto 6 - x$ • $k : x \mapsto \frac{3}{x} + 1$
Citer : **a.** les fonctions linéaires ;
b. les fonctions affines non linéaires.

12 f est la fonction affine $x \mapsto -3x + 4$.
Que calcule-t-on lorsqu'on écrit :
a. $-3 \times (-1) + 4$? **b.** $-3x + 4 = 7$? **c.** $-3 \times 2 + 4$?

13 h est la fonction affine $x \mapsto 3x - 4$.
Dans chaque cas, indiquer la réponse exacte.
1. L'image par h du nombre 5 est …
a. 31 **b.** 11 **c.** 3
2. L'image par h du nombre 1 est …
a. -1 **b.** 0 **c.** 1
3. L'antécédent par h du nombre 0 est …
a. -4 **b.** 1,3 **c.** $\frac{4}{3}$
4. L'antécédent par h du nombre 5 est …
a. -3 **b.** 3 **c.** $\frac{-1}{3}$

14 f, g et h sont les fonctions définies par :
$f(x) = 4x - 5$, $g(x) = -x$ et $h(x) = -1$.
a. Yanis affirme : « f, g et h sont des fonctions affines. » A-t-il raison ?
b. Ilona affirme : « L'image de 1 est la même par chacune de ces fonctions. » A-t-elle raison ?

15 Le graphique peut-il représenter une fonction affine ?

a.

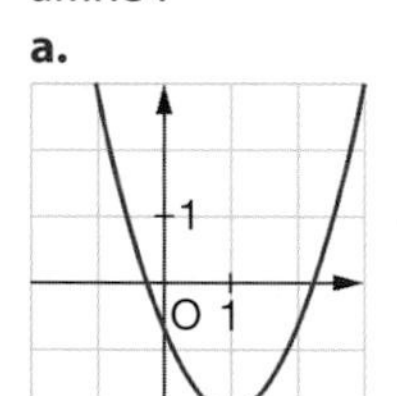

b.

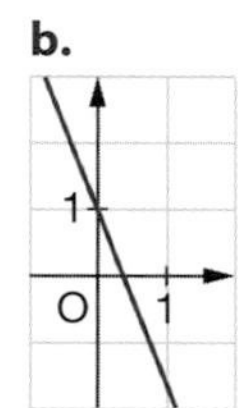

c.

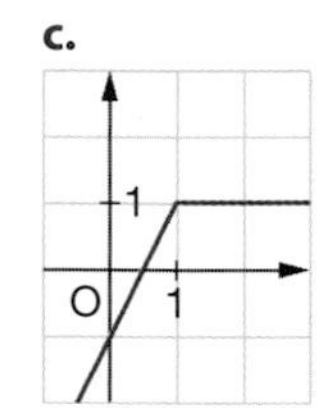

16 Dans ce repère, les droites (d_1), (d_2) et (d_3) représentent graphiquement les fonctions affines respectives f_1, f_2 et f_3.

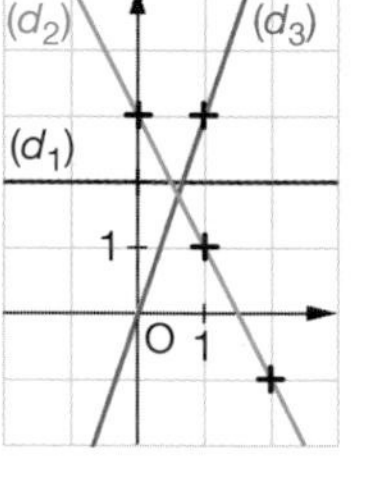

1. Parmi ces fonctions, laquelle est linéaire ? constante ?
2. Par chaque fonction, donner :
a. l'image de 1 ;
b. si possible, l'antécédent de 3.

17 Dans un repère, la droite (d) représente graphiquement la fonction affine $x \mapsto 5x - 1$.
Dans chaque cas, dire si l'affirmation est exacte.
a. $A(2 ; 9) \in (d)$ **b.** $B(-1 ; 4) \in (d)$ **c.** $C(0{,}2 ; 0) \in (d)$
d. Le coefficient directeur de (d) est 5.
e. L'ordonnée à l'origine de (d) est 1.

18 Pour chaque fonction affine g, comment varie $g(x)$ lorsque x augmente de 1 ?
a. $g : x \mapsto 7x - 2$ **b.** $g : x \mapsto -4x + 1$
c. $g : x \mapsto \frac{1}{5}x - 4$ **d.** $g : x \mapsto 3 - \frac{2}{3}x$

Calcul mental

19 f est la fonction affine $x \mapsto 4x - 9$.
1. Calculer mentalement l'image du nombre :
a. -3 **b.** 0 **c.** 0,5 **d.** $-0{,}25$
2. Déterminer mentalement l'antécédent du nombre :
a. 3 **b.** 0 **c.** -1 **d.** 7 **e.** -17

20 Dans un repère, la fonction affine $x \mapsto -5x + 2$ est représentée graphiquement par une droite (d).
Déterminer mentalement :
a. l'ordonnée du point A de (d) d'abscisse 1 ;
b. l'abscisse du point B de (d) d'ordonnée 7.

Fonctions affines

21 **a.** Parmi les fonctions ci-dessous, trouver celle qui est représentée par le schéma ci-dessus.

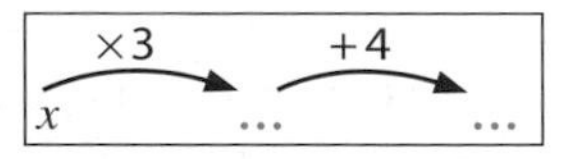

• $f_1 : x \mapsto 12$ • $f_2 : x \mapsto 3x + 4$ • $f_3 : x \mapsto 7x$

b. Calculer l'image de – 1 par cette fonction.

22 **a.** Pour chaque programme de calcul ci-dessous, donner l'expression du nombre obtenu lorsqu'on choisit un nombre x.

Programme 1
• Choisir un nombre.
• Multiplier par 7.
• Soustraire 2.

Programme 2
• Choisir un nombre.
• Diviser par 2.
• Ajouter 7.

Programme 3
• Choisir un nombre.
• Ajouter 7.

Programme 4
• Choisir un nombre.
• Élever au carré.
• Ajouter 2.

b. Quels sont les programmes qui correspondent à une fonction affine ?

23 Dans chaque cas, justifier que la fonction p qui modélise la situation est une fonction affine.
Préciser si, de plus, elle est linéaire ou constante.

a. La location journalière d'une voiture coûte 25 € plus 0,25 € par km parcouru.
$p(x)$ est le prix payé, en euros, pour x km parcourus dans la journée.

b. Pour 15 € par mois, Benjamin a un accès illimité à une plateforme de téléchargement de musique.
$p(x)$ est le prix mensuel payé, en euros, pour un téléchargement de x morceaux.

c. $p(x)$ est le périmètre, en cm, d'un rectangle de dimensions x cm et 5 cm.

d. $p(x)$ est le périmètre, en cm, d'un carré de côté x cm.

24 **TICE** g est la fonction définie par $g(x) = 2x - 5$.
À l'aide du tableur, Cheikh a obtenu la feuille de calcul ci-dessous.

	A	B	C	D	E	F	G	H
1	x	0	1	2	3	4	5	6
2	$g(x)$	-5	-3	-1	1	3	5	7

a. Quelle formule Cheikh a-t-il saisie dans la cellule B2 avant de la recopier vers la droite ?

b. Écrire les calculs montrant que $g(6) = 7$.

c. Écrire une phrase avec le mot « antécédent » pour traduire l'égalité $g(4) = 3$.

25 g est la fonction $x \mapsto \dfrac{4-3x}{5}$.

a. Recopier et compléter : $g(x) = \dfrac{\dots}{5} - \dfrac{\dots}{5}x$.

b. En déduire que la fonction g est une fonction affine dont on précisera les coefficients.

26 **a.** f est la fonction $x \mapsto \dfrac{3}{2}(2x - 5)$.
Développer $f(x)$ et indiquer si f est une fonction affine.

b. g est la fonction $x \mapsto (x-2)^2 - x^2$.
La fonction g est-elle une fonction affine ?

27 On a utilisé le tableur pour calculer les images de différentes valeurs de x par une fonction affine f.
Voici une copie de l'écran obtenu :

B2 | =-3*B1+1

	A	B	C	D	E	F	G	H
1	x	-3	-2	-1	0	1	2	3
2	$f(x)$	10	7	4	1	-2	-5	-8

a. Quelle est l'image de – 2 par la fonction f ?

b. Quel est l'antécédent de – 2 par la fonction f ?

c. Donner l'expression de $f(x)$.

d. Calculer $f(10)$.

28 Un site de stockage de données en ligne propose l'offre suivante :

On note f la fonction qui modélise le montant, en euros, d'une commande de x gigaoctets.

a. Donner l'expression de $f(x)$.
La fonction f est-elle affine ?

b. Calculer l'image de 400 par la fonction f.
Interpréter le résultat pour la situation.

c. Déterminer l'antécédent de 15 par la fonction f.
Interpréter le résultat pour la situation.

29 Voici le devis établi par un couvreur-zingueur pour refaire la toiture en tuiles d'une maison.

Objet	Montant TTC
Location échafaudage, démontage toiture	900 €
Pose toiture (matériaux & main-d'œuvre inclus)	40 €/m²

1. Exprimer le coût $C(x)$ pour refaire une toiture de x m².

2. a. Déterminer :
• $C(120)$ • l'antécédent de 4 500.

b. Que signifient ces résultats pour la situation ?

Je m'entraîne

30 Une bibliothèque propose au public une cotisation annuelle de 10 € à laquelle s'ajoute 0,50 € par livre emprunté dans l'année.
On note p la fonction affine qui modélise le prix payé (en €) pour x livres empruntés dans l'année.
a. Calculer le prix payé pour l'emprunt de 35 livres.
b. Guillaume a un budget annuel de 19 € pour la bibliothèque. Combien peut-il emprunter de livres ?
c. Traduire chacun des résultats précédents par une égalité de la forme « $p(\ldots) = \ldots$ ».

31 A et B appartiennent au cercle de centre O ci-contre. On note x la mesure de l'angle $\widehat{OAB}$.

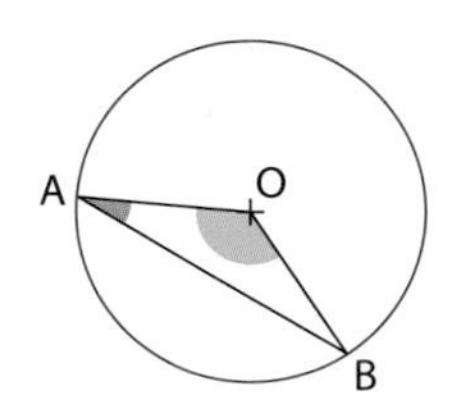

1. Lola affirme : « La mesure de l'angle $\widehat{AOB}$ est :
$m(x) = 180 - 2x$. »
Est-ce exact ? Justifier.
2. a. Déterminer :
• l'image de 15 par m ;
• l'antécédent de 60 par m.
b. Que signifient ces résultats pour la situation ?

32 Dans chaque cas :
a. exprimer en fonction de x l'aire du domaine coloré en vert ;
b. expliquer pourquoi la fonction associée est une fonction affine.

❶
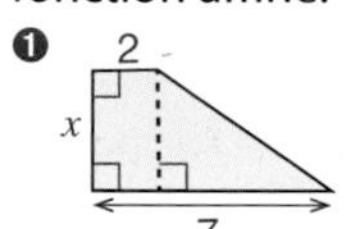

❷
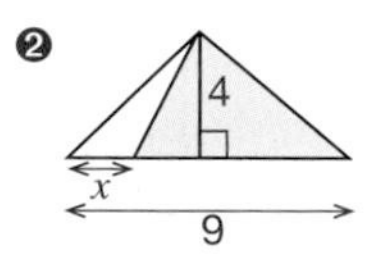

❸
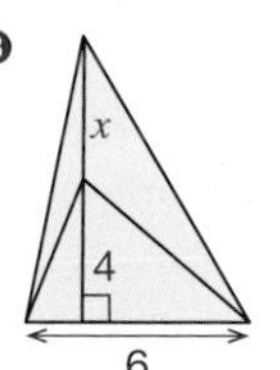

33 Louise a un garage rectangulaire de 10 m sur 4 m. Elle veut installer une cloison pour avoir un débarras au fond de son garage comme indiqué ci-dessous.

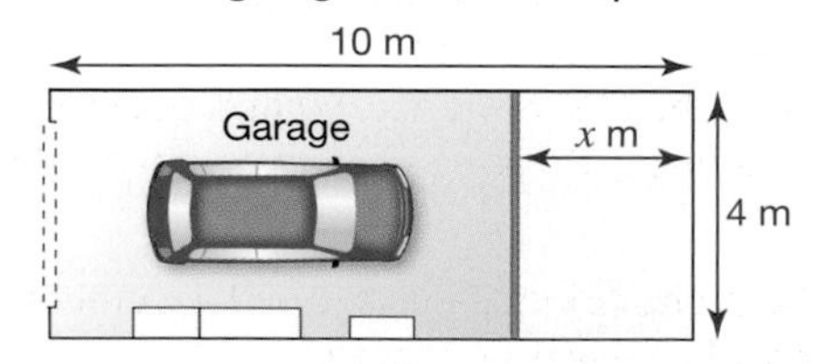

On note $s(x)$ l'aire, en m², de la surface de garage dont elle disposera après l'installation de la cloison.
1. Donner l'expression de $s(x)$.
2. a. Déterminer :
• $s(2,5)$ • l'antécédent de 32
b. Que signifient ces résultats pour la situation ?

34 Au programme de calcul ci-contre, on associe une fonction affine p.

• Choisir un nombre.
• Multiplier par – 4.
• Soustraire 1.

Écrire un programme de calcul permettant d'obtenir l'antécédent d'un nombre par la fonction p.

35 TICE h est la fonction affine qui à x associe $-2x + 6$.
On souhaite utiliser le tableur pour calculer les images de différents nombres.

	A	B	C	D	E	F	G	H
1	x	-2,4	-1,5	-0,6	2,4	3,7	4,55	11,3
2	$h(x)$							

a. Quelle formule doit-on taper dans la cellule B2 puis recopier jusqu'à la cellule H2 ?
b. Jules affirme : « La fonction g qui permet de passer de la ligne 2 à la ligne 1 du tableau est définie par $g(x) = -\frac{1}{2}x - 6$. »
A-t-il raison ? Expliquer.

Représentation graphique d'une fonction affine

36 Dans ce repère, la droite (d) représente graphiquement une fonction affine g.

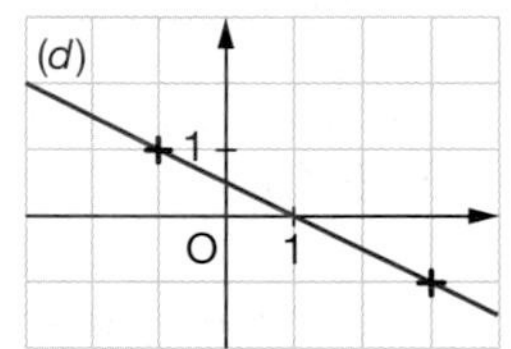

a. Lire l'image de 3 par g.
b. Lire le nombre qui a pour image 1 par g.

37 Ce graphique représente la fonction g qui, à une consommation de x m³ d'eau, associe le montant de la facture, en €, abonnement inclus.

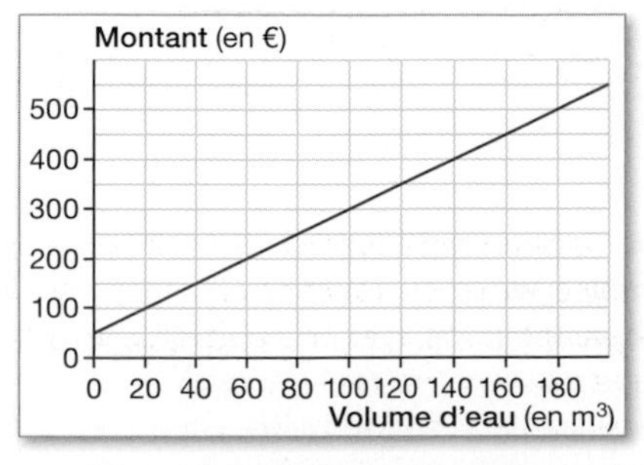

a. Lire : • $g(0)$; • l'antécédent de 350.
b. Interpréter ces résultats pour la situation.

38 Dans un repère, (d) est la droite qui représente graphiquement la fonction affine $f : x \mapsto -2x+5$.
a. Calculer l'image de 0 et l'image de 3 par f.
b. En déduire les coordonnées de deux points appartenant à la droite (d).
c. Tracer la droite (d).

39 Dans un repère, représenter graphiquement chaque fonction affine.
a. $f : x \mapsto -x+4$
b. $g : x \mapsto 2x-3$

40 f est la fonction affine $x \mapsto 4{,}5x-3$.
Dans un repère, (d) est la droite qui représente graphiquement la fonction affine f.
a. Tracer la droite (d).
b. A est le point d'abscisse 10 de la droite (d). Quelle est son ordonnée ?
c. B est le point d'abscisse – 50 de la droite (d). Quelle est son ordonnée ?
d. C est le point d'ordonnée 99 de la droite (d). Quelle est son abscisse ?

41 g est la fonction affine $x \mapsto -5x+7$.
Dans un repère, (d) est la droite qui représente graphiquement la fonction affine g.
Dans chaque cas, dire si le point appartient ou non à la droite (d).
- A (1,8 ; – 2)
- B (3,3 ; – 9,4)
- C (5,2 ; – 20)
- D (– 0,5 ; 9,5)
- E (– 4,1 ; 27,5)
- F (– 9 ; 52)

42 Les droites ci-dessous représentent graphiquement des fonctions affines.
Dans chaque cas, lire le coefficient directeur et l'ordonnée à l'origine.

a.
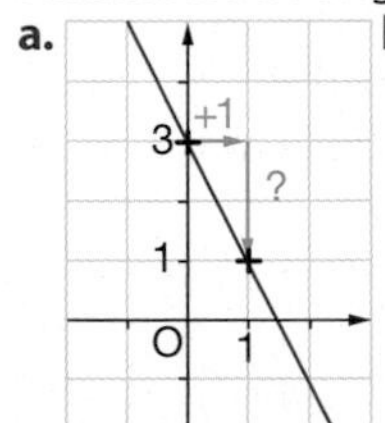

b.
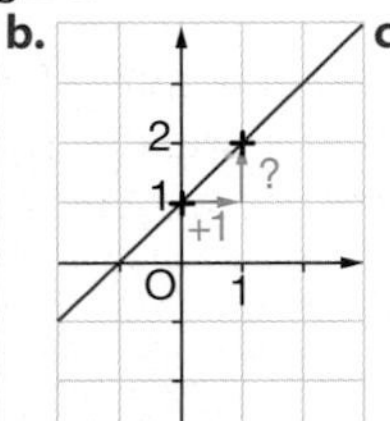

c.
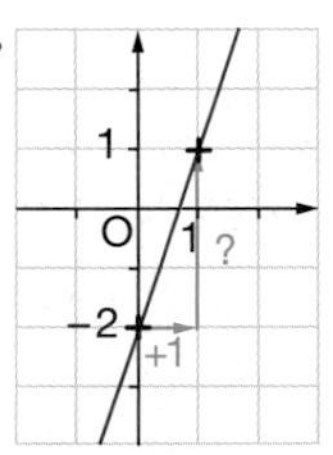

43 **a.** Dans un repère, tracer la droite (d) représentant graphiquement la fonction affine $f : x \mapsto 2x+1$.
b. Recopier et compléter en s'aidant du graphique.
- Lorsque x augmente de 1, $f(x)$ … .
- Lorsque x augmente de 2, $f(x)$ … .
- Lorsque x diminue de 1, $f(x)$ … .
- Lorsque x diminue de 3, $f(x)$ … .

44 **a.** Dans un repère, tracer la droite (d) représentant graphiquement la fonction affine $f : x \mapsto -3x+2$.
b. Recopier et compléter en s'aidant du graphique.
- Lorsque x augmente de 2, $f(x)$ … .
- Lorsque x diminue de 3, $f(x)$ … .

45 **1.** f est la fonction affine $x \mapsto \frac{1}{3}x+2$.
a. Dans un repère, tracer la droite représentant graphiquement f en plaçant les points d'abscisses 0 et 3.
b. Recopier et compléter.
- Lorsque x augmente de 3, $f(x)$ … .
- Lorsque x diminue de 6, $f(x)$ … .

2. Dans chaque cas, lire le coefficient directeur de la droite tracée.

a.
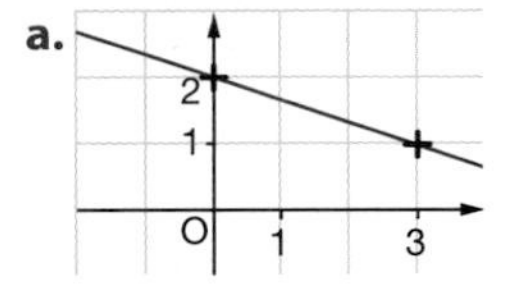

b.
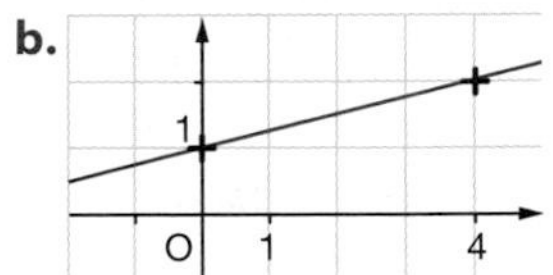

46 Dans ce repère, la droite (d) représente graphiquement une fonction affine $f : x \mapsto ax+b$.
a. Lire l'ordonnée à l'origine b.
b. En utilisant les points A et B de la droite (d), lire le coefficient directeur a.
c. Déduire des questions précédentes l'expression de $f(x)$.

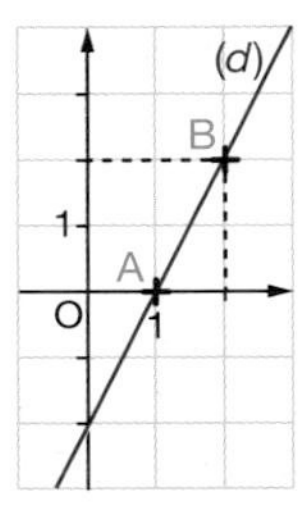

47 **a.** Placer dans un repère les points A (2 ; 5) et B (3 ; – 4). Tracer la droite (AB).
b. En utilisant les points A et B, lire le coefficient directeur de la droite (AB).
c. Cette droite (AB) représente graphiquement une fonction affine f. Déterminer l'expression de $f(x)$.

48 **a.** Dans un repère, placer les points A (0 ; – 1) et B (4 ; 0). Tracer la droite (AB).
b. Cette droite (AB) représente graphiquement une fonction affine g. Déterminer l'expression de $g(x)$.

49 La droite (d) représente graphiquement une fonction affine f dans un repère.
Déterminer l'expression de $f(x)$.

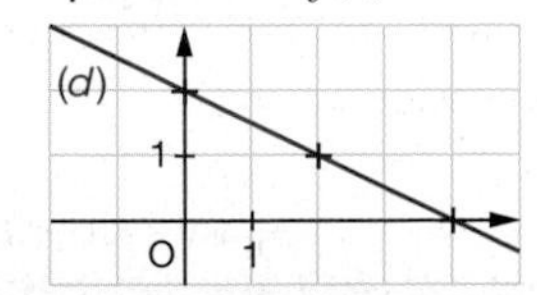

Je m'entraîne

50 Dans un repère, tracer la droite représentant graphiquement chaque fonction affine en utilisant un point et le coefficient directeur.

a. $f : x \mapsto 3x - 2$ **b.** $g : x \mapsto -2x - 7$

51 **1.** h est la fonction affine définie par :

$$h(x) = \frac{1}{3}x - 2.$$

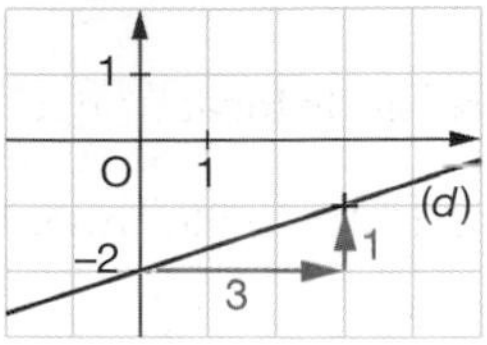

Expliquer comment Enzo a tracé la droite (d), qui représente graphiquement la fonction h. Justifier.

2. Dans chaque cas, utiliser la méthode d'Enzo pour représenter graphiquement la fonction affine.

a. $f : x \mapsto -\frac{2}{3}x + 5$ **b.** $g : x \mapsto \frac{3}{4}x - 3$

52 **1.** Dans un repère, tracer la droite (d) qui représente graphiquement la fonction $g : x \mapsto -5x + 7$.

2. (d) coupe l'axe des abscisses en un point noté A.

a. Lire une valeur approchée de l'abscisse de A

b. Calculer la valeur exacte de l'abscisse de A.

53 Dans un repère, (d) est la droite qui représente graphiquement la fonction affine $f : x \mapsto 3{,}5x - 3$.

a. Tracer (d).

b. A est le point de (d) d'abscisse 4.
Lire son ordonnée et la retrouver par le calcul.

c. B est le point de (d) d'ordonnée – 2.
Lire une valeur approchée de son abscisse et donner sa valeur exacte par le calcul.

54 f et g sont les fonctions affines définies par :

$$f(x) = \frac{4}{3}x - 3 \text{ et } g(x) = -x + 6$$

a. Tracer les représentations graphiques de f et de g dans un même repère.

b. Lire une valeur approchée des coordonnées de leur point d'intersection K.

c. Déterminer par le calcul les coordonnées de K.

55 f et g sont les fonctions affines définies par :

$$f(x) = -5x + 1 \text{ et } g(x) = 2x - 4.$$

a. Résoudre l'équation $f(x) = g(x)$.

b. Interpréter graphiquement la réponse à la question **a.**

Je m'évalue à mi-parcours

Pour chaque question, une seule réponse est exacte.

	a	b	c	En cas d'erreur
56 Parmi ces fonctions, celle qui est une fonction affine est…	$x \mapsto 3x^2 + 1$	$x \mapsto 3 - x$	$x \mapsto \frac{3}{x} + 1$	*Cours 1 et ex. 22*
57 L'image de – 4 par la fonction affine $x \mapsto -2x + 3$ est…	– 3	2	11	*Cours 1 et ex. 1*
58 f est la fonction affine définie par : $f(x) = 2x - 5$. L'antécédent de 1 est…	3	– 3	2	
59 Dans un repère, la droite qui représente graphiquement la fonction affine $x \mapsto \frac{4}{3}x + 3$ passe par le point…	A (– 3 ; – 1)	$B\left(1 ; \frac{7}{3}\right)$	C (– 1 ; – 3)	*Cours 2 et ex. 38*
60 Dans ce repère, la droite (d) représente graphiquement la fonction affine g qui, à x, associe… 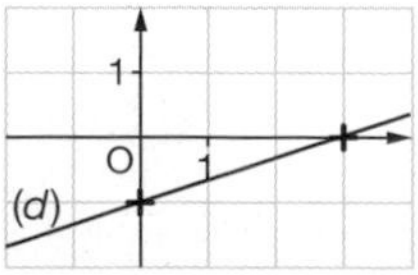	$3x - 1$	$\frac{1}{3}x - 1$	$-3x - 1$	*Cours 2 et ex. 49*

Vérifie tes réponses ➲ p. 259

► Utiliser GeoGebra pour représenter et conjecturer

61 Comparer deux tarifs

Cinéflix est un site Internet qui propose différentes formules de location de films en ligne à la semaine.
• Formule 1 : chaque film est loué 3,50 €.
• Formule 2 : on paie un abonnement annuel de 12 €, puis 2 € par film loué.

1 On note $f(x)$ et $g(x)$ le prix (en €) payé pour la location de x films dans l'année avec respectivement la formule 1 ou la formule 2. Exprimer $f(x)$ et $g(x)$ en fonction de x.

2 On se propose de représenter graphiquement, dans GeoGebra, les fonctions f et g pour comparer les prix payés avec chacune des formules proposées.
a. Afficher le repère et la grille. Faire un clic droit, cliquer sur Graphique ... et pour chaque axe, cocher Branche D/H seulement . Fermer la boîte de dialogue.
Faire à nouveau un clic droit, cliquer sur axeX : axeY et cocher le rapport ✓ 1 : 2 .
b. Dans la barre de saisie, taper Si[x⩾0,3.5x] (pour taper ⩾, cliquer sur α).
On obtient ainsi la représentation graphique de la fonction $f : x \mapsto 3{,}5x$ pour les valeurs positives de x.
c. Dans la barre de saisie, taper Si[x>0,12+2x] .

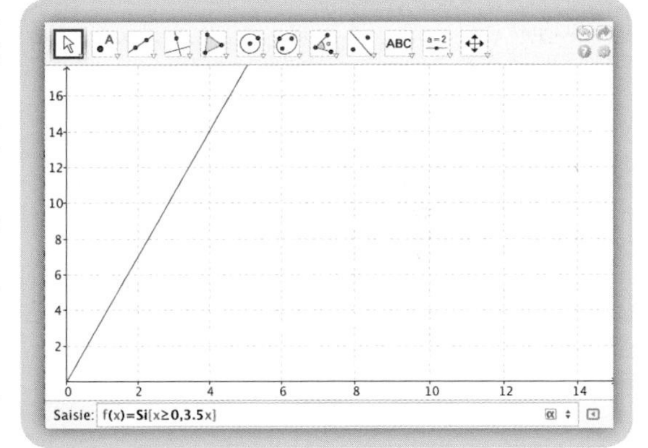

3 **a.** Lire les coordonnées du point d'intersection des deux demi-droites.
Interpréter la réponse pour la situation.
b. Expliquer quelle est la formule la plus avantageuse selon le nombre de films loués dans l'année.

62 Conjecturer, puis prouver

ABC est un triangle rectangle en A tel que AB = 6 cm et AC = 4 cm. D est un point du segment [AB].
La perpendiculaire à la droite (AB) passant par D coupe le côté [BC] en E.
On cherche la position du point D pour que le triangle AED soit isocèle en D.

1 Conjecturer avec un logiciel

a. Réaliser cette figure avec GeoGebra.
b. Afficher les longueurs ED, AD et BD (cm).
c. Déplacer le point D et conjecturer la réponse au problème.

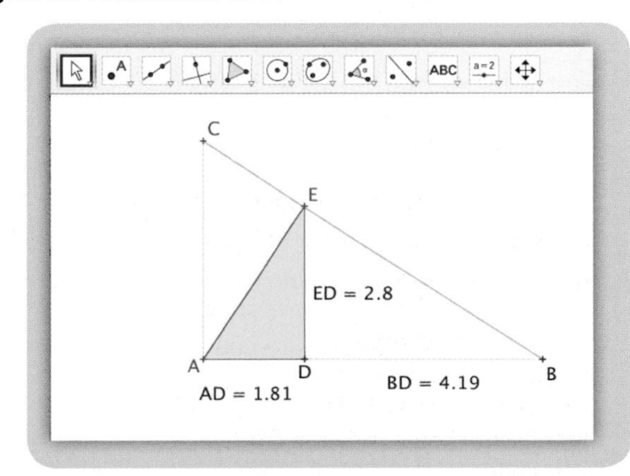

2 Prouver

On pose BD = x (on a donc $0 \leqslant x \leqslant 6$).
On note f et g les fonctions qui, à x, associent respectivement la longueur AD et la longueur ED.
a. Donner l'expression de $f(x)$.
b. En utilisant le théorème de Thalès, montrer que $g(x) = \frac{2}{3}x$.
c. Résoudre l'équation $f(x) = g(x)$.
d. En déduire la réponse au problème posé.

J'utilise mes compétences

S'initier au raisonnement

63 Déterminer une fonction affine

Chercher • Raisonner • Communiquer

Avec le tableur, Malik a calculé les images de différentes valeurs de x par une fonction affine f.
Il a obtenu le tableau suivant :

	A	B	C	D	E	F
1	x	-2	0	2	4	6
2	$f(x)$	5	2	-1	-4	-7

Déterminer l'expression de $f(x)$.

Conseil

$f(x)$ est de la forme $ax + b$, donc $b = f(0)$.
Tu peux lire b dans le tableau.

64 Reconnaître une fonction affine

Modéliser • Raisonner • Communiquer

x et y désignent deux nombres strictement positifs.
Un rectangle de dimensions x et y (en cm) a pour périmètre 30 cm.
Kévin affirme : « La fonction qui, à la dimension x, associe l'autre dimension y est affine. »
A-t-il raison ? Expliquer.

Conseil

Commence par traduire à l'aide de x et y le fait que le rectangle a pour périmètre 30 cm.

65 Utiliser les unités demandées

Représenter • Raisonner • Communiquer

M. Dubois réfléchit à son déménagement. Il a fait réaliser un devis.
Une entreprise lui a communiqué une formule :

$$f(x) = 10x + 800 ;$$

où x est le volume (en m^3) à transporter et $f(x)$ le prix à payer (en €).

a. Calculer $f(80)$.
Que signifie le résultat obtenu ?

b. Déterminer par le calcul l'antécédent de 3 500 par la fonction f.

c. Dans un repère, représenter graphiquement la fonction f pour $x \geqslant 0$ (*unités :* 1 cm pour 20 m^3 sur l'axe des abscisses et 1 cm pour 400 € sur l'axe des ordonnées).

Conseil

Sur chaque axe, les distances à mesurer sont proportionnelles aux quantités représentées.

66 Utiliser le calcul littéral

Raisonner • Calculer • Communiquer

f est la fonction affine $x \mapsto 4x - 5$.
Prouver que, quelle que soit la valeur de x :

a. $f(x + 1) = f(x) + 4$

b. $f(x + 3) = f(x) + 4 \times 3$

c. $f(x - 5) = f(x) - 4 \times 5$

Conseil

$x + 1$ —($\times 4$)→ $4(x + 1)$ —(-5)→ $4(x + 1) - 5$

67 Repérer des erreurs

Chercher • Raisonner • Communiquer

h est la fonction affine $x \mapsto -\frac{4}{5}x + 2$.
Deux élèves ont tracé dans un repère la droite qui représente graphiquement la fonction h.
Chacun d'eux s'est trompé.
Expliquer les erreurs commises.

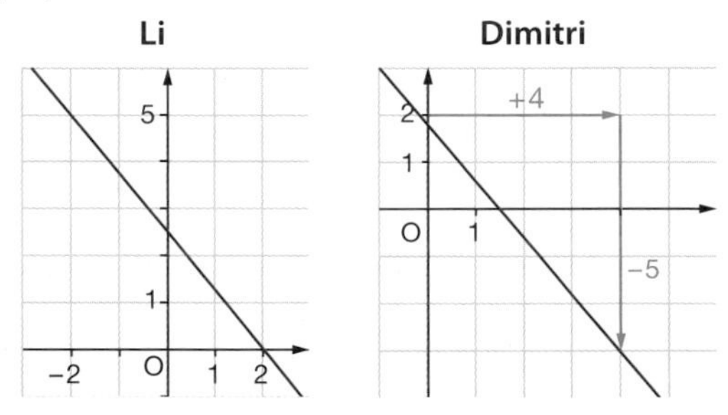

Conseil

Chaque point de la droite doit avoir pour ordonnée l'image de son abscisse par la fonction h.

68 Trouver des contre-exemples

Raisonner • Calculer • Communiquer

Expliquer pourquoi chacune des affirmations suivantes est fausse.

Affirmation 1 : Il n'existe pas de fonction affine vérifiant $f(6) = f(9)$.

Affirmation 2 : g est une fonction affine telle que $g(2) = 6$. Alors l'image de 1 par la fonction g est 3.

Conseil

Dans chaque cas, il suffit de trouver une fonction affine pour laquelle l'affirmation est fausse.

Organiser son raisonnement

69 Résoudre un problème

Chercher • Modéliser • Communiquer

[AB] est un segment de longueur 10,5 cm.
M est un point du segment [AB].
On note x la longueur AM en cm ($0 \leqslant x \leqslant 10$).
ACM est un triangle équilatéral et MDEB est un carré.

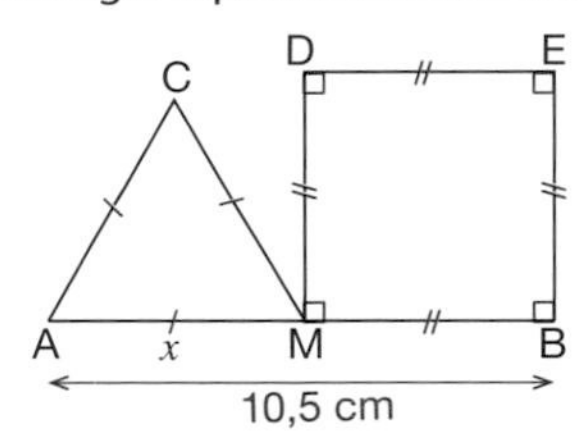

On cherche la position du point M pour que le triangle et le carré aient le même périmètre.
On note f et g les fonctions qui, à x, associent respectivement le périmètre, en cm, du triangle ACM et le périmètre, en cm, du carré MDEB.

a. Donner les expressions de $f(x)$ et de $g(x)$.
b. Résoudre l'équation $f(x) = g(x)$.
c. Répondre au problème posé.

70 Déterminer une dimension TICE

Modéliser • Calculer • Communiquer

Une entreprise fabrique des paquets cubiques de lessive.
Un paquet vide pèse 200 g. On y verse de la lessive.
On sait que 1 cm^3 de lessive pèse 1,5 g.

a. On note x le volume de lessive (en cm^3). Exprimer la masse totale (en g) d'un paquet en fonction de x.
b. On voudrait que la masse totale d'un paquet de lessive soit 2 300 g.
Quel volume de lessive doit contenir ce paquet ?
c. On désigne par f la fonction qui, à x, associe la masse totale (en g) d'un paquet de lessive.
Représenter graphiquement cette fonction dans un repère (placer l'origine du repère en bas à gauche sur une feuille de papier millimétré ; sur l'axe des abscisses, prendre 1 cm pour 200 cm^3 et sur l'axe des ordonnées, 1 cm pour 200 g).
d. À l'aide du tableur, trouver une valeur approchée au dixième près de la longueur, en cm, de l'arête d'un paquet de lessive dont la masse totale est 2 300 g.

71 Étudier plusieurs propositions

Modéliser • Représenter • Communiquer

Les parents de Joséphine souhaitent l'inscrire dans un club d'équitation. Le club propose deux options.
• Option A : 165 € par carte de 10 séances.
• Option B : cotisation annuelle de 70 € plus 140 € par carte de 10 séances.

1. Quelle est l'option la plus avantageuse pour 20 séances dans l'année ?

2. On note x le nombre de cartes de 10 séances achetées dans l'année. Exprimer en fonction de x le coût pour la famille si elle choisit :
a. l'option A ; **b.** l'option B.
c. Trouver par le calcul le nombre de cartes à partir duquel l'option B devient avantageuse.

3. On note f et g les fonctions telles que :
• $f : x \mapsto 165x$ • $g : x \mapsto 140x + 70$.
a. Dans un repère, construire les représentations graphiques des fonctions f et g (*unités :* 2 cm pour 1 en abscisses et 1 cm pour 50 en ordonnées).
b. Retrouver graphiquement la réponse à la question **2. c** en faisant apparaître les tracés utiles en pointillés.

72 Représenter une situation

Modéliser • Représenter • Communiquer

A et B sont deux points sur les rives d'une rivière, distants de 150 m. Au même moment, un nageur part de A et se dirige vers B, à la vitesse constante de 1 m/s et une pirogue part de B vers A, à la vitesse constante de 2 m/s.

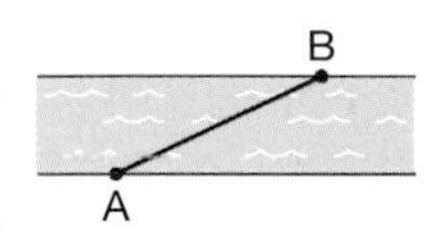

1. 50 s après leur départ, à quelle distance du point A se trouve :
a. le nageur ? **b.** la pirogue ?

2. On considère les fonctions n et p définies par :
$$n(x) = x \quad \text{et} \quad p(x) = 150 - 2x.$$
• $n(x)$ est la distance (en m) séparant le nageur du point A en fonction du temps x (en s) ;
• $p(x)$ est la distance (en m) séparant la pirogue du point A en fonction du temps x (en s).
a. Représenter graphiquement les fonctions n et p, sur une feuille de papier millimétré, dans un même repère orthogonal (*unités :* 1 cm pour 10 s sur l'axe des abscisses, 1 cm pour 10 m sur l'axe des ordonnées).
b. Déterminer graphiquement l'instant où le nageur et la pirogue vont se croiser.

73 Communiquer en anglais 

Chercher • Raisonner • Communiquer

A weather balloon is used by meteorologists to measure the temperature at high altitudes.
At an altitude of 4 km, a weather balloon has measured a temperature of – 2 °C. At the same time, the temperature at sea level was 24 °C.

a. At what rate is the temperature decreasing, depending on the altitude ?

b. At this rate, estimate the temperature at an altitude of 6 km.

74 Prendre des initiatives

Chercher • Modéliser • Communiquer

La famille Cissé et la famille Lepage roulent sur une autoroute dans des directions opposées.
À 10 h 40, les Cissé sont au niveau de la sortie 22 et roulent en direction du nord à 90 km/h.
Au même instant, les Lepage sont au niveau de la sortie 18 et roulent à 120 km/h en direction du sud.
Ces deux sorties sont distantes de 42 km.
À quelle heure vont-ils se croiser ?

75 Imaginer une stratégie

Modéliser • Calculer • Communiquer

En 2015, un fournisseur d'électricité proposait un contrat avec les tarifs suivants : 84,56 € pour l'abonnement annuel et 0,137 2 € le kWh.
En 2016, pour le même contrat, les tarifs étaient : 88,42 € pour l'abonnement annuel et 0,146 7 € le kWh.
Avec ce contrat, une famille a payé 1 012,30 € d'électricité pour l'année 2015.
Combien a-t-elle payé en 2016 pour la même consommation ?

76 Problème ouvert Physique

Modéliser • Raisonner • Communiquer

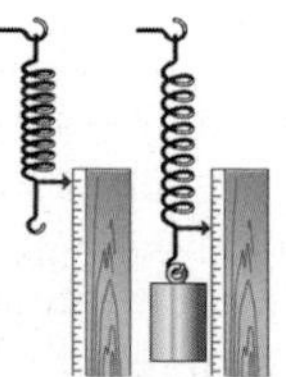

À la masse x (en g) d'un objet suspendu, on associe la longueur (en mm) d'un ressort.
Cette situation peut être modélisée par une fonction affine f.
Lorsqu'on suspend un objet de 50 g, la longueur du ressort est 95 mm. Lorsqu'on suspend un objet de 60 g, la longueur du ressort est 98 mm.
Quelle est la longueur de ce ressort sans objet suspendu ?

77 Narration de recherche 

Problème

Deux producteurs de melons embauchent des employés saisonniers. Ils proposent deux types de contrats hebdomadaires sur la base de 35 h.

• Producteur A : salaire fixe de 200 € plus 0,20 € par seau récolté.

• Producteur B : 0,60 € par seau récolté pour les 350 premiers seaux, puis 1 € par seau supplémentaire.

Quel graphique illustre la façon dont les deux producteurs paient leurs employés ?

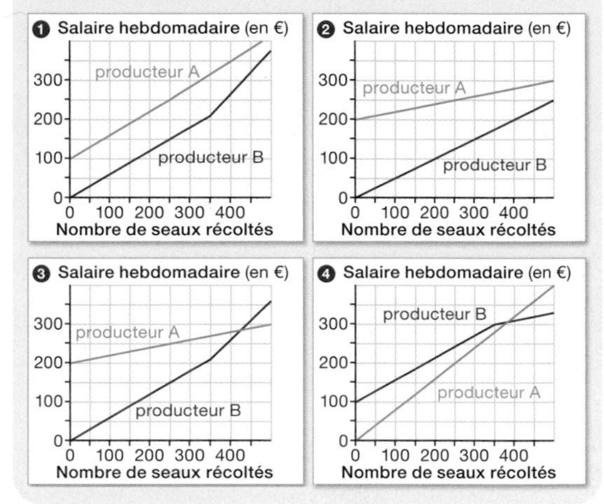

Raconter sur une feuille les différentes étapes de la recherche et les remarques qui ont fait changer de méthode ou qui ont permis de trouver.

78 Résoudre un problème

Dans un garage, chaque vendeur reçoit un salaire fixe auquel s'ajoute une prime par voiture vendue. La prime est la même pour tous les modèles de voiture.
Le mois dernier, Nadia a vendu 3 voitures et a reçu 1 800 €, Adrien a reçu 2 200 € pour 5 voitures vendues.
Théo a vendu 8 voitures. Combien a-t-il reçu ?

79 Résoudre une énigme

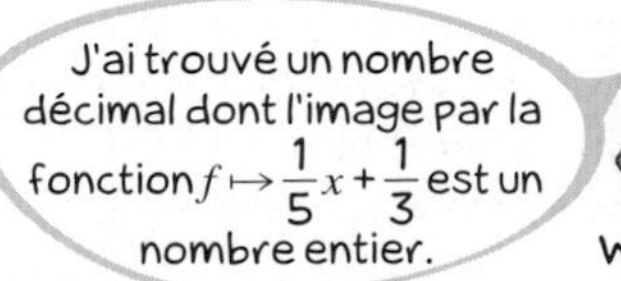

J'ai trouvé un nombre décimal dont l'image par la fonction $f \mapsto \frac{1}{5}x + \frac{1}{3}$ est un nombre entier.

Que peut-on penser de l'affirmation de William ? Expliquer.

80 Utiliser le tableur TICE

On a utilisé le tableur pour calculer les images de différentes valeurs de x par une fonction affine f et par une autre fonction g.
Une copie de l'écran obtenu est donnée ci-dessous.

C2 | =-5*C1+7

	A	B	C	D	E	F	G	H
1	x	-3	-2	-1	0	1	2	3
2	$f(x)$	22	17	12	7	2	-3	-8
3	$g(x)$	13	8	5	4	5	8	13

1. a. Quelle est l'image de -3 par f ?
b. Calculer $f(7)$.
c. Donner l'expression de $f(x)$.
d. Déterminer l'antécédent de -10 par f.
Le nombre obtenu est-il un nombre entier, décimal non entier ou non décimal ?
2. On sait que $g(x) = x^2 + 4$. Une formule a été saisie dans la cellule B3 et recopiée ensuite vers la droite pour compléter la plage C3:H3.
Quelle est cette formule ?

Conseil
La formule utilisée dans la cellule C2 apparaît dans la copie de l'écran.

81 Justifier par le calcul

Pour participer à un festival de danse, deux tarifs sont proposés.
• Tarif individuel : 50 € par danseur ou danseuse inscrit(e).
• Tarif groupe : paiement d'un forfait de 400 € pour le groupe puis 30 € par danseur ou danseuse inscrit(e).
a. x désigne le nombre de danseurs inscrits.
Exprimer en fonction de x les prix, en euros, $I(x)$ et $g(x)$ avec respectivement le tarif individuel et le tarif groupe.
b. Dans un repère (*unités :* 1 cm pour 2 en abscisses et 1 cm pour 100 en ordonnées), tracer les représentations graphiques des deux fonctions $x \mapsto 50x$ et $x \mapsto 30x + 400$.
c. Selon le graphique, quel est le tarif le plus avantageux pour un groupe de 21 danseurs ?
d. Pour quel nombre d'inscriptions paie-t-on le même prix quel que soit le tarif choisi ?
Justifier la réponse par le calcul.

Conseil
Tu peux vérifier tes réponses à la question **a** en lisant la question **b**.

82 Résoudre un problème graphiquement

Dans un jeu vidéo, on a le choix entre trois personnages : un guerrier, un mage et un chasseur.
La force d'un personnage se mesure en points.
Tous les personnages commencent au niveau 0 et le jeu s'arrête au niveau 25. Cependant ils n'évoluent pas de la même façon.
• Le guerrier commence avec 50 points et ne gagne pas d'autre point au cours du jeu.
• Le mage n'a aucun point au début mais gagne 3 points par niveau.
• Le chasseur commence à 40 points et gagne 1 point par niveau.
a. Au début du jeu, quel est le personnage le plus fort ? Quel est le moins fort ?
b. Recopier et compléter le tableau ci-dessous.

Niveau	0	1	5	10	15	25
Points du guerrier	50	50				
Points du mage	0	3				
Points du chasseur	40	41				

c. À quel niveau le chasseur aura-t-il autant de points que le guerrier ?
d. Dans cette question, x désigne le niveau de jeu d'un personnage.
Associer chacune des expressions suivantes à l'un des trois personnages : chasseur, mage ou guerrier.
• $f(x) = 3x$ • $g(x) = 50$ • $h(x) = x + 40$
e. Dans le repère ci-dessous, la fonction g est représentée graphiquement. Reproduire le graphique et tracer les droites représentant les fonctions f et h.

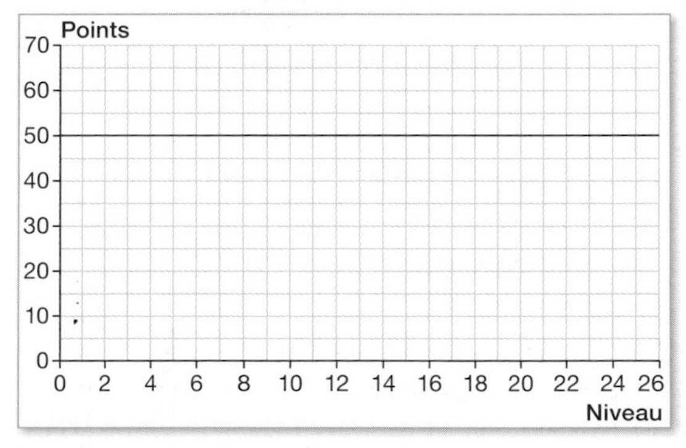

f. Déterminer, à l'aide du graphique, le niveau à partir duquel le mage devient le plus fort.

Conseil
À la question **f**, repère le point à partir duquel la droite représentant les points du mage est au-dessus des autres.

Avec une aide

83 Déterminer l'expression d'une fonction

La copie d'écran ci-dessous montre le travail effectué par Léa pour étudier trois fonctions f, g et h telles que :

- $f(x) = x^2 + 3x - 7$ et $g(x) = 4x + 5$.
- h est une fonction affine dont Léa a oublié d'écrire l'expression dans la cellule A4.

B2 | =B1^2+3*B1-7

	A	B	C	D	E	F
1	x	-2	0	2	4	6
2	$f(x) = x^2 + 3x - 7$	-9	-7	3	21	47
3	$g(x) = 4x + 5$	-3	5	13	21	29
4	$h(x)$	9	5	1	-3	-7

a. Donner un nombre qui a pour image -7 par la fonction f.

b. Vérifier par un calcul détaillé que $f(6) = 47$.

c. Expliquer pourquoi le tableau permet de donner une solution de l'équation $x^2 + 3x - 7 = 4x + 5$.
Quelle est cette solution ?

d. À l'aide du tableau, retrouver l'expression algébrique $h(x)$ de la fonction affine h.

Conseil

$h(x)$ est de la forme $ax + b$. Tu peux lire b dans le tableau.

84 Traiter un QCM

Pour chacune des questions suivantes, trois réponses sont proposées et une seule est exacte. Laquelle ?

f est la fonction définie par $f(x) = -2x + 3$			
1. $f(x)$ est de la forme $ax + b$. La valeur de a est :	3	-2	2
2. L'image de 0 par f est :	1	1,5	3
3. La représentation graphique de la fonction f dans un repère passe par le point :	A $(-1 ; 1)$	B $(-1 ; 5)$	C $(1 ; -18)$
4. L'antécédent de 4 par la fonction f est :	-5	$\frac{7}{2}$	$-\frac{1}{2}$
5. La représentation graphique de la fonction f dans un repère coupe l'axe des ordonnées en :	D $(1,5 ; 0)$	E $(0 ; 3)$	F $(0 ; 2)$

Conseil

À la question **5**, tu peux t'aider de la réponse à la question **2**.

Sans aide maintenant

85 Comparer des aires

Les longueurs sont exprimées en cm.
ABCD est un trapèze rectangle en A et en B.
E est un point variable du segment [AB].
On note x la longueur AE.

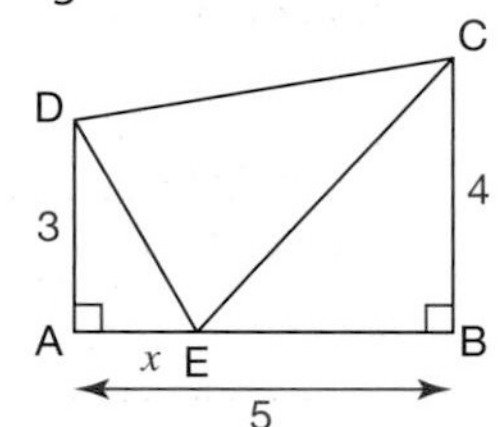

1. Donner les valeurs entre lesquelles x peut varier.

2. a. Montrer que l'aire du triangle AED peut être modélisée par la fonction $f : x \mapsto 1,5x$ et que l'aire du triangle EBC peut être modélisée par la fonction $g : x \mapsto 10 - 2x$.

b. Préciser la nature de chacune de ces fonctions.

3. a. Pour quelle valeur de x l'aire du triangle EBC est-elle égale à 6 cm^2 ? Écrire une phrase avec le mot « antécédent » pour traduire la réponse.

b. Lorsque x est égal à 4 cm, quelle est l'aire du triangle EBC ? Écrire une phrase avec le mot « image » pour traduire la réponse.

4. Quelle est la valeur de x pour laquelle les deux aires sont égales ?
Donner la valeur exacte puis une valeur approchée au dixième près.

86 Trouver le tarif le plus avantageux

Pour gérer sa bibliothèque, une école décide d'acheter un logiciel. Il y a trois tarifs :

- Tarif A : 19 €
- Tarif B : 18 centimes par élève
- Tarif C : 8 € plus 5 centimes par élève

a. x désigne le nombre d'élèves.
Laquelle des fonctions suivantes correspond au tarif C ?

- $x \mapsto 8 + 5x$ • $x \mapsto 8 + 0,05x$ • $x \mapsto 0,05 + 8x$

b. Dans un même repère, représenter graphiquement les fonctions modélisant les tarifs A, B et C.
Prendre 1 cm pour 20 élèves en abscisses et 1 cm pour 2 € en ordonnées.

c. Par lecture graphique, à partir de combien d'élèves le tarif A est-il plus intéressant que le tarif C ?

d. Quel est le tarif le plus intéressant pour une école de 209 élèves ?

J'extrais des informations

87 L'impôt sur le revenu

Maxime et Claire vivent ensemble et ne sont pas mariés. Ils n'ont pas d'enfant.
Auraient-ils payé moins d'impôts en étant mariés et en faisant une déclaration commune ?

Doc. 1 Formules de calcul

R : montant du revenu imposable (en €) ; N : nombre de parts

Barème de l'impôt sur le revenu		
Tranche du revenu net imposable (en €)	**Taux d'imposition**	**Formule de calcul de l'impôt**
Jusqu'à 9 700	0 %	–
De 9 701 à 26 791	14 %	$0{,}14 \times R - 1\,358 \times N$
De 26 792 à 71 826	30 %	$0{,}3 \times R - 5\,644{,}56 \times N$
De 71 827 à 152 108	41 %	$0{,}41 \times R - 13\,545{,}42 \times N$
Plus de 152 108	45 %	$0{,}45 \times R - 19\,629{,}74 \times N$

Doc. 2 Revenus imposables

Montant des rémunérations imposables à déclarer
- Maxime : 25 905 €
- Claire : 27 750 €

Doc. 3 Nombre de parts

Célibataire	1
Couple marié soumis à imposition commune	2

88 Le poids idéal

a. Sur une photocopie du document 1, représenter graphiquement le poids idéal (en kg) en fonction de la taille (en cm).
b. Manon pense que le poids idéal est la moyenne du poids minimal et du poids maximal conseillés.
A-t-elle raison ?

Doc. 1 Poids conseillés

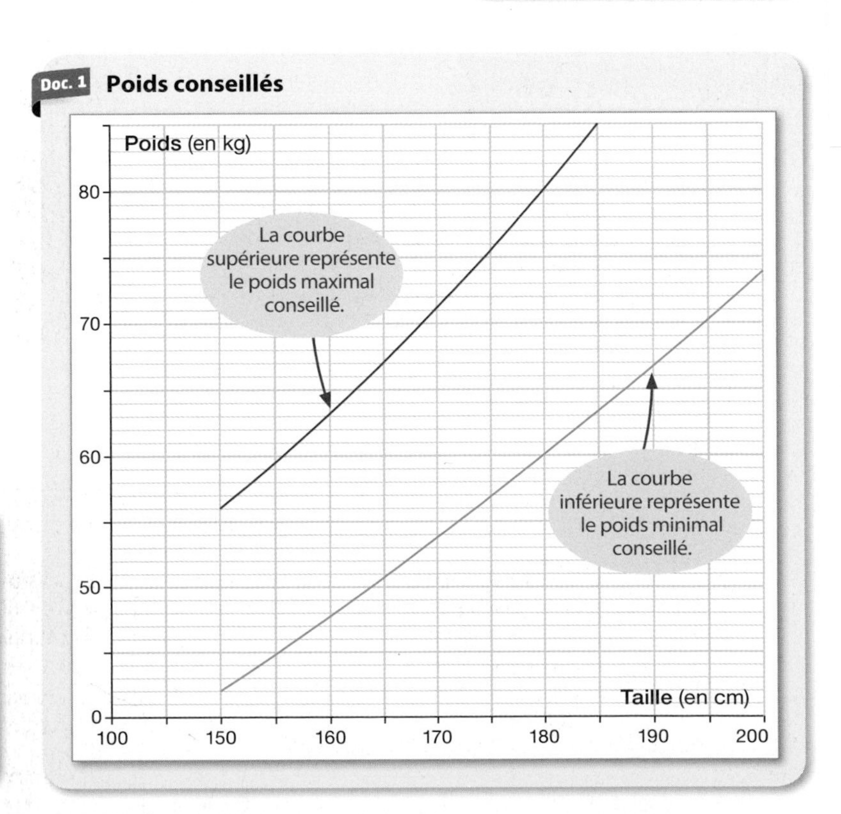

Doc. 2 Poids idéal

Le poids idéal p (en kg) d'une personne est donné par la formule :

$$p = t - 100 - \frac{t-150}{4}$$

où t représente la taille de cette personne (en cm).

CHAPITRE

9 Faire le point sur la proportionnalité

Composition arithmétique est un tableau réalisé en 1930 par le peintre néerlandais Théo Van Doesburg (1883-1931).
Chaque carré est un agrandissement du plus petit carré.

Vu au Cycle 4

Pour chaque question, une réponse ou plusieurs sont exactes.

		a	b	c
1	Dans ce tableau de proportionnalité … | 6 | 9 | | 13 | x |	$x = 16$	$x = 13 \times 1{,}5$	$x = \dfrac{13 \times 9}{6}$
2	Les points A, B, M sont alignés ainsi que les points A, C, N. Le triangle AMN est un(e) … 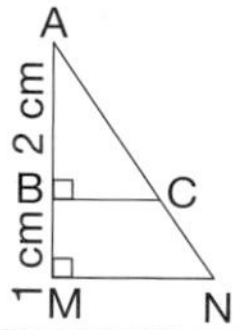	agrandissement du triangle ABC dans le rapport 3	agrandissement du triangle ABC dans le rapport 1,5	réduction du triangle ABC dans le rapport $\dfrac{2}{3}$
3	f est la fonction linéaire définie par $f(x) = 3x$. Alors …	$f(4) = 7$	l'image de $\dfrac{2}{3}$ est 2	l'antécédent de −12 est −4
4	Un triangle $\mathcal{T}$ d'aire 5 cm² a pour image un triangle $\mathcal{T}'$ par une homothétie de rapport 2. Alors l'aire de $\mathcal{T}'$ est …	5 cm²	10 cm²	20 cm²
5	Dans une classe, il y a 8 filles et 17 garçons. Le pourcentage de …	filles est 32 %	filles est 47 %	garçons est 68 %

Vérifie tes réponses ➲ *p. 259*

D'autres exercices sur ***le site compagnon***

Activité 1 Relier la proportionnalité, les fonctions et la géométrie

Sur la figure ci-contre, les points R, S, T appartiennent aux côtés du triangle rectangle ABC et ARTS est un rectangle.
On souhaite déterminer la position du point S pour que le triangle SBT et le rectangle ARTS aient le même périmètre.
On note BS = x cm, avec $0 \leqslant x \leqslant 4$.

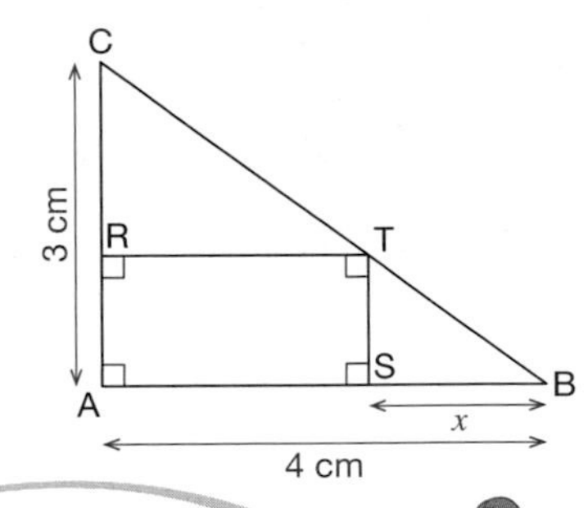

1 Montrer que BC = 5 cm.

2 Voici ce que trois élèves ont remarqué.

Sofiane : Les triangles ABC et SBT forment une configuration de Thalès.

Zoé : Le triangle SBT est l'image du triangle ABC par une homothétie de centre B.

Tom : Le triangle SBT est une réduction du triangle ABC.

a. En utilisant la remarque de l'un de ces élèves, montrer que $ST = \frac{3}{4}x$ et que $BT = \frac{5}{4}x$.

b. On note f la fonction qui à x associe le périmètre $f(x)$, en cm, du triangle SBT.
Exprimer $f(x)$ en fonction de x. Est-ce que x et $f(x)$ sont proportionnels ?

c. On note g la fonction qui à x associe le périmètre $g(x)$, en cm, du rectangle ARTS.
Exprimer $g(x)$ en fonction de x. Est-ce que x et $g(x)$ sont proportionnels ?

d. Résoudre l'équation $f(x) = g(x)$ et conclure sur la position du point S pour que SBT et ARTS aient le même périmètre.

Activité 2 Utiliser des variations en pourcentage

Un libraire applique une remise de 5 % sur le prix de chaque livre.

1 Jade achète un livre sur le tennis qui coûte 30 €. Calculer le montant de la réduction accordée par le libraire. Quel est alors le prix payé par Jade pour ce livre ?

2 **a.** Recopier et compléter le tableau ci-dessous.

b. Vérifier que la 3e ligne du tableau est proportionnelle à la 1re.
Quel est le coefficient de proportionnalité ?
Exprimer ce nombre en pourcentage.

Prix initial (en €)	34	60	100
Montant de la réduction (en €)	...	...	...
Prix réduit (en €)	...	...	...

3 On note x le prix (en €) d'un livre avant réduction. Exprimer le montant de la réduction (en €) en fonction de x. En déduire le prix du livre après réduction en fonction de x.

J'apprends le cours

1 Différents aspects de la proportionnalité

Exemple 1

Le prix de 1 kg de noix est de **3,50 €**.
Le prix P, en euros, payé est **proportionnel** à la masse m, en kg, de noix achetées :

$$P = 3{,}5 \times m$$

On peut modéliser cette situation par **la fonction linéaire** p de coefficient **3,5** :

$$x \mapsto 3{,}5x$$

Dans un repère d'origine O, la représentation graphique de cette fonction pour $x \geqslant 0$ est la demi-droite ci-contre d'origine O.

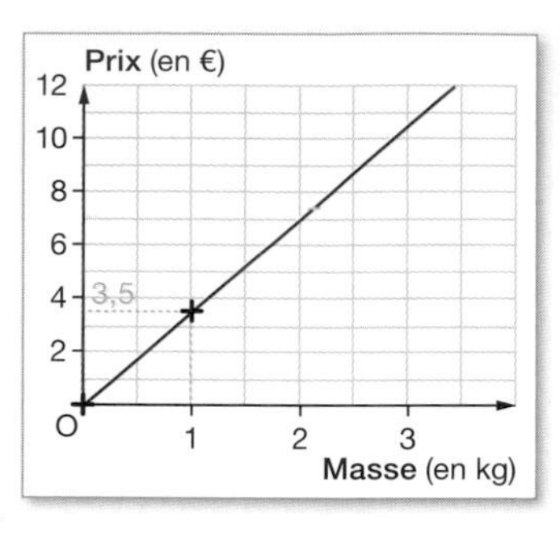

Exemple 2

On peut décrire la figure ci-contre de plusieurs façons équivalentes.

- Les longueurs des côtés des triangles ABC et AMN sont **proportionnelles**.

AB	AC	BC
AM	AN	MN

$\times \frac{1}{3}$

M ∈ [AB]
N ∈ [AC]
(MN) // (BC)

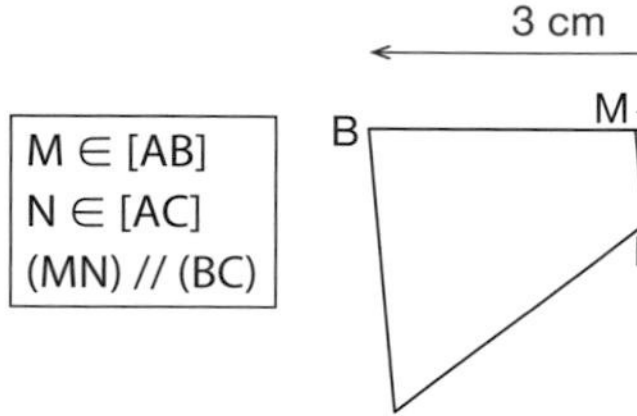

- Le triangle AMN est **une réduction** du triangle ABC dans le rapport $\frac{1}{3}$.
- Les triangles AMN et ABC forment **une configuration de Thalès**, donc :

$$\frac{AM}{AB} = \frac{AN}{AC} = \frac{MN}{BC} = \frac{1}{3}$$

- Le triangle AMN est l'image du triangle ABC par **l'homothétie** de centre A et de rapport $\frac{1}{3}$.

2 Proportionnalité, pourcentages et fonctions linéaires

Prendre un pourcentage d'une quantité ou bien augmenter ou diminuer une quantité d'un pourcentage sont des situations de proportionnalité.
On peut les modéliser par des **fonctions linéaires**. En voici la justification sur quelques exemples.

	Prendre 5 % de x, c'est multiplier x par 0,05	**Augmenter x de 5 %, c'est multiplier x par 1,05**	**Diminuer x de 5 %, c'est multiplier x par 0,95**
Expression littérale	$\frac{5}{100}x = \mathbf{0{,}05}x$	$x + \frac{5}{100}x = \left(1 + \frac{5}{100}\right)x = \mathbf{1{,}05}x$	$x + \frac{5}{100}x = \left(1 - \frac{5}{100}\right)x = \mathbf{0{,}95}x$
Fonction linéaire	$x \mapsto \mathbf{0{,}05}x$ (coefficient **0,05**)	$x \mapsto \mathbf{1{,}05}x$ (coefficient **1,05**)	$x \mapsto \mathbf{0{,}95}x$ (coefficient **0,95**)

Exemples

Un abonnement à 60 € augmente de 2,5 %.
Le nouveau montant est :

$$60\text{ €} \times \left(1 + \frac{2{,}5}{100}\right) = 60\text{ €} \times 1{,}025 = 61{,}50\text{ €}$$

Un article coûtait 150 €. Après une réduction de 60 %, il est vendu :

$$150\text{ €} \times \left(1 - \frac{60}{100}\right) = 150\text{ €} \times 0{,}4 = 60\text{ €}$$

J'apprends à ► Calculer et utiliser des pourcentages

Exercice résolu

1 **Énoncé**

a. Quel est le prix de cette raquette après réduction ?

b. Quel était le prix avant réduction de cette paire de chaussures ?

c. Quel est le pourcentage d'augmentation du prix de cette casquette ?

Solution

a. Diminuer le prix de 20 % revient à multiplier ce prix par $1-\frac{20}{100}$. Or $1-\frac{20}{100}=1-0{,}2=\mathbf{0{,}8}$.
Donc le nouveau prix est :

$$130\ € \times \left(1-\frac{20}{100}\right) = 130\ € \times \mathbf{0{,}8} = 104\ €.$$

La raquette coûte 104 € après réduction.

b. Diminuer le prix de 20 % revient à multiplier ce prix par 0,8.
Donc on cherche le prix P tel que $P \times \mathbf{0{,}8} = 68\ €$.
D'où $P = \frac{68\ €}{\mathbf{0{,}8}} = 85\ €$.
La paire de chaussures coûtait 85 € avant réduction.

c. On calcule l'augmentation : 29,40 € – 28 € = 1,40 €.
On calcule la proportion : $\frac{1{,}4}{28} = 0{,}05$.
Le pourcentage d'augmentation est donc de 5 %.

Conseils

- On peut aussi calculer la réduction :
$$\frac{20}{100} \times 130\ € = 26\ € \,;$$
puis calculer le prix après réduction :
$$130\ € - 26\ € = 104\ €.$$

- Pour la casquette, le pourcentage d'augmentation est tel que :
$$\frac{\blacksquare}{100} = \frac{1{,}4}{28} \quad \begin{matrix} \leftarrow \text{augmentation} \\ \leftarrow \text{valeur initiale} \end{matrix}$$

Pour trouver le pourcentage d'augmentation, on peut aussi résoudre l'équation :
$$280\left(1+\frac{\blacksquare}{100}\right) = 29{,}40$$

Sur le même modèle

2 En 2014, un fabricant a vendu 4 600 vélos.
a. En 2015, ses ventes ont augmenté de 25 %. Combien de vélos a-t-il vendus en 2015 ?
b. En 2016, il a vendu 6 325 vélos.
Quel est le pourcentage d'augmentation de ses ventes par rapport à 2015 ?

3 On estime que l'espérance de vie en France est passée de 45 ans en 1900 à 81 ans en 2015.
a. De combien d'années a augmenté l'espérance de vie entre 1900 et 2015 ?
b. Quel est le pourcentage d'augmentation de l'espérance de vie en France sur cette période ?

4 La superficie de la banquise arctique était de 7,5 millions de km^2 en septembre 1980.

a. Cette superficie avait diminué de 16 % en septembre 2000.
Quelle était alors cette superficie ?
b. En septembre 2015, la superficie de la banquise arctique n'était plus que de 4,41 millions de km^2.
De quel pourcentage la superficie de cette banquise a-t-elle diminué entre septembre 1980 et septembre 2015 ?

À L'oral

5 Ce tableau indique le prix à payer $p(x)$ (en €) pour l'achat de x cahiers.

x	3	7	12
$p(x)$	15	35	60

Dire si les affirmations suivantes sont vraies ou fausses. Justifier les réponses.

a. Il s'agit d'un tableau de proportionnalité.

b. $p(x) = x + 12$.

c. On peut modéliser cette situation par la fonction linéaire de coefficient 5.

d. Pour calculer le nombre de cahiers, on multiplie le prix à payer (en €) par 0,2.

6 Sur cette figure à main levée, les points A, B et D sont alignés. Les points C, B et E sont alignés. Les droites (AC) et (DE) sont parallèles.
Lire en complétant chaque phrase.

a. Le triangle BED est un agrandissement du triangle BCA dans le rapport ... .

b. Le triangle BCA est l'image du triangle BED par l'homothétie de centre ... et de rapport ... .

c. La longueur BD est égale à ... .

d. La longueur BE est égale à ... .

7 v est la fonction linéaire qui à x, le temps (en s), associe la distance parcourue (en m) par un cycliste pendant ce temps.
On sait qu'en 2 s, il a parcouru 10,2 m.
Calculer $v(6)$. Expliquer par une phrase la signification de ce résultat.

8 Sur le marché, 1 kg de fraises est vendu 4 €.

a. Quel est prix de 2,5 kg de ces fraises ?

b. Quel est prix de 750 g de ces fraises ?

c. Quelle masse de fraises obtient-on avec 5 € ?

9 Associer chaque expression à la fonction linéaire qui modélise cette situation.

A	Hausse de 2 %	1	$x \mapsto 0{,}98x$
B	Hausse de 20 %	2	$x \mapsto 2x$
C	Baisse de 20 %	3	$x \mapsto 1{,}02x$
D	Hausse de 100 %	4	$x \mapsto 1{,}20x$
E	Baisse de 2 %	5	$x \mapsto 0{,}8x$

10 x est le prix d'un article et $p(x)$ est son prix soldé.
Indiquer dans chaque cas le pourcentage de réduction.

a. $p(x) = 0{,}75x$ **b.** $p(x) = \frac{7}{10}x$

11 x est le prix d'un article et $p(x)$ est son prix après augmentation.
Indiquer dans chaque cas le pourcentage de hausse.

a. $p(x) = 1{,}1x$ **b.** $p(x) = \frac{3}{2}x$

12 Par quel nombre multiplie-t-on une quantité si :

a. on l'augmente de 40 % ?

b. on la diminue de 30 % ?

c. on l'augmente de 200 % ?

d. on la diminue de 50 % ?

e. on l'augmente de 1 % ?

Calcul mental

13 ABCD est un rectangle tel que :
AB = 4 cm et BC = 7 cm.
Calculer mentalement les dimensions du rectangle qui est :

a. une réduction dans le rapport 0,7 de ABCD ;

b. un agrandissement dans le rapport 1,5 de ABCD.

14 Les points M, U et R sont alignés. Les points M, O et T sont alignés. Les droites (UO) et (RT) sont parallèles.
Calculer mentalement :

a. MT **b.** OT **c.** OU

15 Le triangle ABC est l'image du triangle EFG par une homothétie de centre O.

a. Quel est son rapport ?

b. Calculer mentalement :

- AB
- OA
- EG
- OG

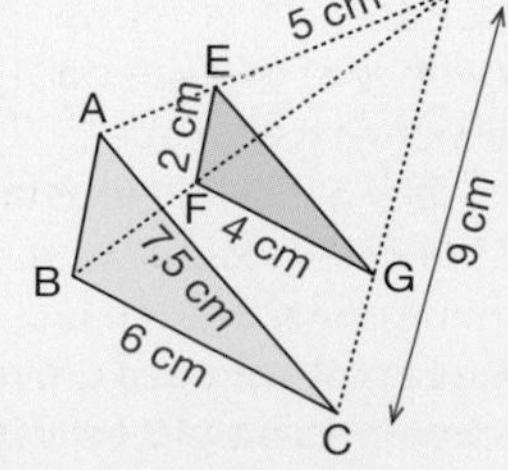

16 Un réservoir contient 300 L d'eau.
Son contenu baisse de 1 %.
Calculer mentalement la quantité d'eau restante.

Différents aspects de la proportionnalité

17 Ce tableau de proportionnalité concerne des tiges de fer.

Longueur (en m)	3	2,5	y
Masse (en kg)	9,36	x	19,5

a. Calculer la masse d'une tige de 1 m.
b. En déduire les valeurs manquantes x et y.
c. Calculer de deux façons différentes la masse d'une tige de 5,5 m.

18 Le sel de déneigement est utilisé pour limiter la formation de verglas sur les routes en période hivernale. Pour une surface de 400 m², on utilise en moyenne 50 kg de sel.
a. Quelle quantité de sel faut-il prévoir pour couvrir une surface de 1 500 m² ?
b. Avec une tonne de sel, quelle surface peut-on couvrir ?
c. Pour une rue, assimilée à un rectangle de 5 m de largeur sur 150 m de longueur, quelle masse de sel faut-il prévoir ?

19 Voici le relevé du prix à payer en fonction du nombre de tickets achetés pour une fête foraine.

Nombre de tickets	3	5	11
Prix à payer (en €)	7,20	12	26,40

a. S'agit-il d'un tableau de proportionnalité ? Justifier.
b. Au nombre de tickets x, on associe le prix à payer (en €). On note p la fonction qui modélise cette situation.
Exprimer $p(x)$ en fonction de x. Quelle est la nature de la fonction p ?

20 Ce tableau indique la consommation d'essence théorique d'une voiture en fonction de la distance parcourue.

Distance (en km)	**Volume d'essence** (en L)
40	1,8
180	8,1
420	18,9

a. Vérifier qu'il s'agit d'un tableau de proportionnalité.
b. À la distance parcourue x (en km), on associe le volume d'essence (en L).
On note g la fonction qui modélise cette situation.
Recopier et compléter : $g(x) = \dots \times x$
Calculer $g(100)$. Que signifie ce résultat pour la situation proposée ?
c. Déterminer x tel que $g(x) = 14{,}85$. Expliquer ce que signifie ce résultat pour cette situation.

21 Le graphique ci-dessous représente le débit d'une pompe à eau. Au temps x (en min), on associe le volume d'eau pompé (en L).

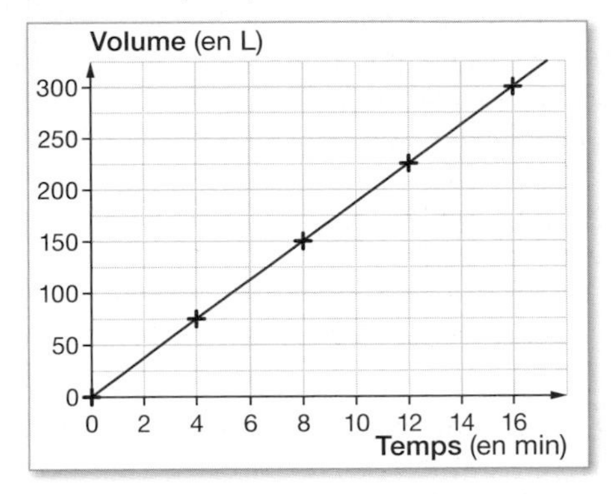

On note V la fonction qui modélise cette situation.
a. Recopier le tableau ci-contre, puis le compléter à l'aide du graphique.

x	4	...	16
V(x)	...	225	...

b. Quelle est la nature de la fonction V ?
Justifier la réponse à l'aide du graphique, puis à l'aide du tableau.

22 Voici un programme de calcul :

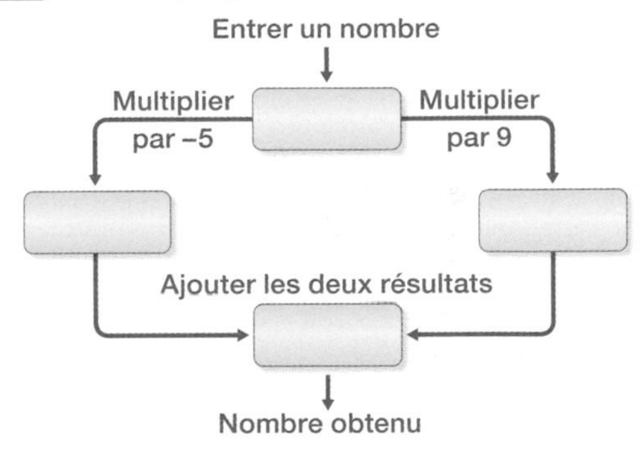

a. Recopier et compléter le tableau ci-dessous :

Nombre de départ	7	–3	1,2
Nombre obtenu	...	...	...

S'agit-il d'un tableau de proportionnalité ? Expliquer.
b. On note f la fonction qui, au nombre x choisi au départ, associe le résultat du programme de calcul. Montrer que f est une fonction linéaire.

23 Ming a relevé la distance qu'elle a parcourue en fonction de son temps de course.

Temps	5 min	20 min	1 h 15 min
Distance	900 m	3,6 km	12 km

A-t-elle couru à allure régulière ? Justifier la réponse.

24 Voici la recette d'un cocktail sans alcool : 15 cL de grenadine, 35 cL de jus d'orange, 25 cL de jus d'ananas.

a. Quelle quantité de grenadine sera nécessaire pour 150 cL de jus d'ananas ?

b. Quelle quantité de jus d'orange doit-on prévoir pour préparer 6 L de ce cocktail ?

25 Les points E, A et C sont alignés. Les points E, B et D sont alignés. Les droites (AB) et (CD) sont parallèles.
Calculer les longueurs EC et AB.
Indiquer la propriété utilisée.

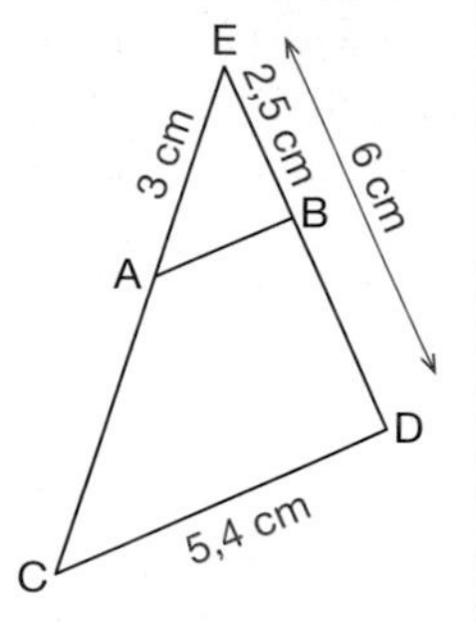

26 Sur la figure ci-contre, les points E, D et H sont alignés, ainsi que les points C, D et I.

DE	DC	EC
5,6 cm	6,4 cm	4,8 cm
3,5 cm	4 cm	3 cm
DH	DI	HI

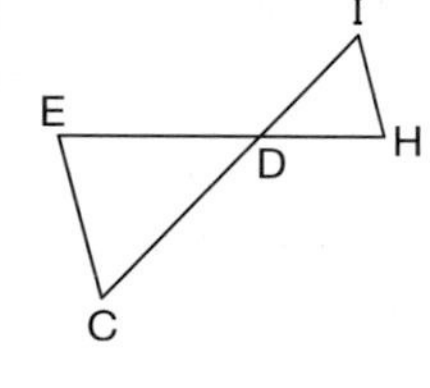

a. Le tableau ci-dessus est-il un tableau de proportionnalité ? Justifier.

b. Que peut-on en déduire pour les droites (EC) et (HI) ?

27 Sur la figure suivante, les points A, B et C sont alignés, ainsi que les points A, D et E.

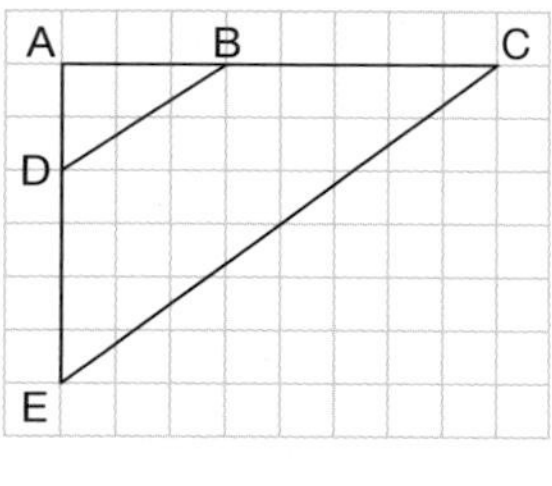

a. Les longueurs des côtés des triangles ACE et ABD sont-elles proportionnelles ?

b. Les droites (BD) et (CE) sont-elles parallèles ?

28 Les droites (LN) et (EP) sont sécantes en I.
Le triangle ILE est-il l'image du triangle PIN par une homothétie ? Justifier.

IP	IN	PN
3,5 cm	3 cm	2,8 cm
5,6 cm	4,8 cm	4,5 cm
IE	IL	LE

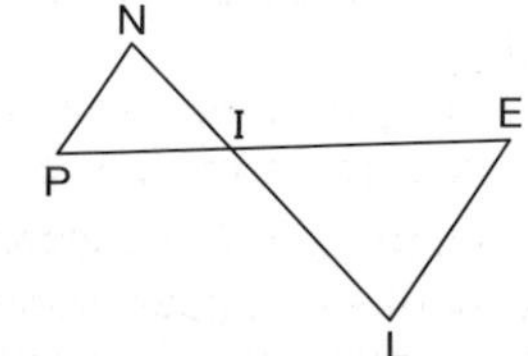

29 Le trapèze VERT est l'image du trapèze BLEU par une homothétie de centre K.

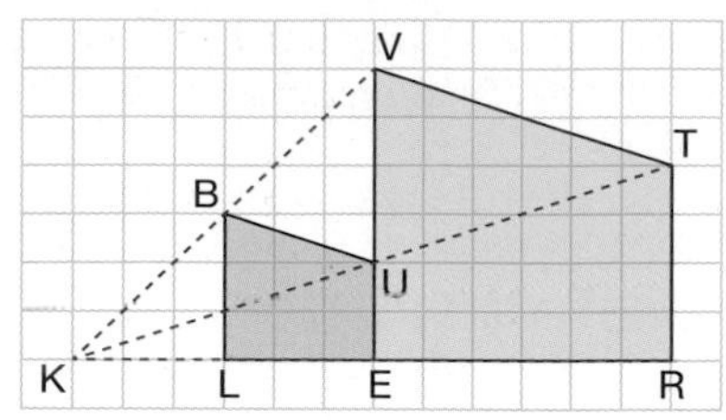

a. Recopier et compléter le tableau ci-dessous :

	BL	UE	…	…
Trapèze BLEU	3	2	…	…
Trapèze VERT	…	…	12	6
	VE	…	KR	KE

b. Quel est le rapport de cette homothétie ?

30 On a réalisé un plan d'une salle de sports rectangulaire. On a consigné les informations dans le tableau suivant :

	Largeur	Longueur
En réalité	9 m	12 m
Sur le plan	12 cm	16 cm

a. S'agit-il d'un tableau de proportionnalité ? Justifier la réponse.

b. Quelle est l'échelle de ce plan ?

c. La diagonale de cette salle mesure en réalité 15 m. Calculer de deux façons différentes la longueur de cette diagonale sur le plan.

31 Le triangle ABC est une réduction du triangle DEF de rapport $\frac{1}{4}$. Le triangle GHI est un agrandissement du triangle DEF.

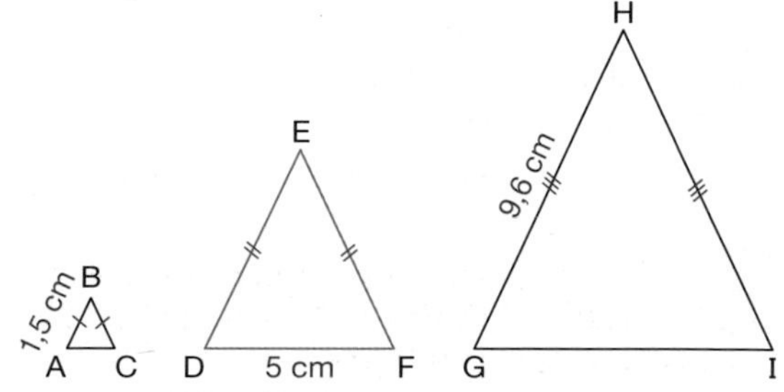

a. Calculer les longueurs AC et DE.

b. Quel est le rapport d'agrandissement du triangle DEF au triangle GHI ?
Calculer la longueur GI.

c. Les longueurs des côtés des triangles ABC et GHI sont-elles proportionnelles ? Justifier.

Pourcentages

32 Une boutique de vente en ligne d'articles de décoration fait payer 5 % du montant de la commande pour les frais de livraison.
Léonie veut acheter une lampe à 120 € et un miroir à 49 €.
Calculer la somme que Léonie devra payer, frais de port compris.

33 Marin veut profiter des soldes pour s'acheter un blouson. Il hésite entre deux modèles.
Comme il n'arrive pas à choisir, il décide d'acheter le moins cher des deux.
Quel blouson Marin choisit-il ? Quel est son prix ?

34 Dylan veut acheter un téléviseur à 420 €.
Il souscrit un crédit à 2,5 % sur un an : cela revient à augmenter le prix du téléviseur de 2,5 %.
a. Combien Dylan va-t-il finalement payer ce téléviseur ?
b. Il paie 70,50 € au moment de l'achat puis la somme restante en 12 mensualités.
Quel est le montant d'une mensualité ?

35 Voici trois situations et trois calculs.
Associer chaque situation au calcul correspondant.
1 Maël a acheté un ordinateur à 450 €. Le commerçant lui accorde une remise de 5 %.
2 Kenza place 450 € sur un livret d'épargne rapportant 5 % d'intérêts par an.
3 Lucie a dépensé 5 % de ses 450 € d'économies pour s'acheter un jeu vidéo.
A $450 \times 1{,}05$ **B** $450 \times 0{,}05$ **C** $450 \times 0{,}95$

36 L'inflation est une hausse générale et durable des prix. En 2012, l'inflation en France a été de 2 %.
Voici un relevé de plusieurs prix.

	Fin 2011	Fin 2012
Baguette de pain	0,90 €	0,95 €
Place de cinéma	9,80 €	10,20 €
Carte d'abonnement pour le bus	65 €	66 €

La hausse du prix de chaque article est-elle conforme à l'inflation ? Justifier.

37 Voici l'évolution de la masse de déchets produite en moyenne par un Français en une année.

Année	Masse de déchets (en kg)
2007	315
2013	276

Source : Agence de l'Environnement et de la Maîtrise de l'Énergie

a. Calculer le pourcentage de baisse de la masse de déchets entre 2007 et 2013. Donner une valeur approchée à l'unité près de ce taux.
b. On souhaite baisser encore cette masse de déchets d'au moins 7 % jusqu'en 2020.
Pour respecter cet objectif, quelle devra être la masse maximale de déchets produite par un Français en 2020 ?

38 Une marmotte adulte hiberne d'octobre à avril. Pendant cette période, sa masse diminue. Au mois d'octobre, une marmotte pèse en moyenne 5,6 kg. À la fin de l'hiver, au mois d'avril, elle pèse 3,5 kg.
a. Calculer le pourcentage de diminution de sa masse entre le mois d'octobre et le mois d'avril.
b. Quel est le pourcentage d'augmentation de sa masse entre le mois d'avril et le mois d'octobre ?

39 Madame Deleau relève chaque trimestre la consommation d'eau de sa famille.

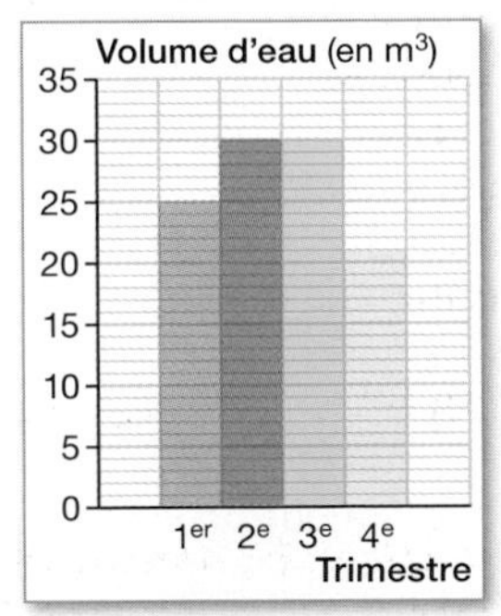

1. Pour la consommation d'eau, calculer le pourcentage :
a. d'augmentation entre le 1er et le 2e trimestre ;
b. de baisse entre le 3e et le 4e trimestre.
2. « Cette famille a consommé 10 % d'eau en moins au 4e trimestre par rapport au 1er trimestre. »
Cette affirmation est-elle exacte ?

Je m'entraîne

40 **1.** Un article coûte 200 €.
a. Son prix augmente de 10 %.
Calculer son nouveau prix.
b. Ce prix diminue ensuite de 5 %.
Quel est alors le prix final ?
2. Nadia obtient le prix final en effectuant le calcul :
$$200 \text{ €} \times 1{,}10 \times 0{,}95$$
Expliquer pourquoi elle a raison.

41 SVT On estime que la France a émis, en 1990, environ 550 millions de tonnes (équivalent CO_2) de gaz à effet de serre (les « GES »).
a. De 1990 à 2014, ces émissions ont baissé de 16 %. Calculer la quantité de GES émis en France en 2014.
b. Il est prévu de réduire de 10 % ces émissions entre 2014 et 2020. Calculer la quantité de GES qui, selon ces prévisions, devraient être émis en 2020.
c. Dans ces conditions, quel serait le pourcentage de réduction entre 1990 et 2020 ?

42 Pendant les soldes, un commerçant diminue le prix d'une montre de 30 % et note son nouveau prix : 84 €.
Calculer le prix de cette montre avant les soldes.

43 Un propriétaire augmentera les loyers de ses appartements de 2 % au 1er janvier de l'année prochaine.
a. Un appartement est loué actuellement 620 € par mois. Calculer le montant de ce loyer pour l'année prochaine.
b. L'année prochaine, un studio sera loué 357 €. Calculer le montant actuel du loyer de ce studio.

44 Un jardinier veut réduire de 12 % la surface des terrains qu'il entretient.
À la surface actuelle d'un terrain (en m²), notée x, on associe sa surface réduite (en m²).
On note f la fonction qui modélise cette situation.
a. Donner l'expression de $f(x)$.
Quelle est la nature de la fonction f ?
b. Recopier et compléter le tableau ci-dessous :

	Terrain A	Terrain B
Surface actuelle x (en m²)	250	...
Surface réduite $f(x)$ (en m²)	...	550

45 Ce mois-ci, le salaire de Norredine a augmenté de 3 %. Il gagne ainsi 1 493,50 €.
Quel était le salaire de Norredine le mois dernier ?

Je m'évalue à mi-parcours

Pour chaque question, une seule réponse est exacte.

	a	b	c	En cas d'erreur
46 6 pots de peinture identiques pèsent 13,5 kg. Alors 5 de ces pots pèsent…	12,5 kg	11,25 kg	11 kg	➧ Cours 1 et ex. 17
47 Le triangle ADE est l'image du triangle ABC par une homothétie. Elle a pour…	centre E et rapport 3	centre A et rapport 3	centre A et rapport $\frac{1}{3}$	➧ Cours 1 et ex. 25
48 Sur la figure représentée ci-contre, la longueur DE est égale à…	$3 \times 4{,}5$ cm	$\frac{6 \times 4{,}5}{2}$ cm	$\frac{4{,}5}{3}$ cm	
49 Le prix de cet article après réduction est… (145 € – 35 %)	110 €	94,25 €	50,75 €	➧ Cours 2 et ex. 1
50 Le salaire de Sarah est passé de 1 250 € à 1 260 €. Son salaire a augmenté de…	0,8 %	8 %	10 %	

Figure : A, B, C, D, E ; 6 cm ; 2 cm ; 4,5 cm

Vérifie tes réponses ➲ p. 259

▶ Utiliser le tableur pour gérer des pourcentages d'évolution

51 Établir une facture

Malo achète plusieurs articles d'informatique.
Le prix de vente toutes taxes comprises (TTC) d'un produit est la somme de son prix hors taxes (HT) et du montant de la taxe sur la valeur ajoutée (TVA). En France, le taux de TVA varie selon les produits et les services.
Le commerçant accorde à Malo une remise de 5 % sur le prix HT.

1 Réaliser la feuille de calcul ci-contre.

	A	B	C	D
1		Prix à l'unité HT (en €)	Quantité	Prix HT (en €)
2	Cartouche d'encre	27	3	
3	Imprimante	85	1	
4	Souris sans fil	15	1	
5	Clé USB 16 Gb	12	3	
6	Ordinateur	599	1	
7			TOTAL HT	
8		TOTAL HT avec remise 5 %		
9			TVA 20 %	
10			TOTAL TTC	

2 **Calcul du montant HT**
a. Dans la cellule D2, saisir la formule `=B2*C2`.
Que calcule-t-on avec cette formule ?
b. Recopier cette formule vers le bas jusqu'à la cellule D6.
Quelle formule doit-on saisir dans la cellule D7 pour calculer le montant total HT ?

3 **Calcul du total HT après la remise de 5 %**
a. Parmi les formules suivantes, laquelle doit-on saisir dans la cellule D8 pour calculer le prix HT après remise de 5 % ?
`=D7*0,05` `=D7*1,05` `=D7*0,95`
b. Saisir la formule et vérifier que ce total HT avec la remise est de 775,20 €.

4 **Calcul du total TTC**
Le taux de TVA appliqué sur le matériel informatique est 20 %.
a. Saisir dans la cellule D9 la formule permettant de calculer le montant de la TVA.
b. Dans la cellule D10, saisir la formule permettant de calculer le montant total TTC.

52 Appliquer deux réductions

Dans une boutique, des articles sont soldés à – 15 %, – 20 % ou – 30 %.
La dernière semaine des soldes, le commerçant applique une deuxième démarque à tous les articles : il baisse les prix déjà soldés de 20 %. Il utilise une feuille de calcul pour connaître plus rapidement le prix final.

a. Réaliser la feuille de calcul ci-contre.

	A	B	C	D	E	F	G
1	Prix initial (en €)	38	62	95	145	110	85
2	Pourcentage de réduction (%)	15	15	20	20	30	30
3	Prix (en €) après la 1re remise						
4	Prix (en €) après la 2e remise de 20 %						
5	Remise totale (en €)						
6	Pourcentage total de réduction (%)						

b. Dans la cellule B3, saisir la formule `=B1*0,85`. La recopier dans la cellule C3.
c. Dans la cellule D3, saisir la formule permettant de calculer le prix après une remise de 20 %.
Recopier cette formule dans la cellule E3.
De la même façon, saisir les formules appropriées dans les cellules F3 et G3 pour une remise de 30 %.
d. Dans la cellule B4, saisir la formule `=B3*0,8`. La recopier vers la droite jusqu'à la cellule G4.
e. Pour calculer la remise totale, saisir dans la cellule B5 la formule `=B1-B4`.
La recopier vers la droite jusqu'à la cellule G5.
f. Pour calculer le pourcentage total de réduction sur chaque article, saisir dans la cellule B6 la formule `=B5/B1*100`. La recopier vers la droite jusqu'à la cellule G6.
g. Observer que le pourcentage total de réduction n'est pas la somme des deux pourcentages de réduction.

S'initier au raisonnement

53 Organiser sa démarche

Modéliser • Raisonner • Communiquer

Pour vernir les quatre murs et la porte d'un hangar en bois, on utilise le vernis ci-dessous :

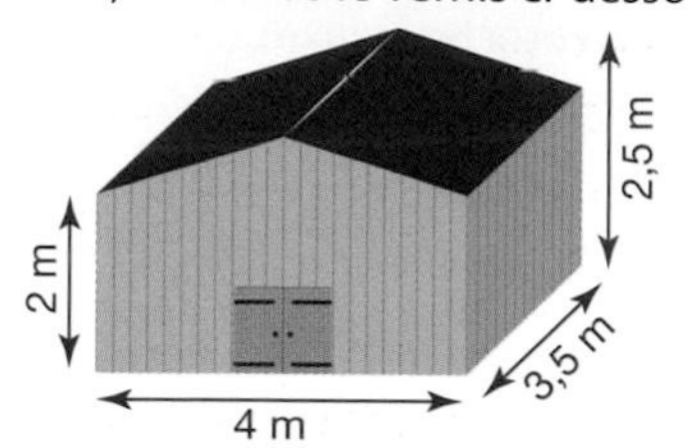

Vernis extérieur
- Pot de 2,5 L
- Rendement : $9\ m^2$ par litre
- Deux couches nécessaires
- Prix : 35,80 €

Quel est le montant minimal à prévoir pour l'achat des pots de vernis ?

Conseil
Décompose les façades pentagonales en deux surfaces dont on sait calculer l'aire.

54 Reconnaître la proportionnalité

Modéliser • Raisonner • Communiquer

ABC est un triangle dont les côtés ont pour longueurs 4,5 cm, 6 cm et 7,5 cm.
DEF est un triangle rectangle en E tel que DE = 5,4 cm et EF = 7,2 cm.
DEF est-il un agrandissement de ABC ?

Conseil
Tu dois trouver la dimension manquante du triangle DEF.

55 Comparer des promotions

Chercher • Raisonner • Communiquer

Voici des informations sur une bouteille de jus de fruits.
Le fabricant hésite entre deux promotions.

Promotion n° 1	Promotion n° 2
20 % de boisson en plus. Prix inchangé.	Réduction du prix de 20 %.

Laquelle de ces deux promotions serait la plus avantageuse pour le client ?

Conseil
Pour comparer ces promotions, tu peux penser à calculer le prix d'un litre de boisson dans chaque cas.

56 Comparer des évolutions

Raisonner • Calculer • Communiquer

Un ordinateur est proposé au même prix sur deux sites marchands : TechPlus et LogiShop.
Sur le site TechPlus, son prix augmente de 20 %, puis baisse de 40 %.
Sur le site LogiShop, son prix baisse de 10 %, puis baisse de 20 %.
Sur quel site vaut-il mieux l'acheter maintenant ?

Conseil
Tu peux noter x le prix initial (en €) de l'ordinateur sur les deux sites.

57 Calculer des intérêts

Raisonner • Calculer • Communiquer

Maeva dépose 500 € sur un compte bancaire qui rapporte 4 % d'intérêts par an.
À la fin de chaque année, les intérêts acquis s'ajoutent à la somme déposée et sont alors pris en compte pour le calcul des intérêts de l'année suivante.
Maeva n'effectue pas de retrait.
Combien d'années, au minimum, Maeva doit-elle laisser cette somme d'argent placée pour disposer d'au moins 600 € ?

Conseil
Quelle est la somme d'argent dont Maeva disposera au bout de 1 an ? de 2 ans ?

58 Retrouver un pourcentage

Raisonner • Calculer • Communiquer

Des experts estiment que la population de thons dans les océans a diminué de 68 % depuis 1950.
De quel pourcentage devrait augmenter la population actuelle pour revenir à la population de 1950 ?

Conseil
Par quel nombre multiplie-t-on le nombre de thons de 1950 pour obtenir le nombre actuel ?

Organiser son raisonnement

59 Utiliser plusieurs pourcentages

Chercher • Raisonner • Communiquer

Le coût de fabrication d'un vêtement est composé à 60 % du coût de la main-d'œuvre et à 40 % du coût des matières premières.
En une année, le coût de la main-d'œuvre a augmenté de 5 %. Le coût des matières premières a augmenté de 15 %.
Exprimer, en pourcentage, l'augmentation du coût de fabrication de ce vêtement.

60 Justifier une affirmation

Modéliser • Raisonner • Communiquer

Dans un carré, la longueur de la diagonale est proportionnelle à la longueur du côté.
Manon

Montrer que cette affirmation est vraie.

61 Utiliser une formule

Raisonner • Calculer • Communiquer

Un aquarium a la forme d'un cylindre de hauteur 5 dm et a, selon la notice, un volume total de 98,2 L.
Tom a mesuré la quantité d'eau V (x), en L, en fonction de la hauteur x, en dm.

x (en dm)	2	2,4	3
Volume (en L)	39,3	47,2	58,9

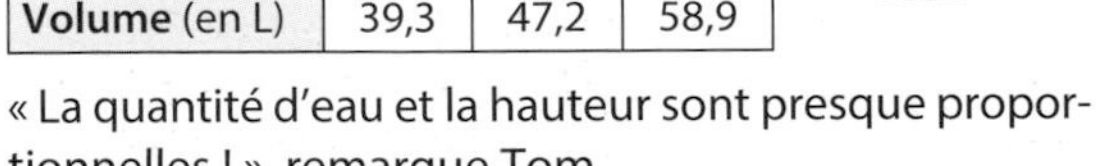

« La quantité d'eau et la hauteur sont presque proportionnelles ! », remarque Tom.
« Elles sont exactement proportionnelles, il suffit d'utiliser la formule du volume d'un cylindre pour le vérifier ! », répond Léa.

a. Expliquer, à l'aide du tableau de mesures, la remarque de Tom.

b. Expliquer l'affirmation de Léa à l'aide de la formule du volume du cylindre.
Exprimer V (x) en fonction de x.

c. Calculer le rayon, en dm, du disque de base de l'aquarium.
Donner une valeur approchée au dixième près.

62 Étudier plusieurs informations

Chercher • Raisonner • Communiquer

Victor envisage d'installer dix panneaux solaires sur le toit de sa maison.
Il dispose des informations suivantes :

Panneau solaire rectangulaire : 1,2 m × 1,5 m	Une entreprise rachète l'électricité produite au prix de 0,55 € par kWh.

Production moyenne d'électricité en fonction de la surface de panneaux (dans des conditions d'ensoleillement satisfaisantes)

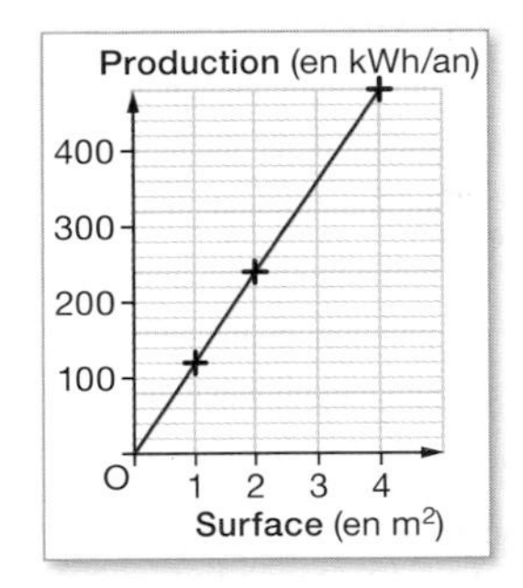

a. Montrer que Victor peut espérer une production annuelle d'électricité de 2 160 kWh.

b. Pour ce projet, Victor doit investir 11 000 €.
Au bout de combien d'années aura-t-il amorti son investissement ?

63 Comparer des données

Chercher • Raisonner • Communiquer

Une partie de la représentation graphique dans un repère d'une fonction linéaire f a été effacée.
Parmi les propositions suivantes, retrouver le seul tableau et la seule formule associés à cette fonction f.
Justifier chaque réponse.

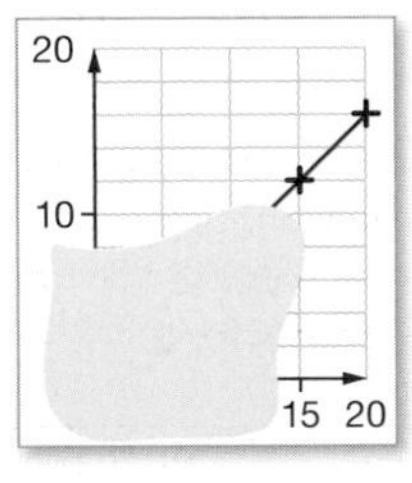

A

x	15	6,5
$f(x)$	12	5

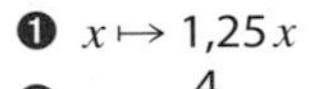

❶ $x \mapsto 1,25x$

❷ $x \mapsto \frac{4}{5}x$

❸ $x \mapsto x \div 0,8$

B

x	12	16
$f(x)$	15	20

C

x	20	30
$f(x)$	16	24

J'utilise mes compétences

64 Communiquer en anglais 

Chercher • Raisonner • Communiquer

Ethan has ordered a headset on the Internet.

a. Copy and complete his order form :

Headset	85.00 $
Discount – 30%	......
Shipping cost	5.10 $
TOTAL COST	......

b. Work out the final percentage reduction.

65 Analyser une figure

Chercher • Raisonner • Communiquer

NAO et RAD sont deux triangles isocèles en A tels que :
- N, A, R sont alignés ainsi que O, A, D ;
- AR = 3 × AN ;
- (DR) et (ON) sont parallèles.

Les affirmations suivantes sont-elles vraies ou fausses ? Justifier les réponses.

a. Les triangles NOA et RAD sont symétriques par rapport au point A.

b. RAD est l'image du triangle NAO par une homothétie de centre A.

c. Le tableau suivant est un tableau de proportionnalité :

Longueur (en cm)	AN	NO
Longueur (en cm)	AR	DR

66 Estimer une valeur

Modéliser • Raisonner • Calculer

Un patient reçoit une dose de 1,8 mg d'un médicament.
Ce médicament se diffuse dans le corps puis est progressivement éliminé.
On considère que le corps élimine chaque heure 30 % de la quantité de médicament présente dans le sang l'heure précédente.
« 4 heures après l'injection, il restera moins de 0,5 mg de ce médicament dans le sang de ce patient. »
Cette affirmation est-elle exacte ? Justifier.

67 Étudier des évolutions successives

Raisonner • Calculer • Communiquer

Océane agrandit une photo dans le rapport 300 %, puis la réduit dans le rapport 25 % et enfin l'agrandit dans le rapport 150 %.
La photo obtenue est-elle un agrandissement de la photo initiale ? Justifier.

68 Étudier une réduction TICE

Chercher • Modéliser • Communiquer

Le volume d'un cube a été réduit de 20 %.
Utiliser le tableur pour déterminer le pourcentage dont a été réduit son côté. Donner une valeur approchée au dixième près de ce taux de pourcentage.

69 Prendre des initiatives

Raisonner • Communiquer

On diminue de 10 % la largeur d'un rectangle et on augmente de 10 % sa longueur.
Est-ce que l'aire de ce rectangle augmente, diminue ou reste inchangée ? Justifier.

70 Imaginer une stratégie

Chercher • Représenter • Communiquer

Ce diagramme représente la façon dont Louane a réparti ses dépenses de loisirs cette année.

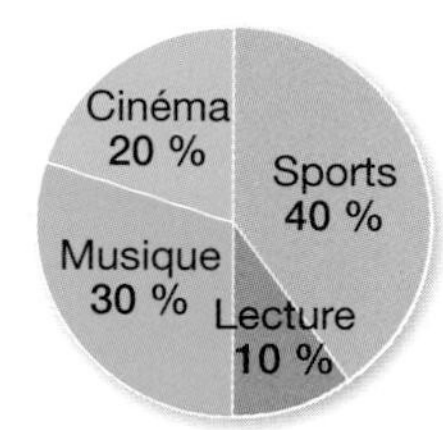

Elle prévoit pour l'an prochain d'augmenter ses dépenses de sports de 50 %, de cinéma de 5 %, de musique de 5 % et de lecture de 25 %.
Représenter la répartition de ses dépenses de loisirs pour l'an prochain par un diagramme circulaire.

71 Narration de recherche 

Problème

M. Avare dispose de 1 000 €.
Sachant qu'il n'effectue pas de retrait d'argent, à quel taux d'intérêt maximal doit-il placer cette somme d'argent pour que celle-ci double en 10 ans ? Donner une valeur approchée de ce taux au dixième près.

Raconter sur une feuille les différentes étapes de la recherche et les remarques qui ont fait changer de méthode ou qui ont permis de trouver.

72 Problème ouvert

Modéliser • Raisonner • Communiquer

Ulysse entreprend un long voyage de 101 km.
Le premier jour, il parcourt 10 km ; le second jour, il parcourt une distance inférieure de 10 % à celle du premier jour. Il continue ainsi son voyage en parcourant chaque jour une distance inférieure de 10 % à celle qu'il a parcourue la veille.
Ulysse arrivera-t-il au bout de son voyage ?

73 Calculer des proportions

Afin de financer un échange scolaire avec le Mexique, un collège organise un repas mexicain.
50 personnes se sont inscrites pour ce repas. Le cuisinier a acheté les ingrédients nécessaires à la préparation d'un plat typique du Mexique, le *Chili con carne*.

Recette pour 4 personnes
- 50 g de beurre
- 400 g de haricots rouges
- 500 g de bœuf haché
- 2 gros oignons
- 65 g de concentré de tomate

Ingrédients achetés par le cuisinier
- 2 plaquettes de beurre de 500 g
- 6 kg de haricots rouges
- 7 kg de bœuf haché
- 30 gros oignons
- 1 kg de concentré de tomate

Au dernier moment, 8 personnes supplémentaires souhaitent s'inscrire à ce repas.
Le cuisinier a-t-il assez d'ingrédients pour recevoir ces personnes supplémentaires ?

Conseil
Commence par calculer les quantités de la recette pour une personne.

74 Utiliser des pourcentages

a. Quel est le prix de cet article avant les soldes ?

SOLDES
Ancien prix : ?
Soldes : −30 %
Nouveau prix : 49,00€

b. Quel est le nombre caché par la tache ?

Ancien prix : 84,00€
Soldes : ■ %
Nouveau prix : 63,00€

Conseil
a. Par quel nombre multiplie-t-on l'ancien prix pour trouver le nouveau prix ?

75 Calculer un pourcentage

Loan a participé à un triathlon. Avant le départ, il pesait 80 kg. À l'arrivée, il a perdu 4 % de son poids.
De quel pourcentage ce poids doit-il augmenter pour que Loan retrouve son poids d'avant la course ?
Donner une valeur approchée au dixième près.

Conseil
Combien pèse Loan à l'arrivée du triathlon ?

76 Comparer des promotions

Dans ces trois magasins, le modèle de cahier dont Léa a besoin a le même prix avant promotion.

Magasin A
Cahier à l'unité ou 3 cahiers pour le prix de 2.

Magasin B
Pour un cahier acheté, le deuxième à moitié prix.

Magasin C
30 % de réduction sur chaque cahier acheté.

1. Expliquer pourquoi le magasin C est plus intéressant si elle n'achète qu'un cahier.

2. Quel magasin doit-elle choisir si elle veut acheter :
a. deux cahiers ? **b.** trois cahiers ?

3. La carte de fidélité du magasin C permet d'obtenir 10 % de réduction sur le ticket de caisse, y compris sur les articles ayant déjà bénéficié d'une première réduction.
Léa possède cette carte de fidélité. Elle l'utilise pour acheter un cahier. Quel pourcentage total de réduction va-t-elle obtenir ?

Conseil
Tu peux nommer x le prix d'un cahier (en €).
Puis, pour chaque magasin, exprime les prix réduits en fonction de x.

77 Calculer une vitesse

Une compagnie de transport maritime met à disposition deux bateaux, appelés Catamaran Express et Ferry Vogue, pour une traversée inter-îles de 17 km.

a. Le premier départ de Catamaran Express est à 5 h 45 pour une arrivée à 6 h 15.
Calculer sa vitesse moyenne, en km/h.
b. La vitesse moyenne de Ferry Vogue est de 20 km/h. À quelle heure est prévue son arrivée s'il quitte le quai à 6 h ?

Conseil
a. Commence par trouver la durée du trajet en heures.
b. Pense à convertir une fraction d'heure en minutes.

Avec une aide

78 Utiliser un graphique Physique

L'eau, en gelant, augmente de volume. La droite ci-après représente la quantité de glace (en L) obtenue à partir de la quantité d'eau liquide (en L).

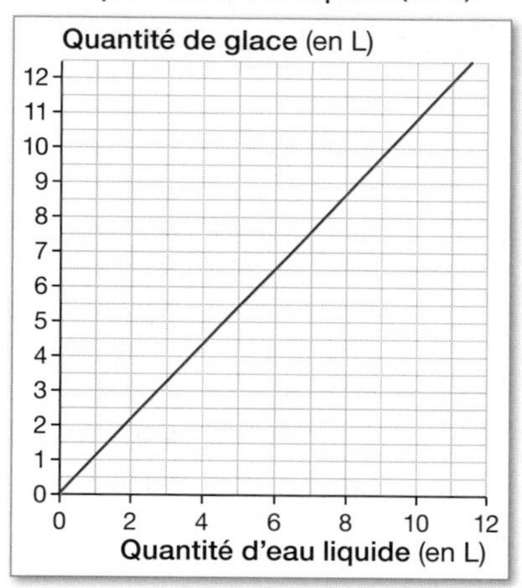

1. En utilisant le graphique, répondre aux questions suivantes.

a. Quelle quantité de glace obtient-on à partir de 6 L de liquide ?

b. Quelle quantité d'eau liquide faut-il mettre à geler pour obtenir 10 L de glace ?

2. La quantité de glace est-elle proportionnelle à la quantité d'eau liquide ? Justifier.

3. On admet que 10 L d'eau donnent 10,8 L de glace. De quel pourcentage cette quantité d'eau augmente-t elle en gelant ?

Conseil

1. Le graphique ne permet qu'une lecture approximative.

79 Utiliser la proportionnalité

Un menuisier étudie le croquis de la plaque de bois dessinée ci-contre.

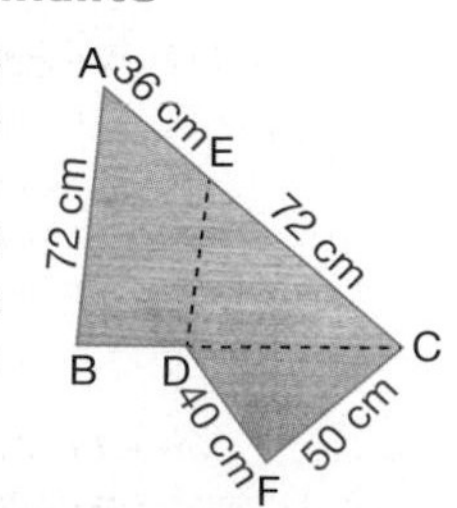

Le triangle DEC est une réduction du triangle BAC et le triangle FDC est une réduction du triangle DEC.

Calculer la longueur DC.

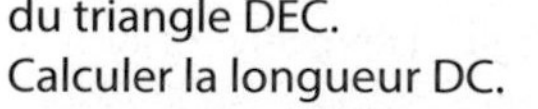

Conseil

Commence par calculer AC, puis DE.

Sans aide maintenant

80 Compléter une facture

Un stage de voile pour enfants est proposé pendant les vacances.

Le prix affiché d'un stage pour un enfant est de 115 €.

Lorsqu'une famille inscrit deux enfants ou plus, elle bénéficie d'une réduction qui dépend du nombre d'enfants inscrits.

a. Une famille qui inscrit trois enfants paie 310,50 €. Pour cette famille, quel est, par enfant, le prix de revient d'un stage ?

b. Recopier et compléter les deux factures ci-dessous. Écrire les calculs effectués.

Facture 1	
Prix d'un stage	115 €
Nombre d'enfants inscrits	2
Prix total avant réduction	...
Montant de la réduction (5 % du prix total avant réduction)	...
Prix total à payer	...

Facture 2	
Prix d'un stage	115 €
Nombre d'enfants inscrits	3
Prix total avant réduction	...
Montant de la réduction (...% du prix total avant réduction)	...
Prix total à payer	310,50 €

c. « Pour une famille de 2 enfants, le montant de la réduction est de 2,5 % par enfant. »

Cette affirmation est-elle correcte ? Justifier.

81 Comparer des vitesses

« Les 24 heures du Mans » est le nom d'une course automobile : les voitures tournent sur un circuit pendant 24 heures. La voiture gagnante est celle qui a parcouru la plus grande distance. Un tour a une longueur de 13,629 km.

À la fin de la course :

- la voiture n° 27 a parcouru 300 tours ;
- la voiture n° 28 a roulé à la vitesse moyenne de 108 mph.

Le mile par heure (*mile per hour*, noté mph) est une unité de vitesse utilisée par les Anglo-Saxons : 1 mile ≈ 1 609 mètres.

Comparer les vitesses moyennes de ces deux voitures.

82 Le fourgon

Pour réaliser un abri de jardin en parpaing, un bricoleur a besoin de 300 parpaings de dimensions 50 cm × 20 cm × 10 cm pesant chacun 10 kg.
Il achète les parpaings dans un magasin situé à 10 km de sa maison.
Pour les transporter, il loue un fourgon au magasin.

Doc. 1 Caractéristiques du fourgon

- 3 places assises.
- Dimensions du volume transportable ($L \times l \times h$) : 2,60 m × 1,56 m × 1,84 m.
- Charge pouvant être transportée : 1,7 tonne.
- Volume du réservoir : 80 L.
- Diesel (consommation : 8 L pour 100 km parcourus).

Doc. 2 Le parpaing

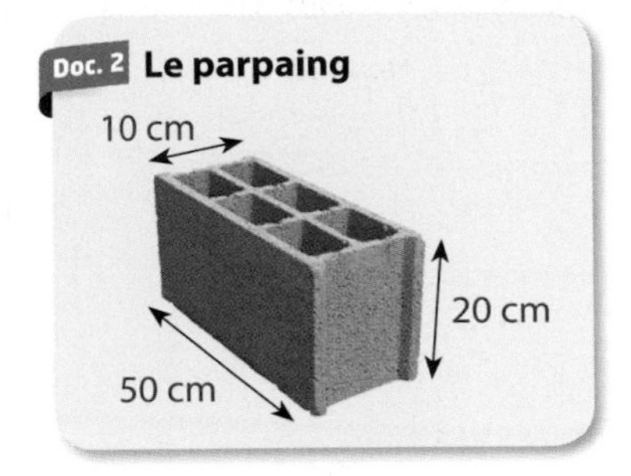

Doc. 3 Tarifs de location du fourgon

1 jour 30 km maximum	1 jour 50 km maximum	1 jour 100 km maximum	1 jour 200 km maximum	km supplémentaire
48 €	55 €	61 €	78 €	2 €

Ces prix comprennent le kilométrage indiqué hors carburant.

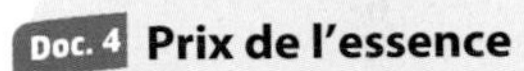

Doc. 4 Prix de l'essence

Un litre de carburant coûte 1,10 €.

a. Expliquer pourquoi il devra effectuer deux allers-retours pour transporter les 300 parpaings jusqu'à sa maison.
b. Quel sera le coût total du transport ?
c. Les tarifs de location du fourgon sont-ils proportionnels à la distance maximale autorisée par jour ?

83 Le vendeur de glaces

Peio, un jeune Basque, décide de vendre des glaces du 1er juin au 31 août inclus à Hendaye.
Pour vendre ses glaces, Peio hésite entre deux emplacements :
– une paillotte sur la plage ;
– une boutique au centre-ville.
Aider Peio à choisir l'emplacement le plus rentable.

Doc. 1 Loyers des deux emplacements proposés

- La paillotte sur la plage : 2 500 € par mois.
- La boutique au centre-ville : 60 € par jour.

Doc. 2 Météo à Hendaye

Du 1er juin au 31 août inclus :
- le soleil brille 75 % du temps ;
- le reste du temps, le temps est nuageux ou pluvieux.

Doc. 3 Prévisions des ventes par jour selon la météo

	Soleil	Nuageux-pluvieux
La paillotte	500 €	50 €
La boutique	350 €	300 €

On rappelle que le mois de juin comporte 30 jours et que les mois de juillet et août comportent 31 jours.

CHAPITRE

10 Étudier l'effet d'un agrandissement-réduction

France Miniature, dans les Yvelines, est le plus grand parc de miniatures d'Europe. Il permet de découvrir une centaine de monuments reproduits à l'échelle $\frac{1}{30}$ et mis en scène dans un parc de 5 hectares.

Vu au Cycle 4

Pour chaque question, une réponse ou plusieurs sont exactes.

		a	b	c
1	Un agrandissement de la figure ci-contre est…			
2	Une réduction de la figure ci-contre est…			
3	Sur un plan à l'échelle 1/200 000, la distance entre deux villes est 15 cm. La distance à vol d'oiseau entre ces deux villes dans la réalité est…	30 000 m	7,5 km	30 km
4	Un disque a pour diamètre 10 cm. La valeur exacte de son aire est…	10π	25π	100π
5	Une pyramide régulière a pour base un carré de côté 50 cm et pour hauteur 60 cm. Le volume de cette pyramide est…	50 dm^3	150 dm^3	0,05 m^3

D'autres exercices sur ***le site compagnon*** 

Vérifie tes réponses ➲ *p. 259*

Activité 1

Agrandissement-réduction et aires

La porte rectangulaire d'une maison du XVIe siècle à Clermont-Ferrand (Puy-de-Dôme) est surmontée d'un linteau en forme de triangle isocèle.

a. Construire le rectangle et le triangle isocèle rouges (voir la photo ci-contre) en multipliant les dimensions réelles par 0,04 (c'est-à-dire à l'échelle $\frac{1}{25}$).

b. Sur la même figure, construire le rectangle blanc qui représente la porte.

c. Calculer les aires $\mathscr{A}$, en m², de la porte en vraie grandeur et $\mathscr{A}'$, en m², de la porte sur la figure.
Calculer le rapport $k = \frac{\mathscr{A}'}{\mathscr{A}}$.
Quel lien a-t-il avec le nombre 0,04 ?

d. Calculer le rapport des aires des rectangles rouges sur la figure et dans la réalité.
Que peut-on remarquer ?

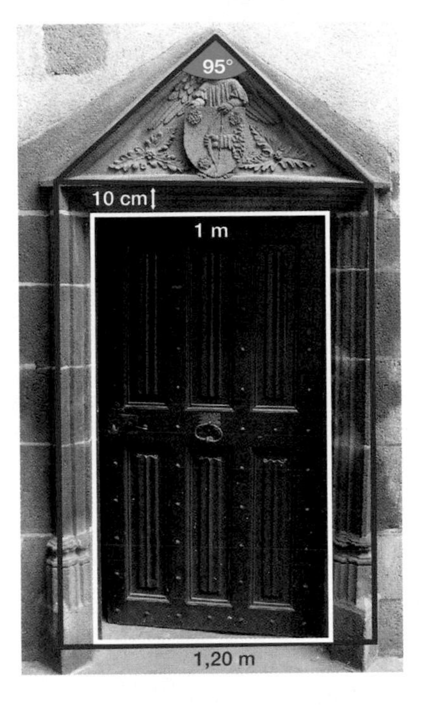

Agrandissement-réduction et volumes

Art & culture

Jean-Pierre Raynaud est un plasticien français. Il a réalisé en 1990 cette *Stèle pour les droits de l'homme*, située dans les jardins de Joan Maragall à Barcelone.
Elle est réalisée avec des carreaux de faïence de 15 cm de côté.
Elle est composée d'un parallélépipède rectangle surmonté de trois cubes.
Eliot veut construire une maquette de cette stèle avec des cubes en bois de 3 cm d'arrête.

a. Recopier et compléter ce tableau par des dimensions en centimètres.

	Parallélépipède rectangle			Cube supérieur
	Largeur	Profondeur	Hauteur	Arête
Stèle		30 cm		
Maquette				6 cm

b. Calculer les volumes $\mathscr{V}$, en cm³, du parallélépipède rectangle de la stèle et $\mathscr{V}'$, en cm³, du parallélépipède rectangle sur la maquette.

Calculer le rapport $k = \frac{\mathscr{V}'}{\mathscr{V}}$; vérifier que $k = 0{,}2^3$.

c. Calculer le rapport des volumes des cubes supérieurs sur la stèle et sur la maquette.
Que peut-on remarquer ?

1 Agrandissement-réduction

Définition **Agrandir** ou **réduire** une figure, c'est construire une figure de **même forme** en **multipliant les longueurs** de la figure initiale par un nombre k strictement positif.

Vocabulaire

On dit que k est **le rapport** d'agrandissement ou de réduction.
- Si $k > 1$, il s'agit d'un **agrandissement**.
- Si $0 < k < 1$, il s'agit d'une **réduction**.
- Si $k = 1$, il s'agit d'une reproduction.

2 Effets sur les longueurs et les angles

Propriétés Dans un agrandissement ou une réduction de rapport k :
- les longueurs sont toutes multipliées par k ;
- les mesures des angles sont conservées.

Exemple

La figure rouge est un agrandissement de la figure noire dans le rapport 3,5.
Donc, d'après les propriétés ci-dessus :

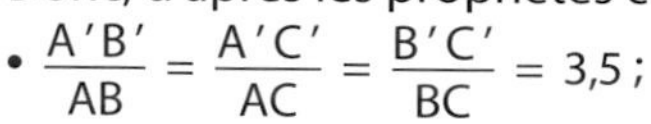

- $\frac{A'B'}{AB} = \frac{A'C'}{AC} = \frac{B'C'}{BC} = 3{,}5$;
- $\widehat{BAC} = \widehat{B'A'C'}$
- (BC) est perpendiculaire à (AB), donc (B'C') est perpendiculaire à (A'B').

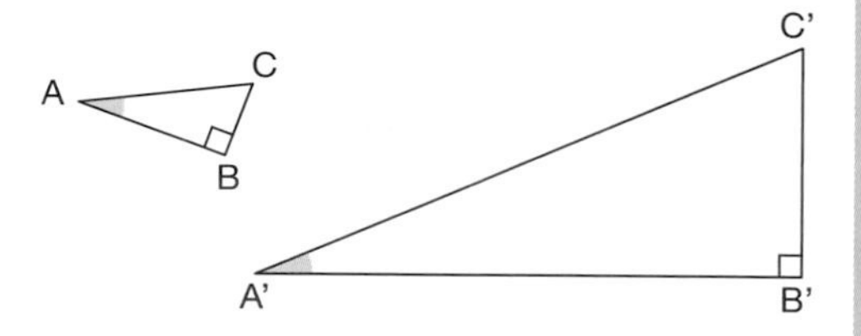

3 Effets sur les aires et les volumes

Propriétés Dans un agrandissement ou une réduction de rapport k :
- l'aire d'une surface est multipliée par k^2 ;
- le volume d'un solide est multiplié par k^3.

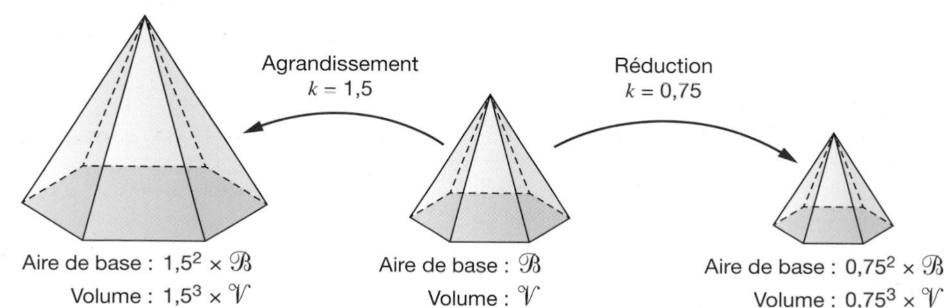

J'apprends à ► Agrandir ou réduire une figure

Exercice résolu

1 **Énoncé**

ABC est un triangle tel que :

$AB = 4$ cm, $BC = 2,4$ cm et $\widehat{ABC} = 130°$.

(*d*) est la droite perpendiculaire en C à la droite (AC).

Construire une réduction de cette figure de façon que le côté [A'B'] correspondant à [AB] mesure 3 cm.

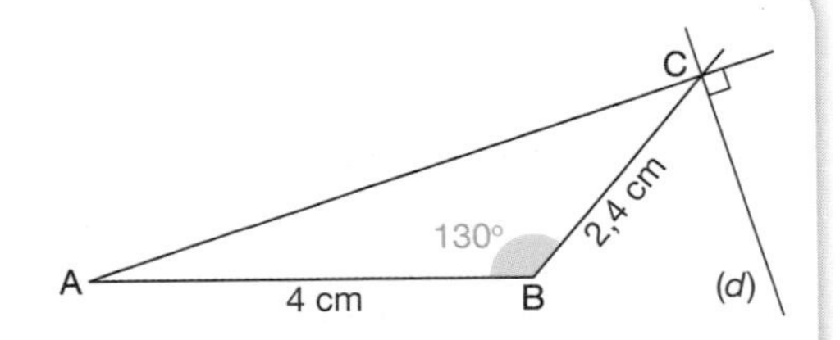

Solution

• On calcule le rapport k de réduction.
$A'B' = k \times AB$, c'est-à-dire $3 = 4 \times k$.
Donc $k = \frac{3}{4} = 0,75$.

• On calcule la longueur B'C'.
$B'C' = k \times BC$, c'est-à-dire $B'C' = 0,75 \times 2,4 = 1,8$.
Donc $B'C' = 1,8$ cm.

• Dans une réduction, les mesures des angles sont conservées donc :
– $\widehat{A'B'C'} = 130°$,
– les droites (A'C') et (*d*') sont perpendiculaires.

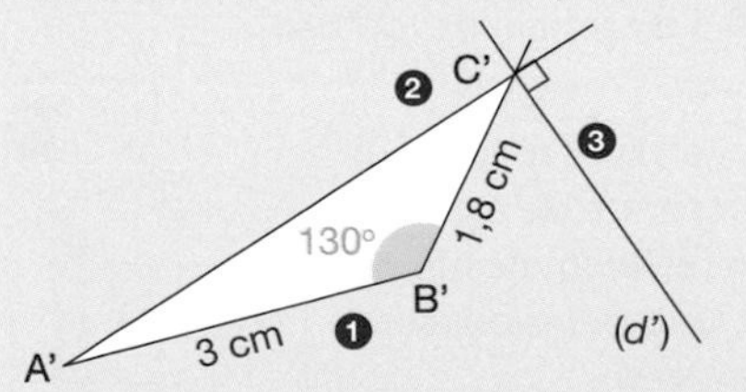

Conseils

• $k = \frac{\text{longueur obtenue}}{\text{longueur initiale}}$

• On construit dans cet ordre :
❶ le segment [A'B'] de longueur 3 cm ;
❷ le point C' tel que $\widehat{A'B'C'} = 130°$ et $B'C' = 1,8$ cm ;
❸ la droite (*d*') perpendiculaire à la droite (A'C') en C' (car une réduction conserve la perpendicularité).

Sur le même modèle

2 ABC est un triangle tel que :

$AB = 4$ cm, $BC = 2$ cm et $\widehat{ABC} = 50°$

(*d*) est la droite perpendiculaire à la droite (AB) et passant par C.

Construire un agrandissement de cette figure de telle sorte que le segment [A'B'] correspondant au côté [AB] mesure 6 cm.

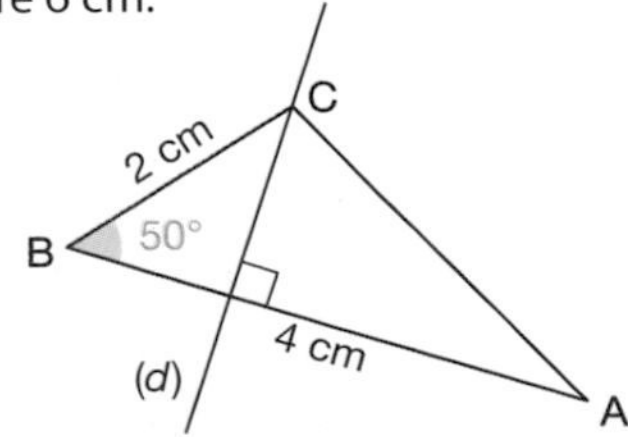

3 **a.** Construire un triangle JKL tel que :

$JK = 7,2$ cm, $JL = 4,8$ cm et $KL = 4$ cm

b. Construire un agrandissement de ce triangle dans le rapport 1,75.

4 Construire une réduction dans le rapport 0,8 de ce triangle rectangle.

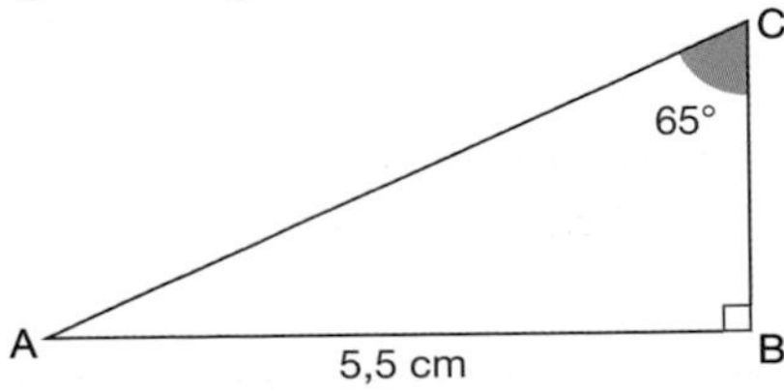

À L'oral

5 Le disque orange est un agrandissement du disque vert.
Quel est le rapport d'agrandissement ?

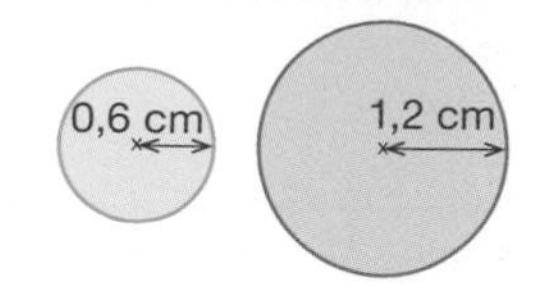

6 Voici deux losanges.
L'un est-il un agrandissement de l'autre ? Expliquer.

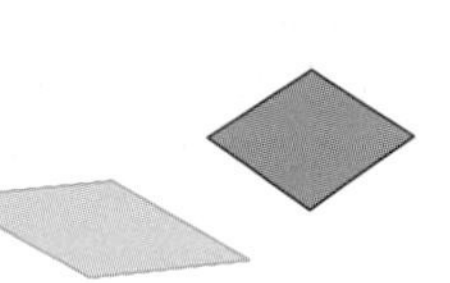

7 Le triangle MNP est une réduction du triangle ABC.
Dans quel rapport ?
En déduire la mesure de l'angle $\widehat{NMP}$.

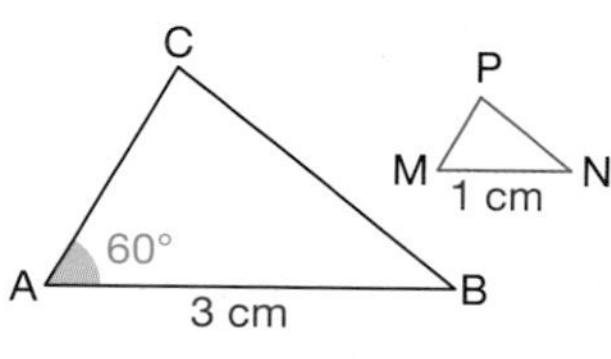

8 ABCD est un carré de périmètre 20 cm.
Une réduction de ce carré a pour côté 4 cm.
Quel est le rapport de réduction ?

9 On réduit une figure dans le rapport 0,2.
Par combien est multipliée son aire ?

10 Dans la réduction d'un carré, l'aire a été multipliée par $\frac{4}{9}$.
a. Quel est le rapport de cette réduction ?
b. L'aire du grand carré est 18 cm^2. Quelle est l'aire du petit carré ?

11 On agrandit un cube ; son volume est multiplié par 27.
a. Quel est le rapport d'agrandissement ?
b. Par combien a été multipliée l'aire de chaque face du cube ?

12 Un terrain de football est un rectangle de dimensions 112 m et 60 m.
Un terrain de basket est un rectangle de dimensions 25 m et 15 m.

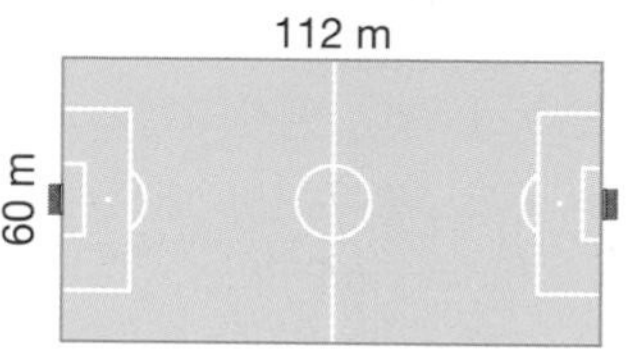

Les affirmations de Younès et de Lola sont-elles vraies ou fausses ? Expliquer.
Younès : « Le terrain de football est un agrandissement dans le rapport 4 du terrain de basket. »
Lola : « Le terrain de basket est une réduction dans le rapport 0,4 du terrain de football. »

13 On veut remplir un récipient en forme de cylindre à l'aide d'un récipient de même forme dont les dimensions sont 5 fois plus petites.
Combien de fois devra-t-on verser tout le contenu du petit dans le grand ?

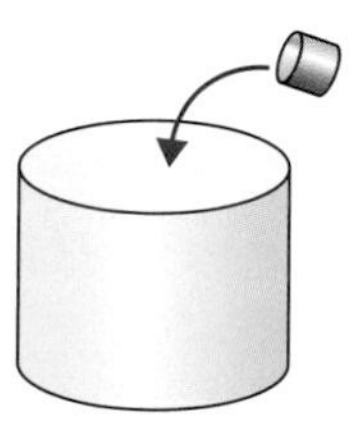

Calcul mental

14 ABCD est un rectangle tel que :
AB = 4 cm et BC = 7 cm.
Calculer mentalement les dimensions :
a. du rectangle EFGH qui est une réduction dans le rapport 0,7 de ABCD ;
b. du rectangle IJKL qui est un agrandissement dans le rapport 1,5 de ABCD.

15 On a construit un cube d'arête 4 cm puis une réduction de ce cube dont le volume est 8 cm^3.
Calculer mentalement le rapport de réduction qui a été utilisé.

16 On construit un cube d'arête 5 cm, puis un agrandissement de ce cube dont le volume est 1 000 cm^3. Calculer mentalement le rapport d'agrandissement qui a été utilisé.

17 Donner des informations sur un agrandissement A'B'C' de ce triangle ABC dans le rapport 2,5.

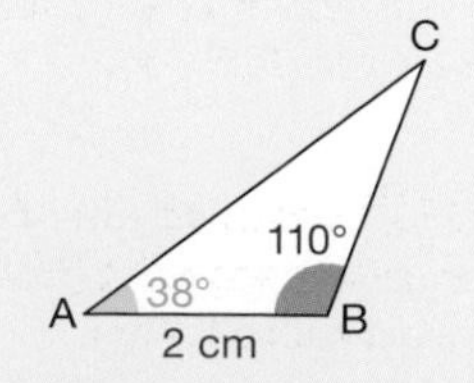

Agrandissement-réduction

18 **a.** Construire deux rectangles :
- ABCD tel que AB = 5 cm et BC = 3 cm ;
- EFGH tel que EF = 7,5 cm et FG = 5 cm.

b. EFGH est-il un agrandissement de ABCD ? Justifier la réponse.

19 Le rayon de base d'un cylindre bleu mesure 1,8 cm et celui d'un cylindre vert 2,7 cm.
La hauteur du cylindre bleu est 4,5 cm et celle du cylindre vert est 6,8 cm.
Le cylindre vert est-il un agrandissement du cylindre bleu ? Justifier la réponse.

20 Une boîte de sucre et un morceau de sucre ont la forme d'un parallélépipède rectangle.
Les dimensions de l'intérieur de la boîte de sucre sont : 17,1 cm ; 11,2 cm et 5,4 cm.
Les dimensions d'un morceau de sucre sont : 1,14 cm ; 1,8 cm et 2,8 cm.
Un morceau de sucre est-il une réduction de la boîte de sucre ?

21 Associer les triangles qui sont un agrandissement ou une réduction l'un de l'autre.

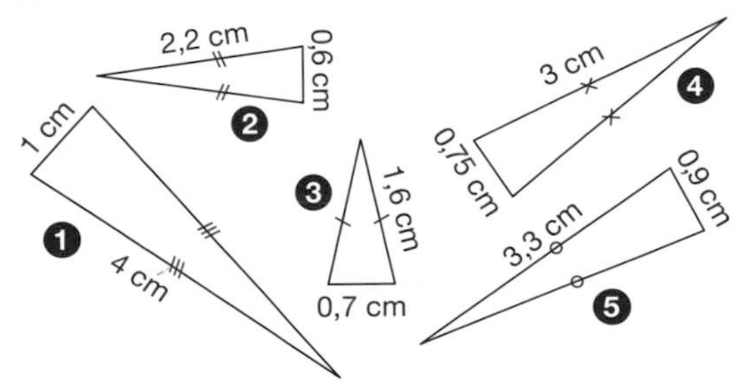

Pour les exercices 22 et 23, les constructions demandées se rapportent à la figure ci-contre.

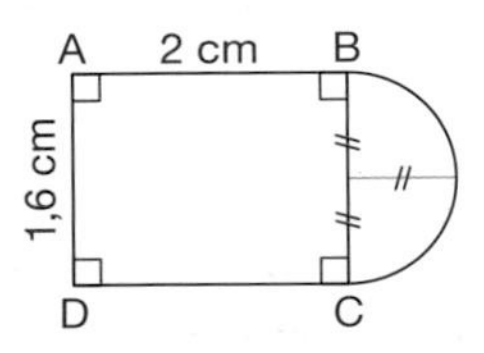

22 Construire un agrandissement de cette figure pour lequel le segment [A'B'] correspondant au segment [AB] mesure 7 cm.

23 Construire une réduction de cette figure pour laquelle le segment [A'D'] correspondant au segment [AD] mesure 1,2 cm.

Effets sur les longueurs et les angles

24 ABC est un triangle tel que :
AB = 4 cm, AC = 5 cm, BC = 6 cm.
A'B'C' est un agrandissement ou une réduction dans le rapport k du triangle ABC.
Dans chaque cas, calculer le nombre k et les longueurs des deux autres côtés du triangle A'B'C'.

a. Le côté [A'B'] correspondant à [AB] mesure 10 cm.

b. Le côté [A'C'] correspondant à [AC] mesure 4 cm.

25 On veut représenter à l'échelle $\frac{1}{200}$ ce parc de jeux triangulaire dont les dimensions sont indiquées sur cette figure à main levée.
Donner les longueurs DE, EF et DF ci-dessous

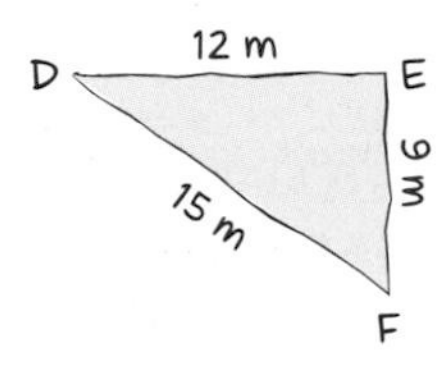

	DE	EF	DF
Dimensions réelles	12 m	9 m	15 m
Dimensions du dessin			

26 La base d'un prisme droit est un triangle équilatéral de 5 cm de côté.
La hauteur de ce prisme est 7 cm.
Une réduction de ce prisme a sa base de côté 3 cm.
Quelle doit être la hauteur du prisme réduit ?

27 L'écran d'un téléphone est un rectangle de longueur 8,8 cm et de largeur 5 cm.
Une photo prise avec ce téléphone est imprimée et a pour longueur 15,4 cm.

a. Calculer le rapport d'agrandissement.

b. Calculer la largeur de la photo imprimée.

28 Le triangle DEF est une réduction dans le rapport k du triangle ABC.

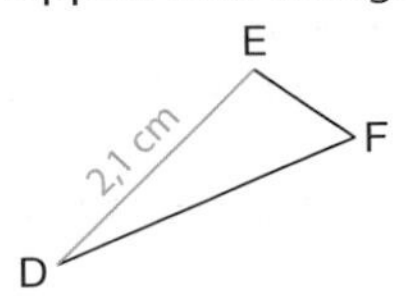

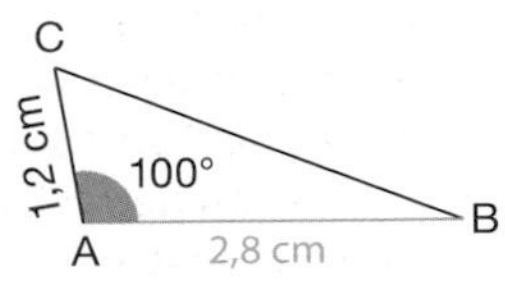

1. a. Calculer le rapport k de réduction.

b. Calculer la longueur du segment [EF].

c. Donner la mesure de l'angle $\widehat{DEF}$.

2. Le triangle ABC est un agrandissement de rapport k' du triangle DEF. Donner la valeur exacte de k'.

Je m'entraîne

Effets sur les aires et les volumes

29 ABC est un triangle isocèle en A. Sa hauteur issue de A mesure 7,5 cm et BC = 6 cm.
EFG est une réduction de ABC dans le rapport $\frac{4}{5}$.
Calculer de deux façons différentes l'aire du triangle EFG.

30 Lors d'un salon du bâtiment, un constructeur propose une habitation d'un volume de 900 m³. Il a réalisé une maquette de cette habitation à l'échelle $\frac{1}{20}$.
Quel est son volume ?

31 Cette photo présente une maquette d'un avion de ligne très gros-porteur, à l'échelle $\frac{1}{125}$.

a. La longueur de l'avion est 73 m. Quelle est celle de la maquette ?
b. L'aire d'une aile de la maquette est 540,8 cm².
Quelle est la surface d'une aile (en m²) de l'avion ?
c. Le réservoir de l'avion contient 310 000 L.
Quelle est la capacité (en cm³) de celui de la maquette ?

32 **Physique** Le rayon de Vénus à l'équateur est d'environ 6 000 km.
Elena prend une boule en polystyrène de 12 cm de diamètre pour en avoir une réduction.

a. Quel est le rapport de réduction ?
b. Quel est le rapport entre les volumes de Vénus et de la boule en polystyrène ?

33 *Art & culture* La statue de la Liberté à New York, d'une hauteur (hors socle) de 46 m, a été conçue par le sculpteur français A. Bartholdi (1834-1904).
Une œuvre d'essai est située sur l'île aux Cygnes, à Paris ; sa hauteur est 11,50 m.

a. Quel est le rapport de réduction ?
b. La masse d'une statue est liée au volume des matériaux utilisés. Pour la statue de la Liberté new-yorkaise, il a fallu 225 tonnes de matériaux ; pour la réplique française, 14 tonnes.
La statue française est-elle une parfaite réduction de sa grande sœur new-yorkaise ?

Je m'évalue à mi-parcours

Pour chaque question, une seule réponse est exacte.

	a	b	c	En cas d'erreur
34 ABCD est un rectangle tel que AB = 10 cm et BC = 8 cm. EFGH est une réduction de ABCD. Le côté [EF] correspondant à [AB] mesure 6 cm. Alors …	le rapport de réduction est 0,6	le rapport de réduction est $\frac{5}{3}$	le rapport de réduction est 0,75	Cours 1 et 2 et ex. 1
35 IJK est un triangle isocèle en I tel que IJ = 5 cm et JK = 4 cm. LMN est un agrandissement de IJK. Le côté [MN] correspondant à [JK] mesure 14 cm. Alors …	LM = 14 cm	LM = 17,5 cm	LM = 15 cm	Cours 1 et 2 et ex. 26
36 L'agrandissement d'un losange d'aire 378 mm² dans le rapport $\frac{5}{3}$ est un losange dont l'aire est …	630 mm²	1 050 mm²	1 750 mm²	Cours 3 et ex. 10
37 La réduction d'un cylindre de volume 3 430 cm³ dans le rapport $\frac{2}{7}$ est un cylindre de volume …	980 cm³	280 cm³	80 cm³	Cours 3 et ex. 11

Vérifie tes réponses p. 259

S'initier au raisonnement

38 Raisonner à l'aide d'un quadrillage

Représenter • Raisonner • Communiquer

Jenna a commencé à construire une réduction FGHIJ du polygone ABCDE où le segment [FH] correspond au segment [AC].

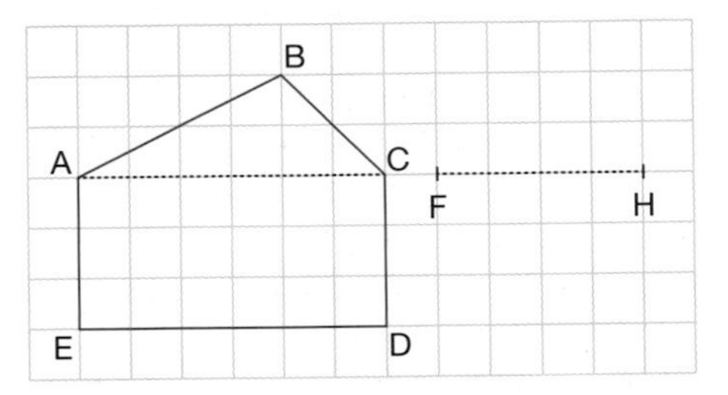

Terminer le travail de Jenna à l'aide du quadrillage.

Conseil

Détermine d'abord le rapport de la réduction.
Tu peux aussi utiliser la conservation des mesures d'angles lors d'une réduction.

39 Utiliser un pourcentage

Raisonner • Calculer • Communiquer

Une éponge sèche a la forme d'un parallélépipède rectangle de volume 100 cm³. Lorsqu'elle est plongée dans l'eau, ses dimensions augmentent de 10 %.
Quel est alors son volume ?

Conseil

Traduis l'information « ses dimensions augmentent de 10 % » par un rapport d'agrandissement.

40 Comprendre une situation

Raisonner • Calculer • Communiquer

Mathilde a préparé de la crème pour garnir quatre verrines de 20 cL chacune. Mais deux amis supplémentaires viennent d'arriver. Elle décide alors de verser sa crème dans des verrines qui sont des réductions des premières dans le rapport $\frac{3}{4}$.
A-t-elle suffisamment de crème ?

Conseil

Calcule la contenance d'une petite verrine.

Organiser son raisonnement

41 Se poser plusieurs questions

Chercher • Calculer • Communiquer

Voici les dimensions de trois boîtes de rangement.

Petite	8 cm	10 cm	12 cm
Moyenne	18 cm	21 cm	24 cm
Grande	24 cm	28 cm	32 cm

Sont-elles des agrandissements (ou des réductions) les unes des autres ?

42 Savoir enchaîner les calculs

Raisonner • Calculer • Communiquer

Six poupées russes sont telles que les dimensions de l'une sont égales à $\frac{4}{5}$ des dimensions de celle qui la contient.

La plus grande a un volume de 625 cm³.
Calculer le volume, en cm³, des cinq autres poupées.
Donner des valeurs approchées à l'unité près.

43 Envisager toutes les réponses

Représenter • Raisonner • Communiquer

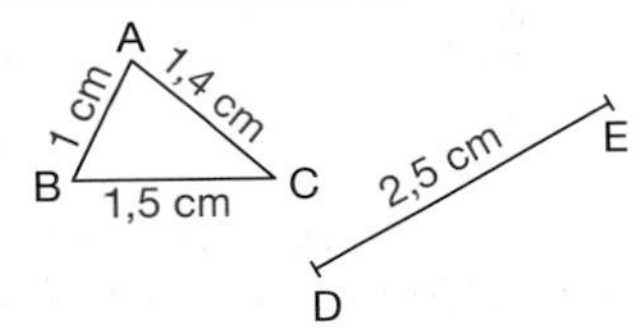

On a commencé à construire un triangle DEF, agrandissement du triangle ABC de sorte que le côté [DE] corresponde au côté [AB],

a. Quel est le rapport d'agrandissement ?
En déduire les longueurs DF et EF.

b. Tracer un tel segment [DE] et construire toutes les positions possibles du point F.

44 Reconnaître une figure particulière

Raisonner • Calculer • Communiquer

ABC est un triangle tel que :

AB = 4 cm, AC = 5 cm, BC = 3 cm.

A'B'C' est un agrandissement du triangle ABC de façon que le côté [A'B'] correspondant à [AB] mesure 10 cm.

a. Quel est le rapport d'agrandissement k ?

b. Calculer l'aire de chacun des deux triangles.

45 Communiquer en anglais 

Raisonner • Calculer • Communiquer

Kevin has to make a model from a building which is 36 m high and 10 m wide. The model is 15 cm wide.

a. How high is the model?

b. Find the scale of the model.

46 Jouer avec des cubes de toute taille

Raisonner • Calculer • Communiquer

À Manhattan, il arrive que le cube Astor de 8 m d'arête soit « déguisé » en Rubik's Cube !

a. Un véritable Rubik's Cube a un volume de 512 000 mm^3.
Dans quel rapport est-il une réduction du cube Astor ?

b. Quelle est l'arête d'un véritable Rubik's Cube ?

47 Exprimer en pourcentage

Raisonner • Calculer • Communiquer

Voici les dimensions de trois formats de feuilles de papier souvent utilisés.

Format	A5	A4	A3
Largeur (en cm)	14,8	21	29,7
Longueur (en cm)	21	29,7	42

Quel pourcentage faut-il saisir sur le clavier d'un photocopieur pour :

a. agrandir du format A4 au format A3 ?

b. réduire du format A4 au format A5 ?

Donner des valeurs approchées à l'unité près.

48 Choisir une unité

Raisonner • Calculer • Communiquer

Une piscine a un volume de 180 m^3.
On réalise une maquette à l'échelle $\frac{1}{100}$.
Exprimer le volume de la piscine sur la maquette dans une unité adaptée.

49 Réduire ou agrandir

Raisonner • Calculer • Communiquer

On réalise pour un jeu de construction un garage à l'échelle $\frac{1}{200}$.
Le volume de ce garage dans le jeu est égal à 13,125 cm^3.
Quel est le volume réel, en m^3, de ce garage ?

50 Prendre des initiatives

Modéliser • Calculer • Communiquer

Depuis la Terre, la Lune et le Soleil semblent à peu près de même grosseur.
Sachant que le Soleil est environ 387 fois plus éloigné que la Lune, combien faudrait-il de Lunes pour faire un volume égal à celui du Soleil ?

D'après Géométriquement Vôtre, Dunod.

51 Imaginer une stratégie

Raisonner • Calculer • Communiquer

On veut agrandir une photo de 6 cm sur 9 cm de façon à ce qu'elle rentre dans un cadre de 19 cm sur 25 cm.
Quel rapport d'agrandissement maximal peut-on appliquer pour qu'il en soit ainsi ?
Donner une valeur approchée au dixième près.

52 Narration de recherche 

Problème

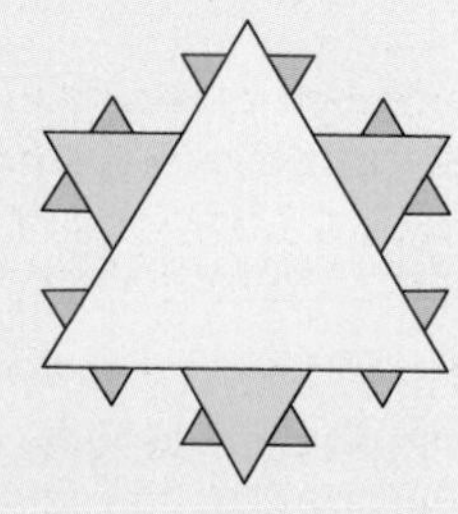

Ce flocon est formé par des triangles équilatéraux de trois tailles différentes.
Dans le rapport $\frac{1}{3}$, le triangle vert est une réduction du triangle jaune et un triangle bleu est une réduction d'un triangle vert.
L'aire d'un triangle vert est 45 mm^2.
Calculer l'aire du flocon.

Raconter sur une feuille les différentes étapes de la recherche et les remarques qui ont fait changer de méthode ou qui ont permis de trouver.

53 Problème ouvert

Raisonner • Calculer • Communiquer

La figure 2 est un agrandissement de la figure 1.
Quelles sont les longueurs x et y ?

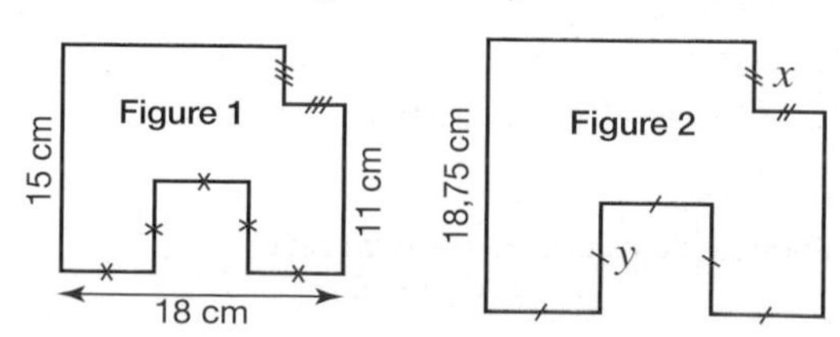

Je fais le point sur mes compétences

54 Calculer un rapport de réduction

Un petit champ de 100 m² apparaît sur un plan cadastral comme un carré de 1 cm².
Quel est le rapport de réduction pour passer du champ à sa représentation sur le plan ?

Conseil
Pense à exprimer les aires dans la même unité.

55 Calculer une aire SVT

La forme d'une bactérie est assimilée à un disque d'aire 0,2 mm². On l'observe au microscope muni d'une lentille de rapport d'agrandissement $k = 10$.
Calculer l'aire de la bactérie observée au microscope.

Conseil
Se souvenir de l'effet d'un agrandissement sur les aires.

56 Calculer un volume

Un ballon a un volume de 418 cm³. Eliot le gonfle et constate que son diamètre a été multiplié par 1,2.
Quel est le volume, en cm³, du ballon après gonflage ?
Donner une valeur approchée à l'unité près.

Conseil
Se souvenir de l'effet d'un agrandissement sur les volumes.

57 Utiliser une formule *Art & culture*

La pyramide de Khéops, en Égypte, a une hauteur de 146,60 m et une base carrée de côté 230 m.
Quel est le volume, en m³, d'une réduction de cette pyramide dans le rapport $\frac{1}{4}$?
Donner une valeur approchée à l'unité près.

Conseil
Formule du volume d'une pyramide :
$\mathcal{V} = (\mathcal{B} \times h) : 3$.

Je prends des initiatives

Avec une aide

58 Réaliser une construction

Les alvéoles des nids d'abeilles présentent une ouverture ayant la forme d'un hexagone régulier de côté 3 mm environ.
Construire un agrandissement de cet hexagone dans le rapport 10 (aucune justification de la construction n'est attendue).

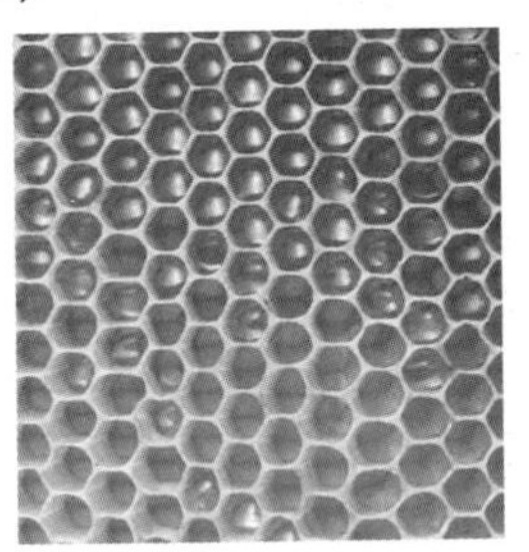

Conseil
Un hexagone régulier est un assemblage de 6 triangles équilatéraux.

Sans aide maintenant

59 Étudier la puissance d'une éolienne Physique

Les trois pales d'une éolienne décrivent un disque en tournant. On considère que la longueur des pales est le rayon de ce disque.

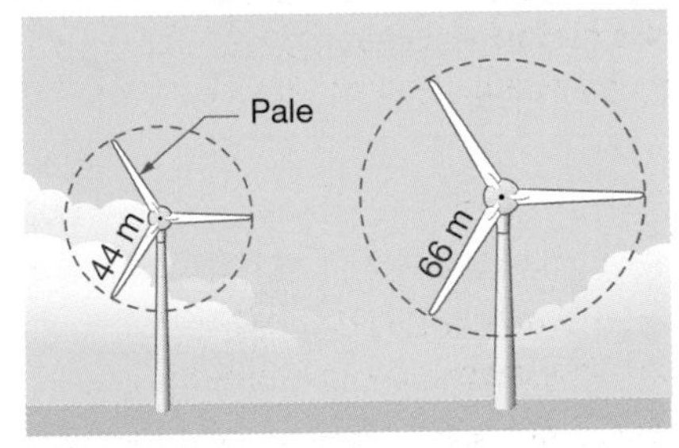

On admet que la puissance de l'éolienne est proportionnelle à l'aire du disque décrit par les pales.

a. Par quel nombre va-t-on multiplier la puissance fournie si l'on utilise des pales de 66 m au lieu de 44 m ?

b. Calculer l'énergie E, en Wh, fournie par une éolienne de puissance moyenne de 4×10^6 W pour 1 an de fonctionnement

Rappel : $E = P \times t$ où E est l'énergie en wattheures (Wh), P est la puissance en watts (W) et t est la durée en heures.

CHAPITRE

11 Utiliser le théorème de Thalès

La légende dit que pour mesurer la hauteur de cette pyramide (Gizeh, en Égypte), Thalès planta sa canne verticalement à midi et dit : « L'ombre de ma canne est égale à sa hauteur. Il en est de même de la pyramide : mesurez son ombre, vous aurez sa hauteur ! »

Vu au Cycle 4

Pour chaque question, une réponse ou plusieurs sont exactes.

		a	b	c
1	D 3 cm E 5 cm F Les points D, E et F sont alignés. Alors …	$\frac{DE}{DF} = \frac{3}{8}$	$\frac{ED}{EF} = 0{,}6$	$\frac{EF}{ED} = 1{,}66$
2	Un tableau de proportionnalité est …	12 | 15 | 9 / 2,4 | 3 | 1,8	2,3 | 1,5 | 3,2 / 6,9 | 4,5 | 9,6	4 | 6 | 10 / 6 | 9 | 14
3	Pour ce tableau de proportionnalité, on peut écrire … (4 | 9 | y / 5 | x | 30)	$x = \frac{4 \times 9}{5}$	$x = \frac{5 \times 9}{4}$	$y = 30 \times \frac{4}{5}$
4	Si $\frac{7}{AB} = \frac{4}{3}$, alors …	$4 \times AB = 3 \times 7$	$3 \times AB = 4 \times 7$	$AB = 5{,}25$
5	Les quotients égaux sont …	$\frac{3}{5}$ et $\frac{21}{35}$	$\frac{0{,}6}{14}$ et $\frac{1{,}5}{35}$	$\frac{4}{13}$ et $\frac{5}{14}$

D'autres exercices sur ***le site compagnon*** 

Vérifie tes réponses ➲ *p. 259*

1 Activité — Homothéties et triangles TICE

a. Avec GeoGebra, créer un triangle ABC.
Créer un curseur k allant de – 5 à 5 avec un incrément de 1 (utiliser a=2).

b. Utiliser Homothétie, puis cliquer sur le triangle ABC, sur le point A et compléter par k la boîte de dialogue Facteur.
On dit que l'on a construit l'image du triangle ABC par **l'homothétie de centre A et de rapport k.**

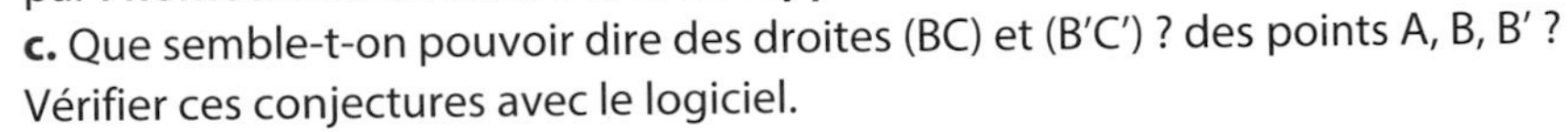

c. Que semble-t-on pouvoir dire des droites (BC) et (B′C′) ? des points A, B, B′ ?
Vérifier ces conjectures avec le logiciel.

d. • Dans Affichage, cliquer sur Tableur.

• Dans la cellule A1, saisir = k*AB ; dans la cellule B1, saisir = k*AC et dans la cellule C1, saisir = k*BC.

• Dans la cellule A2, saisir = AB′ ; dans la cellule B2, saisir = AC′ et dans la cellule C2, saisir = B′C′.

• Déplacer les points A, B et C, déplacer le curseur k ; observer les cellules du tableur.
Que peut-on alors dire du triangle AB′C′ par rapport au triangle ABC selon les valeurs de k ?

2 Activité — Une figure clé

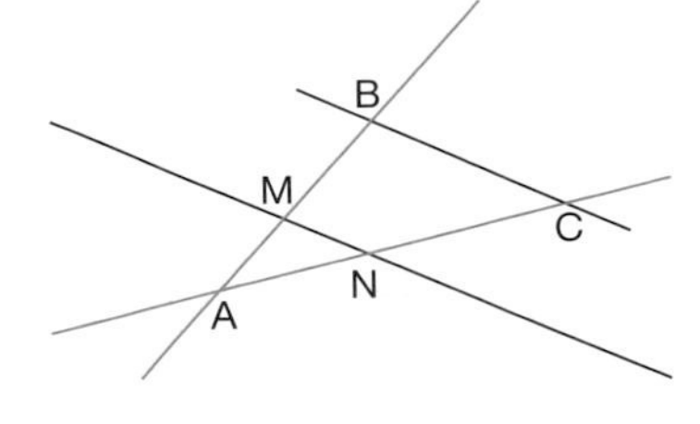

Sur cette figure, M et N sont deux points des droites (AB) et (AC) tels que les droites (MN) et (BC) sont parallèles.
Le triangle AMN est l'image du triangle ABC par une homothétie.

a. Quel est le centre de cette homothétie ?

b. Expliquer pourquoi son rapport k est tel que :

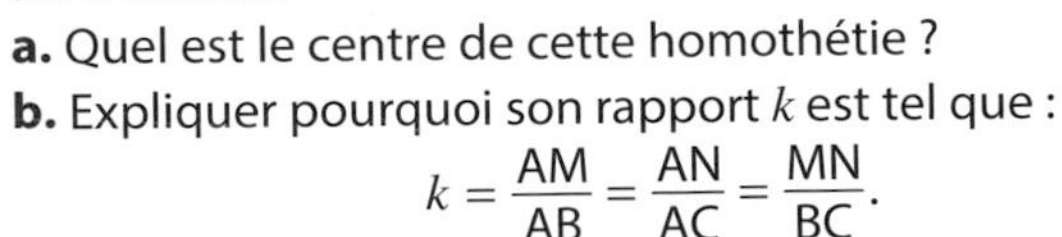

$$k = \frac{AM}{AB} = \frac{AN}{AC} = \frac{MN}{BC}.$$

c. Pour cette figure, est-ce que k est positif ou négatif ? supérieur ou inférieur à 1 ?

3 Activité — Reconnaître des droites parallèles

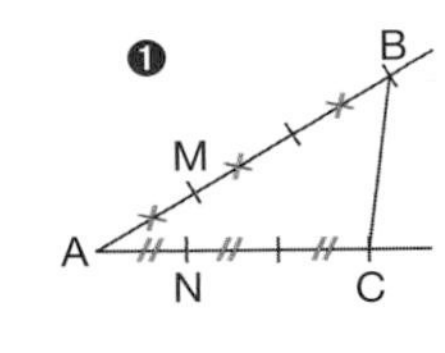

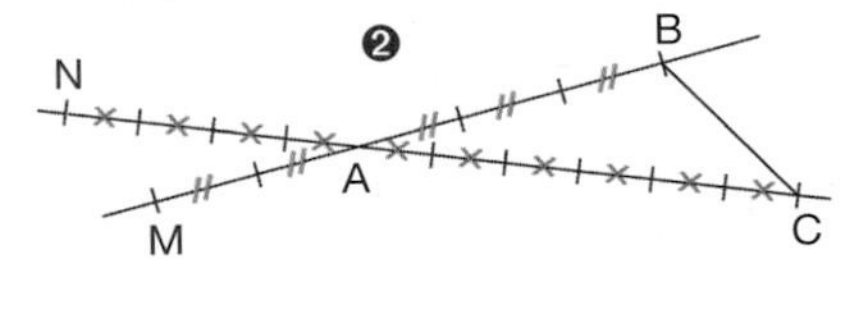

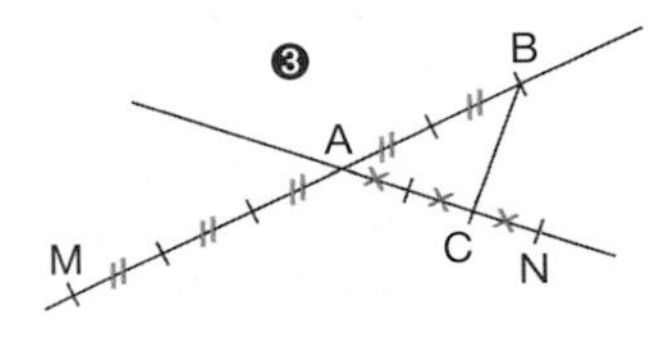

M est un point d'une droite (AB) et N est un point d'une droite (AC).

Tara affirme : « Si $\frac{AM}{AB} = \frac{AN}{AC}$, alors les droites (MN) et (BC) sont parallèles. »

a. En s'aidant des figures ci-dessus, expliquer pourquoi Tara se trompe.

b. Conjecturer ce qu'il faut ajouter à l'affirmation de Tara pour qu'elle soit vraie.

J'apprends le cours

1 Homothéties

Une homothétie de rapport k (avec k nombre relatif non nul) permet d'agrandir ou de réduire une figure à partir d'un point choisi comme **centre**, dans le rapport k si $k > 0$ ou dans le rapport $-k$ si $k < 0$.

Exemples

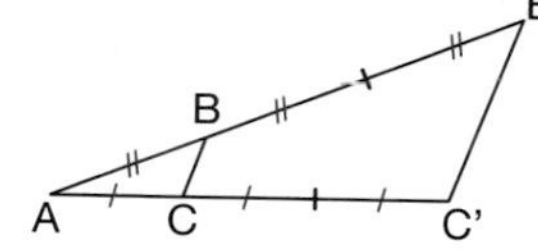

AB′C′ est l'image du triangle ABC par l'homothétie de centre A et de rapport 3.
- B et B′ (respectivement C et C′) sont alignés avec A et du **même côté par rapport à A.**
- Les droites (BC) et (B′C′) sont parallèles.
- AB′ = 3 × AB ; AC′ = 3 × AC ; B′C′ = 3 × BC.

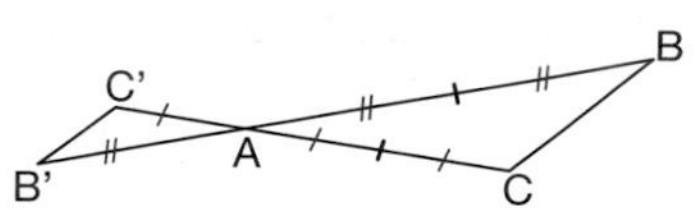

AB′C′ est l'image du triangle ABC par l'homothétie de centre A et de rapport −0,5.
- B et B′ (respectivement C et C′) sont alignés avec A et **de part et d'autre de A.**
- Les droites (BC) et (B′C′) sont parallèles.
- AB′ = 0,5 × AB ; AC′ = 0,5 × AC ; B′C′ = 0,5 × BC.

2 Le théorème de Thalès

Propriété **Si** deux droites (BM) et (CN) sécantes en A sont coupées par deux droites parallèles (BC) et (MN), **alors :** $\dfrac{AM}{AB} = \dfrac{AN}{AC} = \dfrac{MN}{BC}$.

Configurations de Thalès : figures clés

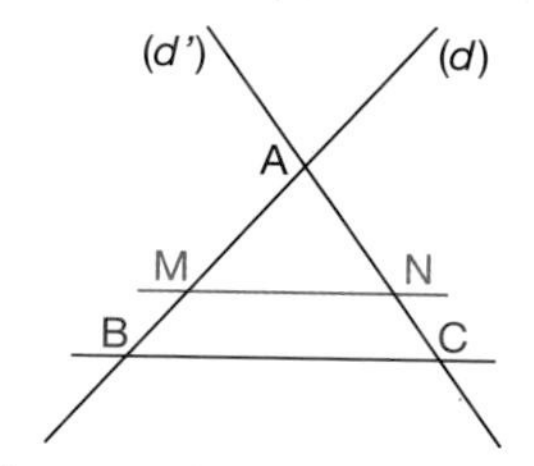

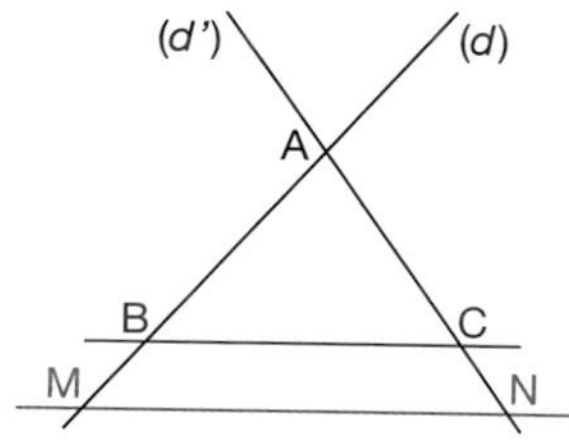

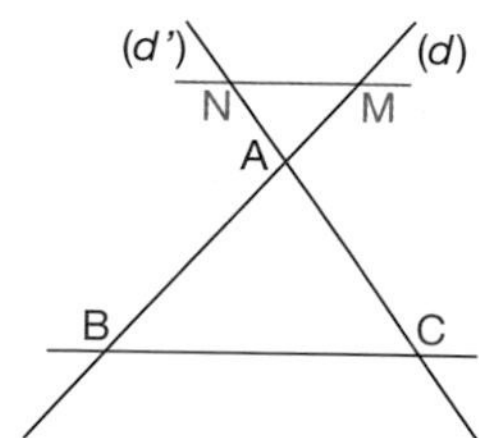

Le triangle AMN est l'image du triangle ABC par une homothétie de centre A.

Une conséquence

Si deux droites (BM) et (CN) sécantes en A sont telles que $\dfrac{AM}{AB} \neq \dfrac{AN}{AC}$, alors les droites (MN) et (BC) ne sont pas parallèles.

3 La réciproque du théorème de Thalès

Propriété (BM) et (CN) sont deux droites sécantes en A.
Si $\dfrac{AM}{AB} = \dfrac{AN}{AC}$ et **si** les points A, **B**, M et les points A, **C**, N sont **dans le même ordre**, **alors** les droites **(BC) et (MN) sont parallèles.**

Voici les trois configurations possibles de points A, B, M et A, C, N dans le même ordre.

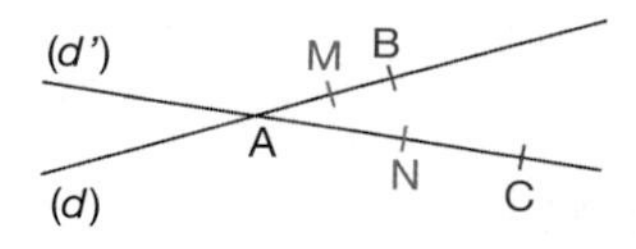

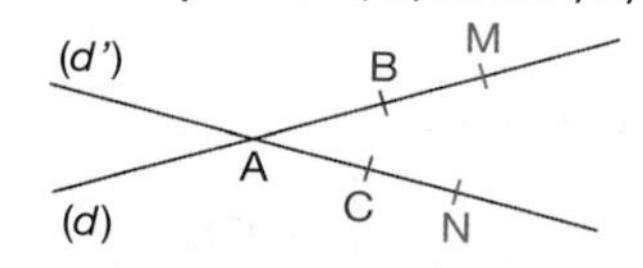

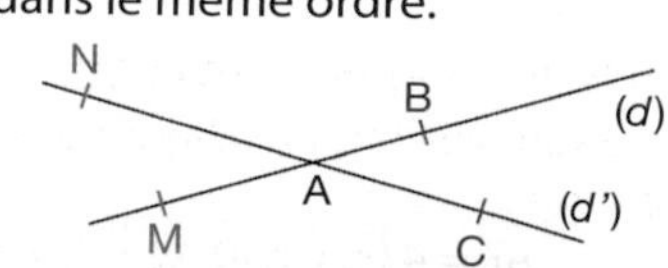

J'apprends à ▶ Utiliser le théorème de Thalès et sa réciproque

Exercice résolu

1 **Énoncé**

Sur cette figure, on sait que les points C, B, I, G sont alignés ainsi que les points E, D, I, F et que les droites (BD) et (CE) sont parallèles.

a. Calculer IC, puis BD.

b. Montrer que les droites (GF) et (BD) sont parallèles.

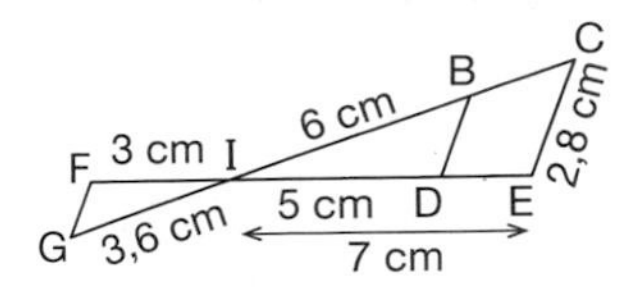

Solution

a. Les droites (BC) et (DE) sont sécantes en I et les droites (BD) et (CE) sont parallèles.
Donc, d'après le théorème de Thalès :
$\frac{IB}{IC} = \frac{ID}{IE} = \frac{BD}{CE}$ soit $\frac{6}{IC} = \frac{5}{7} = \frac{BD}{2,8}$

• De $\frac{6}{IC} = \frac{5}{7}$, on déduit que $5 \times IC = 6 \times 7$.

Ainsi, $IC = \frac{6 \times 7}{5} = 8,4$. Donc IC = 8,4 cm.

• De $\frac{5}{7} = \frac{BD}{2,8}$, on déduit que $BD = 2,8 \times \frac{5}{7} = 2$.

Donc BD = 2 cm.

b. • Les points G, I, B et F, I, D sont alignés dans le même ordre.

• $\frac{IG}{IB} = \frac{3,6}{6} = 0,6$ et $\frac{IF}{ID} = \frac{3}{5} = 0,6$. Donc $\frac{IG}{IB} = \frac{IF}{ID}$.

Donc, d'après la réciproque du théorème de Thalès, les droites (GF) et (BD) sont parallèles.

Conseils

• Pour écrire les trois rapports égaux, on écrit à chaque numérateur un côté de IBD et à chaque dénominateur le côté correspondant de ICE.
Ensuite, on remplace les longueurs connues par leurs valeurs.

• Lorsque la longueur cherchée figure au dénominateur, on écrit l'égalité des produits en croix.

• Pour comparer les deux rapports $\frac{3,6}{6}$ et $\frac{3}{5}$, on peut aussi comparer les produits en croix.
$6 \times 3 = 18$ et $3,6 \times 5 = 18$.

Sur le même modèle

2 Les droites (BD) et (CE) se coupent en A et les droites (BC) et (DE) sont parallèles.
AC = 3 cm ; AE = 4,5 cm ; AB = 4 cm et DE = 4,2 cm.

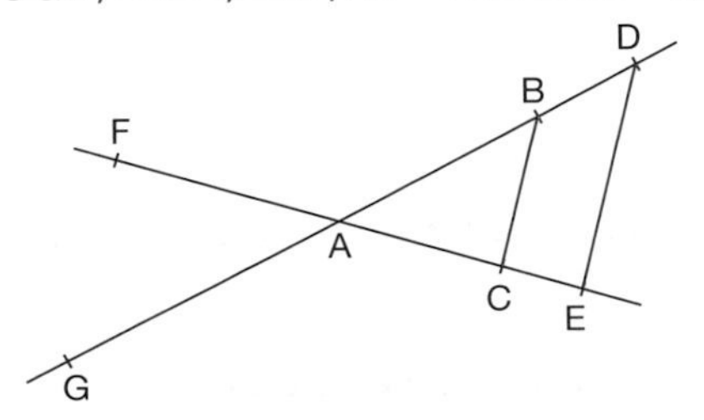

a. Calculer les longueurs AD et BC.

b. F et G sont les points indiqués des droites (AC) et (AB) tels que :

AF = 4,05 cm et AG = 5,4 cm.

Montrer que les droites (FG) et (BC) sont parallèles.

3 Les droites (BC) et (RT) sont parallèles.
Les points R et E appartiennent à la droite (AB) et le point T appartient à la droite (AC).
On donne :

AB = 6 cm ; AC = 7,2 cm ; BC = 10 cm ;
AR = 4,5 cm et BE = 2 cm.

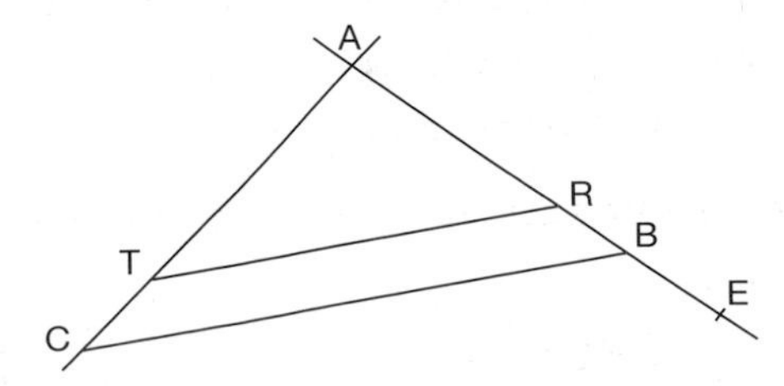

a. Calculer AT, TR et AE.

b. Les droites (BT) et (EC) sont-elles parallèles ?

4 Les droites (CN) et (DA) sont sécantes en M.
Le triangle DCM est un agrandissement du triangle ANM.
Décrire cette figure en employant les mots *homothétie* et *centre*.

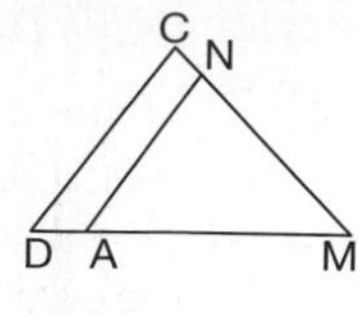

5 Le triangle BGI est l'image du triangle BEF par l'homothétie de centre B et de rapport 1,5.
Donner les longueurs de trois côtés du triangle BGI.

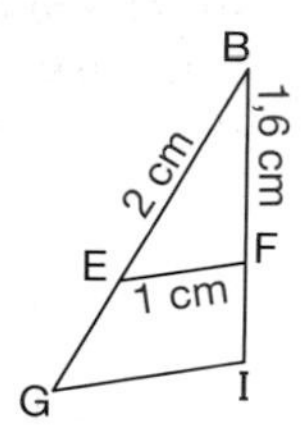

6 Le triangle LJ'K' est l'image du triangle LJK par l'homothétie de centre L et de rapport – 0,4.
Donner les longueurs des trois côtés du triangle LJ'K'.

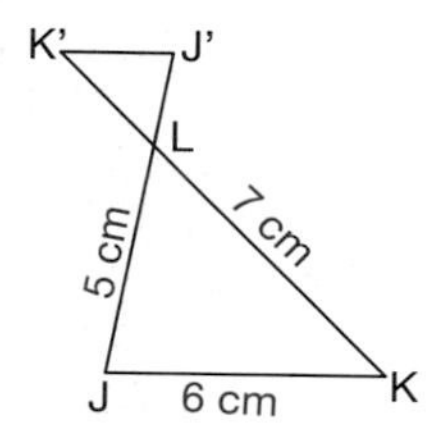

7 Dans chaque cas, le triangle AMN est l'image du triangle ABC par une homothétie de centre A.
Donner son rapport.

a.

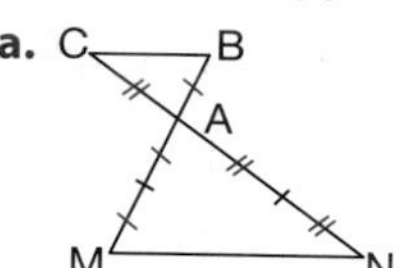

b.

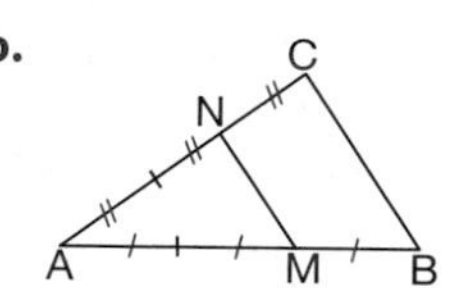

8 Dans chaque cas, deux droites sécantes sont coupées par deux parallèles rouges.
Lire les égalités en les complétant.

a.

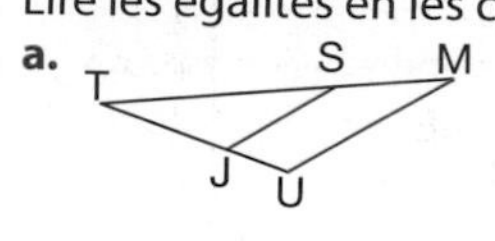

$\frac{\ldots}{TU} = \frac{TS}{\ldots} = \frac{\ldots}{\ldots}$

b.

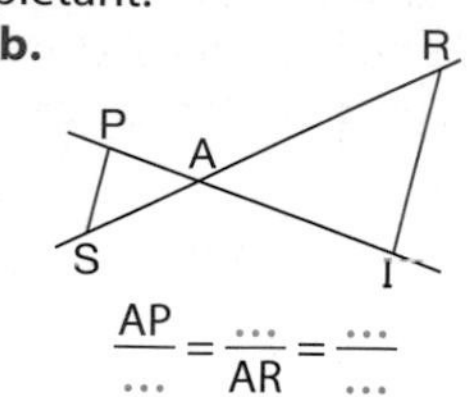

$\frac{AP}{\ldots} = \frac{\ldots}{AR} = \frac{\ldots}{\ldots}$

9 Les droites (AD) et (BC) sont sécantes en O.
Les droites (AB) et (CD) sont parallèles.
a. Quels sont le centre et le rapport de l'homothétie qui transforme OAB en OCD ?
b. En déduire les longueurs OB et OD.

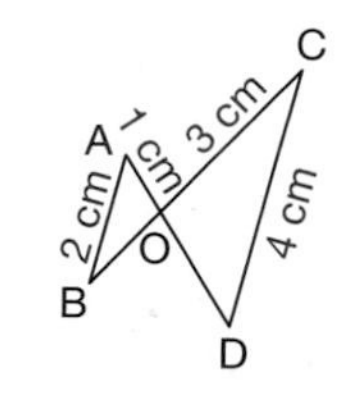

10 Citer les deux rapports qu'il faut comparer pour déterminer si les segments vert et bleu sont parallèles ou non.

a. L, O, C sont alignés ainsi que L, B, S.

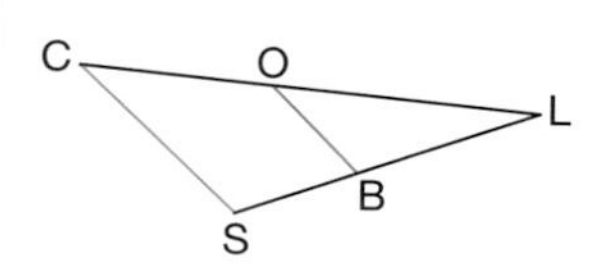

b. (FH) et (ED) se coupent en G.

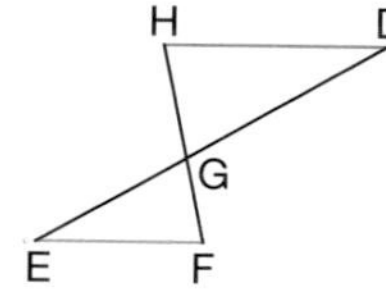

Calcul mental

11 Le triangle AB'C' est l'image du triangle ABC par une homothétie de centre A et de rapport k.
Calculer mentalement la longueur AB' qui correspond à la longueur AB.
a. $k = 4$; AB = 3,6 cm
b. $k = 0{,}8$; AB = 9 cm
c. $k = -6$; AB = 2,5 cm
d. $k = -0{,}7$; AB = 0,6 cm

12 Calculer mentalement la longueur AB.

a. $\frac{AB}{12} = \frac{3}{10}$ **b.** $\frac{10}{AB} = \frac{2}{3}$ **c.** $\frac{5}{4} = \frac{8}{AB}$

13 Les points O, P et U sont alignés ainsi que les points O, Q et V.
Les droites (QP) et (VU) sont parallèles.
Calculer mentalement OU et QP.

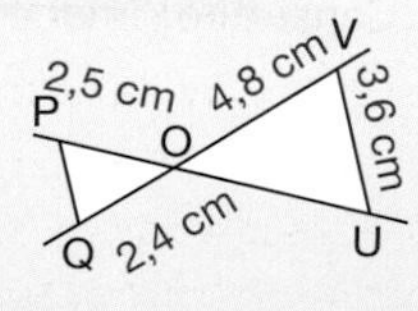

14 Les points B, C et A sont alignés ainsi que les points E, C et D.
AC = 2,5 cm ; AD = 1,5 cm ;
BC = 0,5 cm ; CE = 0,7 cm
Calculer mentalement CD et BE.

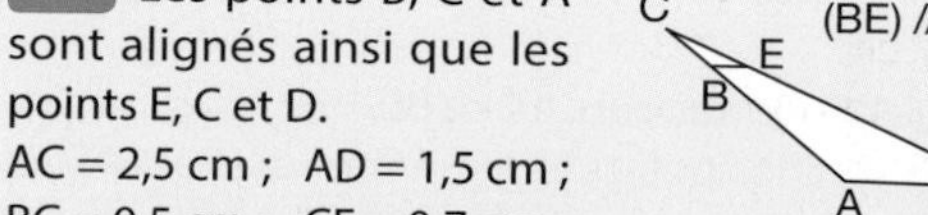

Homothéties

15 Dans chaque cas, on passe du triangle OBE au triangle ABC par une homothétie.
Donner le centre et le rapport de l'homothétie, puis calculer les longueurs OE et BE.

a. **b.**

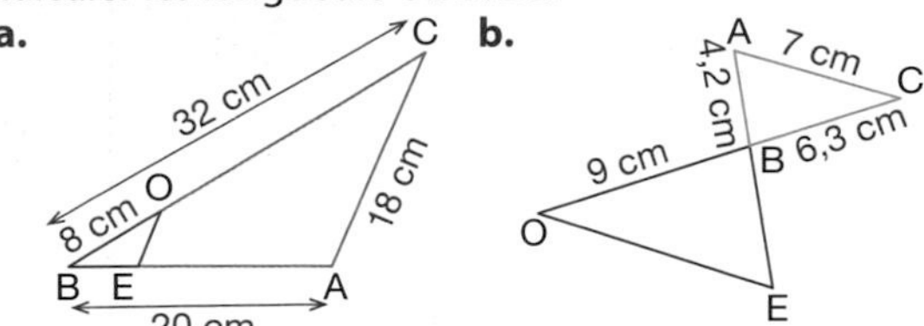

16 **TICE** **a.** Avec un logiciel de géométrie, construire un carré ABCD de côté 2 cm.
b. Construire l'image de ce carré par l'homothétie de centre A et de rapport 3.
Noter B′, C′, D′ les images respectives de B, C, D.
Quelle est la nature de AB′C′D ?
Quelle est la longueur de son côté ?

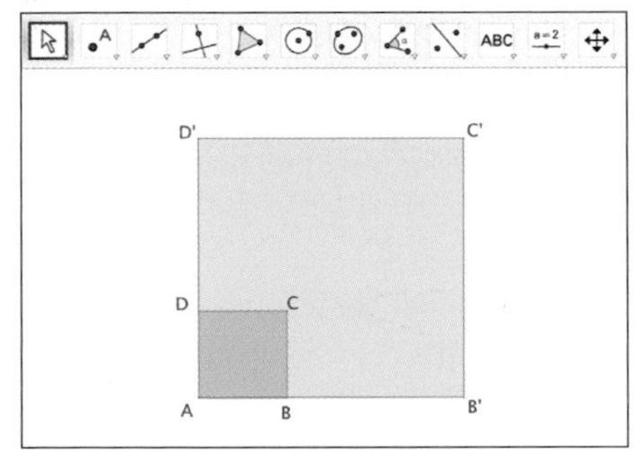

c. Construire l'image de ABCD par l'homothétie de centre A et de rapport $\frac{1}{4}$.
Noter B″, C″, D″ les images respectives de B, C, D.
Quelle est la nature de AB″C″D″ ?
Quelle est la longueur de son côté ?
d. Construire l'image de ABCD par l'homothétie de centre A et de rapport $-\frac{1}{2}$.
Noter B_1, C_1, D_1 les images respectives de B, C, D.
Quelle est la nature de $AB_1C_1D_1$?
Quelle est la longueur de son côté ?
e. Tracer les droites (AB), (AC), (AD). Que constate-t-on ?

17 **a.** Construire un cercle $\mathscr{C}$ de centre O et de rayon 2 cm.
b. Par une homothétie, l'image d'un cercle est un cercle.
Construire l'image du cercle $\mathscr{C}$ par l'homothétie de centre O et de :
• rapport 1,5 • rapport 0,75 • rapport – 2.

Théorème de Thalès

18 Les droites (GH) et (EI) sont sécantes en F.
Les droites (GE) et (HI) sont parallèles.
a. Décrire cette figure avec le mot *homothétie*, en précisant son centre et son rapport.
b. Calculer les longueurs FI et FH.

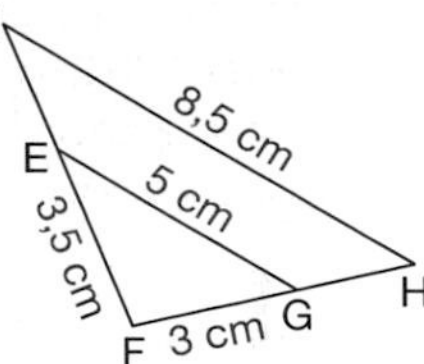

19 Les droites (MS) et (NT) sont sécantes en R.
Les droites (MN) et (ST) sont parallèles.
a. Décrire cette figure avec le mot *homothétie*, en précisant son centre et son rapport.
b. Calculer les longueurs RT et TS.

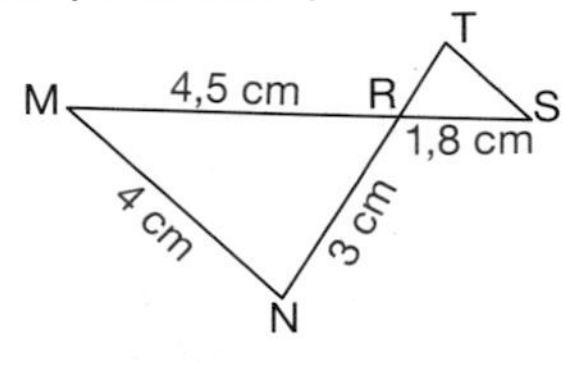

20 I et J sont des points des côtés [CE] et [CG] tels que les droites (IJ) et (EG) sont parallèles.
Utiliser un rapport d'agrandissement-réduction pour calculer les longueurs IJ et CG.

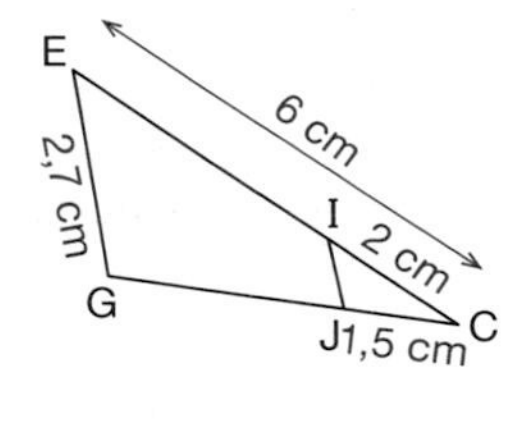

21 Les droites (CE) et (DA) sont sécantes en B.
BC = 7 cm ; AC = 5,6 cm ;
AB = 3,5 cm ; BD = 0,5 cm
a. Citer deux triangles dont les côtés ont des longueurs proportionnelles.

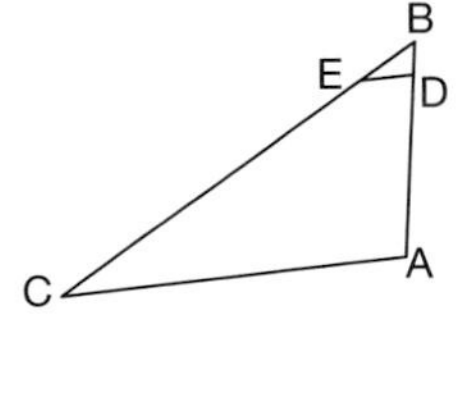

b. Recopier et compléter ce tableau de proportionnalité.

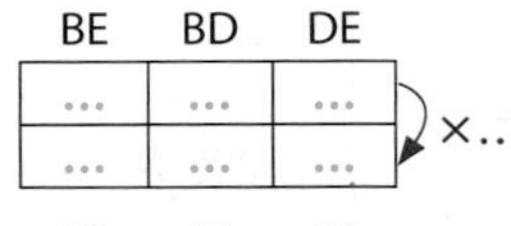

BE	BD	DE
...	...	...
...	...	...
...	...	...

×...

22 Les droites (AB) et (CD) se coupent en O.
Les droites (AC) et (BD) sont parallèles.
a. Réaliser un tableau de proportionnalité avec les longueurs des côtés des triangles OAC et OBD.
b. Calculer les longueurs OD et AC.

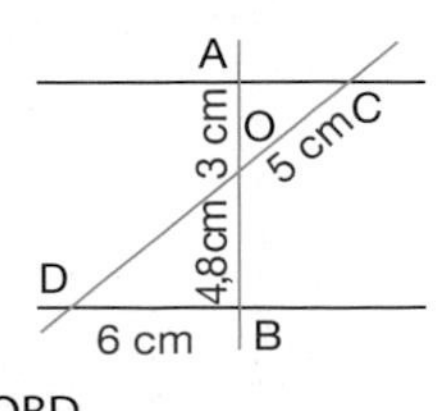

Je m'entraîne

23 Les points S, A, C, E, G sont alignés ainsi que les points S, B, D, F, H.
Les segments [AB], [CD] et [EF] représentent les trois étagères, parallèles au sol, qu'Antonin désire installer dans son grenier.

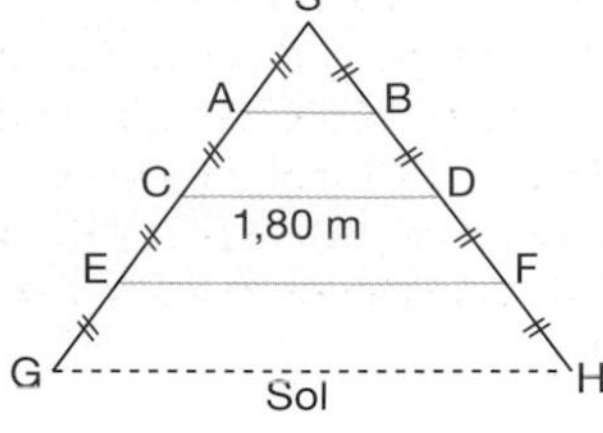

Calculer les longueurs des étagères [AB] et [EF].

24 Dans chaque cas, expliquer pourquoi les triangles ABC et AMN ne forment pas une configuration de Thalès.

a.

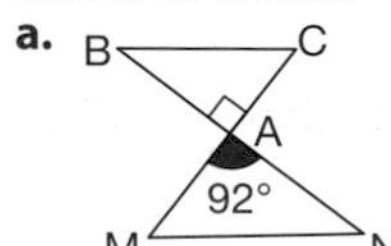

b. (BN) et (CM) sécantes en A.

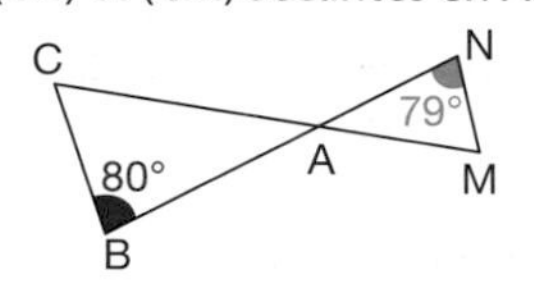

25 Dans chaque cas, les segments rouges sont parallèles.
Écrire des égalités de trois rapports de longueurs.

a. Les points E, A, F et E, R, B sont alignés.

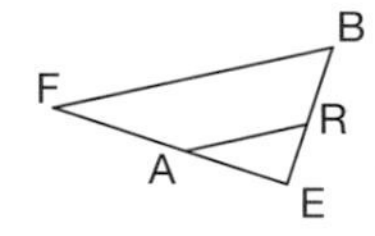

b. Les points H, T, G et I, T, M sont alignés.

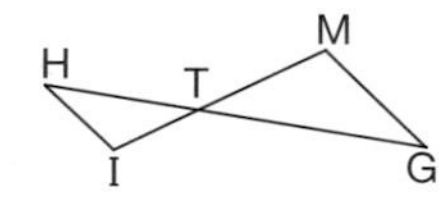

26 Les droites (HK) et (JL) sont sécantes en I.
Les droites (HL) et (JK) sont sécantes en M.
Les droites (HJ) et (KL) sont parallèles.

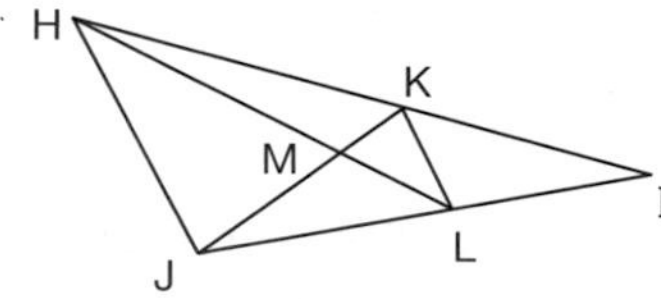

Citer deux configurations de Thalès, puis écrire deux séries de rapports égaux.

27 Les droites (EB) et (AD) sont sécantes en C.
Les droites (ED) et (BA) sont parallèles.

a. Recopier et compléter :

$$\frac{CE}{\ldots} = \frac{CD}{\ldots} = \frac{\ldots}{\ldots}$$

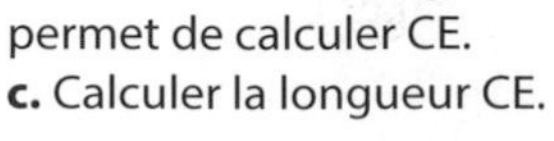

b. Remplacer les longueurs connues et écrire l'égalité qui permet de calculer CE.

c. Calculer la longueur CE.

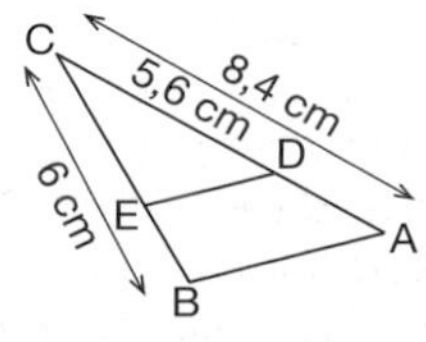

28 M appartient à la droite (UE) et O appartient à la droite (TU). Les droites (TE) et (MO) sont parallèles.

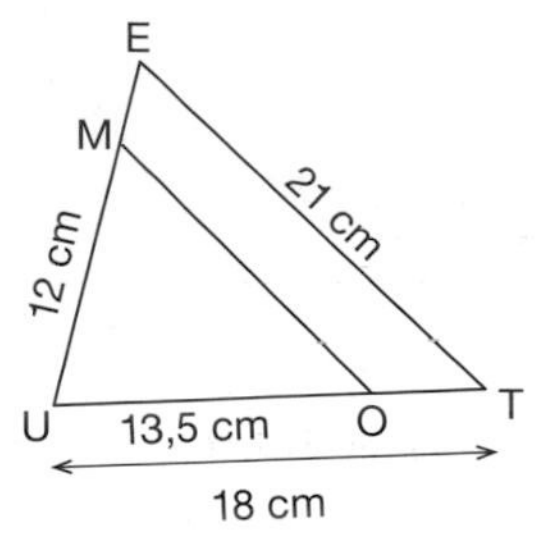

1. Recopier et compléter : $\frac{UE}{\ldots} = \frac{\ldots}{\ldots} = \frac{\ldots}{MO}$

2. a. Pourquoi sait-on que : $\frac{UE}{12} = \frac{18}{13{,}5}$?
En déduire UE.

b. Pourquoi sait-on que : $\frac{18}{13{,}5} = \frac{21}{MO}$?
En déduire MO.

29 On a modélisé un tabouret pliant.
CG = DG = 30 cm ; AG = BG = 45 cm.
L'assise [CD] est parallèle au sol qui est représenté par la droite (AB).
Quelle doit être la longueur AB pour que la longueur CD de l'assise soit de 34 cm ?

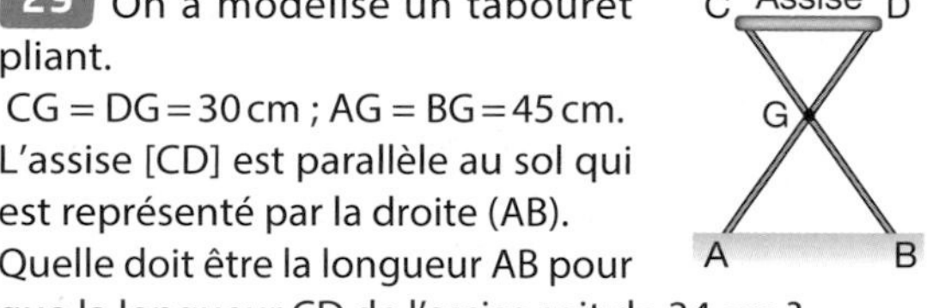

30 ABC est un triangle tel que :
AB = 4,8 cm, AC = 4 cm, BC = 3,6 cm.
D est le point de la demi-droite [AC) tel que AD = 7 cm.
La parallèle à (AB) qui passe par D coupe la droite (BC) en E.

a. Construire une figure.
b. Calculer les longueurs CE et DE.
c. Vérifier les résultats sur la figure.

31 Sur la figure ci-contre :
– les droites (AE) et (TI) sont sécantes en L ;
– les droites (EI) et (AT) sont parallèles.
Que peut-on penser des affirmations de Fatou et d'Arthur ?

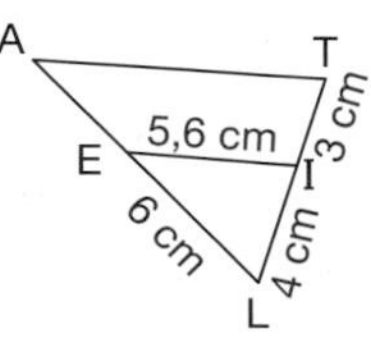

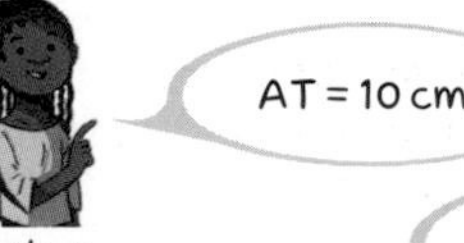

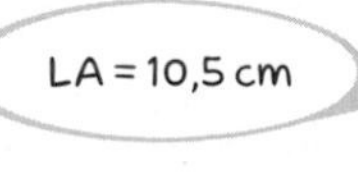

32 **Physique** Une personne observe une éclipse solaire. Cette expérience est représentée par la figure ci-dessous.

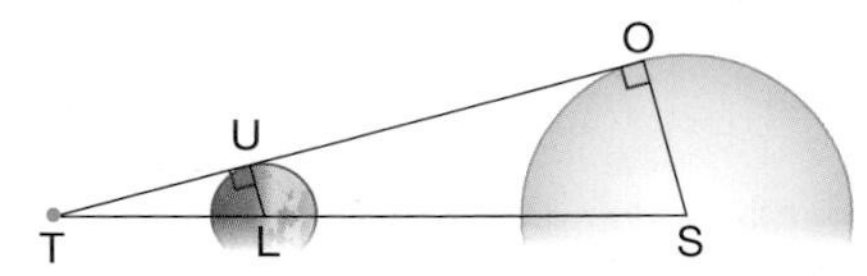

L'observateur est en T.
Les points S (centre du Soleil), L (centre de la Lune) et T sont alignés.
Le rayon SO du Soleil mesure 695 000 km.
Le rayon LU de la Lune mesure 1 736 km.
La distance TS est de 150 millions de km.
Calculer une valeur approchée à l'unité près de la distance TL, en km.

33 Océane peut, malgré le collège, voir de sa fenêtre le stade dans son intégralité.

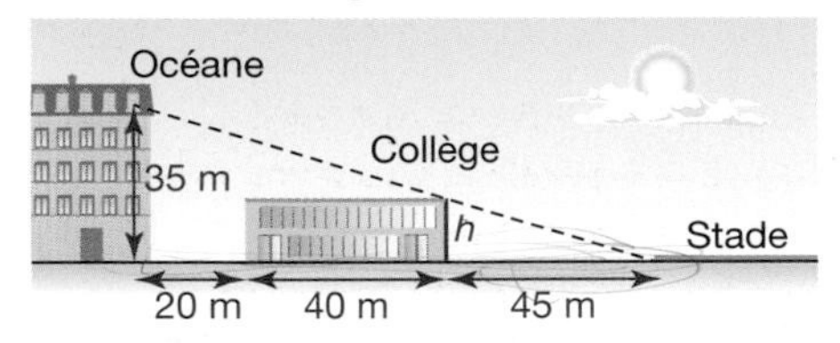

Calculer la hauteur *h* du collège.
On considérera que les murs verticaux sont parallèles.

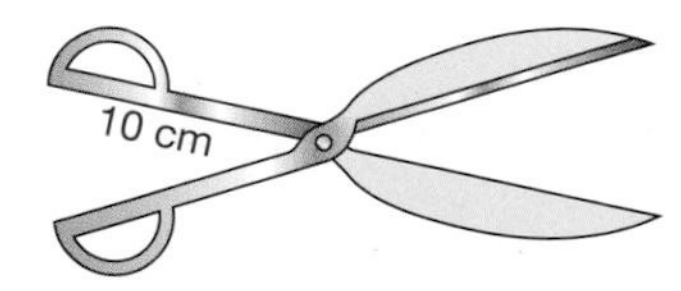

On souhaite fabriquer des cisailles de façon qu'à un écartement de 14 cm des poignées de la cisaille corresponde une ouverture de 50 cm des lames, en jaune sur le schéma (le dessin n'est pas à l'échelle).
a. Représenter cette situation par un croquis à main levée et coder les longueurs connues.
b. Calculer une valeur approchée de la longueur des lames du ciseau.

35 Sur cette figure réalisée avec un logiciel de géométrie :
– les droites (AE) et (DC) sont sécantes en B ;
– les droites (AC) et (DE) sont parallèles.

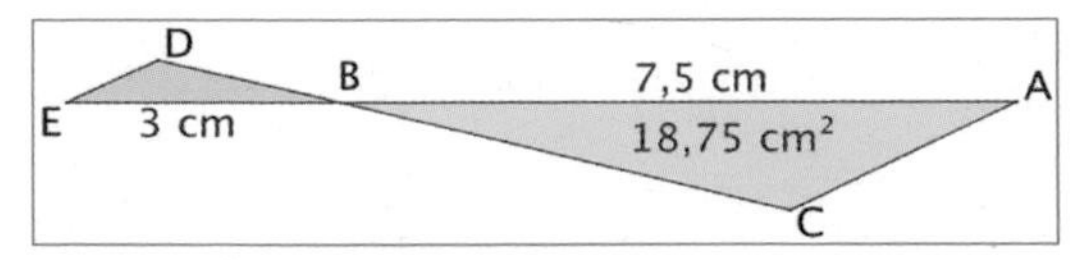

Calculer l'aire du triangle BED.

36 Le segment [AH] est une hauteur du triangle ABC.
M est un point du côté [AB] et N un point du côté [BC] tels que les droites (MN) et (AC) sont parallèles.
BN = 8,4 cm, BC = 12 cm, AH = 4,5 cm.
Calculer l'aire du triangle ABC, puis celle du triangle BMN.

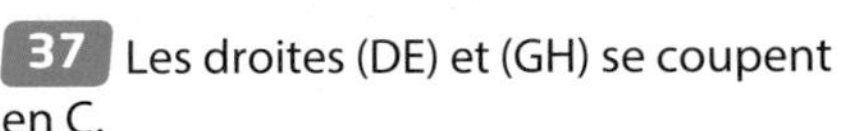

37 Les droites (DE) et (GH) se coupent en C.
CG = 4,8 cm ; CH = 8 cm
CD = 4 cm ; CE = 6,4 cm.
a. Calculer $\frac{CD}{CE}$ et $\frac{CG}{CH}$.
b. Que peut-on en déduire pour les droites (DG) et (EH) ? Expliquer.

38 Les droites (NI) et (MU) se coupent en O.
Les droites (MN) et (UI) sont-elles parallèles ?

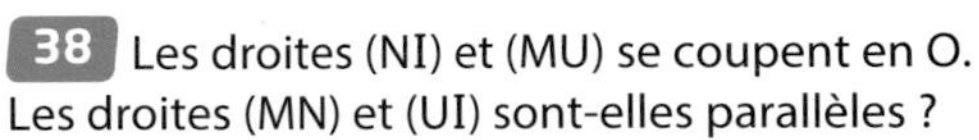

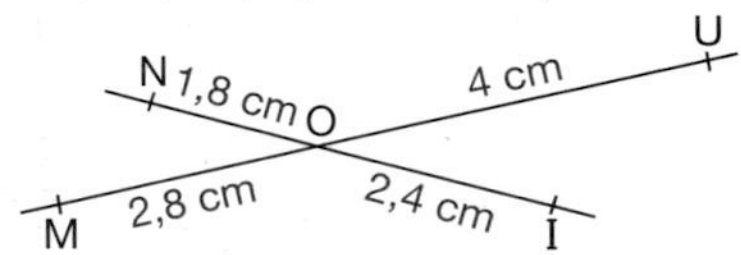

Réciproque du théorème de Thalès

39 Les droites (CB) et (DE) se coupent en A.
a. Recopier et compléter le travail de Louise.

$$\frac{AC}{AB} = \frac{2,5}{3} = \frac{2,5 \times \ldots}{3 \times 4,2} = \frac{\ldots}{\ldots}$$

$$\frac{AE}{AD} = \frac{3,5}{4,2} = \frac{3,5 \times \ldots}{4,2 \times 3} = \frac{\ldots}{\ldots}$$

b. Jian utilise les produits en croix pour comparer $\frac{AC}{AB}$ et $\frac{AE}{AD}$. Effectuer son travail.
c. Les droites (CE) et (BD) sont-elles parallèles ? Expliquer.

40 Les droites (RO) et (NP) se coupent en L.
a. Quels rapports doit-on comparer pour déterminer si les droites (RP) et (ON) sont parallèles ou non ?
b. Comparer ces rapports, puis conclure.

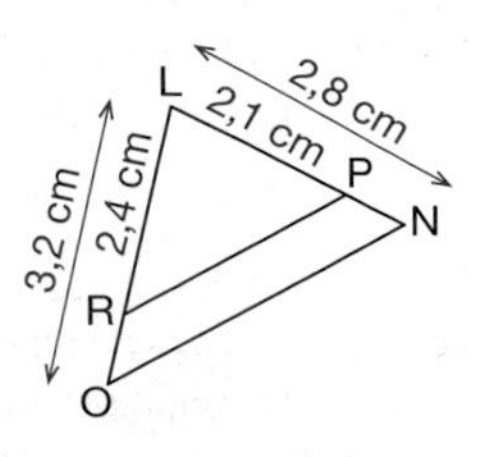

Je m'entraîne

41 Les droites (BN) et (CM) se coupent en A.
Dans chaque cas, déterminer si les droites (BC) et (MN) sont parallèles ou non.

a.

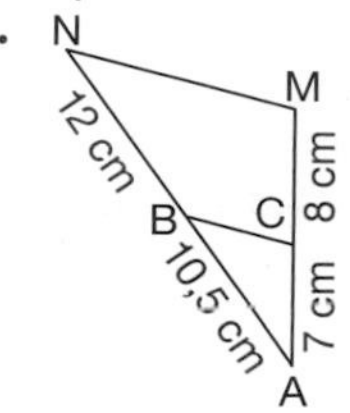

b.

N, M, 4,5 cm, 4 cm, A, 6 cm, 7,2 cm, C, B

42 Les droites (PR) et (ST) se coupent en A.
Les droites (PS) et (RT) sont-elles parallèles ?

a.

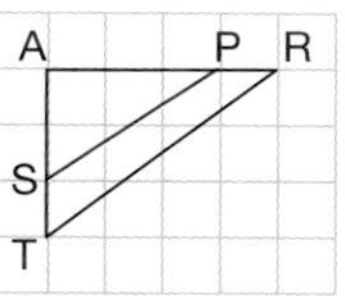

b.

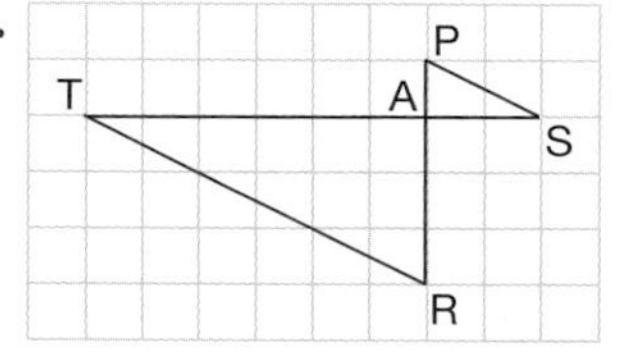

43 Pour ce piano :
GE = 48 cm ;
GF = 60 cm ;
ED = 1,2 m et
CF = 1,5 m.
Le sol est représenté par la droite (CD).
Le clavier est-il parallèle au sol ?

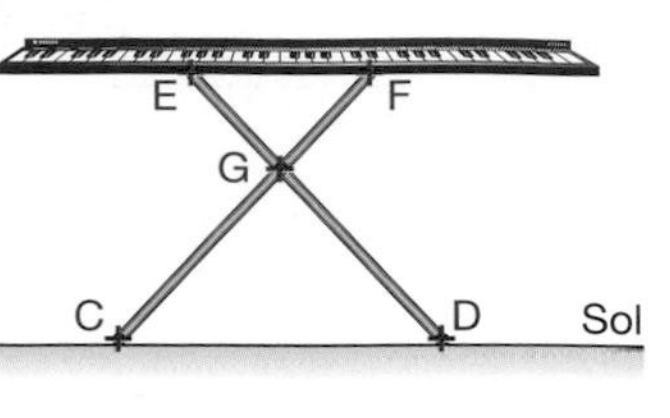

44 Des élèves ont tendu deux cordes entre les points A et D, puis entre les points B et C.
Les deux cordes se coupent en E.
On sait que :
EA = 7 m, EB = 13 m, EC = 10 m et ED = 9 m.
Les droites (AC) et (BD) sont elles parallèles ?

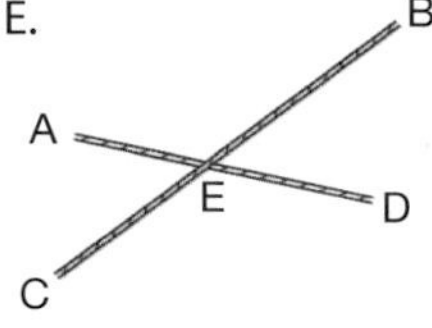

Je m'évalue à mi-parcours

Pour chaque question, une seule réponse est exacte.

	a	b	c	En cas d'erreur
45 Le triangle CDE ci-contre est l'image du triangle ABC par une homothétie. Elle a pour… (A, 2 cm, B, 1,5 cm, C, D, 2,8 cm, E)	centre A et rapport 0,6	centre C et rapport 1,4	centre C et rapport −1,4	Cours 1 et ex.15
46 Le segment [CE] ci-contre a pour longueur…	2,1 cm	1,1 cm	2,9 cm	
47 Les droites (BW) et (AV) se coupent en Z. Les droites (AB) et (VW) sont parallèles. Alors… (Z, 3,9 cm, 5,2 cm, 10 cm, B, A, W, 12 cm, V)	ZW = 13 cm	ZW = 12,7 cm	ZW = 9 cm	Cours 2 et ex. 1
48 Les droites (BM) et (NC) se coupent en A. Les droites (MN) et (BC) sont parallèles. Alors… (M, N, A, 12 m, C, 4,5 m, 8 m, B)	AM = 1,5 m	AM = 3 m	AM = 6 m	
49 Les droites (PS) et (NT) se coupent en R. Pour déterminer si les droites (TP) et (SN) sont parallèles ou non, on compare les rapports… (P, N, R, T, S)	$\frac{RP}{RS}$ et $\frac{RS}{RN}$	$\frac{RP}{RS}$ et $\frac{RT}{RN}$	$\frac{RP}{RS}$ et $\frac{TR}{TN}$	Cours 3 et ex. 40

Vérifie tes réponses ➲ p. 259

► Étudier des figures clés avec GeoGebra

50 Construire l'image d'un triangle par une homothétie

1 Le centre de l'homothétie est un des sommets du triangle

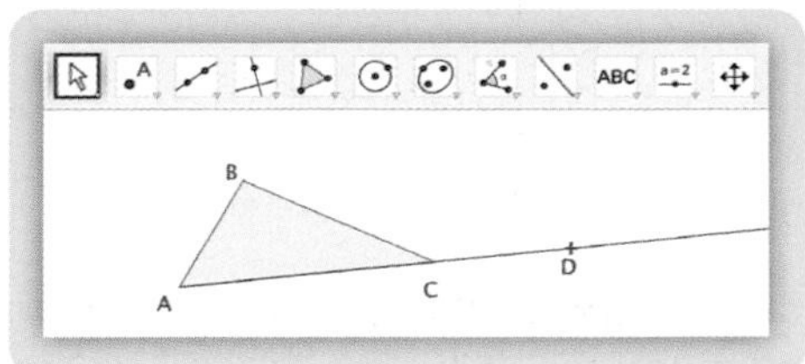

ABC est un triangle et D est un point de la demi-droite [AC].

a. Réaliser une telle figure avec GeoGebra.

b. Sans utiliser Homothétie, construire l'image du triangle ABC par l'homothétie de centre A qui transforme C en D.

c. Vérifier avec Homothétie que le triangle obtenu est l'image du triangle ABC par l'homothétie de centre A et de rapport $\frac{AD}{AC}$.

2 Le centre de l'homothétie est un point quelconque

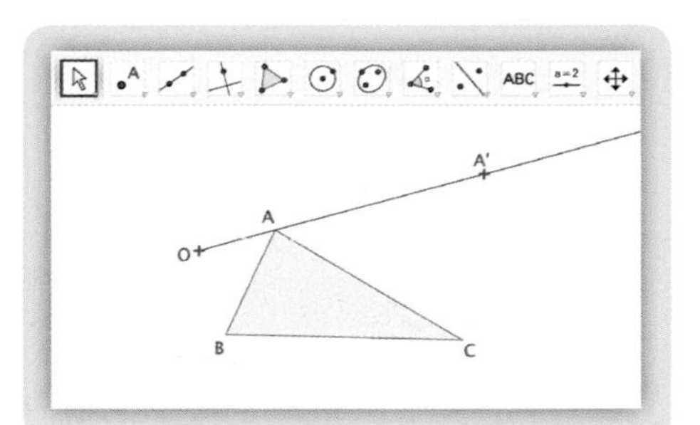

Dans cette question, O est un point à l'extérieur du triangle ABC et A' est un point de la demi-droite [OA).

a. Réaliser une telle figure avec GeoGebra.

b. Construire le point B' aligné avec O et B tel que les droites (A'B') et (AB) soient parallèles.

c. Construire le point C' aligné avec O et C tel que les droites (A'C') et (AC) soient parallèles.

d. Tracer le triangle A'B'C'.

e. Vérifier avec Homothétie que A'B'C' est l'image de ABC par l'homothétie de centre O et de rapport $\frac{OA'}{OA}$.

51 Résoudre un problème

1 Réaliser une figure

a. Avec GeoGebra, construire un triangle ABC tel que :
AB = 6 cm, AC = 9 cm, BC = 12 cm.

b. Créer un point M du côté [AB].

c. Créer la parallèle à la droite (BC) passant par M.
Noter N son point d'intersection avec le segment [AC].

d. • Créer le triangle AMN et le quadrilatère MBCN.
• Afficher la longueur AM, le périmètre de AMN et le périmètre de MBCN.

e. Déplacer le point M sur [AB].
Conjecturer la valeur de la longueur AM pour laquelle les périmètres du triangle AMN et du quadrilatère MBCN sont égaux.

2 Prouver

a. Pour la valeur de AM conjecturée à la question précédente, calculer les longueurs suivantes :
• AN • MN • MB • NC

b. Vérifier que les périmètres du triangle AMN et du quadrilatère MBCN sont égaux.

J'utilise mes compétences

S'initier au raisonnement

52 Utiliser des étapes intermédiaires

Raisonner • Calculer • Communiquer

Sur cette figure, B et D sont des points des côtés [CA] et [CE] tels que les droites (BD) et (AE) sont parallèles.
Calculer la longueur DE.

Conseil
Commence par calculer la longueur CE.

53 Utiliser plusieurs outils

Raisonner • Calculer • Communiquer

Voici le plan d'une rampe de skateboard.

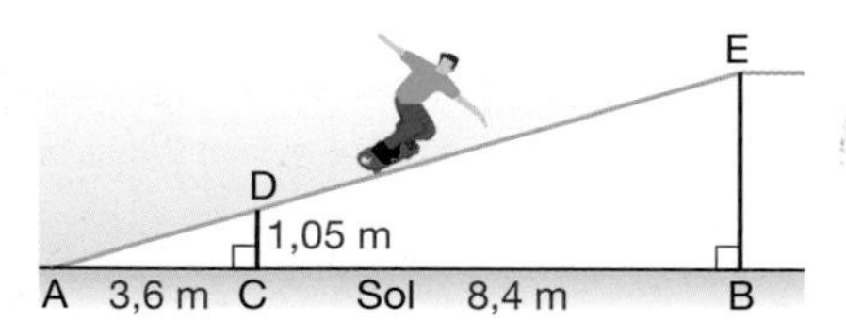

Calculer la longueur AE de cette rampe.

Conseil
Commence par calculer la longueur AD.

54 Utiliser des théorèmes réciproques

Raisonner • Communiquer

Les droites (HI) et (FJ) sont sécantes en G.
Démontrer que le triangle FGH est rectangle en F.

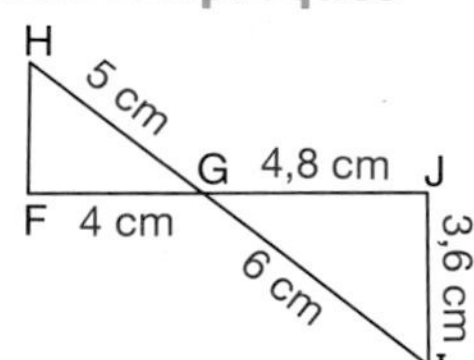

Conseil
Utilise successivement la réciproque du théorème de Pythagore et celle du théorème de Thalès.

55 Étudier un triangle

Raisonner • Calculer • Communiquer

Les droites (CE) et (DA) se coupent en B. Les droites (ED) et (CA) sont parallèles.
Le triangle ADE est-il isocèle ?

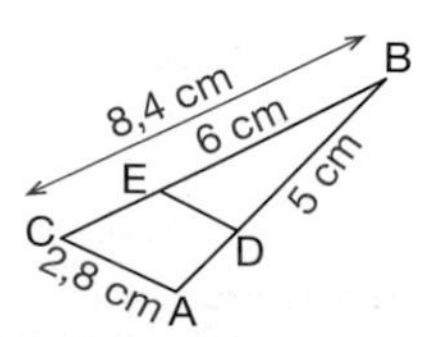

Conseil
Tu peux calculer deux longueurs du triangle ADE.

56 Repérer une configuration

Raisonner • Calculer • Communiquer

Sur cette figure, A, B, C sont des points des côtés [OD], [OE], [OF] tels que :
(AB) // (DE) et (BC) // (EF).
Calculer la longueur EF.

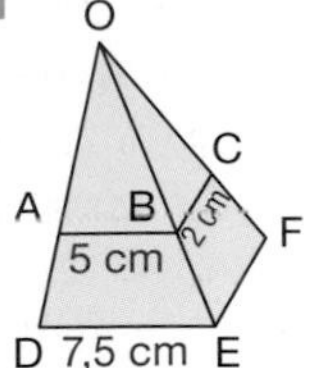

Conseil
Tu disposes de deux configurations de Thalès.

57 Choisir la bonne configuration

Raisonner • Calculer • Communiquer

ABCD et DEFG sont deux carrés de côtés 3 cm et 2 cm. Les points A, D et G sont alignés. Les droites (BG) et (CE) se coupent en I.
Calculer la longueur CI.

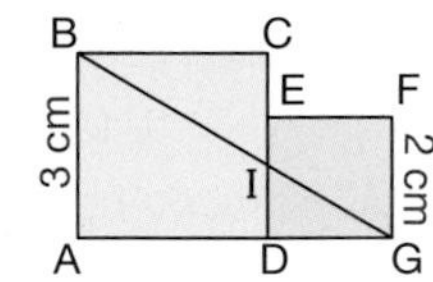

Conseil
Tu as le choix entre deux configurations.

58 Réfléchir

Raisonner • Calculer • Communiquer

Les droites (CA) et (DF) se coupent en B. Les droites (AF) et (CD) sont parallèles.
De plus, BC = FA.
Calculer la longueur BC.

Conseil
Après avoir écrit trois rapports égaux dans une configuration de Thalès, tu peux remplacer BC par FA.

59 Utiliser une équation

Chercher • Raisonner • Communiquer

Sur ce schéma, les droites (FE) et (GH) sont sécantes en D.
Les droites (EG) et (FH) sont parallèles.
Quelle est la largeur DE de la rivière ?

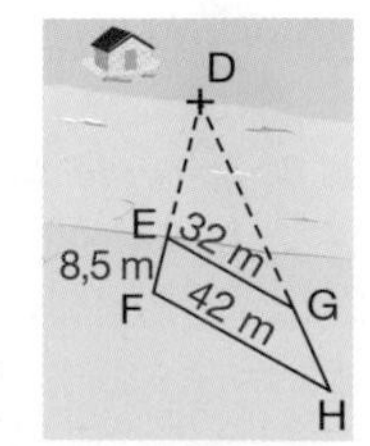

Conseil
Note x la longueur DE, puis écris des rapports égaux.

Organiser son raisonnement

60 Partager un segment

Représenter • Raisonner • Communiquer

1. a. Réaliser cette figure en vraie grandeur.

b. Sur la demi-droite [Ax), reporter 7 segments de même longueur.

A 12 cm B x

c. Sans utiliser les graduations de la règle, partager [AB] en 7 segments de même longueur.

2. Tracer un segment de longueur 11 cm et le partager en 6 segments de même longueur.

61 Relier longueurs et aires

Raisonner • Calculer • Communiquer

Les droites (DB) et (CE) se coupent en A et les droites (DE) et (CB) sont parallèles.
Calculer la longueur AD.

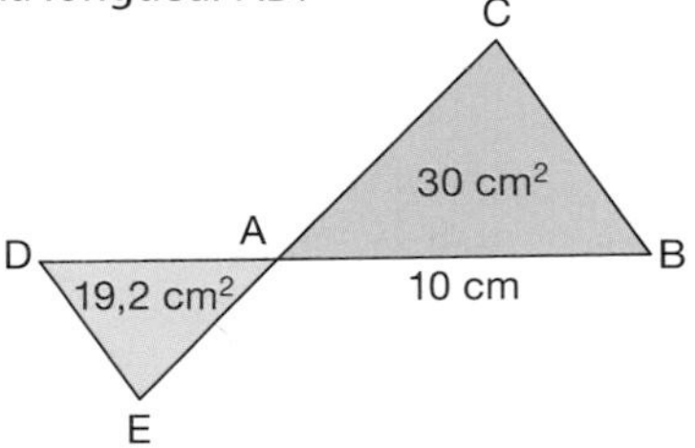

62 Enchaîner les étapes

Raisonner • Calculer • Communiquer

Noé (N) doit rejoindre sa sœur Juliette (J). Il coupe à travers le parc en passant par le point B.
Le parc est représenté par le rectangle AJDC.

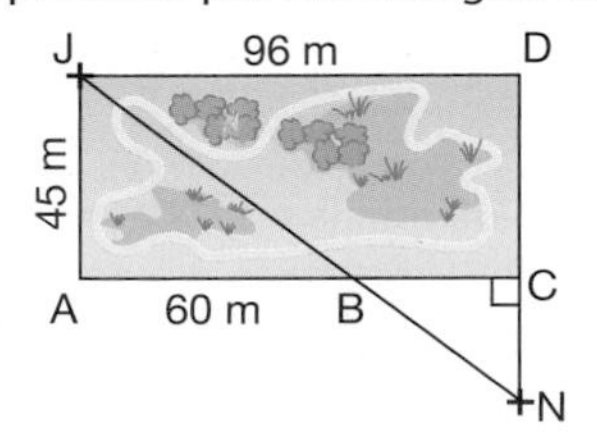

Quelle distance Noé va-t-il parcourir ?

63 Reconnaître un carré

Raisonner • Calculer • Communiquer

D'après les données codées sur cette figure, le quadrilatère BDEF est-il un carré ?

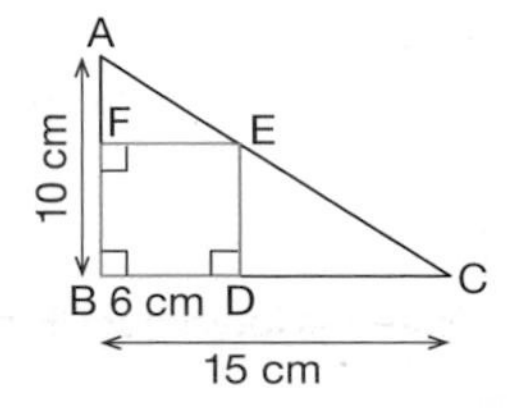

64 Changer de configuration

Raisonner • Calculer • Communiquer

Sur cette figure, les droites (BD) et (CE) sont sécantes en A, les droites (DE) et (BC) sont parallèles et les droites (CD) et (BE) se coupent en F.

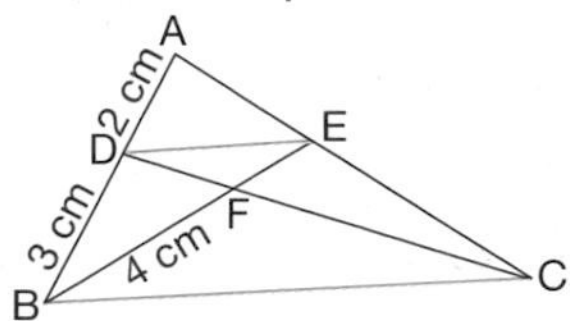

a. Citer deux configurations de Thalès. Pour chacune d'elles, écrire les rapports de longueurs égaux à $\frac{DE}{BC}$.

b. En déduire que $\frac{EF}{4} = \frac{2}{5}$. Calculer EF.

65 Tirer des conséquences

Raisonner • Calculer • Communiquer

Sur cette figure, les droites (AE) et (DC) sont parallèles.

A C B 7 cm 6 cm 5 cm 4,9 cm E D

a. Démontrer que le triangle ADC est isocèle.

b. La parallèle à la droite (AC) qui passe par B coupe [EA] en M. Calculer la longueur EM.

66 Calculer le rayon de la Terre Histoire

Raisonner • Calculer • Communiquer

Le mathématicien grec Ératosthène (– 276 ; – 194) évalua le rayon r de la Terre. Pour cela, il observa les ombres le jour du solstice d'été, à 12 h, dans deux villes.

À Syène (S), les rayons du Soleil étaient verticaux et l'on pouvait voir le reflet du Soleil au fond d'un puits.

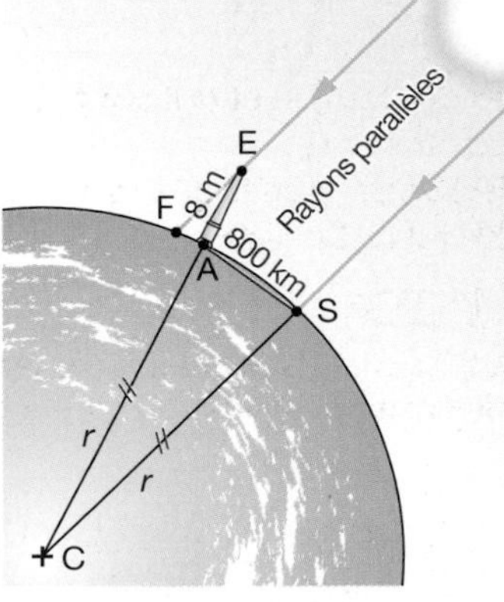

À Alexandrie (A), 800 km plus au Nord, un obélisque [AE] de 8 m de haut avait une ombre [AF] de 1 m de long.
Comme le Soleil est très loin, on peut considérer que les droites qui vont de F au Soleil et de S au Soleil sont parallèles.
À l'aide du schéma, calculer le rayon de la Terre selon la méthode d'Ératosthène.

67 Communiquer en anglais

Raisonner • Calculer • Communiquer

Find the value of the height h, in the following diagram, at which the tennis ball must be hit so that it will just pass over the net and land 5 meters away from the base of the net.
The diagram is not to scale.

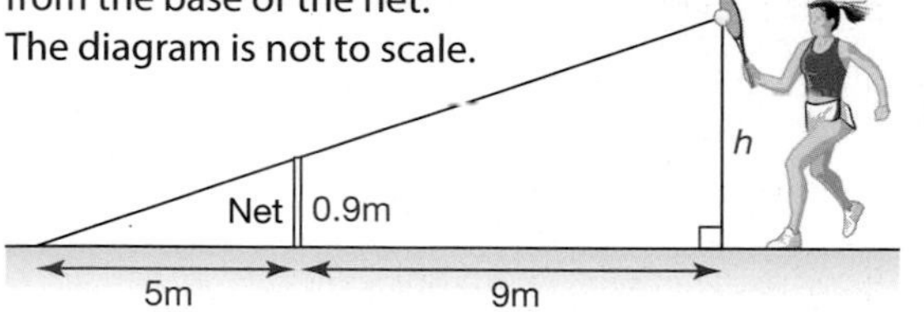

68 Conjecturer, puis démontrer TICE

Chercher • Raisonner • Communiquer

ABC est un triangle et M est le milieu du côté [BC].
R est un point qui est sur le segment [AM].
Par R, on trace les parallèles à (AB) et à (AC) ; elles coupent le segment [BC] en D et E.

1. a. Construire une figure avec un logiciel de géométrie.
b. Afficher les longueurs MD et ME.
c. Déplacer le point R.
Que peut-on conjecturer pour MD et ME ?

2. Démontrer cette conjecture en utilisant le théorème de Thalès dans les triangles MAB et MAC.

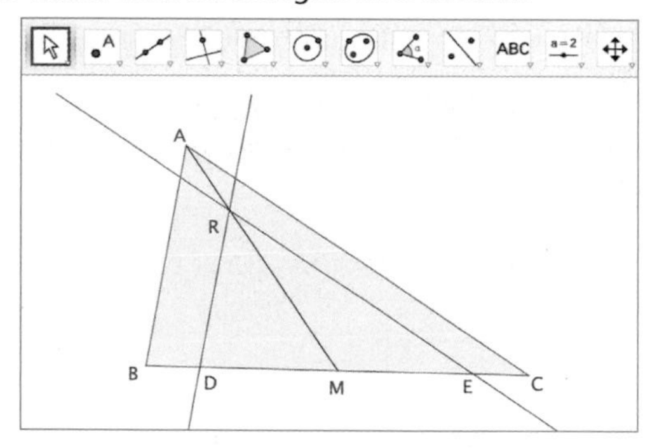

69 Énoncer des propriétés

Chercher • Raisonner • Communiquer

a. ABC est un triangle. I et J sont les milieux respectifs des côtés [AB] et [AC].
Réaliser une figure, puis démontrer que les droites (IJ) et (BC) sont parallèles.

b. DEF est un triangle. K est le milieu du côté [DE] et la parallèle à (EF) passant par K coupe [DF] en L.
Réaliser une figure, puis démontrer que L est le milieu de [DF].

c. Énoncer les propriétés qui viennent d'être démontrées.

70 Imaginer une stratégie

Chercher • Raisonner • Communiquer

Les points O, A, E, C sont alignés, ainsi que les points O, D, B, F.
Les droites (AB) et (EF) sont parallèles ainsi que les droites (ED) et (BC).

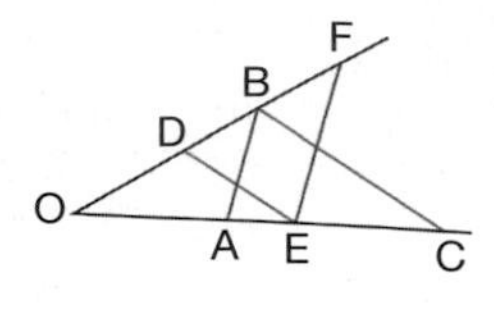

Les droites (AD) et (CF) sont-elles parallèles ? Expliquer.

71 Prendre des initiatives

Chercher • Raisonner • Communiquer

Parti du point D du segment [AB] tel que BD = 2 cm, un robot se déplace parallèlement aux côtés du triangle ABC.

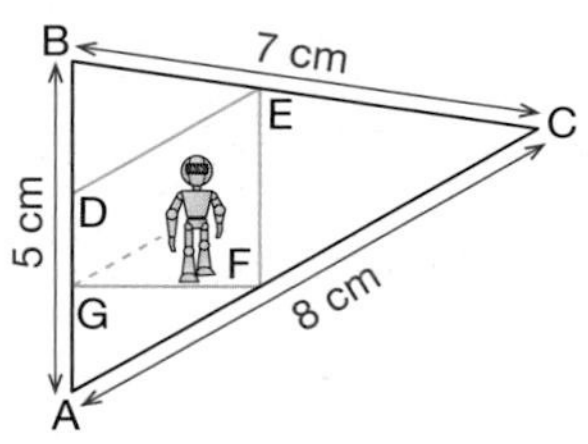

Le robot va-t-il repasser par le point D ?
Si oui, quelle distance aura-t-il parcourue ?

72 Narration de recherche

Problème

Les points A, F, D sont alignés, ainsi que les points A, C, B et E, C, D.
Les droites (AD) et (EB) sont parallèles ainsi que les droites (FC) et (DB).
Calculer la longueur AF.

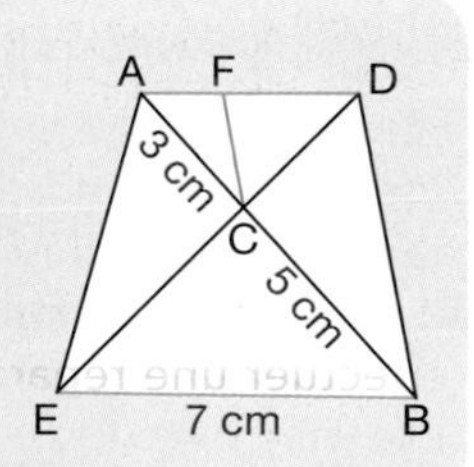

Raconter sur une feuille les différentes étapes de la recherche et les remarques qui ont fait changer de méthode ou qui ont permis de trouver.

73 Problème ouvert

Raisonner • Calculer • Communiquer

Deux barrières rectilignes prennent appui sur des murs.
À quelle hauteur h se croisent-elles ?

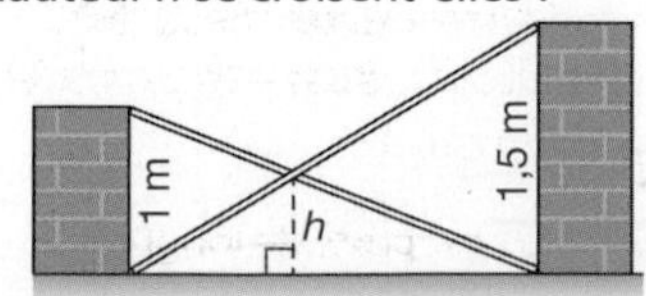

Je fais le point sur mes compétences

74 Construire, puis calculer

1. a. Construire un triangle ABC isocèle en A tel que AB = 5 cm et BC = 2 cm.
b. Placer le point M de [AB] tel que BM = 2 cm.
c. Tracer la parallèle à [BC] passant par M. Elle coupe [AC] en N.

2. Calculer les longueurs MN et AN en justifiant.

3. Montrer que les périmètres du triangle AMN et du quadrilatère BMNC sont égaux.

Conseil
2. Utilise le théorème de Thalès ou les homothéties.

75 Calculer des longueurs

Sur cette figure, qui n'est pas à l'échelle :
- les points D, P et A sont alignés ;
- les points K, H et A sont alignés ;
- DA = 60 cm ; DK = 11 cm ; DP = 45 cm.

a. Calculer une valeur approchée à l'unité près de la longueur AK, en cm.
b. Calculer HP.

Conseil
a. Utilise le théorème de Pythagore.
b. Tu peux calculer simplement AP.

76 Interpréter des informations

Un centre nautique souhaite effectuer une réparation sur une voile. La voile a la forme du triangle PMW ci-contre.

1. On souhaite faire une couture suivant le segment [CT].
a. Si (CT) est parallèle à (MW), quelle sera la longueur de cette couture ?
b. La quantité de fil nécessaire est le double de la longueur de la couture. Est-ce que 7 m de fil suffiront ?

2. La couture terminée, on mesure PT = 1,88 m et PW = 2,30 m. La couture est-elle parallèle à (MW) ?

Conseil
2. Compare deux rapports de longueur.

77 Comprendre une situation

Sur le schéma, la zone grisée correspond à ce que le conducteur d'un véhicule ne voit pas lors d'une marche arrière.

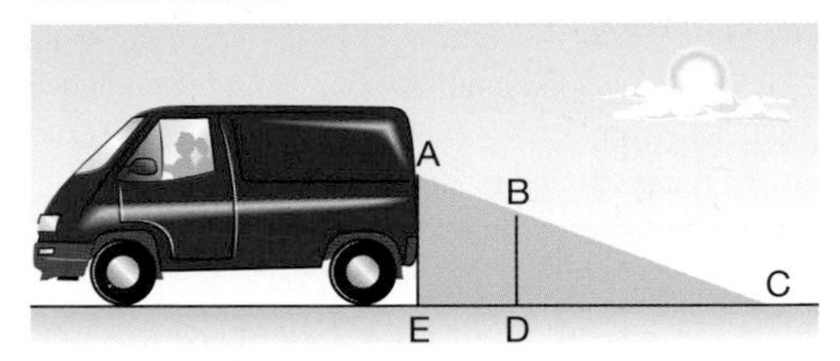

a. Calculer DC.
b. En déduire que ED = 1,60 m.
c. Une fillette mesure 1,10 m.
Elle passe à 1,40 m derrière la camionnette.
Le conducteur peut-il la voir ? Expliquer.

Données
(AE) // (BD)
AE = 1,50 m
BD = 1,10 m
EC = 6 m

Conseil
c. La taille de la fillette est égale à BD.

78 Repérer les bons rapports

[AC] et [EF] sont deux segments sécants en B tels que :
AB = 6 cm et BC = 10 cm ;
EB = 4,8 cm et BF = 8 cm.

a. Construire une figure en vraie grandeur.
b. Les droites (AE) et (FC) sont-elles parallèles ? Justifier.
c. Les droites (AF) et (EC) sont-elles parallèles ? Justifier.

Conseil
Ne confonds pas les rapports $\frac{BE}{BF}$ et $\frac{BF}{BE}$.

79 Utiliser un agrandissement

ADU est un triangle, F un point de [AD], C un point de [AU].

AF = 3 cm, FD = 1,5 cm,
AC = 2 cm, AU = 3 cm

a. Les droites (FC) et (DU) sont-elles parallèles ?
b. Le triangle ADU est un agrandissement du triangle AFC. Dans quel rapport ?
c. Dans le triangle AFC, la hauteur issue de C mesure 1,6 cm. Calculer l'aire du triangle ADU.

Conseil
c. Tu peux utiliser la propriété sur l'aire d'une surface agrandie ou calculer la hauteur issue de U du triangle ADU.

Avec une aide

80 Retrouver les questions

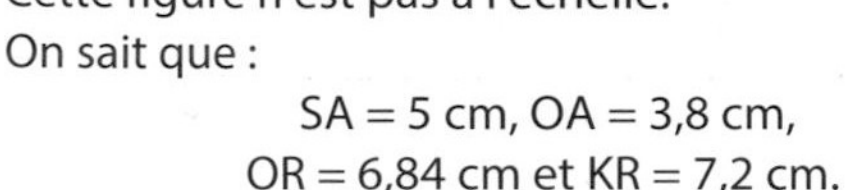

Les droites (OA) et (KS) sont sécantes en R.
Les droites (SA) et (OK) sont parallèles.
Cette figure n'est pas à l'échelle.
On sait que :

SA = 5 cm, OA = 3,8 cm,
OR = 6,84 cm et KR = 7,2 cm.

Les questions de cet exercice ont été effacées, mais il reste ci-dessous des calculs effectués par un élève, en réponse aux questions manquantes.

a. $6{,}84 - 3{,}8 = 3{,}04$

b. $\dfrac{5 \times 6{,}84}{3{,}04} = 11{,}25$

c. $7{,}2 + 6{,}84 + 11{,}25 = 25{,}29$

En utilisant tous les calculs précédents, écrire les questions auxquelles l'élève a répondu, et rédiger précisément ses réponses.

Conseil

On reconnaît une configuration de Thalès.
Tu peux écrire au brouillon les trois rapports égaux du théorème de Thalès et indiquer les longueurs sur une figure.

81 Construire ou calculer

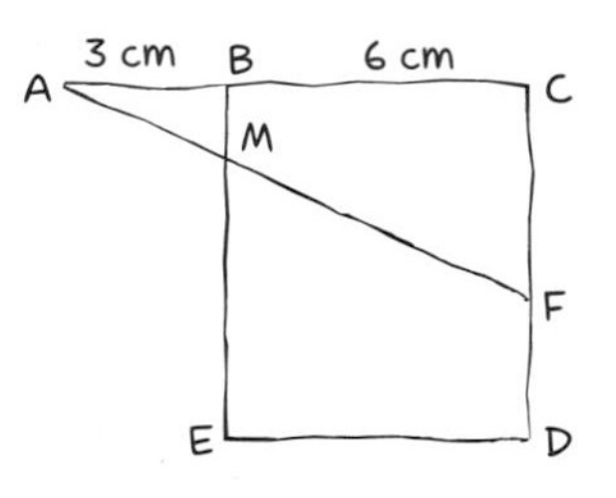

Voici une figure à main levée où BCDE est un carré de 6 cm de côté.
Les points A, B, C sont alignés et AB = 3 cm.
F est un point du segment [CD].
La droite (AF) coupe le segment [BE] en M.
Déterminer la longueur CF par calcul ou par construction pour que les longueurs BM et FD soient égales.

Conseil

Note x la longueur BM.
Utilise une configuration de Thalès ou une homothétie pour obtenir une équation.
Tu peux ensuite vérifier ton résultat en construisant la figure en vraie grandeur.

Sans aide maintenant

82 Analyser des informations

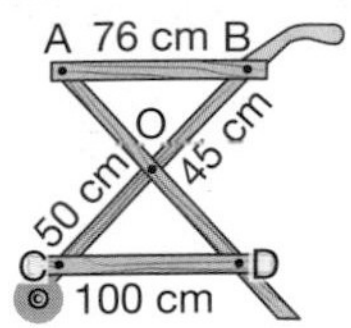

Les plateaux représentés par [AB] et [CD] pour la réalisation de cette desserte en bois sont-ils parallèles ? Expliquer.

83 Prévoir la longueur

Des élèves participent à une course.
Avant l'épreuve, un plan leur a été remis.
Il est représenté par la figure ci-dessous.

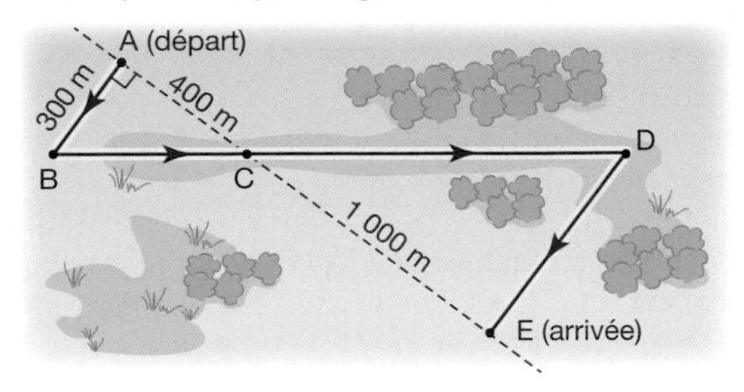

On convient que :
- les droites (AE) et (BD) se coupent en C,
- les droites (AB) et (DE) sont parallèles,
- ABC est un triangle rectangle en A.

Calculer la longueur réelle du parcours ABCDE.

84 Prévoir la durée

Héloïse a peint le triangle ABC en 40 minutes.

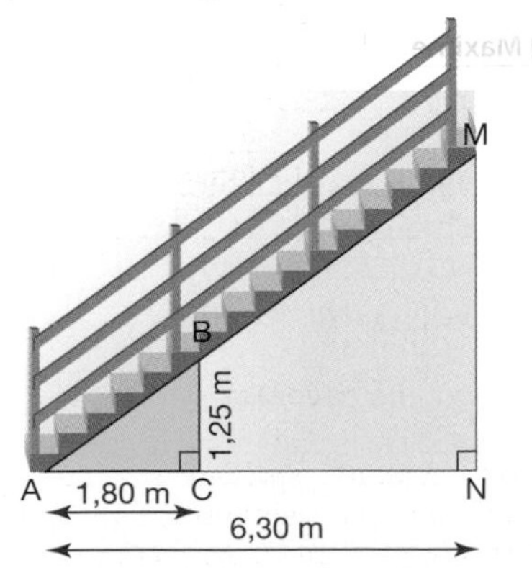

Si Héloïse conserve le même rythme, dans combien de temps aura-t-elle terminé de peindre le mur sous l'escalier ?
Exprimer la durée en heures et minutes.

85 Régler ses feux de voiture

Pour savoir si les feux de croisement de sa voiture sont réglés correctement, Pauline éclaire un mur vertical. Aider Pauline à déterminer si l'inclinaison et la portée de ses phares sont conformes aux normes.

Doc. 1 Dessin de la situation

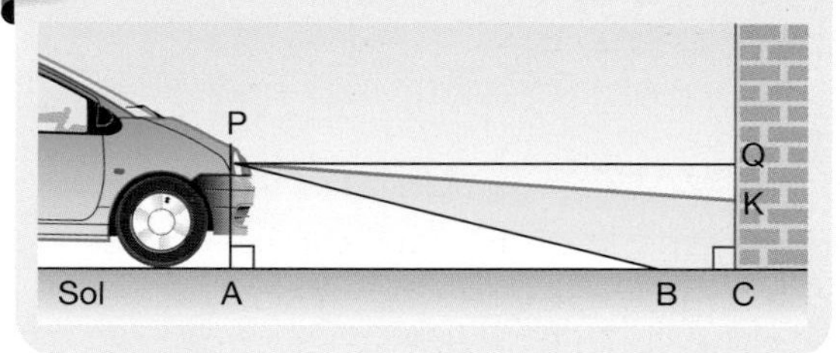

Doc. 2 Schéma de Pauline (pas à l'échelle)

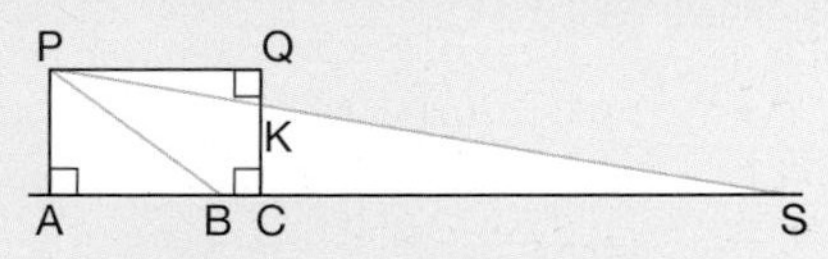

- PA = 0,65 m, AC = QP = 5 m et CK = 0,58 m.
- P désigne le phare, assimilé à un point.
- AS correspond à la portée des feux s'il n'y avait pas le mur.

Doc. 3 Les normes

- L'inclinaison des phares correspond au rapport $\frac{QK}{QP}$.

Cette inclinaison est conforme aux normes si ce rapport est compris entre 0,01 et 0,015.
- La portée des feux de croisement ne doit pas être inférieure à 30 m pour éclairer assez loin et ne doit pas être supérieure à 45 m pour ne pas éblouir les autres conducteurs.

86 Le cocotier

À l'aide des documents, calculer la hauteur du cocotier en expliquant clairement la démarche.

Doc. 1 La liste

Extrait de la liste alphabétique d'élèves de la 3e D et d'informations relevées en EPS pour préparer des épreuves d'athlétisme.

Prénoms	Date de naissance	Année	Taille (en m)	Nombre de pas réalisés sur 100 m
Léo	26 octobre	2002	1,81	110
Maxime	20 mai	2002	1,62	123
Manon	5 janvier	2003	1,56	128
Mario	5 juin	2002	1,60	125
Nouria	10 décembre	2002	1,80	111
Rayan	14 mai	2002	1,53	130

Doc. 2 Un croquis

Sur le croquis ci-contre, le personnage représente Nouria, élève de 3e D.
Nouria a d'abord posé sur le sol, à partir du cocotier, des noix de coco régulièrement espacées à chacun de ses pas, puis elle s'est ensuite placée exactement comme indiqué sur le croquis, au niveau de la 7e noix de coco.

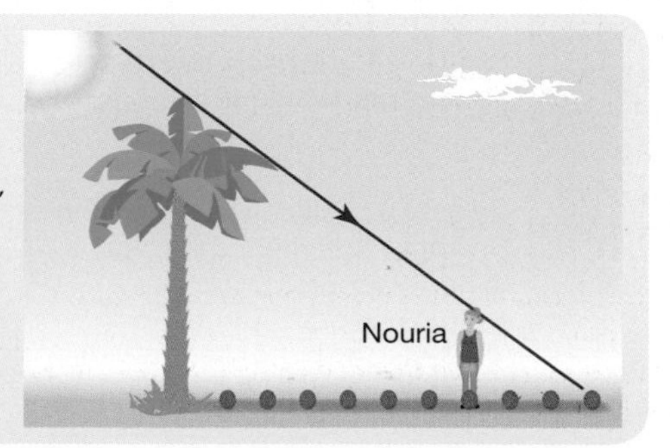

CHAPITRE

12 Modéliser une situation spatiale

Lors d'une éruption volcanique, la propulsion du magma vers le sommet « décapite » parfois le volcan. Après des années d'érosion, ces volcans prennent l'allure caractéristique de cônes sectionnés par un plan.

Vu au Cycle 4

Pour chaque question, une réponse ou plusieurs sont exactes.

		a	b	c
1	Dans le parallélépipède rectangle ci-contre, une face parallèle à la face ADHE est la face … 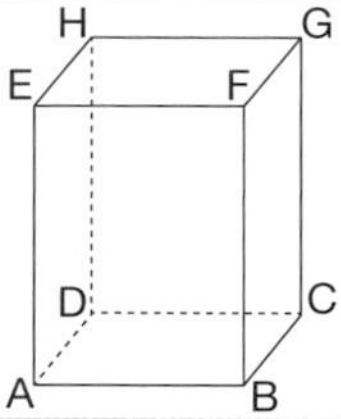	CDHG	BCGF	ABCD
2	Dans le parallélépipède rectangle ci-dessus, une face parallèle à l'arête [HD] est …	ABFE	BCGF	ABCD
3	SABCD est une pyramide régulière de sommet S lorsque …	sa hauteur est l'arête [SA]	ABCD est un carré et les triangles SAB, SBC, SCD, SAD sont isocèles	sa base ABCD est un carré
4	Un vase a pour contenance 1,6 L. Un agrandissement de ce vase dans le rapport 1,25 a pour contenance …	2 L	2,5 L	3,125 L

D'autres exercices sur ***le site compagnon***

Vérifie tes réponses *p. 259*

Activité 1

Section d'un parallélépipède rectangle

$\mathcal{P}$ est un parallélépipède rectangle de dimensions 1,5 cm ; 2,5 cm et 5 cm.

1 **a.** Voici en rouge **la section** de $\mathcal{P}$ par le plan parallèle à la face verte et passant par M : c'est la figure obtenue à l'intersection du solide et du plan.
Dessiner cette section en vraie grandeur.

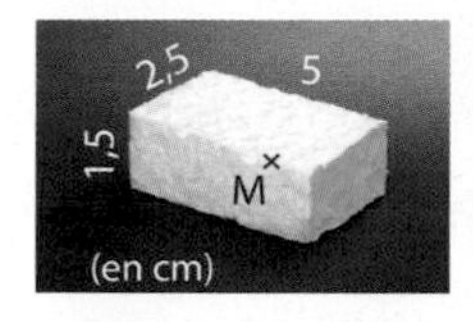

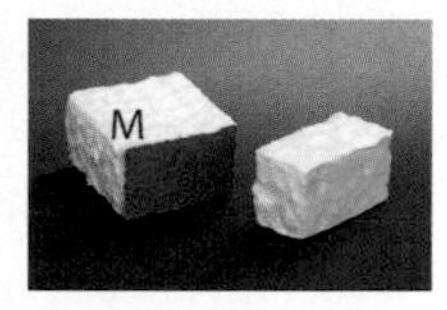

b. Dans chacun des cas ci-contre, conjecturer la nature de la section de $\mathcal{P}$ par le plan parallèle à la face verte et passant par M.
La dessiner en vraie grandeur.

2 Dans chaque cas, on coupe le parallélépipède rectangle $\mathcal{P}$ par le plan contenant le segment tracé en rouge et parallèle à l'arête verte.
Conjecturer la nature de la section et la dessiner en vraie grandeur.

a. I, milieu de [DC] et M, point de [BC] tel que IM = 3 cm.

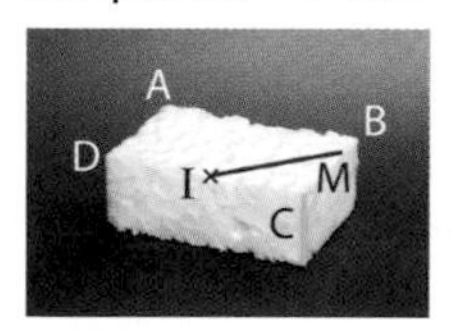

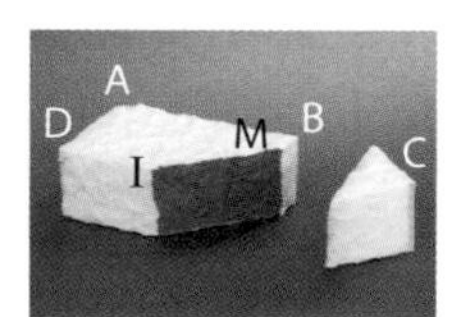

b.

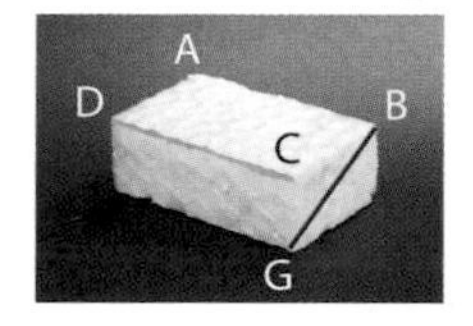

c. K, point de [GH] tel que KH = 2 cm.

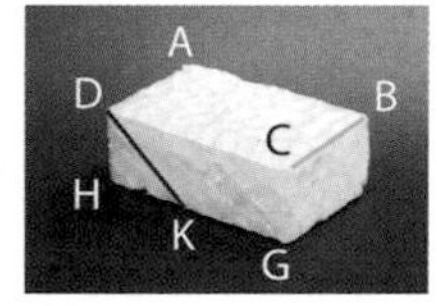

Activité 2

Section d'un cône de révolution

1 Un cône de révolution a pour base un disque de centre O et de rayon 4 cm. Sa hauteur est SO = 8 cm.
Conjecturer la nature de la section de ce cône par :

a. le plan parallèle à sa base et qui passe par le point I de [SO] tel que SI = 5 cm (figure ❶) ;

b. le plan parallèle à sa base et qui passe par le point S (figure ❷).

2 On a représenté ci-contre la situation de la figure ❶.

a. Dans le triangle SOM, les droites (OM) et (IN) sont parallèles. Calculer alors IN et en déduire la nature de la section du cône et du plan $\mathcal{P}$.

b. On note $\mathcal{C}$ le cône de sommet S et de base le disque de rayon [OM], $\mathcal{C}'$ le cône de sommet S et de base le disque de rayon [IN]. Calculer les valeurs exactes du volume $\mathcal{V}$ du cône $\mathcal{C}$ et du volume $\mathcal{V}'$ du cône $\mathcal{C}'$. Vérifier que $\mathcal{V}' = \left(\frac{5}{8}\right)^3 \mathcal{V}$.

c. $\mathcal{C}'$ est une réduction du cône $\mathcal{C}$. Quel est le rapport de réduction ?

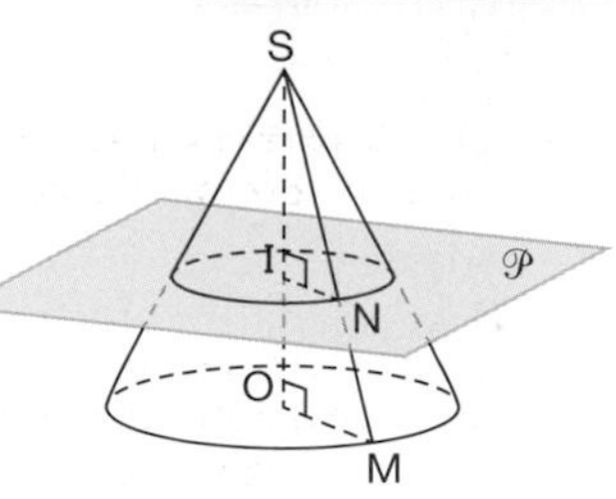

J'apprends le cours

1 Section d'un prisme droit par un plan

Propriétés

• La section d'un prisme droit par un plan parallèle à une base est un polygone de mêmes dimensions que la base.

• La section d'un prisme droit par un plan parallèle à une arête latérale est un rectangle dont une dimension est la longueur de l'arête.

Cas particulier du parallélépipède rectangle

La section par ce plan parallèle à la face ADHE est le rectangle IJKL et :
IJ = AD et IL = AE.

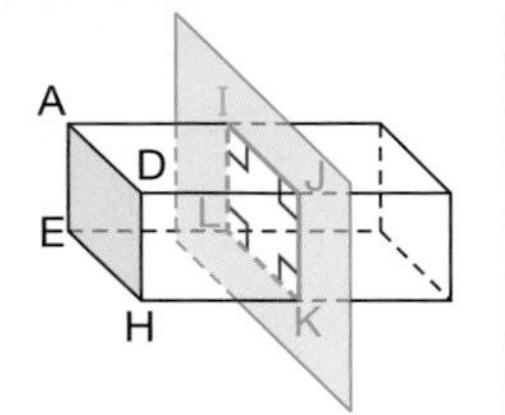

La section par ce plan parallèle à l'arête [DH] est le rectangle MNOP et : MP = DH.

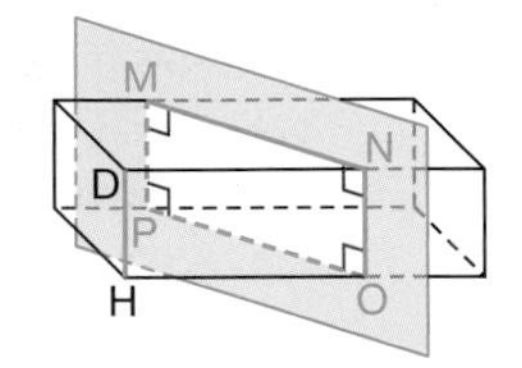

2 Section d'un cylindre par un plan

Propriétés

• La section d'un cylindre par un plan parallèle à une base est un cercle de même rayon que la base.

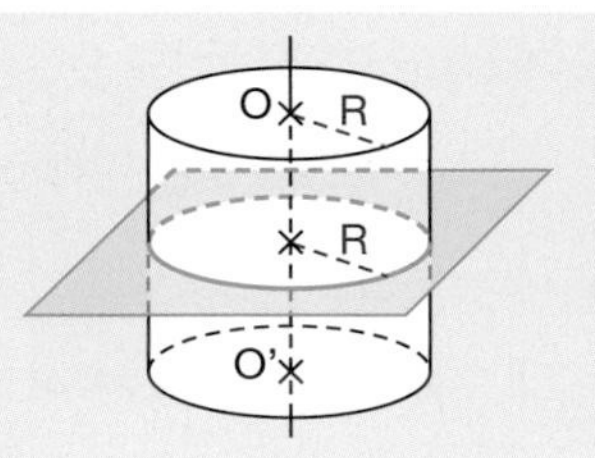

• La section d'un cylindre par un plan parallèle à son axe est un rectangle dont l'une des dimensions est la hauteur du cylindre.

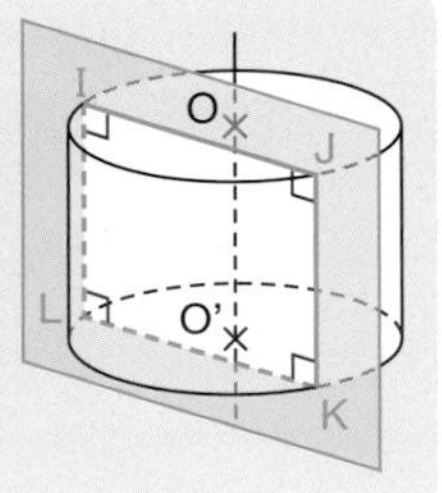

3 Section d'un cône et d'une pyramide par un plan

Propriété

• La section d'un cône par un plan parallèle à sa base est un cercle qui est **une réduction du cercle de base.**
Son centre appartient à la hauteur du cône.

Propriété

• La section d'une pyramide par un plan parallèle à sa base est **une réduction de la base.**
Ses côtés sont parallèles à ceux de la base.

La section par ce plan parallèle à la base est le cercle de centre I et de rayon IJ.
Le cône de sommet S et de rayon [IJ] est une **réduction** du cône de sommet S et de rayon [OA].

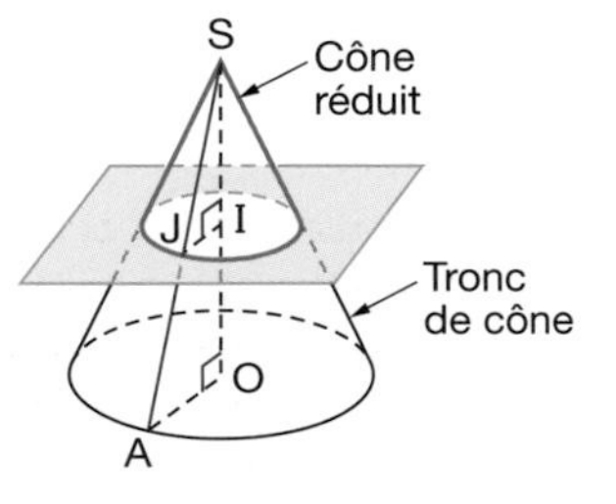

Rapport de réduction : $\frac{SI}{SO} = \frac{SJ}{SA} = \frac{IJ}{OA}$

La section par ce plan parallèle à la base carrée est le carré IJKL.
La pyramide de sommet S et de base IJKL est une **réduction** de la pyramide de sommet S et de base ABCD.

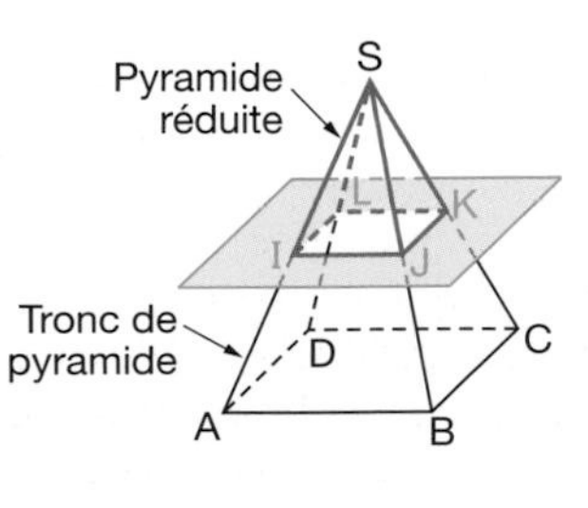

Rapport de réduction : $\frac{SI}{SA} = \frac{SJ}{SB} = \frac{IJ}{AB} = \dots$

J'apprends à ▶ Calculer le volume d'un solide réduit

Exercice résolu

1 **Énoncé**

SABCD est une pyramide régulière de sommet S dont la base est le carré ABCD de côté 6 cm.
Sa hauteur est SO = 12 cm.
O' est le point de [SO] tel que SO' = 9 cm.
Le plan passant par O' et parallèle à la base coupe la pyramide selon le carré A'B'C'D'.
Calculer le volume de la pyramide SA'B'C'D'.

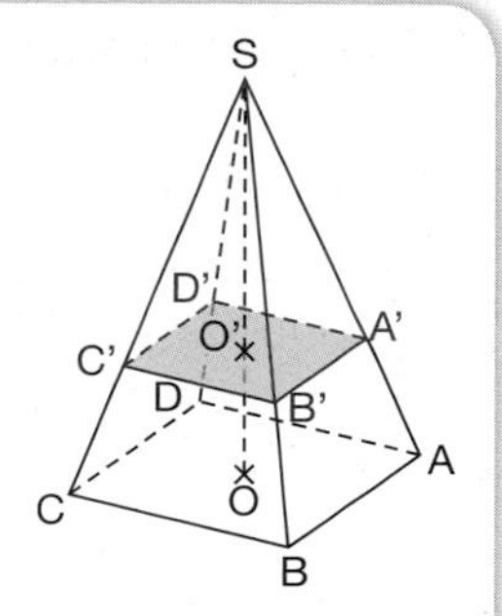

Solution

• La pyramide SA'B'C'D' est une réduction de la pyramide SABCD dans le rapport :
$k = \frac{SO'}{SO}$ c'est-à-dire $k = \frac{9}{12} = 0{,}75$.
• On note $\mathcal{V}$ le volume de SABCD et $\mathcal{V}'$ le volume de SA'B'C'D'.
Alors $\mathcal{V}' = 0{,}75^3 \times \mathcal{V}$.
Or $\mathcal{V} = \frac{1}{3}\mathcal{B} \times h = \frac{1}{3} \times AB^2 \times SO$
$\mathcal{V} = \frac{1}{3} \times 6^2 \times 12 \text{ cm}^3 = 144 \text{ cm}^3$.
Donc $\mathcal{V}' = 0{,}75^3 \times 144 \text{ cm}^3 = 60{,}75 \text{ cm}^3$.
Le volume de la pyramide SA'B'C'D' est 60,75 cm³.

Conseil

Une autre méthode consiste à calculer d'abord le côté de la section :
$A'B' = k\,AB$
$A'B' = 0{,}75 \times 6 \text{ cm}$
$A'B' = 4{,}5 \text{ cm}$
Alors : $\mathcal{V}' = \frac{1}{3} \times 4{,}5^2 \times 9 \text{ cm}^3 = 60{,}75 \text{ cm}^3$.

Sur le même modèle

2 Une pyramide régulière de sommet S et de hauteur SO = 9 cm a pour base un carré ABCD de côté 4,5 cm.
Elle est coupée par un plan parallèle à sa base qui coupe sa hauteur en O', tel que SO' = 6 cm.

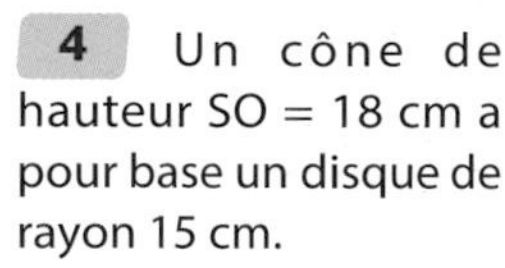

a. Quelle est la nature de la section A'B'C'D' ?
b. Calculer le volume de la pyramide réduite SA'B'C'D'.

3 Un plan parallèle à la base d'une pyramide coupe cette pyramide de volume 1 280 cm³ au quart de sa hauteur à partir du sommet.
Calculer le volume de la pyramide réduite obtenue.

4 Un cône de hauteur SO = 18 cm a pour base un disque de rayon 15 cm.
A est le point de la hauteur [SO] tel que SA = 10 cm.
Le plan passant par A et parallèle à la base coupe le segment [SM] en N.

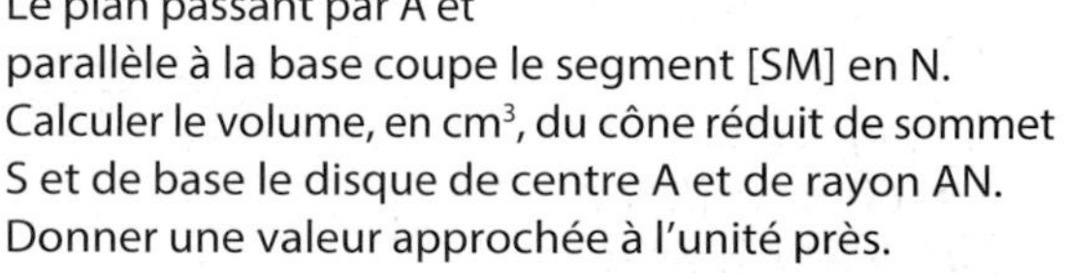

Calculer le volume, en cm³, du cône réduit de sommet S et de base le disque de centre A et de rayon AN.
Donner une valeur approchée à l'unité près.

5 Un plan parallèle à la base d'un cône coupe ce cône de volume 270 cm³ aux deux tiers de sa hauteur en partant du sommet.
Calculer le volume du cône réduit obtenu.

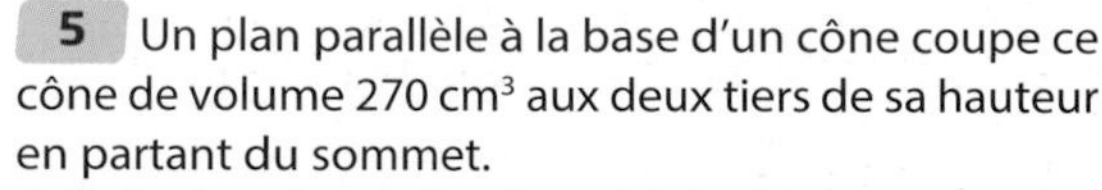

À L'oral

Pour les exercices 6 à 11, donner la nature géométrique de la section tracée en rouge.

6

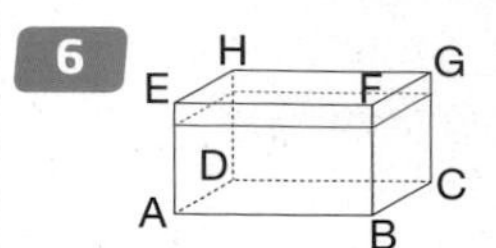

Le plan est parallèle à la face ABCD.

7

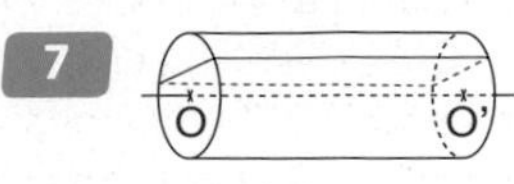

Le plan est parallèle à l'axe (OO').

8

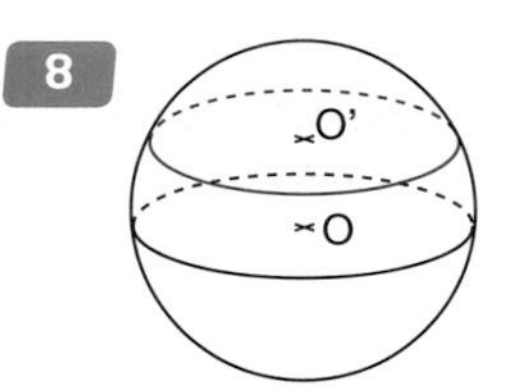

Le plan passe par le point O'.

9

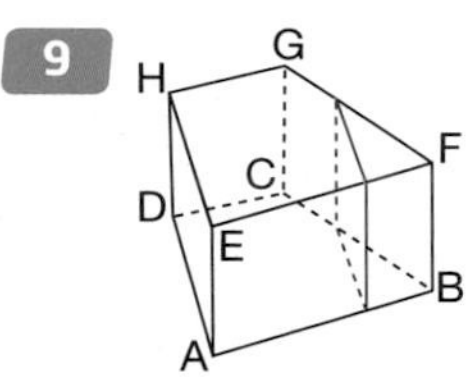

Le plan est parallèle à l'arête [FB].

10

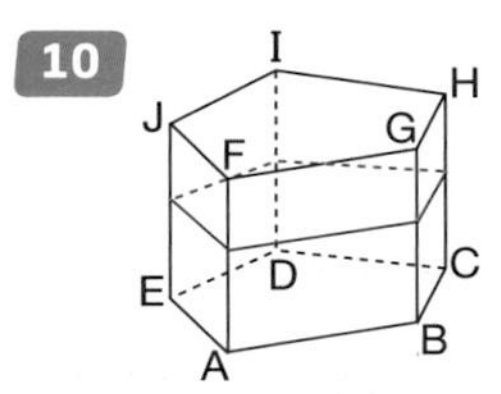

Le plan est parallèle à la base ABCDE.

11

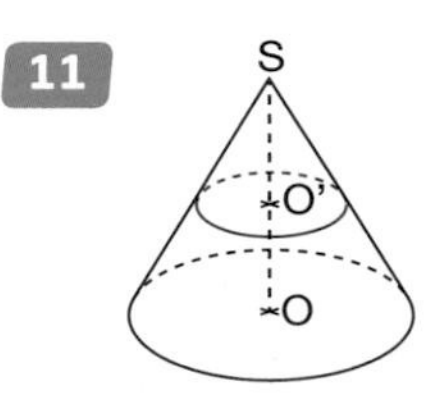

Le plan passe par O' et est parallèle au plan de la base.

12 Dans chaque cas, le rectangle coloré en bleu est la section par un plan du parallélépipède rectangle ABCDEFGH.
Indiquer une face ou une arête à laquelle ce plan est parallèle.

a.

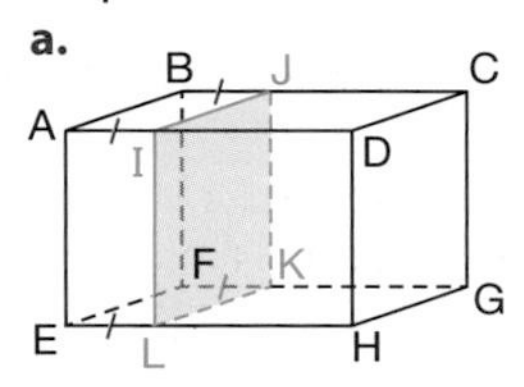

b.

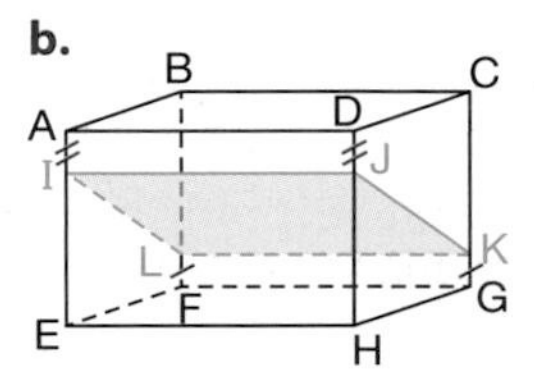

13 Le rectangle bleu est la section du prisme droit ABCDEF par un plan parallèle à la face BCFE et passant par un point M de l'arête [AB].
Donner la nature et la (ou les) dimension(s) de cette section :

a. lorsque M est en A,

b. lorsque M est en B,

c. lorsque M est le milieu de [AB].

14 $\mathscr{C}$ est un cône de révolution de sommet S et de base un disque de centre O et de rayon 12 cm.
On coupe ce cône par un plan parallèle à la base et passant par un point I du segment [OS].

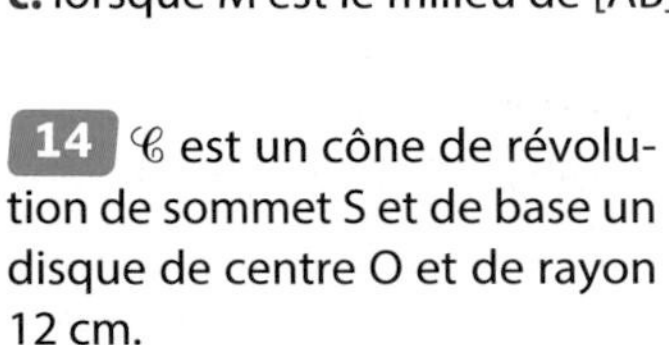

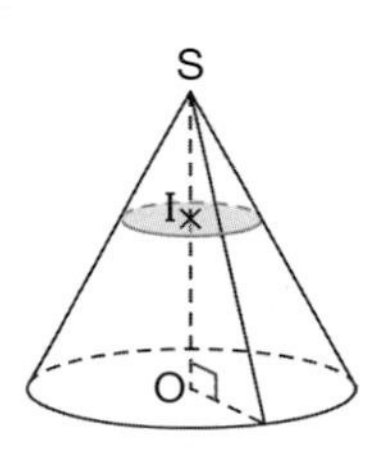

1. Quelle est la nature de la section ?

2. Où se trouve le point I si cette section est un cercle de rayon :

a. 4 cm ? **b.** 9 cm ? **c.** 12 cm ?

3. Lilou affirme : « La section peut être le point S. » Est-ce possible ?

4. Dans cette question, I est le milieu de [OS]. Exprimer :

a. l'aire de la section en fonction de l'aire $\mathscr{B}$ de la base du cône $\mathscr{C}$;

b. le volume du cône de sommet S et dont la base est la section en fonction du volume $\mathscr{V}$ du cône $\mathscr{C}$.

15 Axel s'interroge : « Si l'on coupe une pyramide dont la base est un triangle équilatéral par un plan parallèle à sa base, la section est un triangle. Mais est-il équilatéral ? ».
Donner un (ou des) argument(s) à Axel pour savoir si ce triangle est équilatéral ou non.

Calcul mental

16 La section d'une pyramide régulière de volume $\mathscr{V} = 216 \text{ cm}^3$ par un plan parallèle à sa base a donné une pyramide réduite de volume $\mathscr{V}'$.
Calculer $\mathscr{V}'$ lorsque le rapport de réduction est :

a. $k = \dfrac{1}{2}$ **b.** $k = \dfrac{1}{3}$

17 La section d'un cône de révolution par un plan parallèle à sa base a donné un cône réduit.
Calculer mentalement le rapport de réduction lorsque l'aire de la base du cône est $100\,\pi \text{ dm}^2$ et l'aire de la base du cône réduit est $25\,\pi \text{ dm}^2$.

Section d'un parallélépipède rectangle

18 Représenter en vraie grandeur la section de ce parallélépipède rectangle par un plan parallèle à la face :

a. rouge **b.** bleue **c.** verte

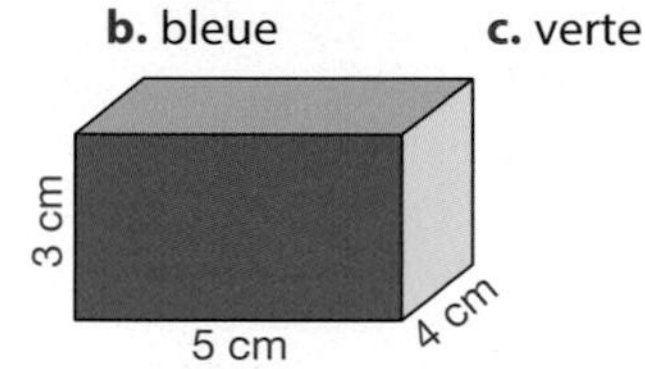

19 Dans chaque cas, réaliser la figure, puis tracer la section du cube par le plan passant par A et parallèle à la face colorée en rose.

a.

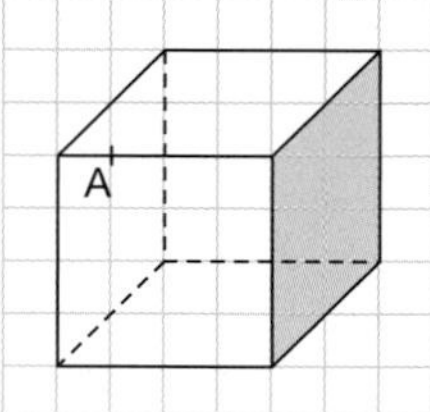

b.

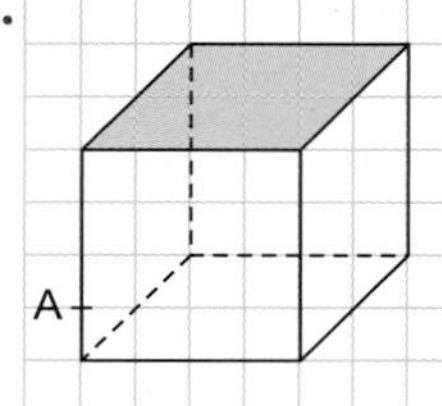

20 Dans chaque cas, réaliser la figure, puis tracer la section du cube par le plan parallèle à l'arête [AB] et qui contient le segment rouge.

a.

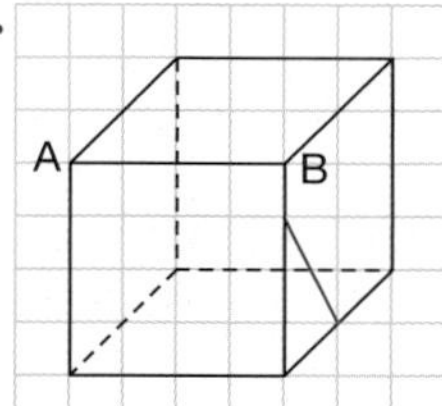

b.

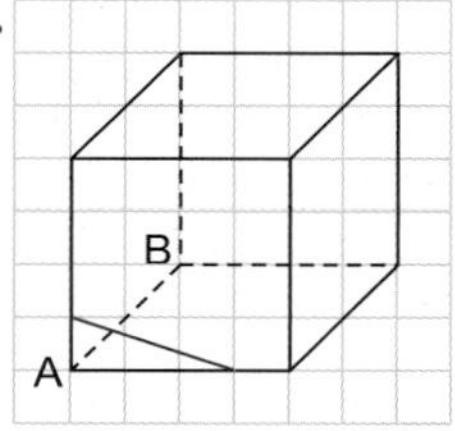

21 **a.** Reproduire ce cube, puis terminer la représentation de sa section par le plan passant par les points I, J et K.

b. Ce cube a 4 cm d'arête ; K est le milieu de [BF] ; I et J sont tels que AI = BJ = 1 cm.
Construire un patron du cube, puis y tracer les côtés de la section.

22 On a coupé le cube ci-contre par le plan parallèle à l'arête [BC] passant par les points A et F.

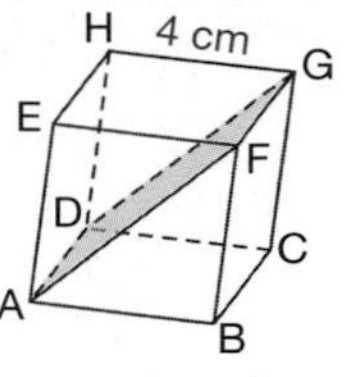

a. Quelle est la nature du quadrilatère ADGF ? Choisir la bonne réponse parmi ces quatre propositions :
- losange
- carré
- rectangle
- parallélépipède rectangle

b. Construire le quadrilatère ADGF en vraie grandeur.

c. Quelles sont ses dimensions ?

Pour les exercices 23 à 25, ouvrir GeoGebra, créer un cube ABCDEFGH et placer les milieux I, J, K, L des arêtes [AB], [BC], [EF], [GH].

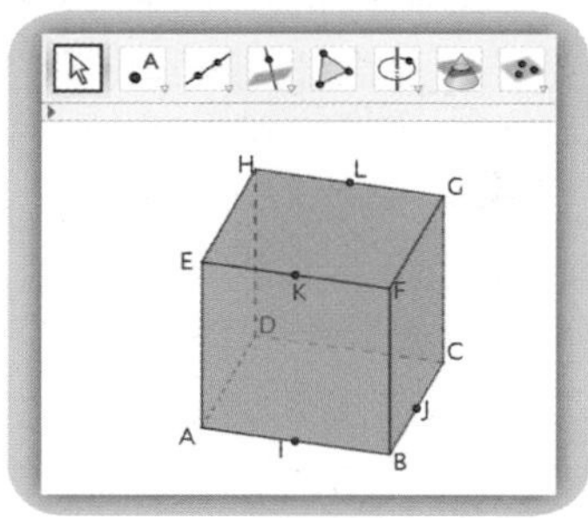

23 TICE **a.** Créer la section de ce cube par un plan passant par les points I, K, L.

b. Décrire cette section et la représenter sur une feuille, en vraie grandeur, dans le cas où AB = 3 cm.

24 TICE **a.** Créer la section de ce cube par un plan passant par les points I, J, K.

b. Décrire cette section et la représenter sur une feuille, en vraie grandeur, dans le cas où AB = 6 cm.

25 TICE **a.** Créer la section de ce cube par un plan passant par les points J, K, L.

b. Décrire cette section et la représenter sur une feuille, en vraie grandeur, dans le cas où AB = 4 cm.

26 En coupant ce parallélépipède rectangle par le plan passant par A et C et parallèle à l'arête [DH], on obtient la section AEGC.

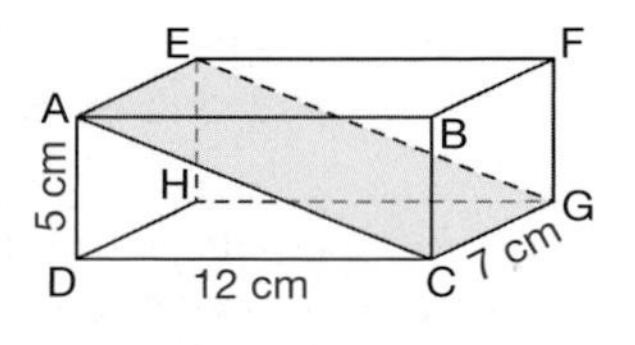

a. Quelle est sa nature ?

b. Dessiner cette section en vraie grandeur.

c. Calculer la longueur AC, en cm.

Je m'entraîne

27 ABCDEFGH est un cube d'arête 6 cm. Les points K, L, M et N sont les milieux des arêtes [AE], [BF], [FG] et [EH].
Construire en vraie grandeur :
a. le quadrilatère KLMN,
b. le quadrilatère KLCD.

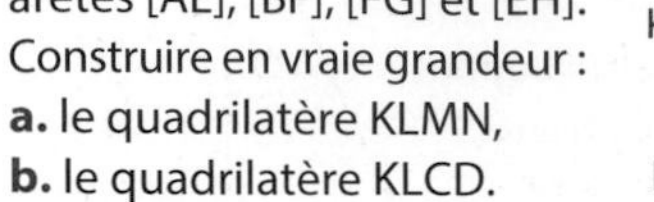

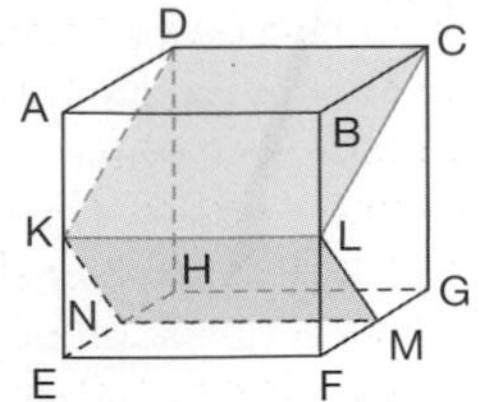

28 ABCDEFGH est un parallélépipède rectangle tel que AB = 12 cm, AD = 5 cm, AE = 8 cm.
Le point M de [AE] est tel que AM = 6 cm.
La section de ce solide par un plan parallèle à la face ABCD et passant par M est représentée en bleu.

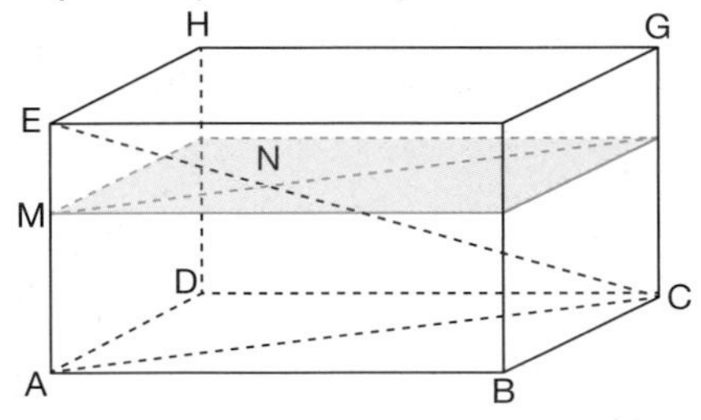

a. Utiliser le théorème de Pythagore pour calculer AC.
b. Utiliser le théorème de Thalès pour calculer MN.

Section d'un prisme droit

29 La section de ce prisme droit par un plan parallèle à l'arête [AB] a été mal tracée.
a. Indiquer la (ou les) erreur(s) commise(s).
b. Reproduire ce prisme ABCDEFGH, puis tracer correctement cette section.

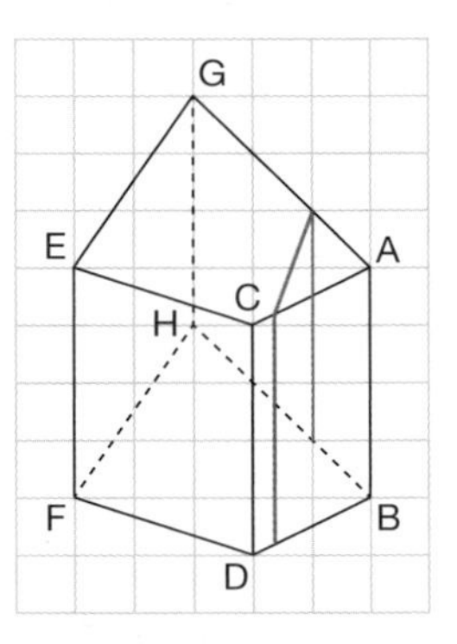

30 Dans chaque cas, réaliser la figure, puis tracer la section du prisme droit par le plan passant par A et parallèle à la face colorée en vert.

a. **b.**

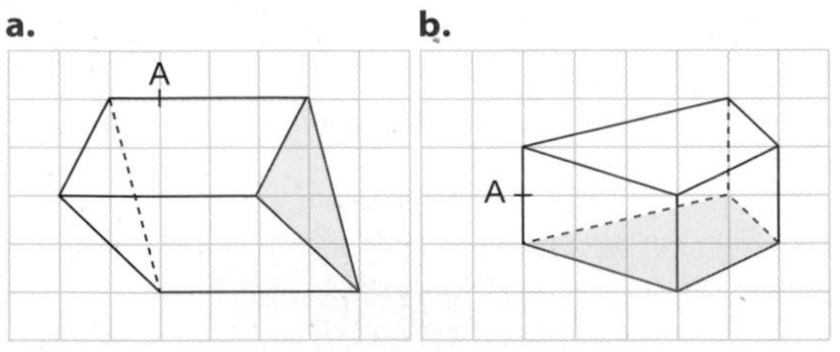

31 TICE **a.** Ouvrir GeoGebra et créer un triangle ABC rectangle en A tel que AB = 4 et AC = 3.
b. Dans Graphique 3D, cliquer sur l'icône Extruder en Prisme pour construire un prisme droit de hauteur AE = 5.
c. Placer le milieu I de [AB]. Cliquer sur l'icône Plan parallèle, puis sur I et sur ACDF afin de créer le plan $\mathcal{P}$ passant par I et parallèle à la face ACDF.
d. Cliquer sur l'icône, puis sur le prisme et le plan afin de représenter la section du prisme par le plan $\mathcal{P}$.
e. Sur le cahier, représenter cette section en vraie grandeur, en prenant comme unité le cm.

32 MNPQ est la section du prisme droit ABCDEF par le plan passant par M et parallèle à la face ABCD. On donne AE = 4 cm, AM = 1 cm, $\widehat{ABE} = 30°$, BC = 10 cm.

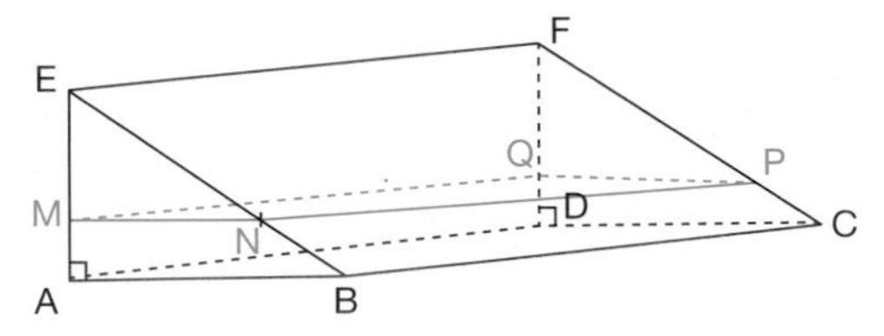

a. Calculer la valeur exacte de MN, en cm, puis une valeur approchée au dixième près.
b. Calculer une valeur approchée à l'unité près du volume, en cm^3, du prisme droit MNEQPF.

Section d'un cylindre

33 Un cylindre est contenu dans un cube ; le diamètre de sa base et sa hauteur ont la même longueur que l'arête du cube.
On coupe cet ensemble par un plan.

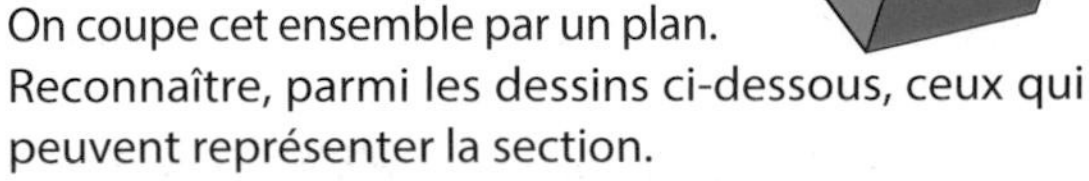

Reconnaître, parmi les dessins ci-dessous, ceux qui peuvent représenter la section.
Préciser alors la position du plan.

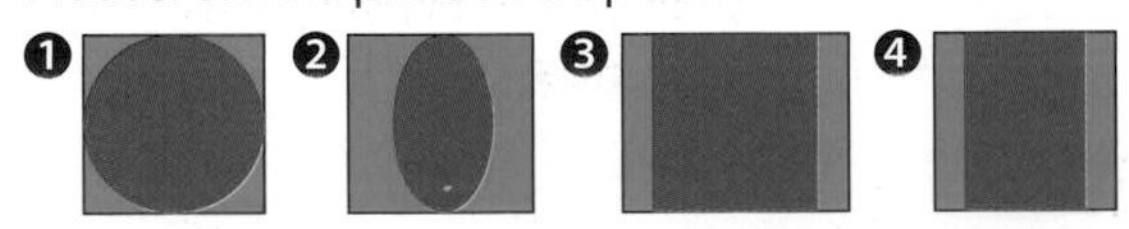

34 Pour obtenir le vase en verre ci-contre, on a coupé le cylindre par un plan parallèle à son axe comme indiqué ci-contre.
Calculer la valeur exacte du périmètre du rectangle MNPQ.

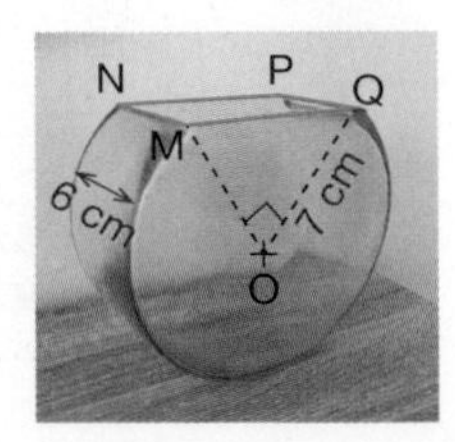

35 On a coupé par deux plans ce cylindre dont les bases sont deux disques de centres A et B ; les sections sont représentées l'une en rose, l'autre en vert.
H est le milieu de [EF] et :
AH = 3 cm, AB = 8 cm, AE = 5 cm.

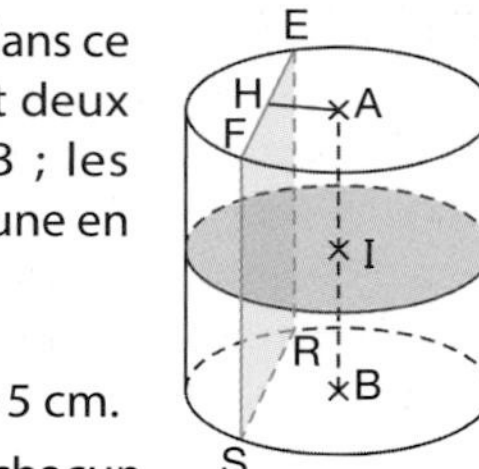

1. Donner la description de chacun des deux plans.

2. Construire en vraie grandeur :
a. la section rose ;
b. le triangle AEF puis la section verte.

3. a. Calculer EF.
b. Vérifier cette longueur sur le dessin en vraie grandeur.

36 Pour créer une lampe de décoration, une machine tranche un cylindre métallique selon les données indiquées.

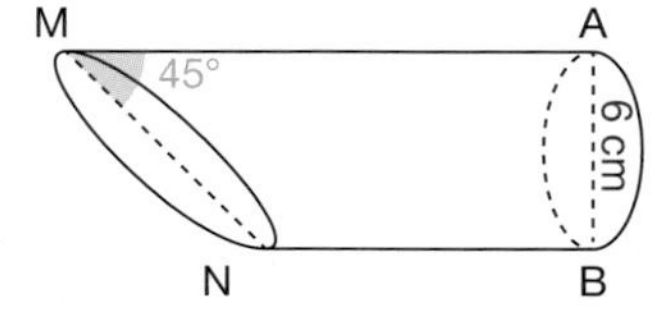

Calculer la valeur exacte de MN.

Section d'un cône, d'une pyramide

37 Déterminer la nature géométrique de chaque section.
a. Section d'une pyramide à base carrée par un plan parallèle à sa base.
b. Section d'un cône par un plan parallèle à sa base.

38 Dans chaque cas, réaliser la figure, puis tracer la section de la pyramide par un plan passant par A et parallèle à sa base, colorée en violet.

a.

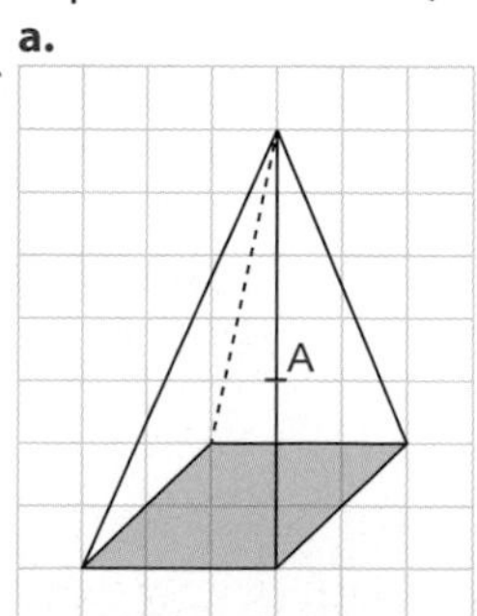

b.

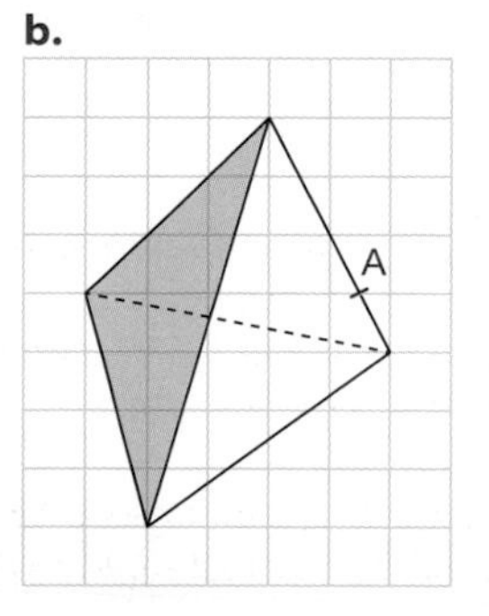

39 Un cône de révolution a été sectionné par un plan parallèle à sa base.
La section est tracée en vert.
a. Quelle est la nature de cette section ?
b. On donne OA = 5 cm. Calculer O'A', puis représenter la section en vraie grandeur.

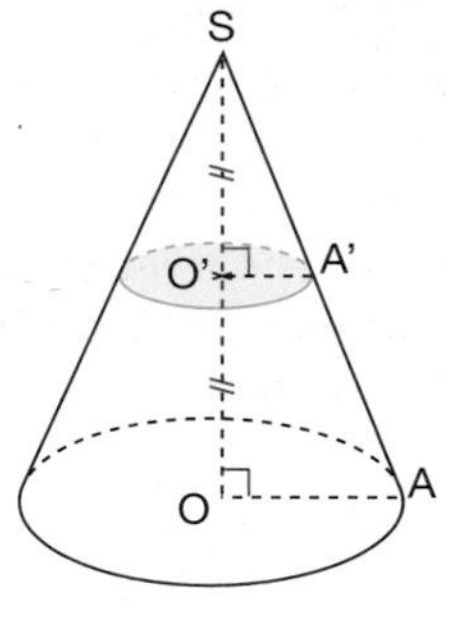

40 La pyramide régulière SABC ci-contre est telle que SA = 4 cm et BC = 2,1 cm.
Sa section par un plan parallèle à sa base et passant par le point A' est représentée en vert. On donne SA' = 3,2 cm.
Calculer A'B'.

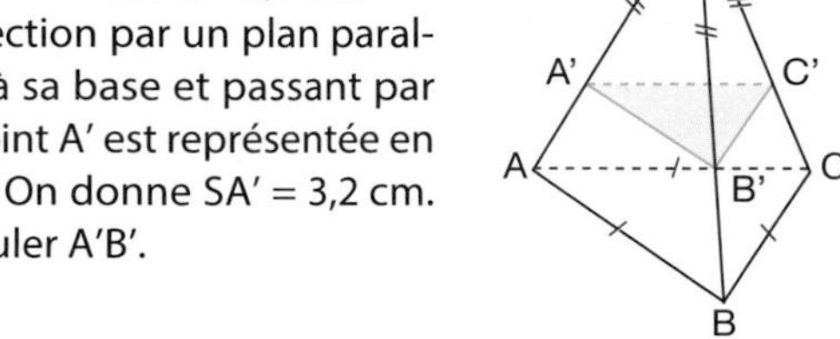

41 La pyramide à base carrée ci-contre, de hauteur 6 cm, a été coupée par un plan parallèle à sa base.
a. Quel est le rapport de réduction qui permet d'obtenir la pyramide verte ?
b. Calculer l'aire de la base, puis le volume de la grande pyramide.
c. En déduire l'aire de la base, puis le volume de la pyramide verte.

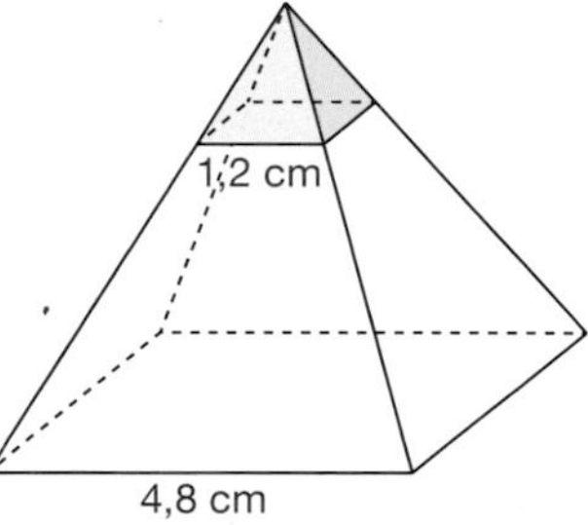

Formulaire
Volume d'une pyramide :
$\mathcal{V} = \frac{1}{3}\mathcal{B}h.$

42 Le cône de révolution ci-contre, de hauteur 36 dm, a été coupé par un plan parallèle à sa base.
a. Quel est le rapport de réduction qui permet d'obtenir le cône vert ?
b. Calculer l'aire de la base, puis le volume du grand cône.
c. En déduire l'aire de la base, puis le volume du cône vert.

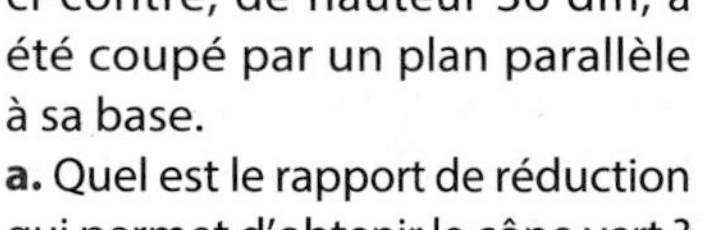

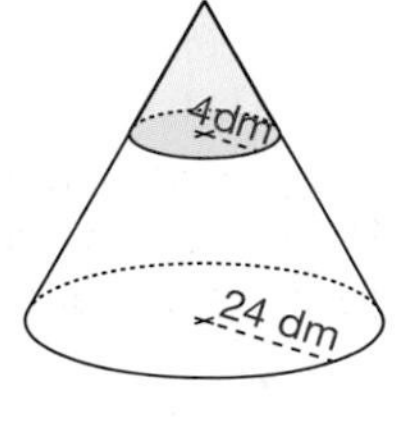

Formulaire
Volume d'un cône :
$\mathcal{V} = \frac{1}{3}\pi R^2 h.$

Je m'entraîne

43 SABCD est une pyramide régulière à base carrée de côté 6 cm et de hauteur [SO] avec SO = 7,5 cm.
Un plan parallèle à la base coupe [SO] en I de sorte que SI = 2,5 cm.
La section est le quadrilatère MNPQ.

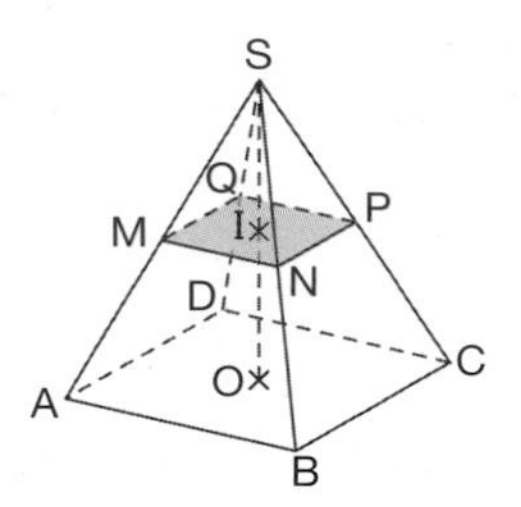

a. Calculer le volume $\mathcal{V}$, en cm^3, de SABCD.
b. $\mathcal{V}'$ est le volume, en cm^3, de SMNPQ.
Exprimer $\mathcal{V}'$ en fonction de $\mathcal{V}$.
Donner une valeur approchée de $\mathcal{V}'$ au centième près.

44 Une pyramide régulière dont la base est un carré de 8 cm de côté est coupée par un plan parallèle à sa base aux trois quarts de sa hauteur en partant du sommet.
Calculer l'aire, en cm^2, de la section.

45 Un cône de révolution $\mathcal{C}$ de sommet S et de base un disque de centre O est coupé par un plan parallèle à sa base. La section est le cercle de centre I qui passe par B, point d'intersection du segment [SA] avec le plan.

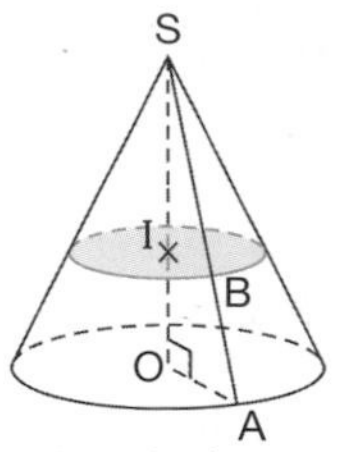

a. Le cône $\mathcal{C}'$ de sommet S et dont la base est le disque de centre I passant par B est une réduction du cône $\mathcal{C}$. Écrire le rapport de réduction de trois façons différentes.
b. On donne SO = 10 cm, OA = 7,5 cm et SI = 6 cm. Dessiner la section en vraie grandeur.

46 Un cône de révolution $\mathcal{C}_1$ est coupé à mi-hauteur par un plan parallèle à sa base. On obtient ainsi un cône $\mathcal{C}_2$ réduction de $\mathcal{C}_1$ de 6 cm de haut et dont l'aire de la base est 50 cm^2. Pour le cône $\mathcal{C}_1$, déterminer :
a. la hauteur, **b.** l'aire de la base, **c.** le volume.

Je m'évalue à mi-parcours

Pour chaque question, une seule réponse est exacte.

	a	b	c	En cas d'erreur
47 AMNE est la section de ce parallélépipède rectangle par un plan parallèle à l'arête [CG]. (A, D 5 cm M, C, 5 cm, B, 6 cm, H, N, G, E, F) La section AMNE est un …	parallélogramme non rectangle	rectangle de dimensions $\sqrt{50}$ cm et 6 cm	rectangle de dimensions 5 cm et 6 cm	Cours 1 et ex. 22
48 Le cercle bleu de diamètre [A'B'] est la section de ce cône par un plan parallèle à sa base. (A, B, A', B', S) AB = 5 cm et A'B' = 3 cm. Le cône bleu est une réduction du grand cône dans le rapport …	$\frac{3}{5}$	$\frac{5}{3}$	$\frac{1}{2}$	Cours 3 et ex. 42
49 Le grand cône ci-dessus a pour volume 12,5 π cm^3. Le cône bleu a pour volume environ …	8,48 cm^3	23,56 cm^3	82,46 cm^3	Cours 3 et ex. 1

Vérifie tes réponses p. 259

▶ Représenter une section de solide avec GeoGebra

50 Représenter la section d'une pyramide par un plan

FABCDE est une pyramide régulière de sommet F et de base le pentagone régulier ABCDE.
M est un point de l'arête [AF] et $\mathscr{P}$ le plan passant par M et parallèle à la base de la pyramide.
On souhaite représenter, à l'aide du logiciel GeoGebra, la section de la pyramide par le plan $\mathscr{P}$.

1 Construire la pyramide régulière FABCDE

a. Avec GeoGebra, créer deux points A et B. Créer un pentagone régulier ABCDE (utiliser Polygone régulier).

b. Cliquer sur Graphique 3D , créer la pyramide régulière de base ABCDE et de hauteur 4 (utiliser Extruder Pyramide/Cône). Le logiciel note F son sommet.

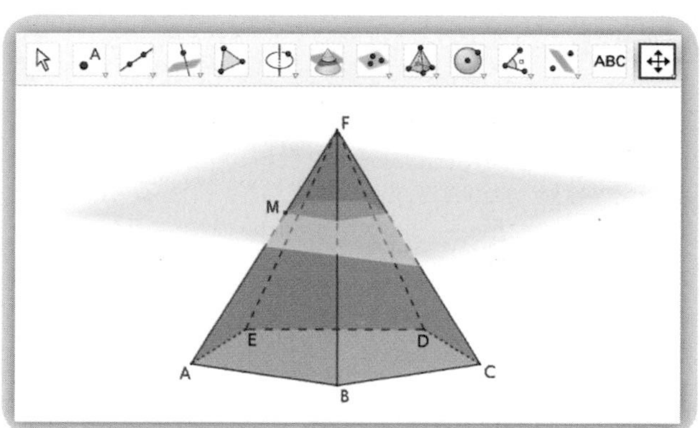

2 Construire une section

a. Placer un point M de l'arête [AF].

b. Cliquer sur l'icône Plan parallèle , puis sur le point M et sur le polygone ABCDE afin de créer le plan $\mathscr{P}$ passant par M et parallèle à la base de la pyramide.

c. Cliquer sur l'icône Intersection de deux surfaces , puis sur le plan $\mathscr{P}$ et sur la pyramide afin de créer la section.

d. À l'aide de l'icône , faire pivoter la figure afin de visualiser cette section de face.

51 Représenter la section d'un cône de révolution par un plan

$\mathscr{C}$ est un cône de révolution de sommet S, de hauteur 5 et de rayon de base 4.
On se propose de construire la section de ce cône par un plan parallèle à sa base.

a. Avec GeoGebra, créer un cercle de centre O et de rayon 4 (utiliser Cercle (centre-rayon)).

b. Cliquer sur Graphique 3D , créer le cône de base ce cercle et de hauteur 5 (utiliser Extruder Pyramide/Cône). Noter S le sommet de ce cône.

c. Créer un point A sur le cercle de base, créer le segment [AS] et créer un point M de ce segment.

d. Créer la section de ce cône par le plan passant par M et parallèle à sa base.

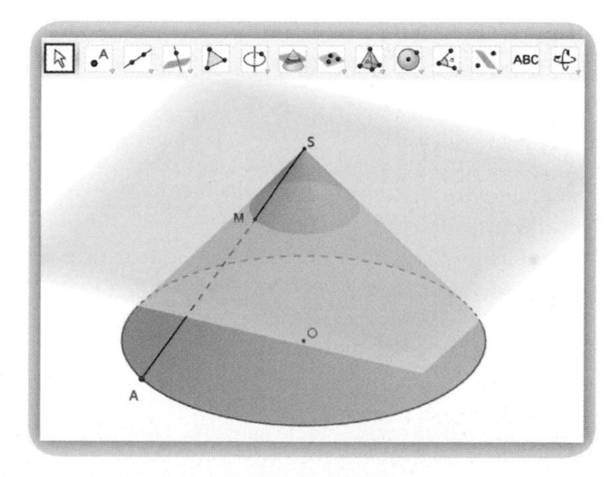

J'utilise mes compétences

S'initier au raisonnement

52 Justifier une égalité

Chercher • Raisonner • Communiquer

La section d'un cube par un plan parallèle à l'une de ses faces est tracée en vert. On note $\mathcal{V}$ le volume du cube et $\mathcal{V}'$ le volume du solide coloré en vert. Justifier que $9\mathcal{V}' = 2\mathcal{V}$.

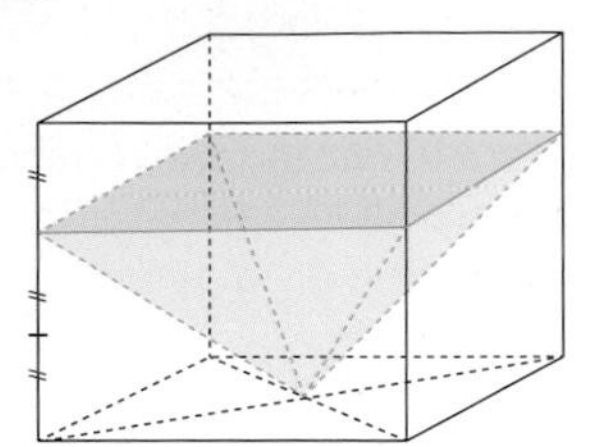

Conseil

Reconnais la nature du solide vert et détermine ses dimensions.

53 Utiliser ses connaissances pour démontrer

Modéliser • Raisonner • Communiquer

Pour créer du rangement, une famille aménage le dessous de son escalier qui a la forme d'un prisme droit.

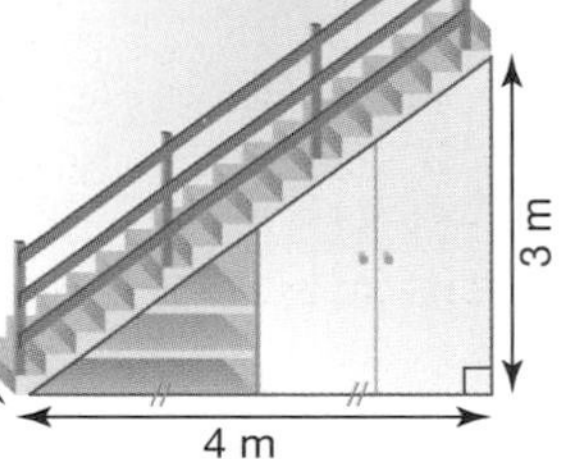

Elle a séparé la partie « tiroirs » de la partie « placard » par une planche verticale (en vert) située à 2 m du bord. L'escalier est large de 0,80 m. Construire un patron de la partie « placard » en prenant 2 cm pour 1 m.

Conseil

Reconnais la nature de la partie « placard » et détermine ses dimensions.

54 Représenter une situation

Représenter • Raisonner • Communiquer

Un tronc d'arbre a la forme d'un cylindre de 6 m de hauteur, dont la base est un disque de centre O et de 20 cm de rayon. Dans ce tronc, on veut tailler une poutre parallélépipédique de 6 m de hauteur dont la base est un carré ABCD, de centre le point O et de 40 cm de diagonale.

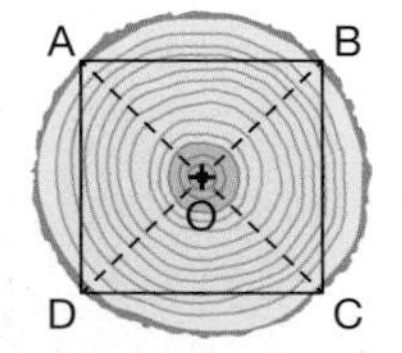

Représenter cette situation à main levée en perspective cavalière et coder les dimensions indiquées.

Conseil

Commence par représenter le cylindre.

55 Porter un regard critique

Chercher • Raisonner • Communiquer

Justine a-t-elle raison ? Expliquer.

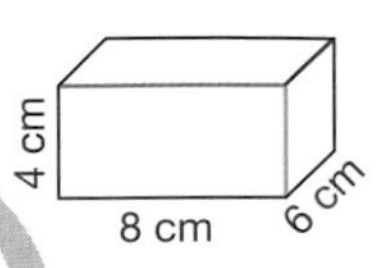

J'ai coupé ce parallélépipède rectangle par un plan parallèle à chacune des arêtes rouge, verte, bleue. À chaque fois, un des côtés de la section mesure 5 cm.

Myriam

Mais alors, la somme des aires des trois sections est 90 cm² !

Justine

Conseil

Commence par indiquer les dimensions de chacune des sections.

56 Comprendre les données

Raisonner • Calculer • Communiquer

Un verre à pied a la forme d'un cône de révolution pouvant contenir 25 cL. On le remplit de jus d'orange jusqu'aux deux tiers de la hauteur de ce cône. Quelle quantité, en cL, de jus d'orange a-t-on versé dans ce verre ? Donner une valeur approchée au dixième près.

Conseil

Représente la situation à main levée par une section puis déduis-en le rapport de réduction.

57 Mobiliser ses connaissances

Raisonner • Calculer • Communiquer

Une pyramide régulière a été coupée par un plan parallèle à sa base. Quelle doit-être l'aire de la base colorée en vert pour que l'aire de la section colorée en bleu soit de 5 cm² ?

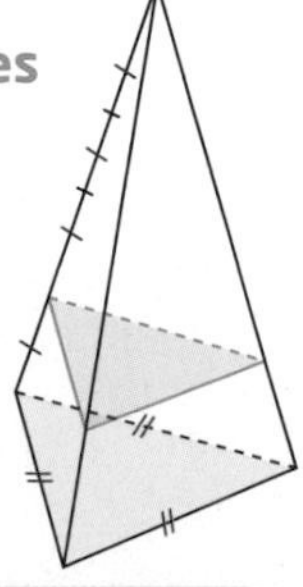

Conseil

Calcule le rapport de réduction afin de déduire l'aire cherchée.

Organiser son raisonnement

58 Découper un pavé droit

Raisonner • Calculer • Communiquer

Le solide IJKLMN ci-dessous a été obtenu par sections du parallélépipède rectangle ABCDEFGH par trois plans parallèles à l'arête [AE].

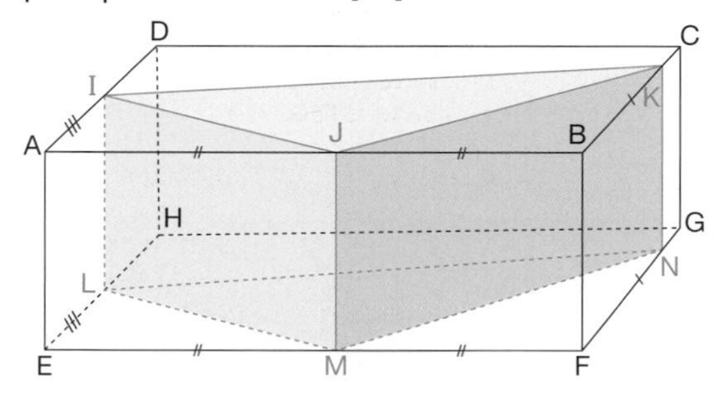

On donne AE = 3,5 cm, AB = 10 cm, AD = 5 cm, AI = 2 cm, KC = 1 cm.

a. Quelle est la nature du solide IJKLMN ?

b. Calculer son volume.

59 Réfléchir

Raisonner • Calculer • Communiquer

On a caché des boîtes de conserve cylindriques sous des cônes en papier de hauteur 30 cm.

Chaque boîte a un rayon de base de 4,8 cm et une hauteur de 12 cm.

Les cônes sont disposés en ligne, les uns à côté des autres, sur une étagère de 1,50 m de long.

Combien de cônes peut-on placer sur l'étagère ?

60 Calculer la donnée manquante

Raisonner • Calculer • Communiquer

Le Globe de la Science et de l'Innovation, situé à Genève (Suisse), est un bâtiment ayant la forme d'une sphère coupée par un plan parallèle à un grand cercle.

Ce bâtiment est haut de 27 m et la sphère a pour diamètre 40 m.

Donner des valeurs approchées au dixième près.

a. Calculer le rayon, en m, du cercle « au sol ».

b. En déduire la superficie au sol, en m^2, de ce bâtiment.

61 Étudier une réduction

Raisonner • Calculer • Communiquer

Un pyramidion est une pyramide de petite taille qui coiffe le sommet d'une pyramide.

La pyramide d'Amenemhat III et son pyramidion (en photo) sont des pyramides régulières à base carrée.

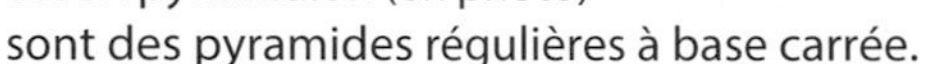

1. La pyramide est haute de 104,40 m et large de 164,4 m.

Calculer le volume, en m^3, de cette pyramide.

Donner une valeur approchée à l'unité près.

Volume d'une pyramide : $\mathcal{V} = \frac{1}{3}\mathcal{B}h$.

2. Le pyramidion est une réduction de cette pyramide obtenue par section par un plan parallèle à sa base. Il a pour hauteur 1,46 m.

a. Calculer le volume de ce pyramidion et sa largeur. Donner des valeurs approchées au dixième près.

b. Ce pyramidion est en granite.

Calculer sa masse sachant que la masse volumique du granite est de 2 650 kg/m^3.

62 Analyser une situation

Raisonner • Calculer • Communiquer

Ce pain de mie, en forme de cylindre, est coupé en deux moitiés comme le montre l'illustration. La section obtenue est un carré de 14 cm de côté.

Calculer le volume de chacun des morceaux.

63 Schématiser une situation SVT

Représenter • Calculer • Communiquer

Le lac Pavin, en Auvergne, est un lac de cratère. On estime qu'il a la forme d'un cône de 92 m de profondeur. Sa base, la surface du lac, a une superficie de 44 ha. Le fond est empli de sédiments sur une hauteur de 23 m.

a. Représenter cette situation à main levée en perspective cavalière et coder les dimensions données dans l'énoncé.

b. Calculer le volume d'eau de ce lac.

64 Communiquer en anglais 

Raisonner • Calculer • Communiquer

A cylindrical tin of paint is advertised as holding 0,5 L. The tin measures 10 cm in diameter and is 10 cm high.

a. How high is the level of the paint in the tin ? Give your answer rounded to the nearest mm.

b. Draw the tin with the paint in freehand.

65 Lire une carte Géographie

Chercher • Modéliser • Communiquer

En cartographie, une ligne de niveau est un trait représentant la section de la surface d'un terrain par un plan horizontal. Sur une même ligne de niveau, tous les points ont la même altitude.

Voici une carte d'une région sur laquelle figurent des lignes de niveau.

Le trajet d'un randonneur, parti du village de Meunier (M) et arrivé à celui de Vernay (V) est représenté en bleu. Il a effectué deux pauses (P_1 et P_2). On effectue une coupe de ce terrain le long de la ligne verte et on a représenté graphiquement le profil du terrain.

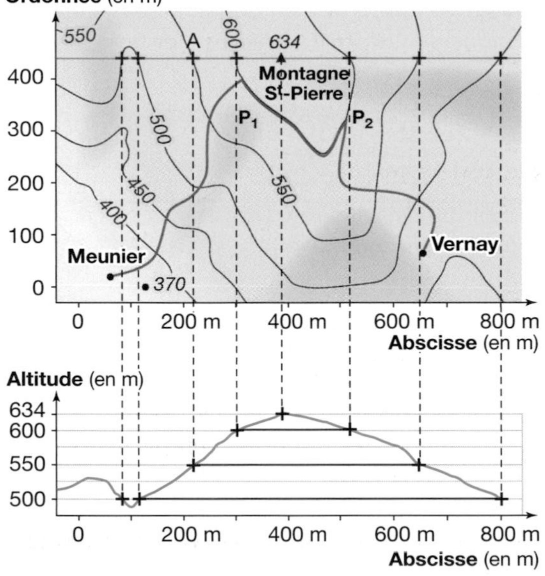

On peut utiliser ces représentations pour repérer un point de la carte à l'aide de ses coordonnées (abscisse ; ordonnée ; altitude).

Par exemple, le point A a approximativement pour coordonnées (220 ; 430 ; 550).

a. Lire approximativement les coordonnées des points M, P_1, P_2 et V.

b. Lire approximativement la différence d'altitude entre M et P_1, entre P_1 et P_2, entre P_2 et V.

66 Prendre des initiatives

Raisonner • Calculer • Communiquer

Un morceau de chocolat a la forme d'une pyramide de sommet S et de hauteur [SH]. On veut le découper, par un plan parallèle à la base, en deux parties de même masse. On note A le point d'intersection du plan de coupe et de la hauteur [SH].

On suppose que SH = 10 cm.

Calculer une valeur approchée de SA, en cm, à l'unité près.

D'après Rallye IREM Toulouse

67 Imaginer une stratégie

Raisonner • Calculer • Communiquer

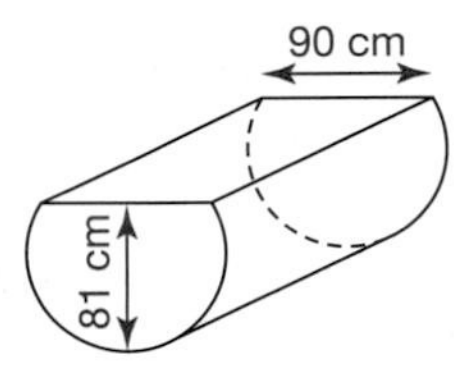

On a réalisé une jardinière dans un tronc d'arbre cylindrique, coupé par deux plans perpendiculaires à son axe et par un plan parallèle à celui-ci.

Ensuite, on l'a évidé pour y déposer la terre et les fleurs. Quel est le rayon de ce tronc d'arbre ?

68 Narration de recherche 

Problème

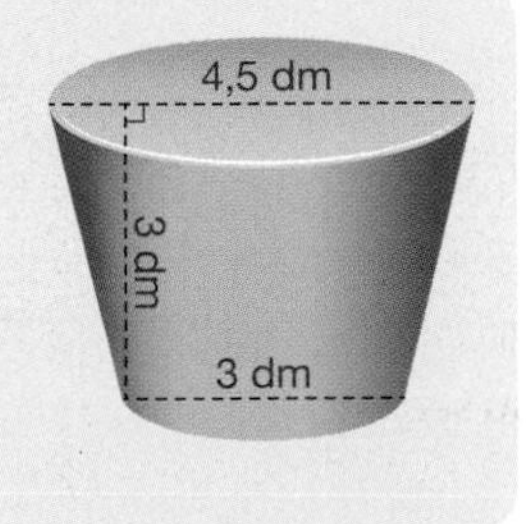

Ce pot de fleur a la forme d'un cône de révolution coupé par un plan parallèle à sa base.

Calculer la capacité, en L, de ce pot de fleur.

Donner une valeur approchée à l'unité près.

Raconter sur une feuille les différentes étapes de la recherche et les remarques qui ont fait changer de méthode ou qui ont permis de trouver.

69 Problème ouvert

Raisonner • Calculer • Communiquer

Un sablier de hauteur totale 12 cm est constitué de deux cônes de révolution identiques.

Le diamètre de chaque base est 5 cm.

Au départ, la hauteur de sable est de 3 cm dans le cône du haut.

Le sable s'écoule régulièrement à raison de 1,6 cm^3 par minute.

Dans combien de temps la totalité du sable sera-t-elle passée dans le cône du bas ? Donner une valeur approchée à la seconde près.

70 Choisir la bonne réponse

Une seule des trois réponses est exacte. Laquelle ?

	A	B	C
$\frac{h}{2}$ h Le liquide remplit-il à moitié le verre ?	oui	non, c'est moins de la moitié	non, c'est plus de la moitié

Conseil

Donne le rapport de réduction entre les deux cônes, puis applique le cours.

71 Représenter une section en vraie grandeur

La figure ci-dessous n'est pas en vraie grandeur.

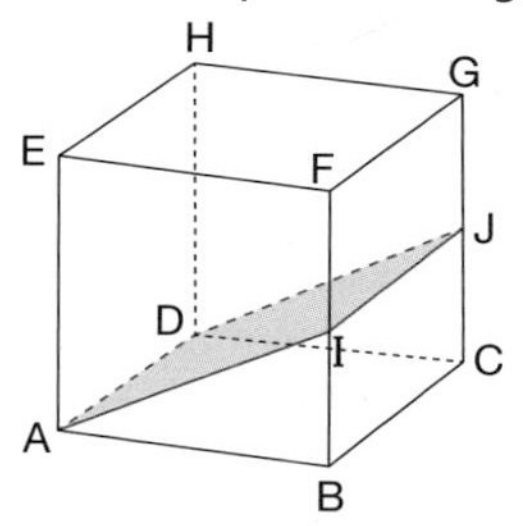

Un cube ABCDEFGH a 6 cm de côté et I est le milieu du segment [BF].

On considère la section AIJD du cube par un plan parallèle à l'arête [BC] et passant par les points A et I.

a. Recopier la (ou les) bonne(s) réponse(s) à la question : La section AIJD du cube est-elle :

- un losange ?
- un rectangle ?
- un parallélogramme ou un carré ?

Justifier la réponse.

b. Dessiner en vraie grandeur le triangle AIB et la section AIJD.

c. Montrer que l'aire du triangle AIB est égale à 9 cm².

d. La partie basse ABIDCJ du cube est un prisme droit. Le volume d'un prisme droit, en cm³, est obtenu par la formule $\mathcal{V} = \mathcal{B} \times h$ où $\mathcal{B}$ est l'aire de la base, en cm², du prisme et h la hauteur du prisme, en cm.

Calculer le volume du prisme droit ABIDCJ en cm³.

Conseil

La réponse à la question **b** permet de vérifier la réponse fournie à la question **a**.

72 Argumenter une réponse

Une pyramide régulière de sommet S et de base le carré ABCD est telle que son volume $\mathcal{V}$ est égal à 108 cm³.

Sa hauteur [SH] mesure 9 cm.

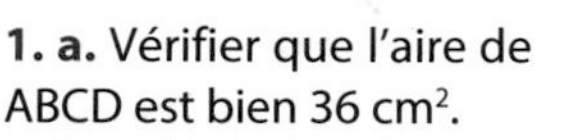

S, P, O, M, N, D, C, H, A, B

1. a. Vérifier que l'aire de ABCD est bien 36 cm².

b. En déduire la valeur de AB.

c. Montrer que le périmètre du triangle ABC est égal à $12 + \sqrt{72}$ cm.

2. SMNOP est une réduction de la pyramide SABCD et l'aire du carré MNOP est égale à 4 cm².

a. Calculer le volume de la pyramide SMNOP.

b. Anya pense que pour obtenir le périmètre du triangle MNO, il suffit de diviser le périmètre du triangle ABC par 3.

Êtes-vous d'accord avec elle ?

Conseil

2. b. Tu peux utiliser le rapport de réduction.

73 Étudier un tronc de cône

Un moule à muffins est constitué de 9 cavités.

Toutes les cavités sont identiques.

Chaque cavité a la forme d'un tronc de cône (cône coupé par un plan parallèle à sa base) représenté ci-contre.

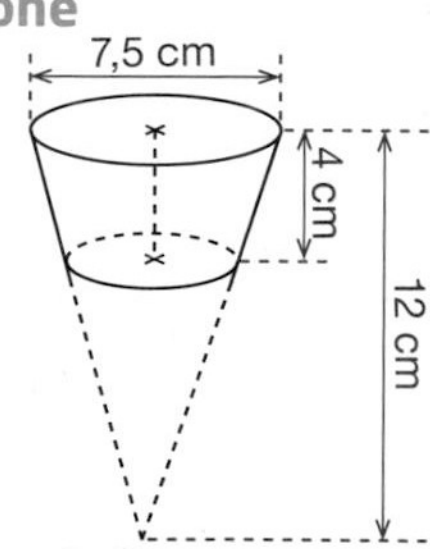

Les dimensions sont indiquées sur la figure.

Rappels : • Volume $\mathcal{V}$ d'un cône de rayon de base r et de hauteur h : $\mathcal{V} = \frac{1}{3}\pi r^2 h$.

• 1 L = 1 dm³.

a. Montrer que le volume d'une cavité est d'environ 125 cm³.

b. Léa a préparé 1 litre de pâte. Elle veut remplir chaque cavité du moule au $\frac{1}{3}$ de son volume.

A-t-elle suffisamment de pâte pour les 9 cavités du moule ? Justifier la réponse.

Conseil

a. Calcule le rapport de réduction afin d'en déduire le volume du petit cône, puis celui du tronc de cône.

Avec une aide

74 Découper une pyramide

On considère le parallélépipède rectangle ABCDEFGH.
M est un point de [FG] et N un point de [EF].
On donne :

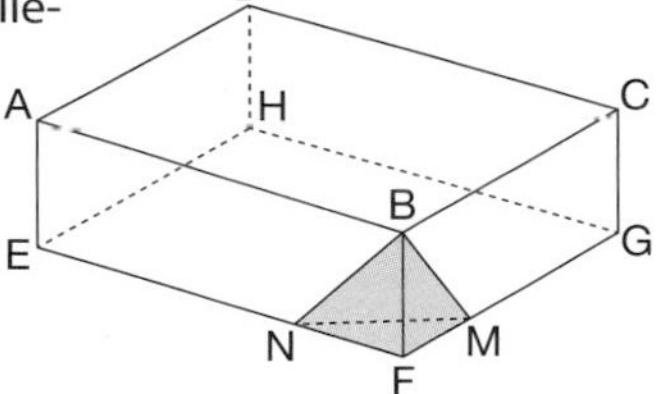

$$EF = 15 \text{ cm} ; FG = 10 \text{ cm} ; FB = 5 \text{ cm} ;$$
$$FN = 4 \text{ cm} ; FM = 3 \text{ cm}.$$

a. Démontrer que l'aire du triangle FNM est égale à 6 cm^2.

b. Calculer le volume de la pyramide de sommet B et de base le triangle FNM.
On rappelle que le volume d'une pyramide est $\mathcal{V} = \dfrac{\mathcal{B} \times h}{3}$, où $\mathcal{B}$ est l'aire de la base et h la hauteur de la pyramide.

c. On considère le solide ABCDENMGH obtenu en enlevant la pyramide précédente au parallélépipède rectangle.
Calculer son volume.

Conseil
a. Quelle est la nature du triangle FNM ?

75 Partager au milieu

On considère un cône de révolution de hauteur 5 cm et dont la base a pour rayon 2 cm. Le point A est le sommet du cône et O le centre de sa base. B est le milieu de [AO].

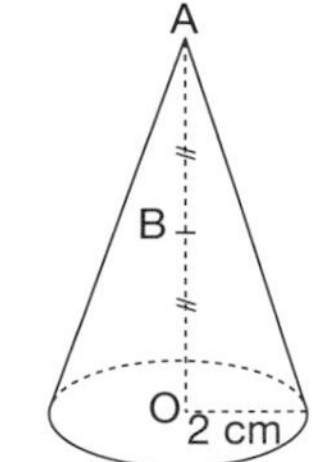

a. Calculer le volume du cône en cm^3. Donner une valeur approchée à l'unité près.
On rappelle que la formule est :
$\mathcal{V} = \dfrac{\pi R^2 h}{3}$ où h désigne la hauteur et R le rayon de la base.

b. On effectue la section du cône par le plan parallèle à la base qui passe par B. On obtient ainsi un petit cône.
Est-il vrai que le volume du petit cône obtenu est égal à la moitié du volume du cône initial ?

Conseil
Calcule le rapport de réduction afin de comparer les deux volumes.

Sans aide maintenant

76 Concevoir un flacon

La dernière bouteille de parfum de chez Chenal a la forme d'une pyramide SABC à base triangulaire de hauteur [AS] telle que :
- ABC est un triangle rectangle et isocèle en A ;
- AB = 7,5 cm et AS = 15 cm.

1. Calculer le volume, en cm^3, de la pyramide SABC. Donner une valeur approchée à l'unité près.

2. Pour fabriquer son bouchon SS'MN, les concepteurs ont coupé cette pyramide par un plan parallèle à sa base et passant par le point S' tel que SS' = 6 cm.
a. Quelle est la nature de la section plane S'MN obtenue ?
b. Calculer la longueur S'N.

3. Donner une valeur approchée à l'unité près du volume maximal de parfum que peut contenir cette bouteille, en cm^3.

77 Étudier un chapeau

Voici un « Nón lá », un chapeau vietnamien.
On considère que ce chapeau est un cône.
Le triangle SOM est rectangle en O.
OM = 24 cm
SM = 37,5 cm

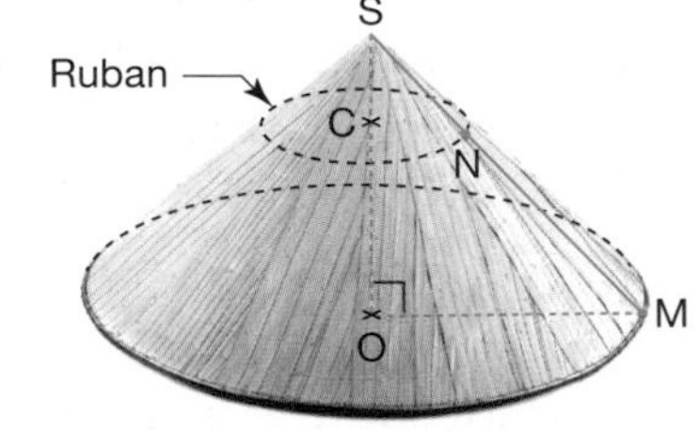

1. Calculer la hauteur SO.
Donner une valeur approchée à l'unité près.

2. En guise de décoration, on se propose de poser un ruban autour du chapeau parallèlement à sa base.
Ce ruban est disposé au tiers du chapeau en partant du sommet.
a. Quelle est la nature de la figure géométrique formée par ce ruban ?
b. Calculer la longueur, en cm, du ruban.
Donner une valeur approchée à l'unité près.

78 Étudier un récipient (Chimie)

En travaux pratiques de chimie, les élèves utilisent des récipients, appelés erlenmeyers.

1. Calculer le volume du cône $\mathscr{C}_1$.

2. Le cône $\mathscr{C}_2$ est une réduction du cône $\mathscr{C}_1$.
a. Quel est le rapport de cette réduction ?
b. Prouver que le volume du cône $\mathscr{C}_2$ est π cm³.

3. a. En déduire que le volume d'eau dans le récipient est 63π cm³.
b. Donner une valeur approchée à l'unité près.

4. Ce volume d'eau est-il supérieur à 0,2 L ? Expliquer pourquoi.

Doc. 1 Un erlenmeyer

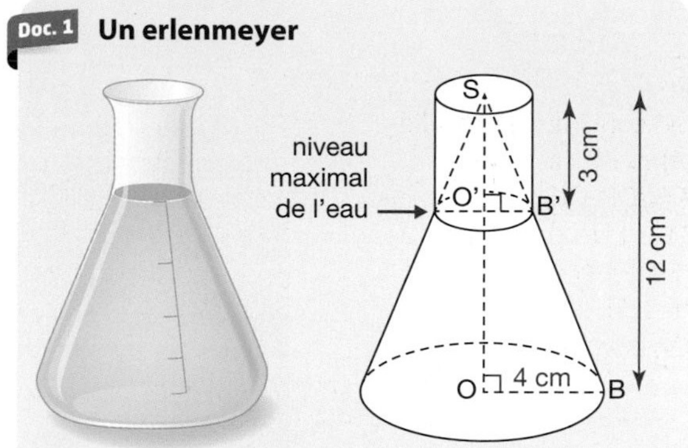

- $\mathscr{C}_1$ est le cône de sommet S et de base le disque de centre O et de rayon OB.
- $\mathscr{C}_2$ est le cône de sommet S et de base le disque de centre O' et de rayon O'B'.

Doc. 2 Formulaire

Volume d'un cône : $\mathscr{V} = \frac{1}{3} \times \pi \times R^2 \times h$
Volume d'un cylindre : $\mathscr{V} = \pi \times R^2 \times h$

79 Estimer un coût d'installation

Une maison est composée d'un parallélépipède rectangle surmonté d'une pyramide de sommet I et de hauteur $[IK_1]$ perpendiculaire à sa base ABCD.
Le grenier est représenté par la pyramide IRTSM, réduction de hauteur $[IK_2]$ de la pyramide IABCD.

1. Calculer la surface au sol de la maison.

2. Des radiateurs électriques sont installés dans toute la maison, excepté au grenier.
a. Calculer le volume de la partie principale, puis des chambres.
b. Montrer que le volume à chauffer est de 495 m³.

3. Combien va dépenser le propriétaire pour l'achat des radiateurs ?

Doc. 1 La maison (pas à l'échelle)

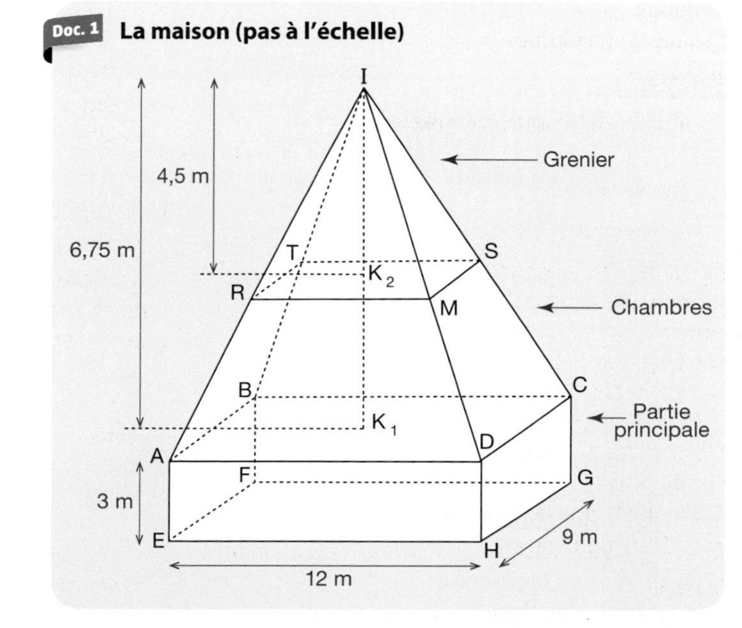

Doc. 2 L'expert

Un expert estime qu'il faut une puissance électrique de 925 W pour chauffer 25 m³.
Le propriétaire de la maison achète des radiateurs qui ont une puissance de 1 800 W et qui coûtent 349,90 € pièce.

CHAPITRE 13

Connaître et utiliser les triangles semblables

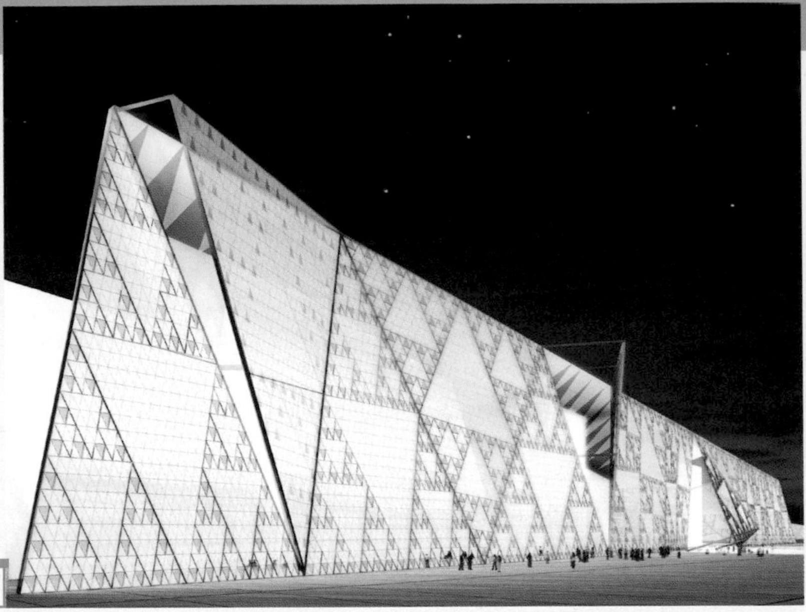

Le « Grand Musée égyptien » verra le jour au Caire en 2018.
Sa façade, de plusieurs centaines de mètres de long et 40 m de haut, s'inspirera du triangle de Sierpiński : elle sera formée de triangles équilatéraux qui sont des agrandissements-réductions l'un de l'autre.

Vu au Cycle 4

Pour chaque question, une réponse ou plusieurs sont exactes.

		a	b	c
1	D'après les codages, deux triangles égaux sont représentés sur la figure…	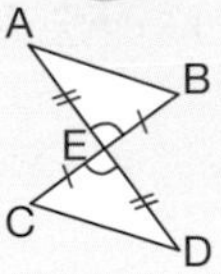	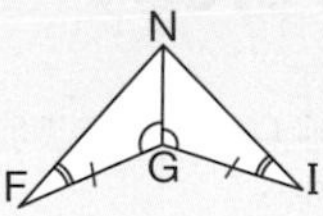	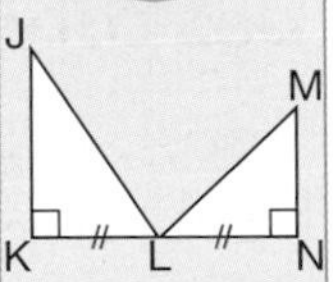
2	Les côtés d'un triangle ont pour longueurs 5 cm, 4 cm, 2,5 cm. Un agrandissement-réduction de ce triangle peut avoir des côtés de longueurs…	2 cm 1,6 cm 1 cm	13 cm 10 cm 6,5 cm	20 cm 16 cm 10 cm
3	Les droites (AC) et (DE) sont parallèles. Alors… 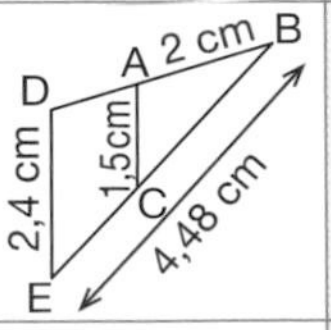	$\frac{DA}{DB}=\frac{BC}{BE}=\frac{AC}{DE}$	BD = 3,2 cm	BC = 2,8 cm
4	$\frac{MN}{4}=\frac{7}{5}=\frac{5,6}{PQ}$. Alors…	$MN=4\times\frac{7}{5}$	$PQ=\frac{7\times 5,6}{5}$	$PQ=\frac{5\times 5,6}{7}$

D'autres exercices sur ***le site compagnon***

Vérifie tes réponses ➲ *p. 259*

Activité 1

Des angles de même mesure aux côtés proportionnels

ABC et DEF sont deux triangles tels que $\widehat{BAC} = \widehat{EDF} = 25°$; $\widehat{ABC} = \widehat{DEF} = 40°$.

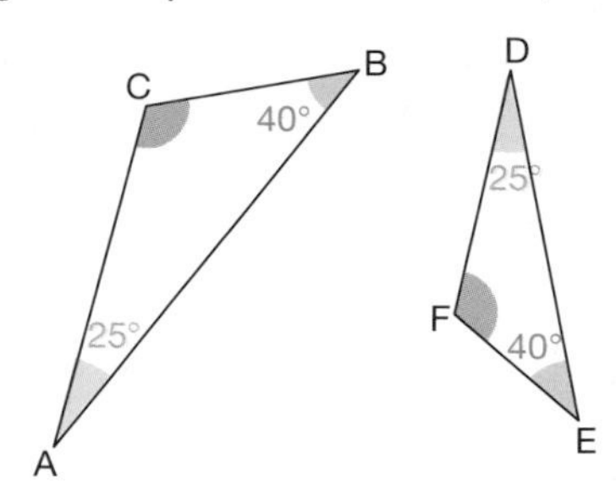

1 Expliquer pourquoi les angles $\widehat{ACB}$ et $\widehat{EFD}$ ont la même mesure.
Les triangles ABC et DEF ont leurs angles deux à deux de même mesure. On dit alors que ces triangles sont **semblables**.

2 On construit le point E' du côté [AB] tel que AE' = DE et le point F' du côté [AC] tel que $\widehat{AE'F'} = \widehat{DEF}$.

a. Expliquer pourquoi les triangles DEF et AE'F' sont égaux.
Citer alors des longueurs égales à EF et FD.

b. Expliquer pourquoi les droites (E'F') et (BC) sont parallèles.
En déduire des égalités de rapports égaux.

c. À l'aide des questions précédentes, expliquer pourquoi on a $\frac{DE}{AB} = \frac{DF}{AC} = \frac{EF}{BC}$.
Que peut-on en déduire pour les longueurs des côtés des triangles ABC et DEF ?

Activité 2

Des côtés proportionnels aux angles de même mesure

1 Vérifier que ces triangles IJK et LMN ont leurs côtés de longueurs deux à deux proportionnelles.

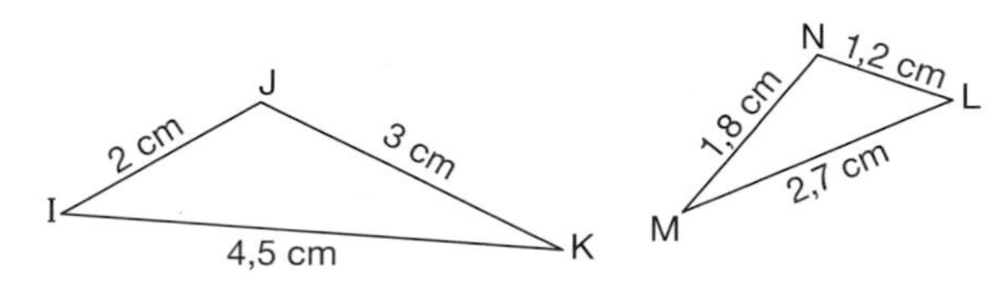

2 On construit le point A du segment [KI] et le point B du segment [KJ] tels que KA = ML et KB = MN.

a. Démontrer que les droites (AB) et (IJ) sont parallèles.

b. Calculer la longueur AB.

c. Expliquer pourquoi :
- les triangles KAB et MNL sont égaux ;
- les triangles MNL et KIJ ont leurs angles deux à deux de même mesure.

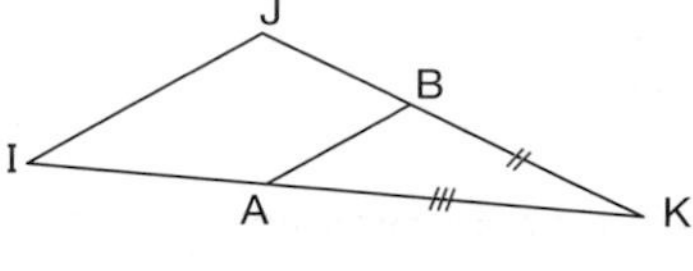

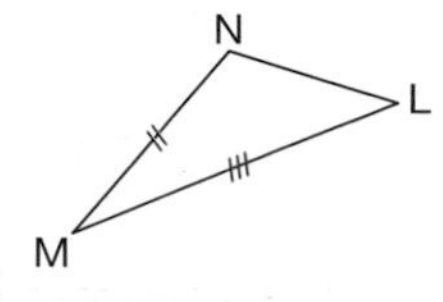

J'apprends le cours

1 Triangles semblables : angles

Définition Des **triangles semblables** sont des triangles qui ont leurs angles deux à deux de même mesure.

Propriété **Si** deux triangles ont deux angles deux à deux de même mesure, **alors** ces triangles sont semblables.

Vocabulaire

Lorsque deux triangles sont semblables :
– un angle d'un triangle et l'angle de même mesure de l'autre triangle sont dits **homologues** ;
– les sommets (ou les côtés opposés) de deux angles homologues sont aussi dits homologues.

Exemple

$\widehat{ABC} = \widehat{JKI} = 60°$ et $\widehat{BAC} = \widehat{JIK} = 40°$.
$\widehat{ACB} = \widehat{IJK} = 180° - (60° + 40°) = 80°$
Les triangles ABC et IJK ont leurs angles deux à deux de même mesure, donc ils sont semblables.

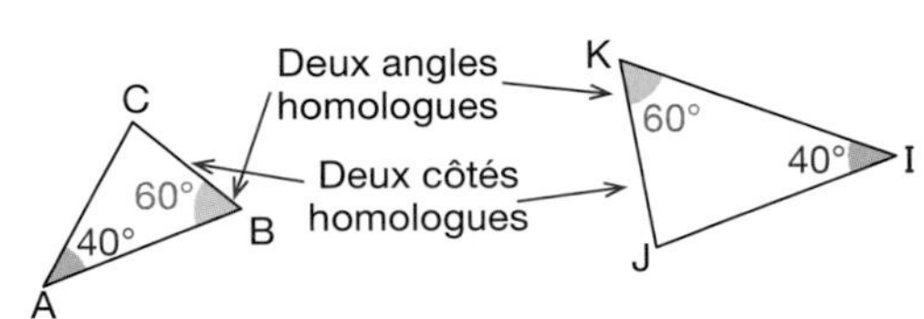

2 Triangles semblables : longueurs

Propriété **Si** deux triangles sont semblables, **alors** les longueurs de leurs côtés sont deux à deux proportionnelles.

Exemple

Ces triangles ABC et DEF sont semblables. Donc les longueurs de leurs côtés homologues sont deux à deux proportionnelles :

$$\frac{AB}{EF} = \frac{AC}{ED} = \frac{CB}{DF}.$$

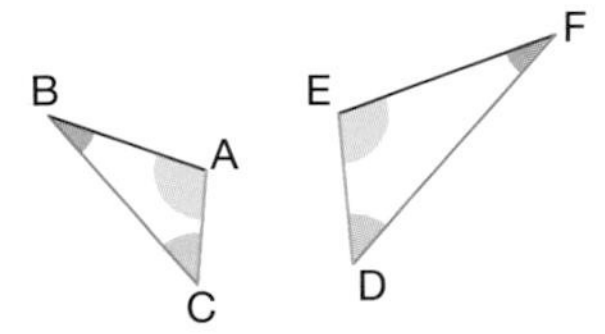

Propriété **Si** les longueurs des côtés de deux triangles sont deux à deux proportionnelles, **alors** ces triangles sont semblables.

Exemple

• $\frac{0,8}{2} = \frac{1,2}{3} = \frac{1,6}{4} = 0,4$
Donc les triangles GHI et JKL sont semblables.
Donc $\widehat{IGH} = \widehat{JKL}$, $\widehat{GIH} = \widehat{KJL}$ et $\widehat{IHG} = \widehat{KLJ}$.
• JKL est une réduction de GHI dans le rapport 0,4, ou bien GHI est **un agrandissement** de JKL dans le rapport 2,5 $\left(\frac{2}{0,8} = \frac{3}{1,2} = \frac{4}{1,6} = 2,5\right)$.

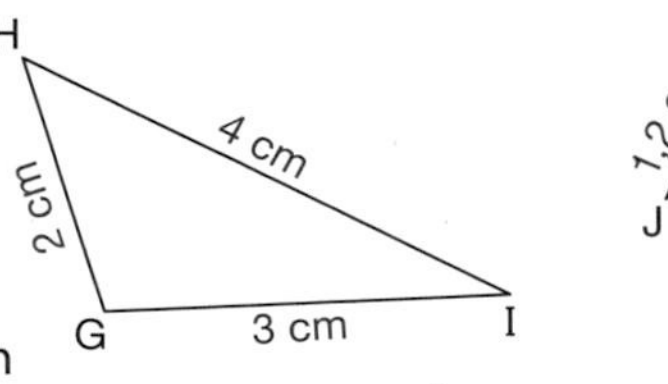

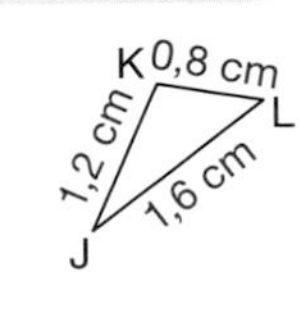

Cas particuliers : configurations de Thalès

Les droites (BM) et (CN) sécantes en A sont coupées par deux droites parallèles (BC) et (MN).
D'après le théorème de Thalès, $\frac{AM}{AB} = \frac{AN}{AC} = \frac{MN}{BC}$.
Donc les triangles AMN et ABC sont semblables.

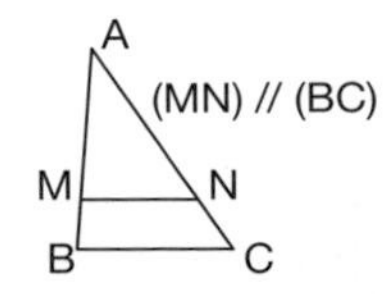

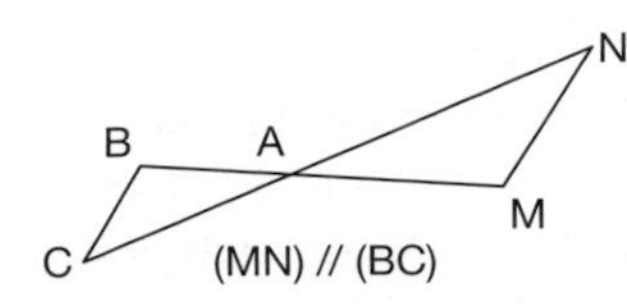

J'apprends à ▶ Utiliser des triangles semblables

Exercice résolu

1 **Énoncé**

ABC est un triangle tel que AB = 4 cm et AC = 5 cm.
D est le point de [BC] tel que CD = 3 cm et E est le point de [AC] tel que $\widehat{CDE} = \widehat{BAC}$.

a. Démontrer que les triangles ABC et CDE sont semblables.
b. Indiquer les sommets et les côtés homologues.
c. Calculer la longueur ED.

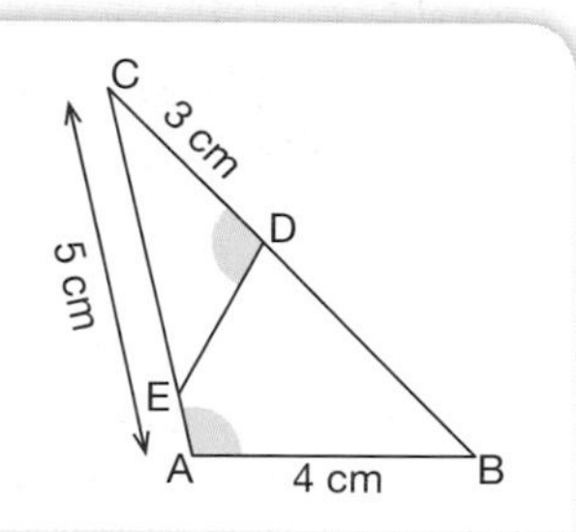

Solution

a. $\widehat{CDE} = \widehat{BAC}$ et $\widehat{ECD} = \widehat{ACB}$.
Les triangles ABC et CDE ont deux angles de même mesure, donc ils sont semblables.
b. On peut construire ce tableau.

Sommets homologues	Côtés homologues
A et D	[BC] et [EC]
B et E	[AC] et [DC]
C et C	[AB] et [DE]

c. • Les longueurs des côtés homologues des triangles ABC et ECD sont proportionnelles donc :

$$\frac{AB}{DE} = \frac{AC}{DC} = \frac{BC}{EC},$$

soit $\frac{4}{DE} = \frac{5}{3} = \frac{BC}{EC}$.

• De $\frac{4}{DE} = \frac{5}{3}$, on déduit que $5 \times DE = 3 \times 4$,
c'est-à-dire $DE = \frac{3 \times 4}{5} = 2,4$.
Donc DE = 2,4 cm.

Conseils

• Les angles $\widehat{BAC}$ et $\widehat{CDE}$ ont la même mesure, donc les sommets A et D sont homologues.

• Les côtés opposés à deux angles homologues sont homologues.

• On peut aussi utiliser un tableau de proportionnalité.

4	5	BC
DE	3	EC

(× 0,6)

$\frac{3}{5} = 0,6$ et $DE = 0,6 \times 4$ cm $= 2,4$ cm.

Sur le même modèle

2 ABC est un triangle tel que AB = 6 cm et BC = 4 cm.
D est le point du côté [AC] tel que CD = 1,2 cm.
E est le point du côté [BC] tel que $\widehat{CDE} = \widehat{ABC}$.

a. Démontrer que les triangles ABC et CDE sont semblables.
b. Indiquer les sommets et les côtés homologues.
c. Calculer la longueur ED.

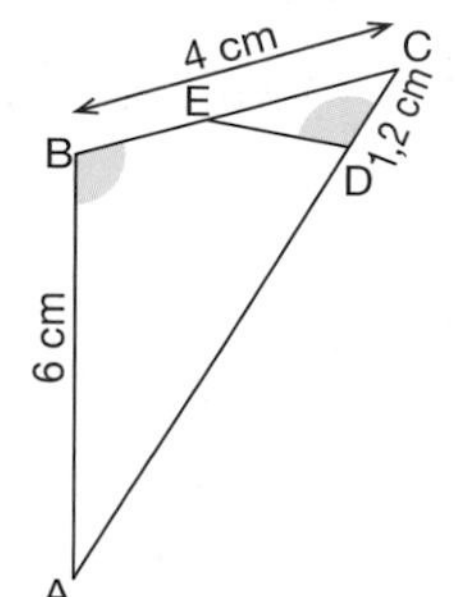

3 Les points C, D, B sont alignés ainsi que les points C, E, A.

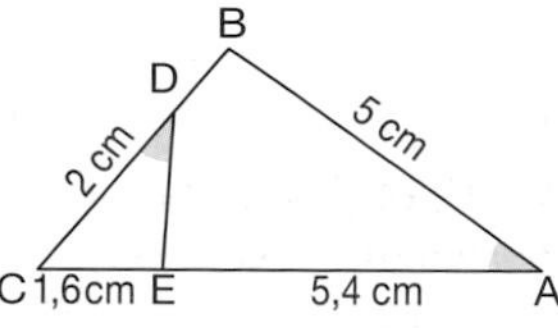

a. Démontrer que les triangles ABC et CDE sont semblables. Préciser les sommets et côtés homologues.
b. Calculer les longueurs CB et DE. Si utile, donner une valeur approchée au dixième près.

À L'oral

4 Ces triangles ABC et RUE sont semblables.
Quel est l'homologue :
a. du sommet B ?
b. du côté [RE] ?
c. du côté [UE] ?
d. de l'angle $\widehat{BCA}$?

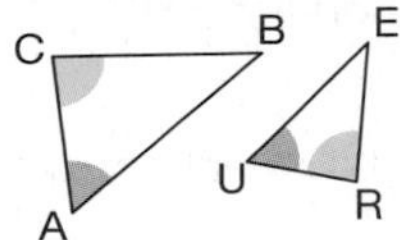

5 Ces triangles IJK et MNL sont semblables.
Les côtés [LM] et [JK] sont homologues, de même que les côtés [JI] et [MN].
Donner les mesures des angles du triangle LMN. Expliquer.

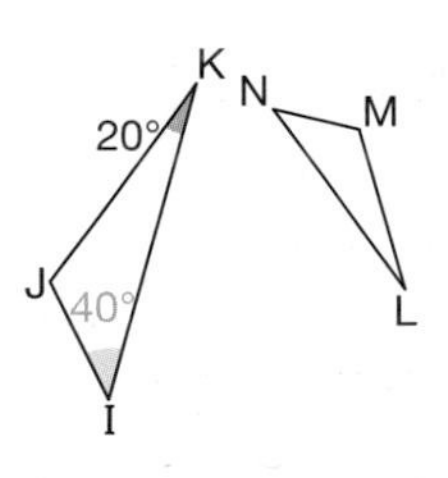

6 Expliquer pourquoi ces deux triangles sont semblables.

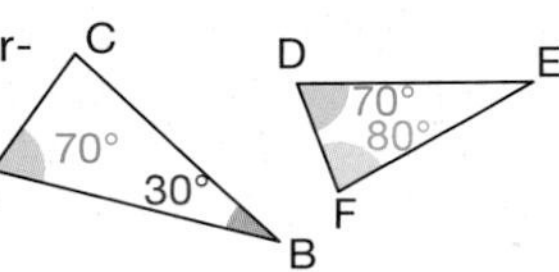

7 Ces deux équerres forment-elles des triangles semblables ? Expliquer.

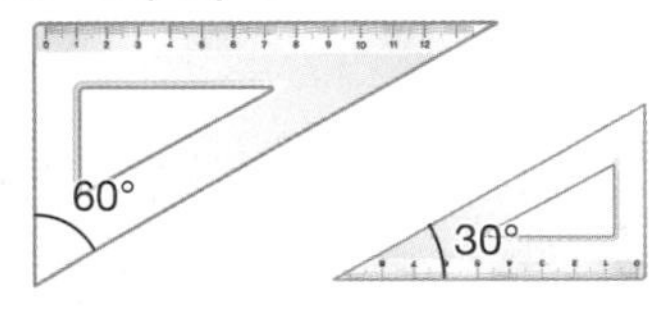

8 Les droites (CE) et (BD) sont sécantes en A.
Expliquer pourquoi les triangles AEB et ACD ne sont pas semblables.

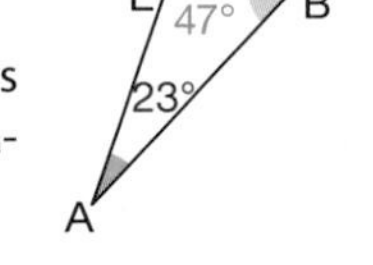

9 Ces triangles BUT et AMI sont semblables. Lire en les complétant ces égalités de rapports de longueur.

$$\frac{UT}{\dots} = \frac{BU}{\dots} = \frac{\dots}{\dots}$$

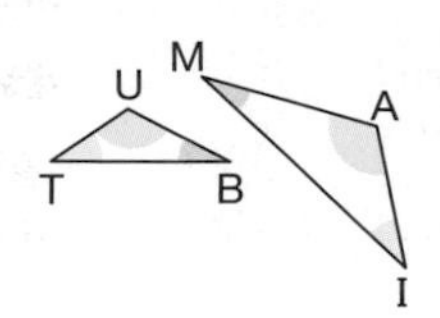

10 PIN et OLE sont deux triangles tels que :
PI = 8 cm, PN = 5 cm, IN = 6 cm ;
OL = 24 cm, OE = 18 cm LE = 15 cm.
Expliquer pourquoi les triangles PIN et OLE sont semblables.

11 **a.** Expliquer pourquoi ces triangles ABC et DEF sont semblables.
b. Par quel nombre faut-il multiplier les longueurs des côtés du triangle ABC pour obtenir les longueurs des côtés du triangle DEF ?
c. Donner les longueurs DF et FE.

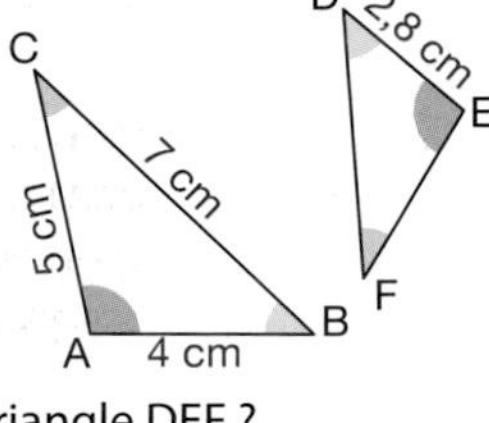

12 Les droites (AB) et (RS) sont sécantes en C et les droites (AR) et (SB) sont parallèles.
a. Expliquer pourquoi les triangles CAR et CBS sont semblables.
b. Par quel nombre faut-il multiplier les longueurs des côtés du triangle CAR pour obtenir les longueurs des côtés du triangle CBS ?
c. Donner les longueurs CS et CB.

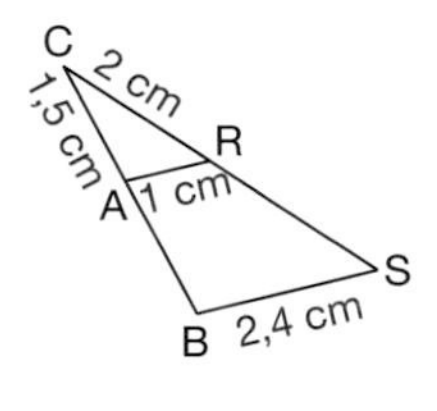

Calcul mental

13 Les droites (HV) et (UP) sont sécantes en G et les droites (VP) et (HU) sont parallèles.
Déterminer mentalement la mesure de chacun des angles :
a. $\widehat{GUH}$ **b.** $\widehat{GVP}$ **c.** $\widehat{VGP}$

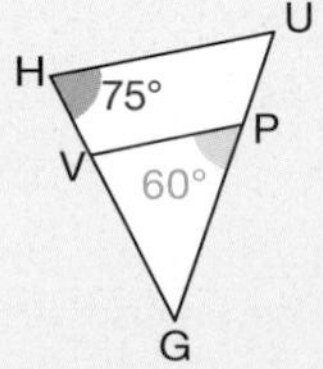

14 Les triangles ABC et RST sont semblables.

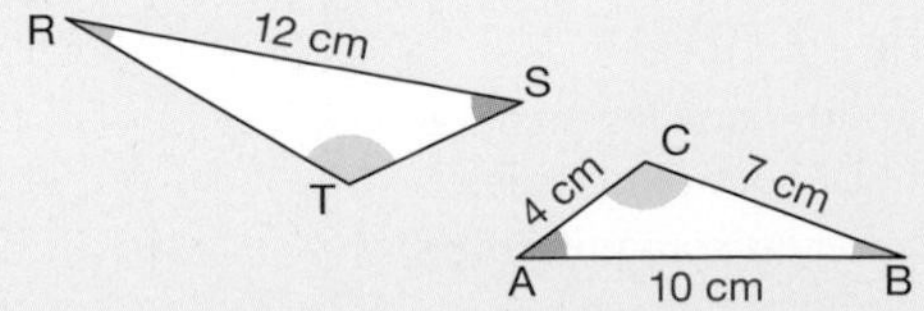

Calculer mentalement les longueurs RT et TS.

Triangles semblables et angles

15 Ces triangles ABC et MOI sont semblables.

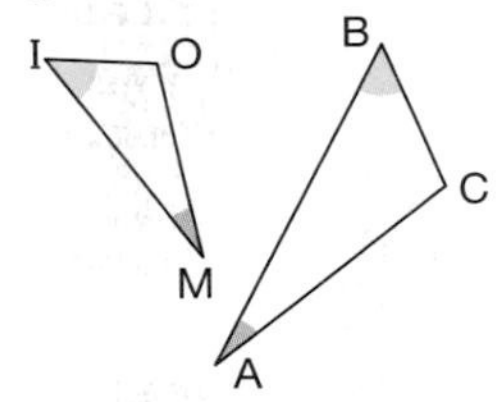

Recopier et compléter ce tableau.

Angles homologues	Sommets homologues	Côtés homologues
$\widehat{ABC}$ et …	B et …	[AC] et …
$\widehat{BAC}$ et …	A et …	[BC] et …
$\widehat{ACB}$ et …	C et …	[AB] et …

16 Dans chaque cas, expliquer pourquoi les deux triangles sont semblables, puis donner le rapport de réduction ou d'agrandissement qui permet de passer du triangle ABC au triangle DEF.

a.

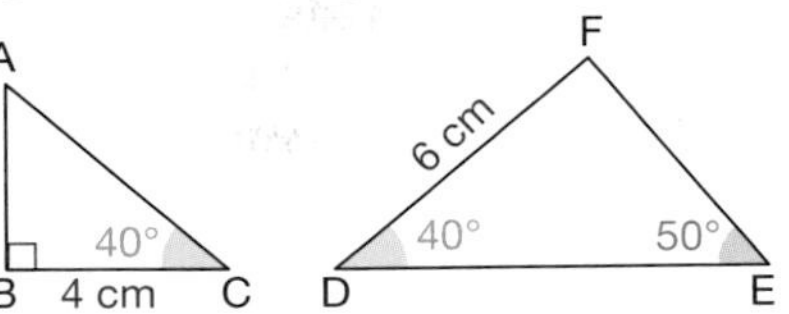

b.

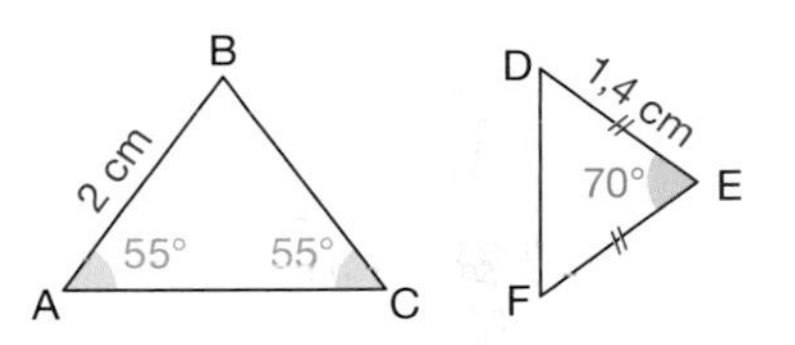

17 Expliquer pourquoi que les triangles ABC et ADC sont semblables.

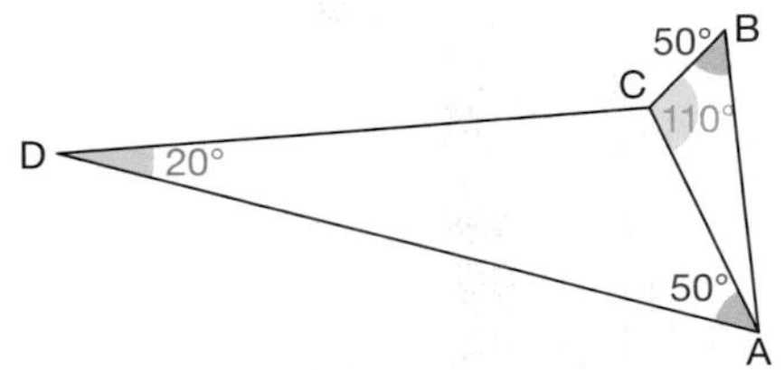

18 Les droites (HK) et (JL) sont sécantes en I.

a. Quelle est la mesure de l'angle $\widehat{KIL}$?

b. Démontrer que les triangles HIJ et ILK sont semblables.

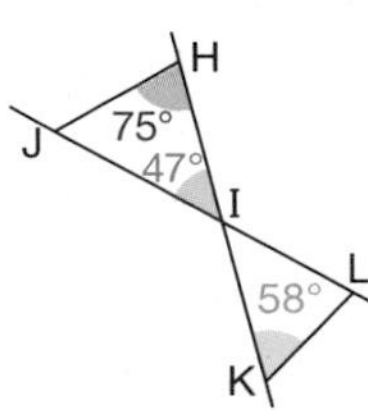

19 D est un point du segment [BF] et C est un point du segment [BG]. Démontrer que les triangles BCD et BFG sont semblables.

20 Le triangle ABC est rectangle en A. [AH] est la hauteur issue de A.

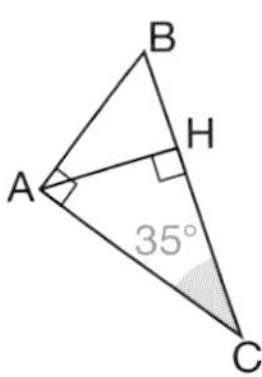

a. Expliquer pourquoi les triangles ABC et ACH sont semblables.

b. Expliquer pourquoi les triangles ABC et ABH sont semblables.

c. Louise affirme : « Les triangles ACH et ABH sont semblables. »

Louise a-t-elle raison ? Justifier.

21 ABC est un triangle isocèle en A tel que $\widehat{BAC} = 36°$.

La bissectrice de l'angle $\widehat{ABC}$ coupe le côté [AC] en D.

a. Calculer la mesure de chacun des angles $\widehat{ABC}$ et $\widehat{ACB}$.

b. Démontrer que les triangles BCD et ABC sont semblables.

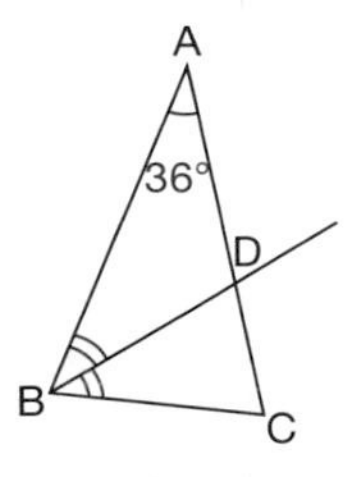

22 ABCD est un quadrilatère tel que $\widehat{BAC} = \widehat{BDC}$.

On note I le point d'intersection des diagonales [AC] et [BD].

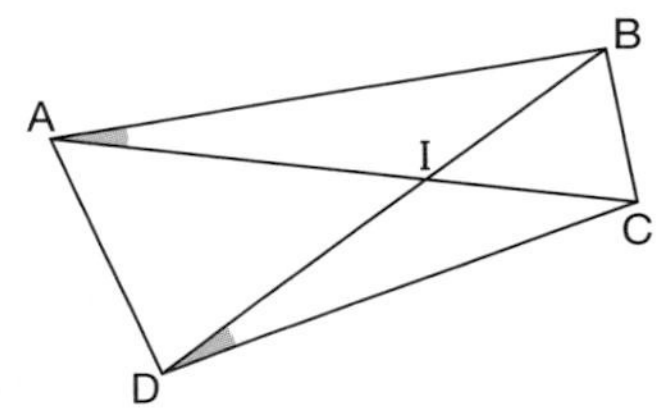

a. Expliquer pourquoi les angles $\widehat{AIB}$ et $\widehat{DIC}$ sont de même mesure.

b. En déduire alors que les triangles AIB et DIC sont semblables.

23 ABC et MNP sont deux triangles semblables. EFG est un triangle égal au triangle MNP. Que peut-on dire des triangles ABC et EFG ? Expliquer.

Je m'entraîne

Triangles semblables et proportionnalité

24 ABC et EFG sont deux triangles tels que :
AB = 5 cm, AC = 8 cm, BC = 6,5 cm ;
EF = 1 cm, EG = 1,6 cm FG = 1,2 cm.
Les triangles ABC et EFG sont-ils semblables? Expliquer.

25 **a.** Lire l'énoncé ci-dessous, puis le travail de Jules.

Énoncé

ABC et DEF sont deux triangles tels que :
- AB = 4 cm, BC = 6 cm, AC = 8 cm ;
- DE = 5,2 cm, EF = 3,9 cm, DF = 2,6 cm.

Les triangles ABC et DEF sont-ils semblables ?

Copie de Jules

$\frac{AB}{DE} = \frac{4}{5,2} (\approx 0,77)$ et $\frac{BC}{EF} = \frac{6}{3,9} (\approx 1,54)$.
$\frac{AB}{DE} \neq \frac{BC}{EF}$, donc les triangles ABC et DEF ne sont pas semblables.

b. Expliquer l'erreur de Jules.
c. Répondre à la question de l'énoncé.

26 BOF et END sont deux triangles tels que :
- BO = 6 cm, OF = 5,6 cm, BF = 7,2 cm ;
- EN = 4,2 cm, ND = 5,4 cm, DE = 4,5 cm.

Les triangles BOF et END sont-ils semblables ?
Justifier la réponse.

27 IJK est un triangle isocèle en I tel que IK = 5 cm et KJ = 7 cm.
LMN est un triangle isocèle en L tel que LM = 8 cm et MN = 11,2 cm.
Les triangles IJK et LMN sont-ils semblables ?
Expliquer.

28 **a.** Utiliser les informations données sur cette figure à main levée pour démontrer que les triangles IML et MKL sont semblables.

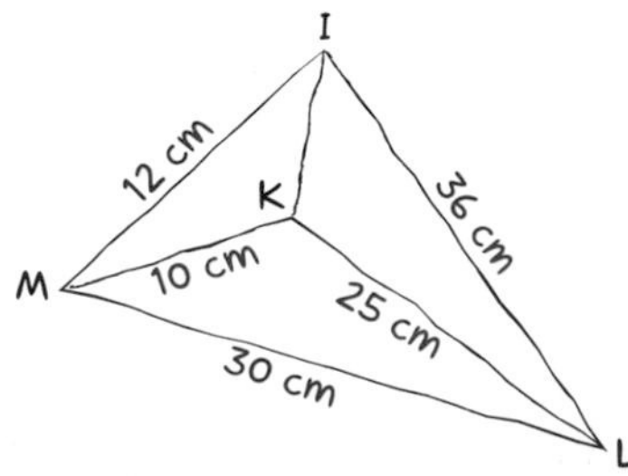

b. Préciser les angles de même mesure.

29 ABC est un triangle tel que :
AB = 4 cm, AC = 5 cm, BC = 6 cm.
A'B'C' est un triangle semblable au triangle ABC.
Dans chaque cas, calculer les longueurs des deux autres côtés du triangle A'B'C'.
a. Le côté [A'B'] homologue à [AB] mesure 10 cm.
b. Le côté [A'C'] homologue à [AC] mesure 4 cm.

30 Histoire Au XVe siècle, Léonard de Vinci calculait la hauteur d'une tour en mesurant les ombres d'un bâton et de cette tour, à un même instant.

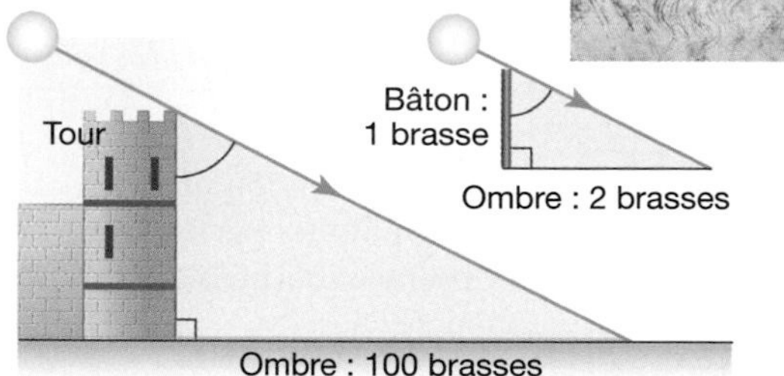

Quelle est la hauteur de cette tour ?

31 Les deux voiles de ce bateau sont des triangles semblables.
Calculer la hauteur de la petite voile.

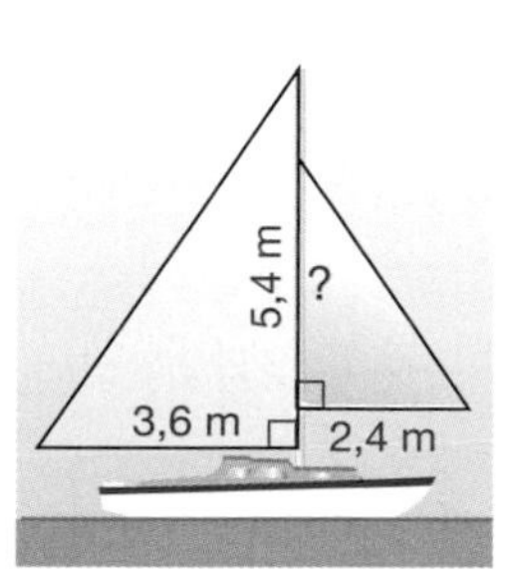

32 Un professeur projette un triangle FGH à l'aide d'un vidéoprojecteur.

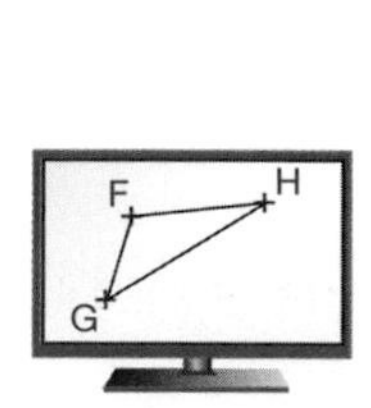

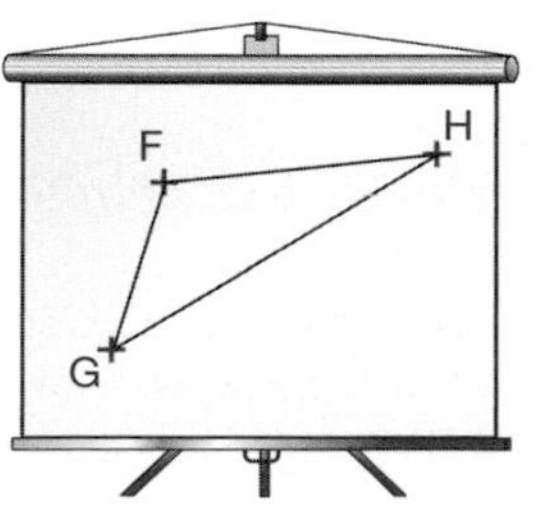

Sur l'ordinateur, le triangle FGH est tel que :
FG = 3 cm, FH = 4,5 cm, GH = 6,3 cm.
Sur l'écran, le côté [GH] mesure 105 cm.
Quelles sont les longueurs des segments [FG] et [FH] sur l'écran ?

33 Dans un parc, deux circuits forment deux triangles semblables. Les dimensions des côtés du petit circuit sont 300 m, 360 m et 570 m.

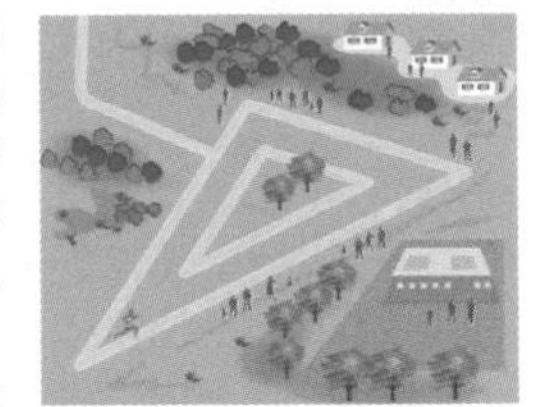

Le petit côté du grand circuit mesure 400 m.
Quelle distance parcourt Ambre quand elle effectue deux tours du grand circuit ?

34 Un puits cylindrique a un diamètre de 1,5 m.

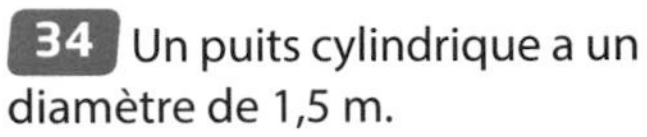

Maxime se place à 60 cm du bord du puits, de sorte que ses yeux (Y) soient alignés avec les points B et C ci-contre.
La taille de Maxime est 1,70 m.
Quelle est la profondeur de ce puits ?

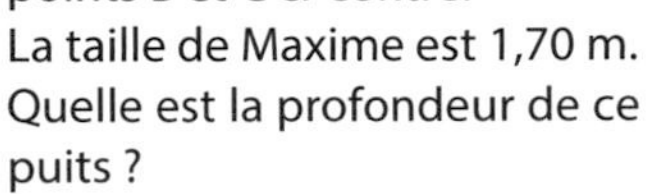

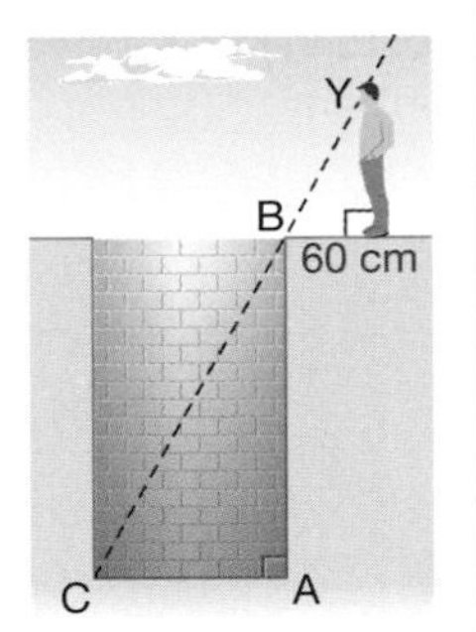

35 ABC est un triangle tel que :
AB = 4 cm, AC = 5 cm, BC = 7,5 cm.
a. Construire un triangle DEF semblable au triangle ABC tel que EF = 6 cm avec les côtés [BC] et [EF] homologues.
b. Les triangles construits par les autres élèves sont-ils tous égaux ?

36 ABC et DEF sont deux triangles semblables tels que :
$$\widehat{BAC} = \widehat{DEF} \text{ et } \widehat{ABC} = \widehat{DFE}.$$
Écrire :
a. deux autres angles égaux ;
b. trois rapports de longueurs égaux.

37 DUO et AMI sont deux triangles semblables tels que :
$$\widehat{DUO} = \widehat{MAI} \text{ et } \frac{UO}{AM} = \frac{DU}{AI}.$$
Écrire :
a. deux autres égalités d'angles ;
b. un troisième rapport de longueurs égal aux précédents.

38 ZEN et TRI sont deux triangles semblables tels que $\frac{ZE}{RI} = \frac{EN}{IT} = \frac{ZN}{RT}$.
a. Préciser les sommets homologues.
b. Écrire trois égalités d'angles.

39 Juliette affirme : « Les angles vert et bleu ont même mesure. »
Cette affirmation est-elle exacte ? Expliquer.

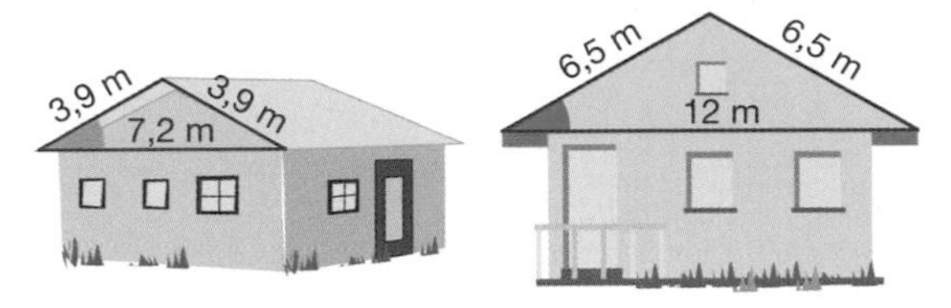

40 Les triangles ABE et IHF de ces deux rampes sont semblables.

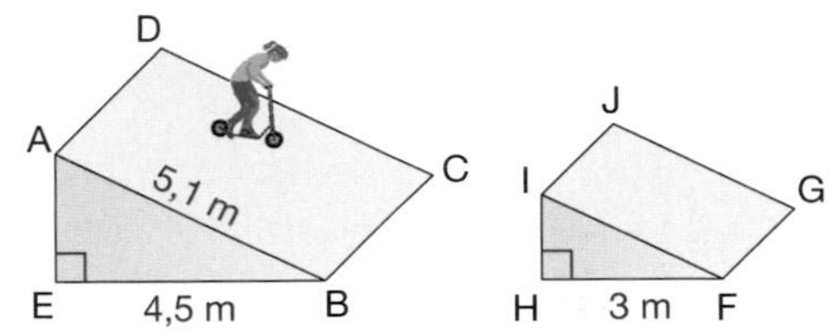

a. Calculer la hauteur AE.
b. En déduire les longueurs IH et IF.

41 Ces triangles MER et LAC sont semblables.

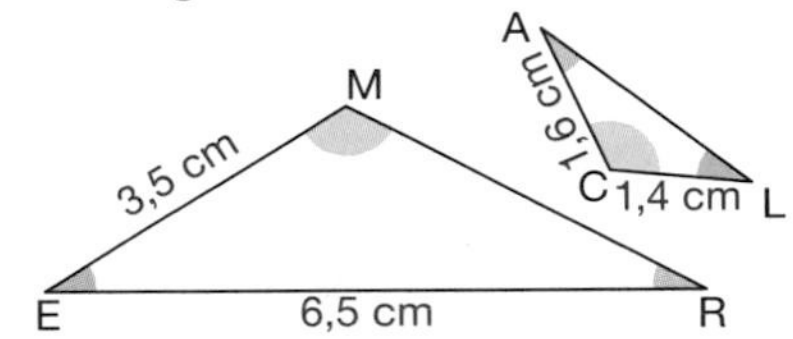

a. Écrire les paires de côtés homologues.
b. Calculer les longueurs MR et AL.

42 Ces triangles DEF et DFG sont semblables.

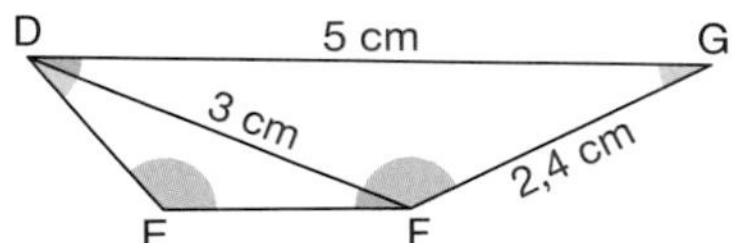

a. Écrire les paires de côtés homologues.
b. Calculer les longueurs DE et EF.

43 Ces triangles MON et RST sont semblables.

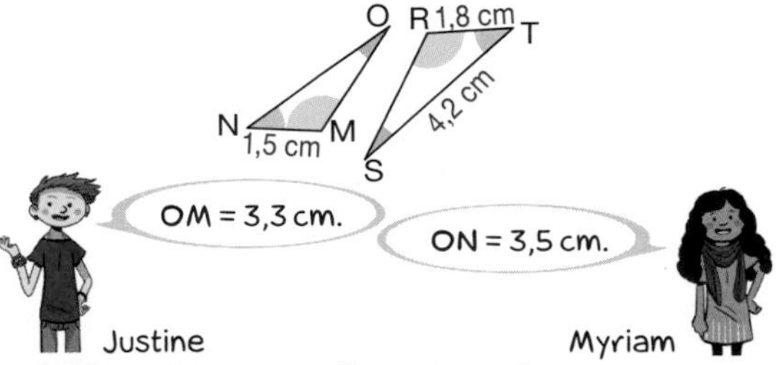

Ces affirmations sont-elles exactes ?

Je m'entraîne

44 **a.** Reproduire cette figure sur du papier quadrillé.

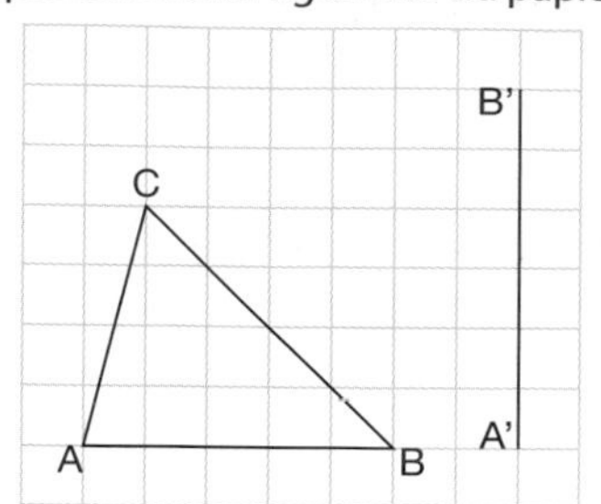

b. C′ est un point tel que les triangles A′B′C′ et ABC sont semblables, A et A′ étant deux sommets homologues de même que les points B et B′.
Sans utiliser les graduations de la règle ou de l'équerre, construire un tel point C.

45 Les droites (JH) et (KG) sont sécantes en F.

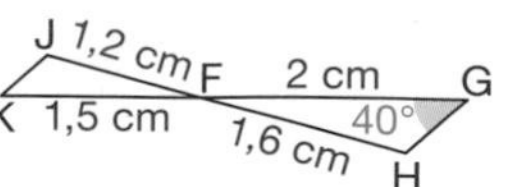

a. Démontrer que les droites (JK) et (GH) sont parallèles.
b. Expliquer pourquoi les triangles FKJ et FGH sont semblables.

46 Les droites (AE) et (CD) sont sécantes en B.
a. Expliquer pourquoi les triangles ABC et EBD sont semblables.
b. Calculer la longueur DE.

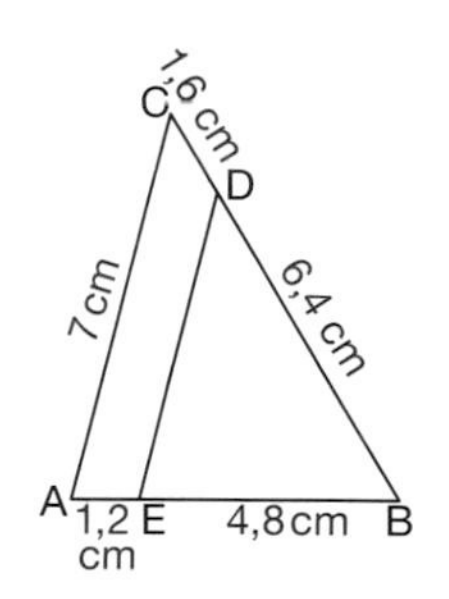

Je m'évalue à mi-parcours

Pour chaque question, une seule réponse est exacte.

	a	b	c	En cas d'erreur
47 Un triangle semblable au triangle ABC est le triangle … (A, B, C ; 60°, 100°)	EFG (50°, 30°)	HIJ (60°, 20°)	MKL (100°, 30°)	Cours 1 et ex. 6
48 IJK est un triangle isocèle en I tel que IJ = 5 cm et JK = 4 cm. LMN est un triangle semblable à IJK avec J et M homologues, ainsi que K et N. On sait que MN = 14 cm. Alors …	LM = 14 cm	LM = 15 cm	LM = 17,5 cm	Cours 1 et ex. 1
49 ABC est un triangle tel que : AB = 6 cm, BC = 5 cm, CA = 9 cm. Un triangle semblable à ABC est le triangle …	DEF tel que DE = 8 cm, EF = 7 cm, DF = 11 cm	GHI tel que GH = 12,6 cm, HI = 8,4 cm, IG = 7 cm	JKL tel que JK = 7,2 cm, KL = 6 cm, LJ = 9,9 cm	Cours 2 et ex. 26
50 FAR et SUN sont deux triangles semblables tels que $\frac{FA}{UN} = \frac{RA}{US} = \frac{RF}{NS}$. Alors …	$\widehat{FAR} = \widehat{SUN}$	$\widehat{AFR} = \widehat{USN}$	$\widehat{FRA} = \widehat{SNU}$	Cours 2 et ex. 38
51 (JK) et (IL) sont sécantes en A et les droites (IJ) et (KL) sont parallèles. Alors … (JI = 1,8 cm ; LA = 1,5 cm ; AI = 2 cm ; AK = 0,9 cm)	$\widehat{KLA} = \widehat{AJI}$	AJ = 1,2 cm	LK = 1,2 cm	Cours 3 et ex. 12

Vérifie tes réponses ➲ p. 259

▶ Construire des triangles semblables

52 Utiliser des triangles égaux 

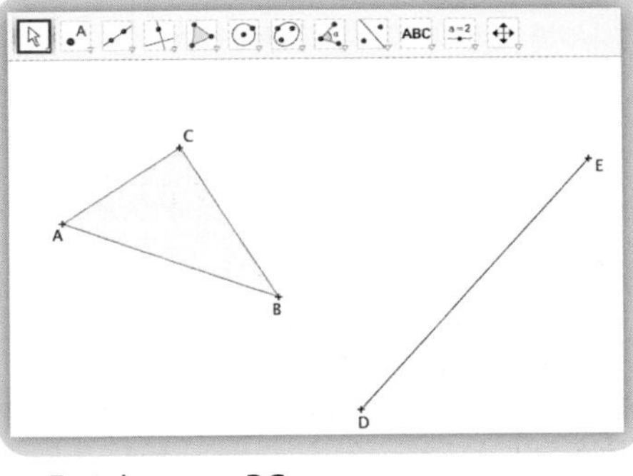

ABC est un triangle et [DE] est un segment plus long que [AB]. On se propose de construire, avec GeoGebra, un triangle DEH semblable au triangle ABC tel que les points A et D soient homologues ainsi que les points B et E.

1 Réaliser une figure

a. Créer un triangle ABC et un segment [DE] tel que DE > AB.

b. Créer le cercle de centre D et de rayon AB (utiliser ⊙).
Noter F le point d'intersection avec [DE].

c. Créer le cercle de centre D et de rayon AC, puis le cercle de centre F et de rayon BC.
Noter G l'un des points d'intersection de ces deux cercles, puis créer le triangle DFG.

d. Créer la parallèle à la droite (FG) passant par E.
Noter H son point d'intersection avec la droite (DG).

2 Prouver

a. Expliquer pourquoi les triangles ABC et DFG sont égaux.

b. Expliquer pourquoi les triangles DEH et DFG sont semblables.

c. Expliquer ensuite pourquoi les triangles DEH et ABC sont semblables.

53 Résoudre un problème 

ABC est un triangle équilatéral.
D, E et F sont les points de [AB], [BC] et [CA] tels que :

$$AD = \frac{1}{3} \times AB \text{ ; } BE = \frac{1}{3} \times BC \text{ et } CF = \frac{1}{3} \times CA.$$

H, I et J sont les points d'intersections des segments [AE], [BF] et [CD].
On se propose d'étudier la nature du triangle HIJ.

1 Réaliser une figure

a. Avec GeoGebra, créer le triangle ABC (utiliser Polygone régulier).
Le logiciel note a la longueur AB.

b. Construire le point D (utiliser Cercle (centre-rayon) , cliquer sur A puis saisir $a/3$ comme rayon).

c. Construire de même les points E et F.

d. Construire les points H, I et J.

2 Conjecturer

a. Afficher les mesures des angles $\widehat{IHJ}$ (utiliser Angle , cliquer sur I, sur H, puis sur J), $\widehat{HJI}$ et $\widehat{JIH}$.

b. Déplacer les points A, B et C. Que peut-on conjecturer sur la nature du triangle HIJ ?

3 Démontrer

a. Démontrer que les triangles ADC et AEB sont égaux.

b. Démontrer que les triangles ADC et AHD sont semblables.

c. Citer les angles homologues des triangles ADC et AHD.
En déduire la mesure de l'angle $\widehat{AHD}$, puis la mesure de l'angle $\widehat{IHJ}$.

d. Expliquer pourquoi le triangle IHJ est équilatéral.

J'utilise mes compétences

S'initier au raisonnement

54 Analyser une figure

Chercher • Raisonner • Communiquer

ABC est un triangle tel que :
AB = 5 cm,
AC = 6 cm,
BC = 7 cm.
M est le pied de la hauteur issue de B et N le pied de la hauteur issue de C.

a. Construire une figure.

b. Démontrer que les triangles AMB et ANC sont semblables.

Conseil
Observe les angles des triangles AMB et ANC.

55 Calculer avant de démontrer

Raisonner • Calculer • Communiquer

ABC est un triangle rectangle en A tel que :
AB = 4,8 cm et BC = 5 cm.
DEF est un triangle rectangle en D tel que :
DE = 2,1 cm et DF = 7,2 cm
Démontrer que les triangles ABC et DEF sont semblables.

Conseil
Penser à utiliser le théorème de Pythagore pour trouver les longueurs manquantes.

56 Démontrer avant de calculer

Raisonner • Calculer • Communiquer

ABC est un triangle tel que :
AB = 42 mm, AC = 28 mm, BC = 36 mm.
I est le milieu de [AC].
D est le point de [AB] tel que $\widehat{AID} = \widehat{ABC}$.

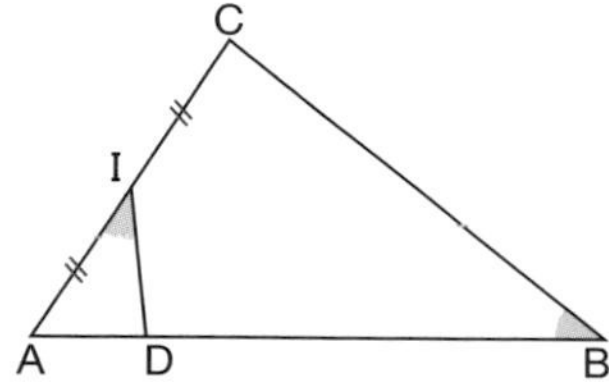

Calculer les longueurs des côtés du triangle AID.
Si nécessaire, donner une valeur approchée au dixième près.

Conseil
Démontre d'abord que les triangles ABC et AID sont semblables.

57 Calculer une aire

Raisonner • Calculer • Communiquer

Ces triangles ABC et DEF sont semblables.

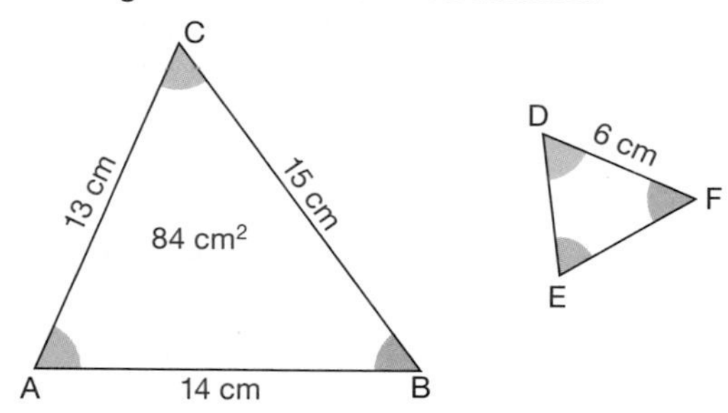

a. Calculer les longueurs DE et EF.

b. Sachant que l'aire du triangle ABC est 84 cm², calculer l'aire du triangle DEF.

Conseil
Dans un agrandissement ou une réduction de rapport k, les aires sont multipliées par k^2.

58 Procéder par élimination

Chercher • Raisonner • Communiquer

ZOU et ARE sont deux triangles semblables tels que :
- ZO = 16 cm, ZU = 20 cm, OU = 28 cm ;
- AR = 12 cm, AE = 21 cm.

Quelle est la longueur du troisième côté [RE] du triangle ARE ?

Conseil
Envisage les trois cas :
RE $<$ 12 cm ; 12 cm $<$ RE $<$ 21 cm et RE $>$ 21 cm.

59 Établir une égalité

Chercher • Raisonner • Communiquer

ABC est un triangle. D est le point de la demi-droite [BC) tel que $\widehat{BAD} = \widehat{BCA}$.

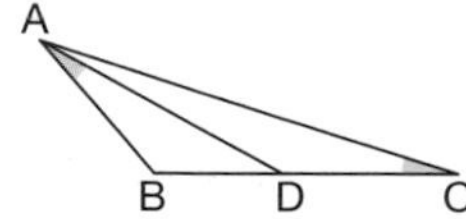

a. Citer deux triangles semblables.
Expliquer la réponse.

b. Démontrer alors que $AB^2 = BC \times BD$.

Conseil
b. Écris deux rapports égaux, puis utilise l'égalité des produits en croix.

Organiser son raisonnement

60 Construire une figure

Représenter • Raisonner • Communiquer

ABC est un triangle tel que :

$$AB = 8 \text{ cm}, \widehat{BAC} = 70°, \widehat{ABC} = 30°.$$

D est un point du segment [AB] tel que AD = 6 cm.

a. Construire une figure.

b. E est un point de la demi-droite [AC) tel que le triangle ADE soit semblable au triangle ABC.
Construire tous les emplacements possibles du point E.

61 Utiliser des triangles semblables

Chercher • Calculer • Communiquer

Pour estimer la hauteur de l'obélisque de la place de la Concorde à Paris, un touriste mesurant 1,84 m regarde dans un miroir (M) dans lequel il arrive à voir le sommet S de l'obélisque.

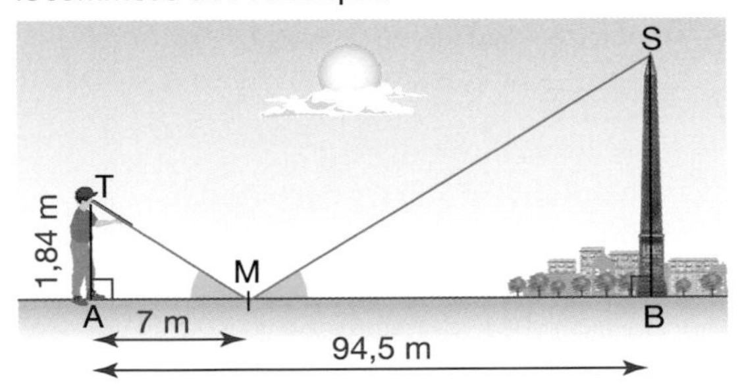

Les angles $\widehat{AMT}$ et $\widehat{BMS}$ ont la même mesure.
Calculer la hauteur de l'obélisque.

62 Procéder avec méthode

Raisonner • Calculer • Communiquer

Les côtés du triangle ABC ont pour longueurs 15 cm, 18 cm et 20 cm.
Un triangle DEF est semblable au triangle ABC et un de ses côtés a pour longueur 27 cm.
Quelles peuvent être les longueurs des autres côtés du triangle DEF ?

63 Représenter une situation

Modéliser • Raisonner • Communiquer

Voici des distances à vol d'oiseau entre Marseille (M), Nantes (N) et Toulouse (T) :

$$MN = 690 \text{ km}, NT = 470 \text{ km}, MT = 320 \text{ km}.$$

Estimer une mesure de l'angle $\widehat{NMT}$.

On peut réaliser un plan à l'échelle $\frac{1}{10\,000\,000}$.

64 Étudier un autre cas de similitude

Raisonner • Calculer • Communiquer

ABC et DEF sont deux triangles représentés ci-dessous.

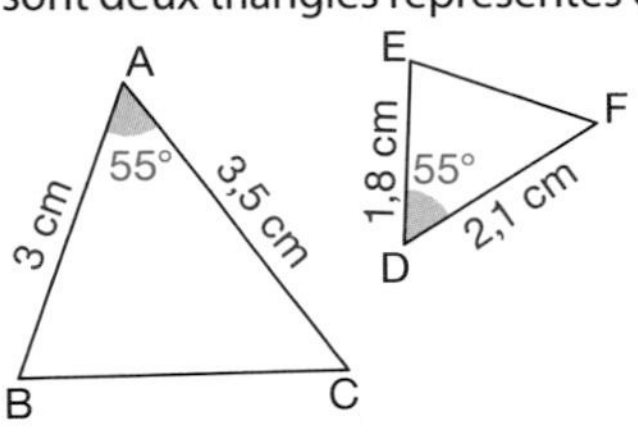

1. Vérifier que $\frac{DE}{AB} = \frac{DF}{AC}$.

2. On construit le point E' de [AB] tel que AE' = DE et le point F' de [AC] tel que AF' = DF.

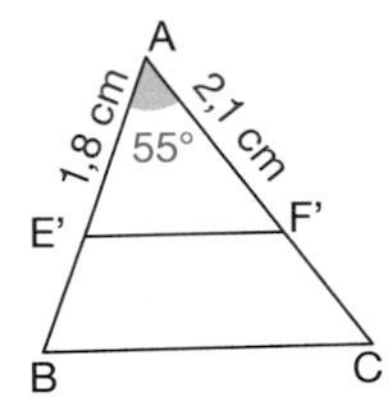

a. Démontrer que les triangles AE'F' et DEF sont égaux.

b. Démontrer que les droites (E'F') et (BC) sont parallèles.

c. Expliquer pourquoi les triangles ABC et DEF sont semblables.

65 Utiliser plusieurs méthodes

Raisonner • Communiquer

Le professeur a donné à ses élèves l'exercice ci-dessous.

> ABCD est un parallélogramme et E est un point du côté [DC].
> Les demi-droites [AE) et [BC) se coupent en F.
> Démontrer que les triangles ADE et EFC sont semblables.

a. Effectuer le travail de Camille puis celui de Manon.

b. Quelle méthode préférez-vous ?
Expliquer.

J'utilise mes compétences

66 Communiquer en anglais

Chercher • Communiquer

Dion is standing next to the Washington Monument.
He is 5 feet 10 inches tall.
His shadow is 16 inches long.
The shadow of the Washington Monument is 127 feet long, as shown in the diagram below.

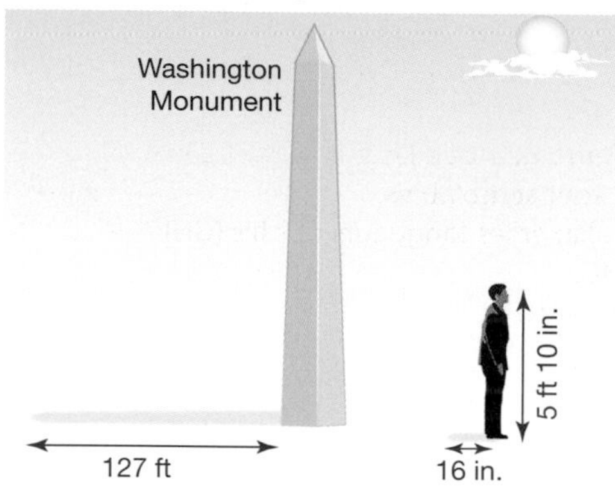

Find the approximate height, in m, of the Washington Monument (1 ft = 30.48 cm; 1 in = 2.54 cm).

67 Prévoir la trajectoire

Chercher • Raisonner • Communiquer

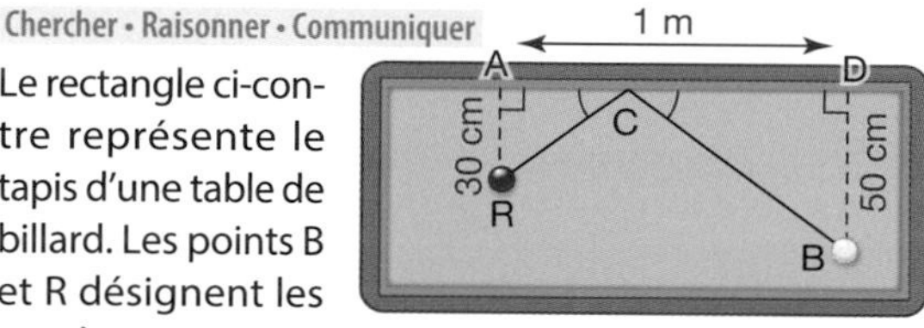

Le rectangle ci-contre représente le tapis d'une table de billard. Les points B et R désignent les emplacements de deux boules.
Un joueur doit taper la boule R avec la boule B mais doit auparavant toucher la bande en un point C.
Après avoir touché le bord du tapis, la boule rebondit en suivant une trajectoire telle que : $\widehat{ACR} = \widehat{DCB}$.
Déterminer la position du point C sur le segment [AD] pour que le joueur réussisse son coup.

68 Prendre des initiatives

Chercher • Raisonner • Communiquer

Sur cette figure, les points A, B, E et F sont alignés, de même que les points C, D et F.

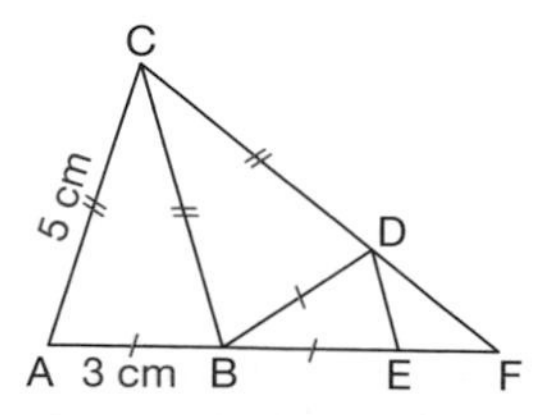

Calculer les longueurs DE et DF.

69 Imaginer une stratégie Géographie

Chercher • Raisonner • Communiquer

Myriam (M) vit en Martinique.
Quelle distance (à vol d'oiseau), en km, la sépare du Carbet (C) ?
Donner une valeur approchée à l'unité près.

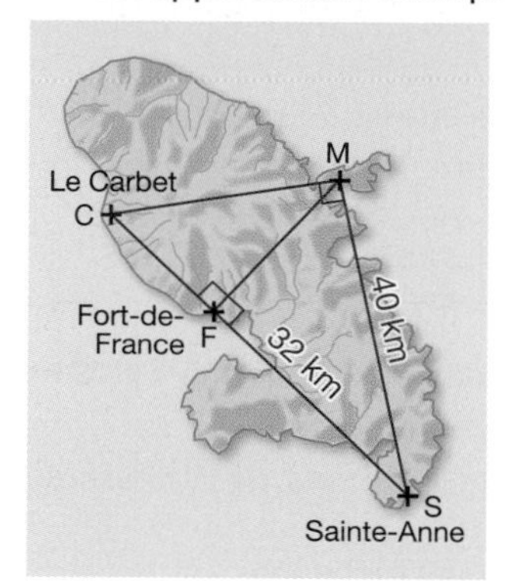

70 Narration de recherche

Problème

A est le milieu du segment [CF].
Les droites (GB) et (CF) se coupent en A.
$\widehat{GFC} = \widehat{CBG}$.

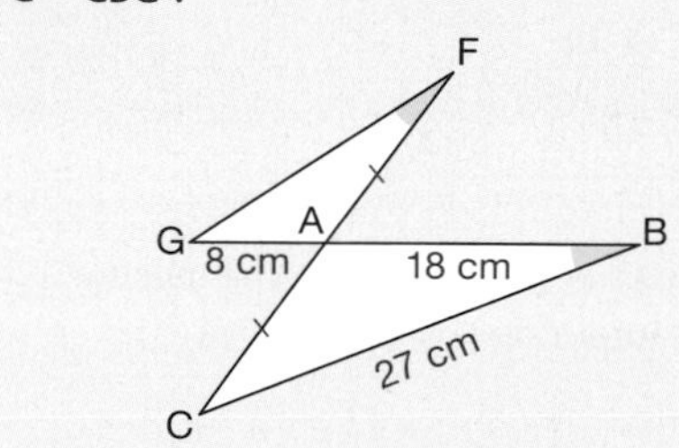

Calculer la longueur FG.

Raconter sur une feuille les différentes étapes de la recherche et les remarques qui ont fait changer de méthode ou qui ont permis de trouver.

71 Problème ouvert

Chercher • Raisonner • Communiquer

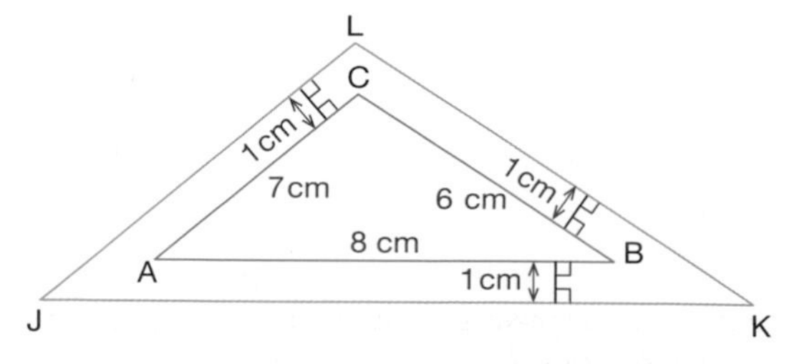

Les triangles ABC et JKL sont-ils semblables ? Expliquer.

Je fais le point sur mes compétences

72 Enchaîner les étapes

ABC est un triangle tel que :

AB = 5 cm, BC = 2 cm, AC = 6 cm.

D est le milieu de [AC] et E est le point de [AB] tel que $\widehat{ADE} = \widehat{ABC}$.

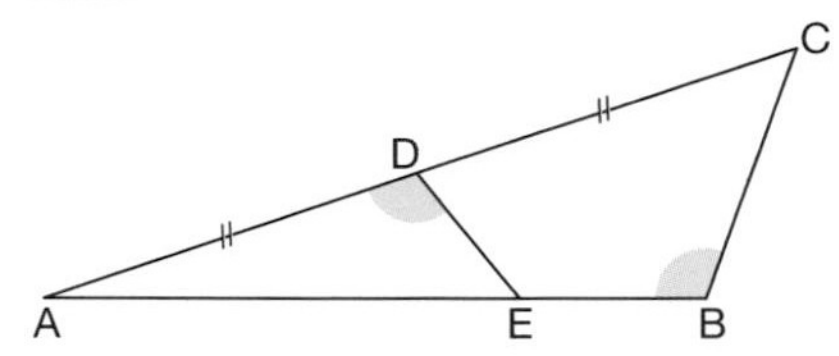

a. Démontrer que les triangles ABC et ADE sont semblables.

b. Calculer les longueurs des côtés du triangle ADE.

Conseil

b. Repère les côtés qui sont homologues, puis écris des rapports égaux.

73 Démontrer, puis calculer

ABC et DAC sont deux triangles rectangles.

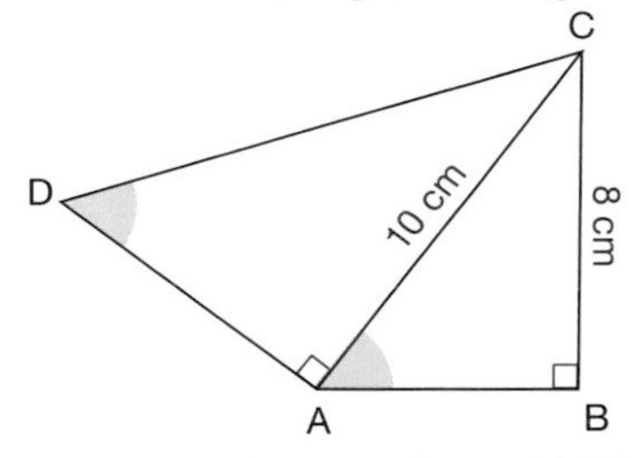

a. Pourquoi ces triangles sont-ils semblables ?

b. Calculer la longueur AB.

c. Calculer les longueurs AD et DC.

Conseil

Les longueurs des côtés des triangles ABC et ADC sont deux à deux proportionnelles.

74 Reconnaître des triangles semblables

NEO et AMI sont deux triangles tels que ;

- OE = 10 cm, ON = 15 cm, NE = 13,5 cm ;
- AM = 6 cm, MI = 8,1 cm, AI = 9 cm.

Les triangles NEO et AMI sont-ils semblables ? Justifier la réponse.

Conseil

Repère dans un premier temps les côtés qui peuvent être homologues.

75 Étudier des triangles

Voici des renseignements sur cette boucle d'oreille en argent, qui est entourée d'un fil doré.

- Les droites (EH) et (FI) sont sécantes en G.
- Les angles $\widehat{EFG}$ et $\widehat{GHI}$ ont la même mesure.

a. Démontrer que les triangles EFG et GHI sont semblables.

b. Calculer les longueurs des fils [GH] et [HI].

Conseil

b. Détermine le rapport d'agrandissement qui permet de passer de EFG à GHI.

76 Utiliser un schéma Physique

On a schématisé ci-dessous le fonctionnement d'un appareil photo.

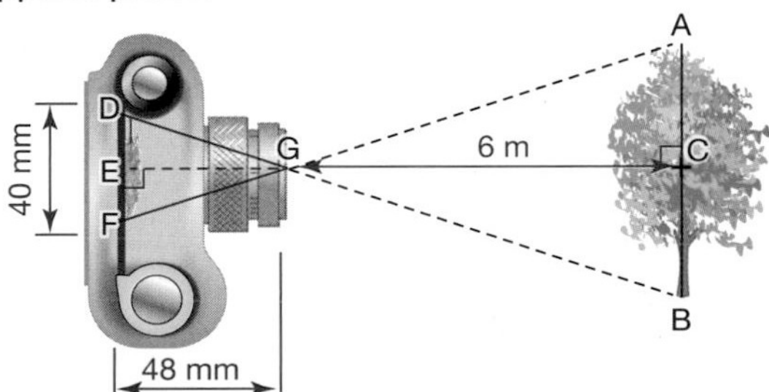

Calculer la hauteur de l'arbre.

Conseil

Tu peux commencer par repérer trois paires de triangles semblables.

77 Calculer un périmètre

Le triangle ABC est rectangle en B.

[BH] est la hauteur issue de B.

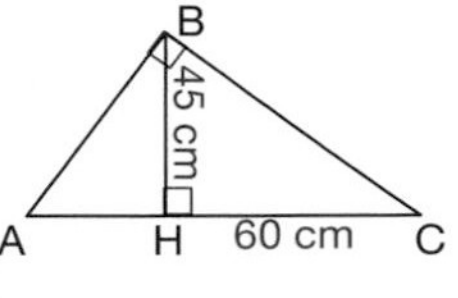

a. Calculer la longueur BC.

b. Démontrer que les triangles ABC et BHC sont semblables.

c. Calculer le périmètre du triangle ABC.

Conseil

c. Calcule les longueurs AB et AC en utilisant le fait que les triangles ABC et BHC sont semblables.

Je prends des initiatives

Avec une aide

78 Utiliser le théorème de Pythagore

Sur la figure ci-contre, le rectangle ADEH est constitué de trois carrés de côté 1 cm.

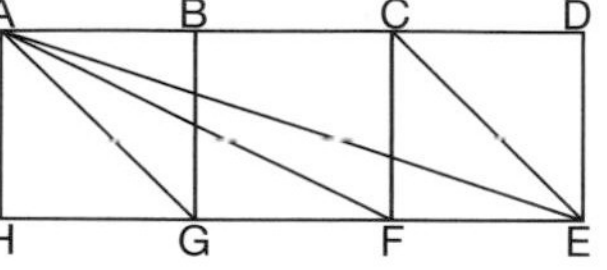

Démontrer que les triangles CEA et GFA sont semblables.

Conseil

Tu peux vérifier que $\left(\frac{\sqrt{10}}{\sqrt{5}}\right)^2 = 2$

79 Rendre semblables

Une double caméra (C) permet de surveiller deux rues perpendiculaires [OE] et [OB] selon deux angles de 40°.

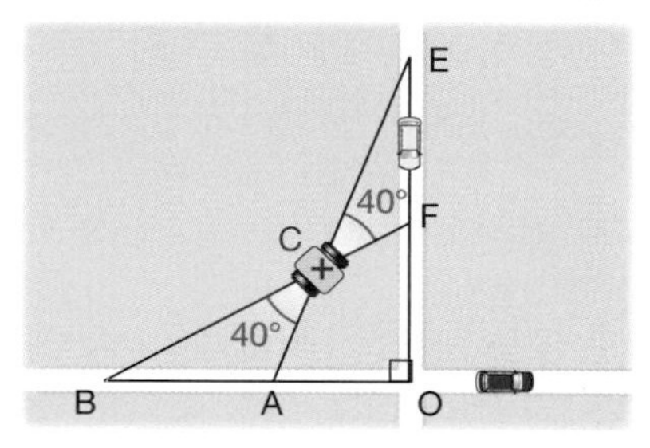

Quelle doit être la valeur de la mesure de l'angle $\widehat{ABC}$ pour que les triangles ABC et CEF soient semblables ?

Conseil

Note x la mesure de l'angle $\widehat{ABC}$, puis exprime en fonction de x les mesures des angles des triangles ABC et CEF.

80 Utiliser des triangles isocèles

Sur ce logo dessiné par un créateur, les points D, A, B et E sont alignés.

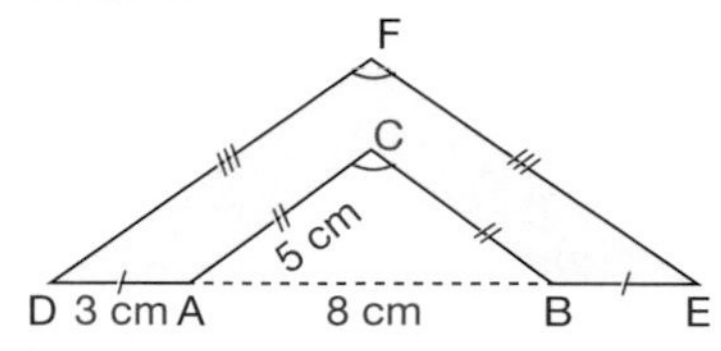

Calculer, en justifiant, la longueur DF.

Conseil

Démontre dans un premier temps que les triangles DEF et ABC sont semblables.

Sans aide maintenant

81 Justifier des affirmations

ABC est un triangle équilatéral de côté 6 cm.
M est le point du côté [AB] tel que AM = 4 cm.
La parallèle à (BC) qui passe par M coupe [AC] en D.
La parallèle à (AC) qui passe par M coupe [BC] en E.

a. Construire une figure.

b. Juliette affirme : « Les triangles ADM et BEM sont semblables. »
Montrer que Juliette a raison.

c. Kim affirme : « L'aire du triangle ADM est le double de l'aire du triangle BEM. »
L'affirmation de Kim est-elle exacte ? Expliquer.

d. Lucas affirme : « Les triangles MAE et MDB sont égaux. »
L'affirmation de Lucas est-elle exacte ? Expliquer.

82 Calculer une aire

Lucie a réalisé cette figure avec un logiciel de géométrie.

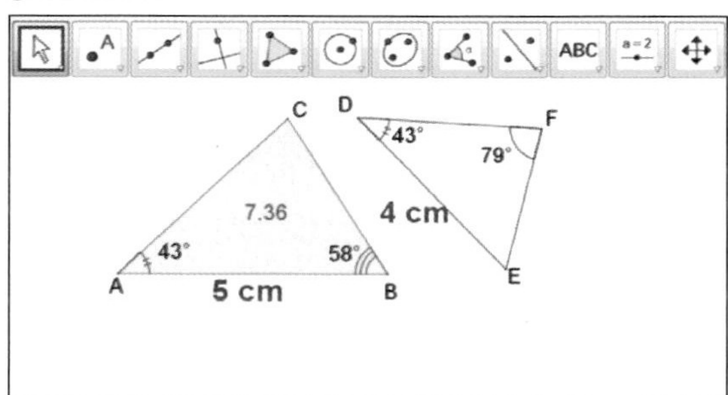

a. Démontrer que les triangles ABC et DEF sont semblables.

b. Sachant que le logiciel affiche 7,36 cm² comme aire du triangle ABC, estimer l'aire du triangle DEF.

83 Vérifier des conditions

Sur cette figure, les droites (AE) et (BD) se coupent en C.

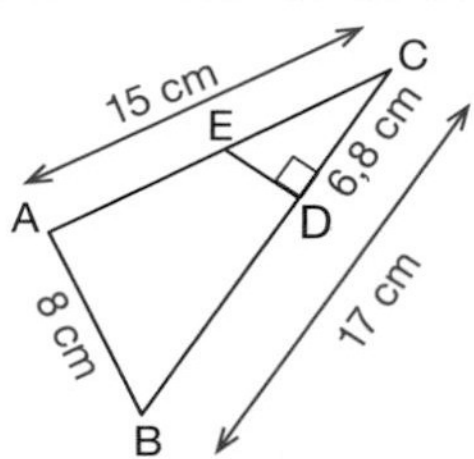

a. Démontrer que le triangle ABC est rectangle.

b. Calculer le périmètre du triangle CDE.

J'extrais des informations

84 Estimer les travaux

Sarah a clôturé et tondu la parcelle 1.
Aider Sarah à estimer le coût pour terminer de clôturer la parcelle 2, ainsi que la durée nécessaire pour tondre cette parcelle.

Doc. 1 Un plan pour les deux parcelles

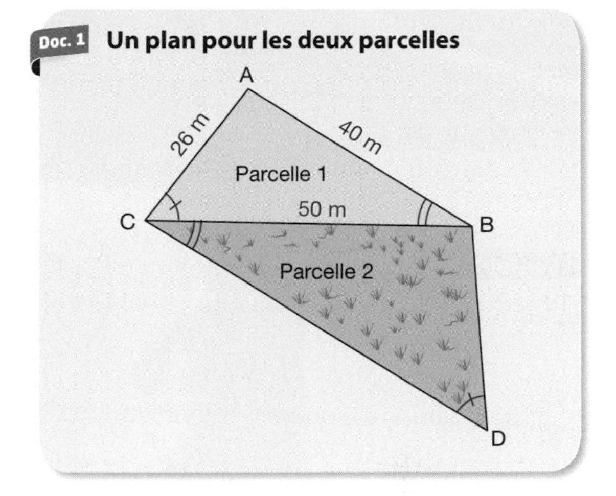

Doc. 2 Les travaux sur la parcelle 1

- Pour clôturer la parcelle 1, Sarah a dépensé 406 €.
On considère que le coût de la clôture est proportionnel à sa longueur.
- Sarah a commencé à tondre cette parcelle à 7 h 45 et elle a terminé à 10 h 57.

85 La voie ferrée

Aider la présidente de la région à compléter le courrier qu'elle doit envoyer aux habitants afin de présenter ses arguments en faveur de la réalisation de la nouvelle voie ferrée destinée aux transports des camions.

Doc. 1 Une carte

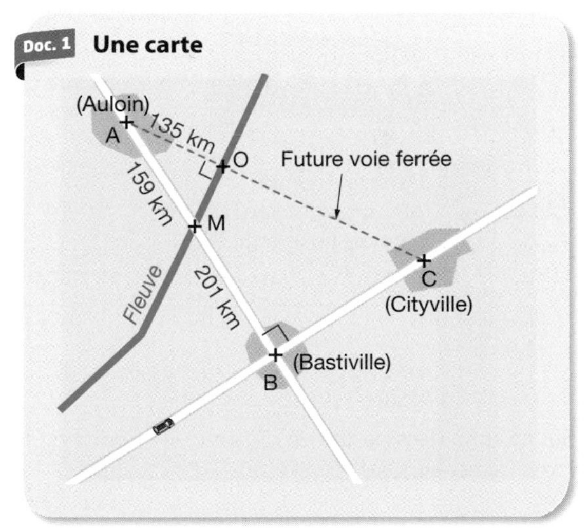

Doc. 2 Le trafic entre Auloin et Cityville

- Chaque jour, 1 500 camions empruntent la route entre Auloin et Cityville en passant par Bastiville.
- Les camions roulent en moyenne à 80 km/h.
- La vitesse moyenne des trains qui seront en service sur la nouvelle voie ferrée sera de 212 km/h.
- Sur la route, un camion émet en moyenne 160 g de CO_2 par kilomètre.

Doc. 3 Le courrier de la présidente

Cette voie ferrée fera gagner chaque jour … h … min aux camions qui empruntent la route entre Auloin et Cityville.
Surtout, cette voie ferrée permettra chaque année de réduire de … tonnes les émissions de CO_2.

CHAPITRE 14

Utiliser la trigonométrie du triangle rectangle

Le duo allemand de Zebrating peint sur des barreaux ou des escaliers, de façon à ce que leurs œuvres ne soient visibles que sous un certain angle. Ils pratiquent le *street art* trigonométrique.

Vu au Cycle 4

Pour chaque question, une réponse ou plusieurs sont exactes.

		a	b	c
1	Dans un triangle ABC rectangle en A, l'hypoténuse est le côté … 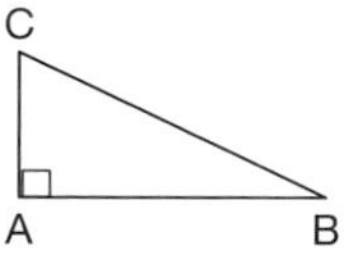	[AB]	[AC]	[BC]
2	Le triangle ABC est rectangle sur la figure …	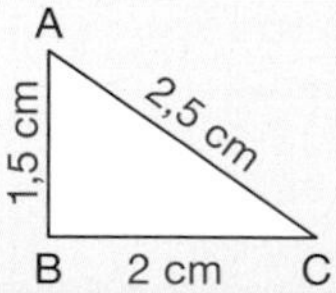	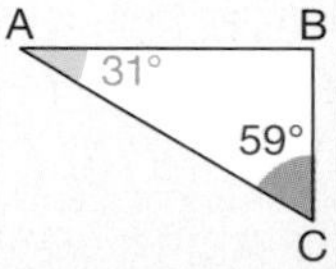	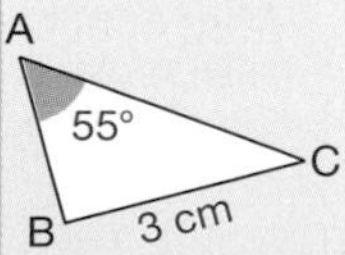
3	Pour trouver le nombre x tel que $\frac{5}{x} = 7$, on peut écrire …	$x = 5 \times 7$	$5 = 7x$ donc $x = \frac{5}{7}$	$5 = 7x$ donc $x = 5 - 7$
4	Les points L, M, N sont alignés, ainsi que les points L, O, P. Les droites (MO) et (NP) sont parallèles. Alors … 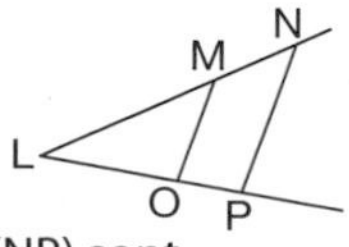	$\frac{LM}{LN} = \frac{LO}{LP} = \frac{MO}{NP}$	$\frac{LM}{MN} = \frac{LO}{OP} = \frac{MO}{NP}$	$\frac{LN}{LM} = \frac{LO}{OP} = \frac{MO}{NP}$

D'autres exercices sur ***le site compagnon***

Vérifie tes réponses ➲ *p. 259*

Activité 1

Étudier des rapports

ABC et A'BC' sont deux triangles rectangles en A et A' qui ont un angle aigu en commun.

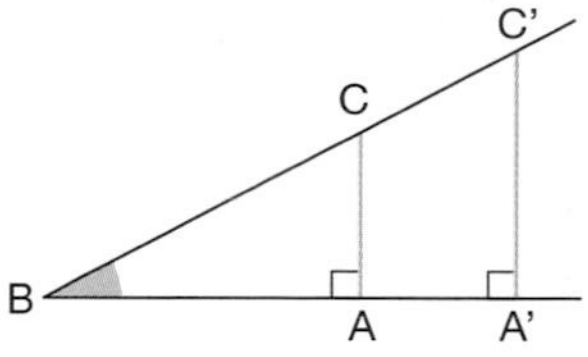

a. Paul affirme : « Je reconnais une configuration de Thalès. » Justifier cette affirmation.

b. Quelles égalités de rapports peut-on écrire alors ?

c. Recopier et compléter : « On sait que $\frac{BC}{BC'} = \frac{AC}{A'C'}$ donc $BC \times \ldots = AC \times \ldots$

Par conséquent, $\frac{AC}{BC} = \frac{\ldots}{\ldots}$. Ainsi le rapport $\frac{AC}{BC}$ ne dépend que de l'angle .... »

d. De façon analogue, à partir de $\frac{BA}{BA'} = \frac{BC}{BC'}$, démontrer que $\frac{BA}{BC} = \frac{BA'}{BC'}$.

c. Démontrer de même que $\frac{AC}{BA} = \frac{A'C'}{BA'}$.

Dans un triangle ABC rectangle en A, on note :

- $\cos \widehat{ABC} = \frac{BA}{BC}$ (« cosinus de $\widehat{ABC}$ ») ;
- $\sin \widehat{ABC} = \frac{AC}{BC}$ (« sinus de $\widehat{ABC}$ ») ;
- $\tan \widehat{ABC} = \frac{AC}{AB}$ (« tangente de $\widehat{ABC}$ »).

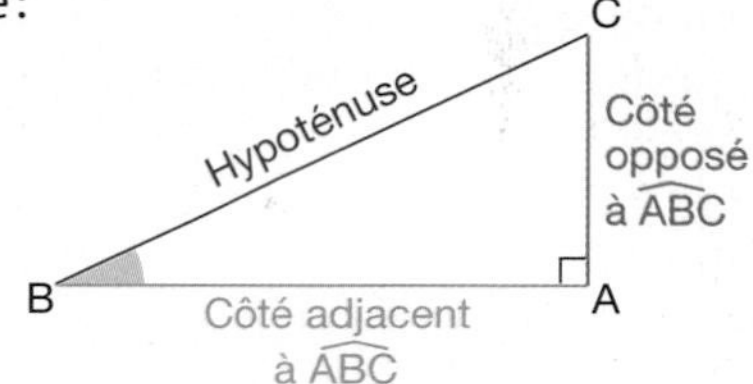

Activité 2

Calculer des longueurs

Dans un parc de loisirs, une attraction consiste à se déplacer entre deux arbres avec une tyrolienne.
Le câble tendu entre les deux arbres a une longueur de 75 m et fait avec l'horizontale un angle de mesure 5°.

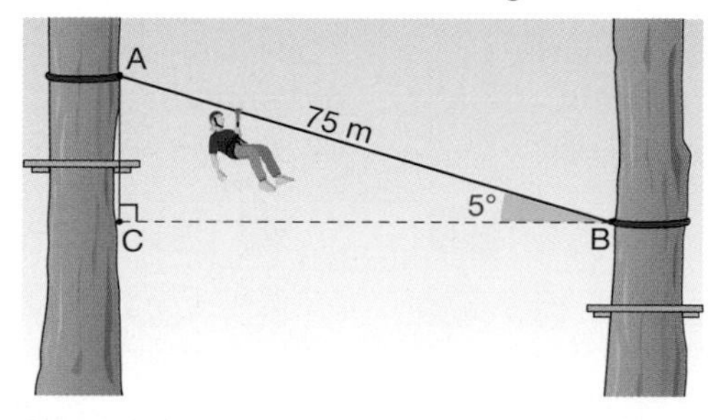

a. Dans le triangle ABC rectangle en C, écrire le rapport égal à $\cos \widehat{ABC}$.

b. En déduire que $BC = 75 \times \cos 5°$.

c. Utiliser la touche (cos) de la calculatrice pour donner une valeur approchée au dixième près de la distance BC, en m, entre les deux arbres.

1 Cosinus, sinus et tangente d'un angle aigu

Définitions Dans un triangle rectangle,

- le **cosinus** d'un angle aigu est le quotient $\dfrac{\text{longueur du côté adjacent à cet angle}}{\text{longueur de l'hypoténuse}}$;
- le **sinus** d'un angle aigu est le quotient $\dfrac{\text{longueur du côté opposé à cet angle}}{\text{longueur de l'hypoténuse}}$;
- la **tangente** d'un angle aigu est le quotient $\dfrac{\text{longueur du côté opposé à cet angle}}{\text{longueur du côté adjacent à cet angle}}$.

Dans un triangle ABC rectangle en A :

- $\cos\widehat{ABC} = \dfrac{AB}{BC}$ (lire « cosinus de $\widehat{ABC}$ »)
- $\sin\widehat{ABC} = \dfrac{AC}{BC}$ (lire « sinus de $\widehat{ABC}$ »)
- $\tan\widehat{ABC} = \dfrac{AC}{AB}$ (lire « tangente de $\widehat{ABC}$ »)

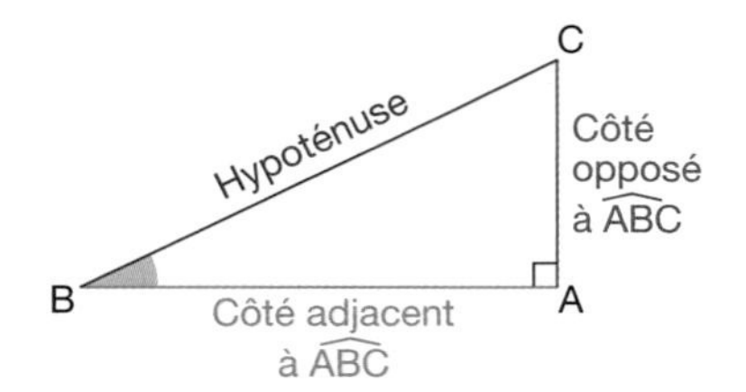

Remarque. Pour calculer ces rapports, les longueurs doivent être exprimées dans la même unité.

2 Connaître et utiliser les touches de la calculatrice

Avant d'utiliser les touches trigonométriques de la calculatrice, on vérifie que la calculatrice est en mode degré (un symbole D ou DEG doit apparaître en haut de l'écran).

- **Calcul de cos 36°**

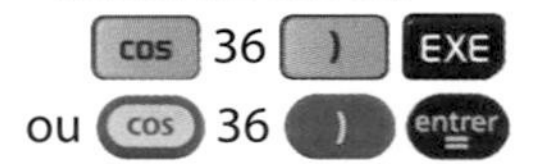

$\cos 36° \approx 0{,}81$

- **Calcul de sin 75°**

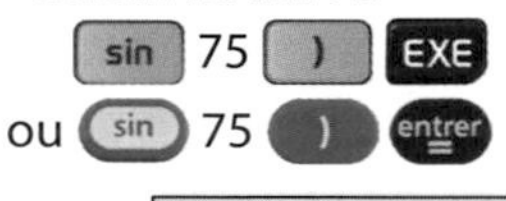

sin(75)
0,965925826

$\sin 75° \approx 0{,}97$

- **Calcul de tan 50°**

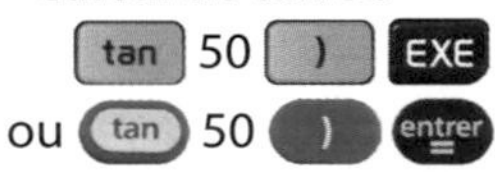

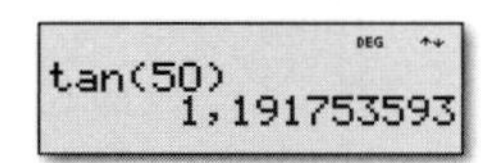

$\tan 50° \approx 1{,}19$

- **Calcul de la mesure de l'angle aigu $\widehat{ABC}$ tel que $\cos\widehat{ABC} = 0{,}3$**

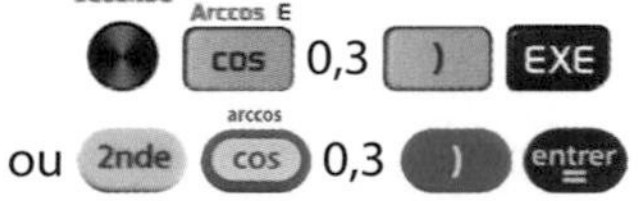

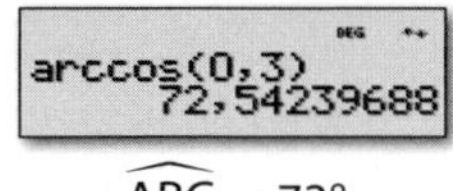

$\widehat{ABC} \approx 73°$

- **Calcul de la mesure de l'angle aigu $\widehat{ABC}$ tel que $\sin\widehat{ABC} = 0{,}6$**

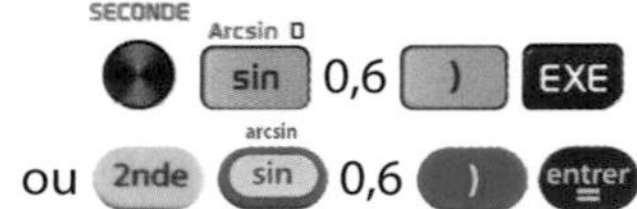

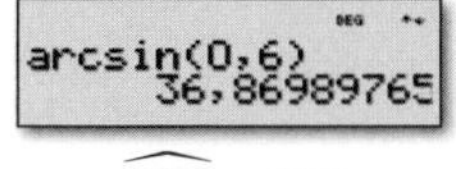

$\widehat{ABC} \approx 37°$

- **Calcul de la mesure de l'angle aigu $\widehat{ABC}$ tel que $\tan\widehat{ABC} = 0{,}8$**

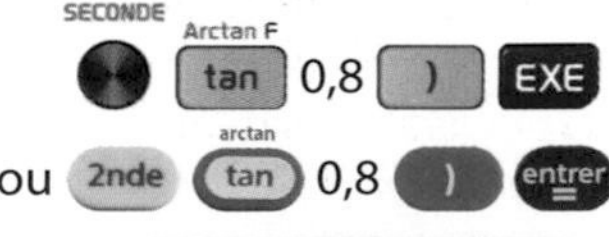

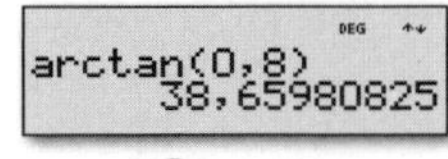

$\widehat{ABC} \approx 39°$

J'apprends à ▶ Utiliser la trigonométrie

Exercice résolu

1 Énoncé

Utiliser les données de chacune des figures pour répondre à chaque question.

a. Donner une valeur approchée au dixième près de la longueur BC, en cm.

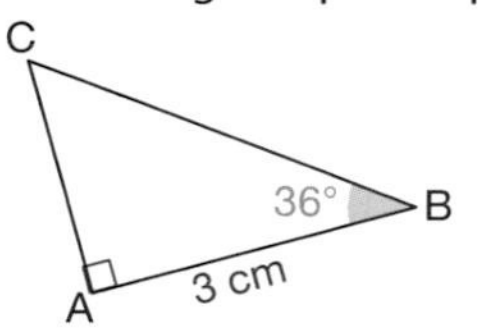

b. Donner une valeur approchée au degré près de la mesure de l'angle $\widehat{MNP}$.

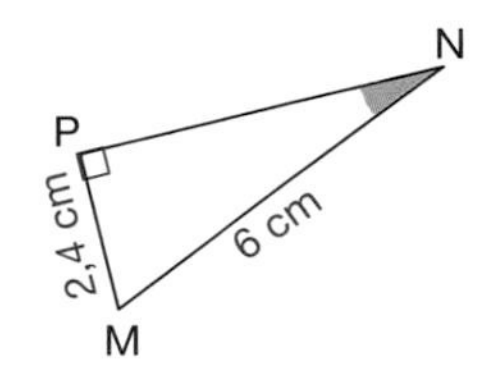

Solution

a. Le triangle ABC est rectangle en A, donc :

$\cos\widehat{ABC} = \frac{AB}{BC}$, c'est-à-dire $\cos 36° = \frac{3}{BC}$.

D'où $BC \times \cos 36° = 3$, c'est-à-dire $BC = \frac{3}{\cos 36°}$.

Avec la calculatrice, on obtient $BC \approx 3{,}7$ cm.

b. Le triangle MNP est rectangle en P, donc :

$\sin\widehat{MNP} = \frac{PM}{MN}$, c'est-à-dire $\sin\widehat{MNP} = \frac{2{,}4}{6} = 0{,}4$.

Avec la calculatrice, on obtient $\widehat{MNP} \approx 24°$.

Conseils

- On multiplie par BC chaque membre de l'égalité $\cos 36° = \frac{3}{BC}$.
- Calculatrice : `3:cos(36)` → `3,708203933`
- On connaît les longueurs de l'hypoténuse et du côté opposé à $\widehat{MNP}$, donc on pense à utiliser le sinus de cet angle.
- Calculatrice : `arcsin(0,4)` → `23,57817848`

Sur le même modèle

2 Utiliser les données de cette figure pour donner une valeur approchée au dixième près de la longueur AC, en cm.

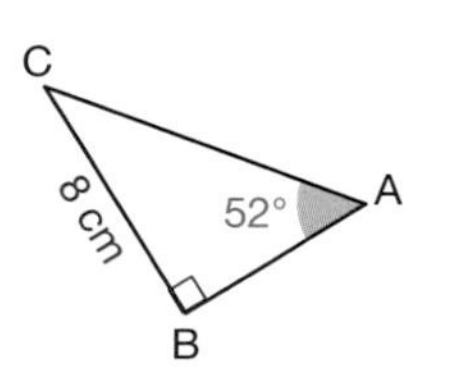

3 Utiliser les données de cette figure pour donner une valeur approchée au dixième près de la longueur EF, en cm.

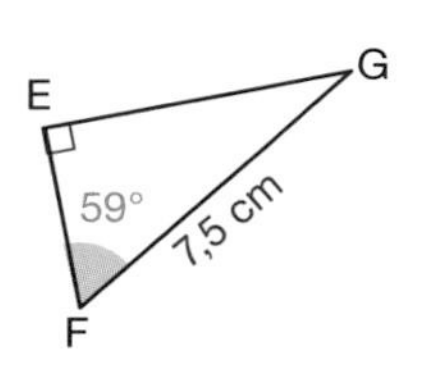

4 Utiliser les données de cette figure pour donner une valeur approchée au centième près de la longueur LM, en cm.

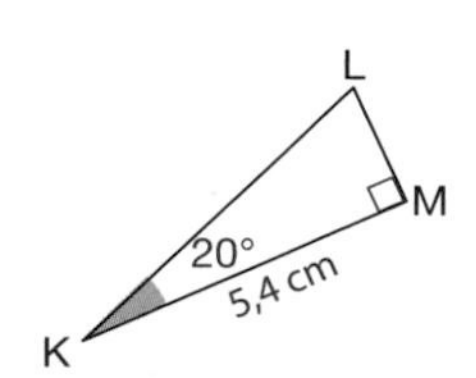

5 **a.** Utiliser les données de cette figure pour donner une valeur approchée au degré près de la mesure de l'angle $\widehat{LJK}$.

b. En déduire une valeur approchée de la mesure de l'angle $\widehat{LKJ}$.

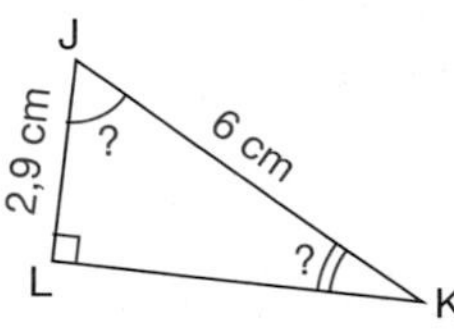

6 Tania fait voler son cerf-volant.
La ficelle a une longueur TC de 40 m. Elle est tendue et le cerf-volant est à 35 m du sol.
Donner une valeur approchée au degré près de la mesure de l'angle $\widehat{STC}$.

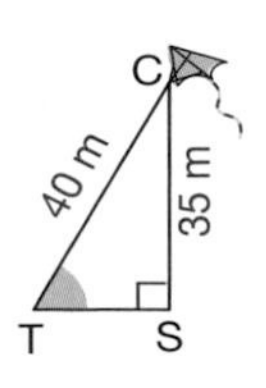

À L'oral

7 DRG est un triangle rectangle en R.

1. Dans chaque cas, indiquer le mot à écrire à la place des pointillés.

a. [DG] est l'… du triangle rectangle DRG.

b. Pour l'angle $\widehat{GDR}$, [GR] est le côté … et [DR] est le côté … .

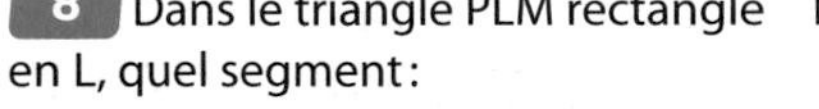

2. Indiquer les segments à écrire à la place des pointillés : l'angle $\widehat{RGD}$ a … pour côté adjacent et … pour côté opposé.

8 Dans le triangle PLM rectangle en L, quel segment :

a. est l'hypoténuse ?

b. est le côté adjacent à l'angle $\widehat{PML}$?

c. est le côté opposé à l'angle $\widehat{MPL}$?

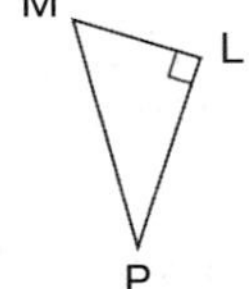

9 Dans le triangle OUI rectangle en O, donner l'expression de :

a. $\cos \widehat{OUI}$ **b.** $\sin \widehat{OUI}$ **c.** $\tan \widehat{OUI}$

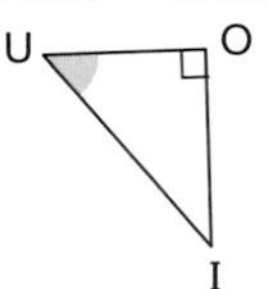

10 Que représente chaque quotient pour l'angle $\widehat{OVL}$ du triangle rectangle VOL ci-contre ?

a. $\dfrac{VO}{VL}$ **b.** $\dfrac{OL}{OV}$ **c.** $\dfrac{OL}{VL}$

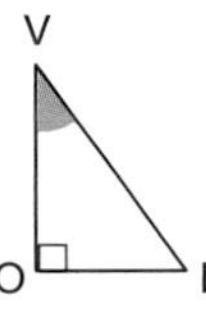

11 **1.** Pourquoi le triangle PGR ci-dessous est-il rectangle ?

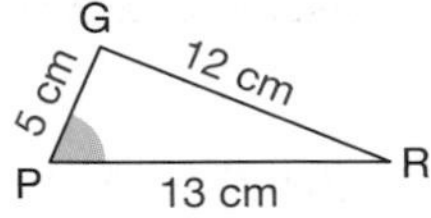

2. Donner sous forme de fraction irréductible la valeur de :

a. $\cos \widehat{GPR}$ **b.** $\sin \widehat{GPR}$ **c.** $\tan \widehat{GPR}$

12 À l'aide de points nommés de la figure, exprimer de deux façons différentes :

a. $\cos \widehat{BAC}$ **b.** $\sin \widehat{BAC}$ **c.** $\tan \widehat{BAC}$

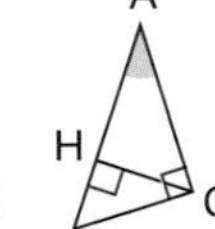

13 Dans chaque cas, on veut calculer la longueur du segment rouge.
Dire s'il est préférable d'utiliser le cosinus, le sinus ou la tangente de l'angle aigu donné.

a.

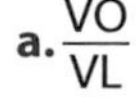

b.

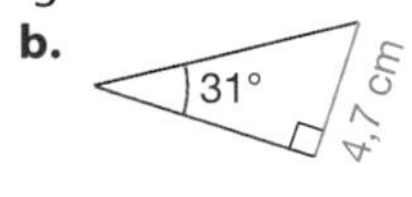

14 Dans chaque cas, une seule réponse est exacte. Laquelle ?

1. À partir de l'égalité $\cos 50° = \dfrac{AB}{4}$, on peut écrire :

a. $AB = \dfrac{\cos 50°}{4}$ **b.** $AB = 4 \times \cos 50°$ **c.** $AB = \dfrac{4}{\cos 50°}$

2. À partir de l'égalité $\tan 35° = \dfrac{7}{EF}$, on peut écrire :

a. $EF = \dfrac{\tan 35°}{7}$ **b.** $EF = 7 \times \tan 35°$ **c.** $EF = \dfrac{7}{\tan 35°}$

Calcul mental

15 ABC est un triangle rectangle en B tel que AB = 3 dm et BC = 4 dm.

1. Calculer la longueur AC.

2. Donner l'écriture décimale de :

a. $\cos \widehat{ACB}$ **b.** $\sin \widehat{ACB}$ **c.** $\tan \widehat{ACB}$

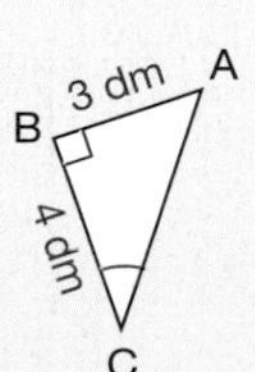

16 A, B, C sont trois points tels que $\dfrac{AB}{AC} = \dfrac{4}{5}$.

1. Calculer mentalement AB lorsque :

a. AC = 25 cm **b.** AC = 10 cm **c.** AC = 8 cm

2. Calculer mentalement AC lorsque :

a. AB = 2 cm **b.** AB = 12 cm **c.** AB = 10 cm

17 ABC est un triangle rectangle en A.
Calculer mentalement :

a. AB lorsque BC = 7 cm et $\sin \widehat{ACB} = 0{,}4$;

b. AC lorsque AB = 8 cm et $\tan \widehat{ABC} = 0{,}5$;

c. BC lorsque AB = 3,2 cm et $\cos \widehat{ABC} = 0{,}4$.

18 On donne : $\tan 32° \approx 0{,}625$; $\tan 45° = 1$; $\tan 58° \approx 1{,}6$.
En déduire mentalement une valeur approchée au degré près de la mesure de $\widehat{ACB}$, puis de $\widehat{BAC}$.

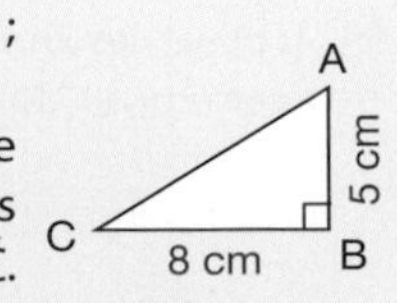

Triangles rectangles

19 **1.** Dans le triangle ABC rectangle en B, quel segment est :

a. l'hypoténuse ?

b. le côté adjacent à l'angle $\widehat{BAC}$?

c. le côté opposé à l'angle $\widehat{BCA}$?

2. Dans le triangle BHC rectangle en H, quel angle a pour côté opposé :

a. [BH] ? **b.** [CH] ?

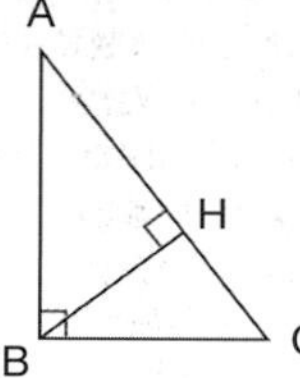

20 MNP est un triangle rectangle en M tel que :

$\widehat{MNP} = 45°$.

a. Calculer la mesure de l'angle $\widehat{MPN}$.

b. Que peut-on en déduire pour le triangle MNP ?

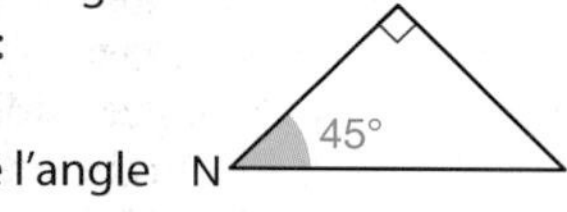

21 Utiliser les données de la figure pour :

a. expliquer pourquoi le triangle TAU est rectangle ;

b. donner une valeur approchée au dixième près de la longueur AO en cm.

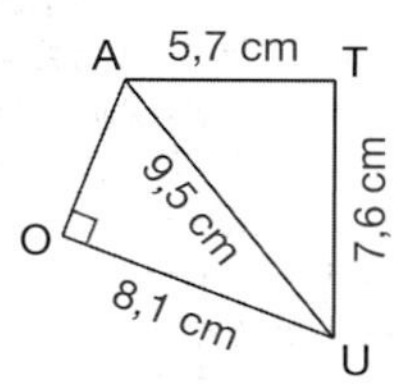

22 Sans équerre, construire un triangle FGH rectangle en G tel que FH = 5 cm et FG = 3 cm.

Cosinus, sinus, tangente : calculs de longueurs

23 TBI est le triangle rectangle ci-contre.

Recopier et compléter.

- L'hypoténuse est … .
- Le côté adjacent à l'angle $\widehat{TBI}$ est … .
- Le côté opposé à l'angle $\widehat{TBI}$ est … .

Donc $\cos \widehat{TBI} = \frac{\dots}{\dots}$,

$\sin \widehat{TBI} = \frac{\dots}{\dots}$ et $\tan \widehat{TBI} = \frac{\dots}{\dots}$.

I
B
T

24 Recopier et compléter.

Dans le triangle DOR rectangle en O :

a. $\sin \widehat{RDO} = \frac{\dots}{\dots}$ **b.** $\cos \dots = \frac{OD}{DR}$

c. $\dots \widehat{DRO} = \frac{OD}{OR}$ **d.** $\dots \widehat{RDO} = \frac{\dots}{OD}$

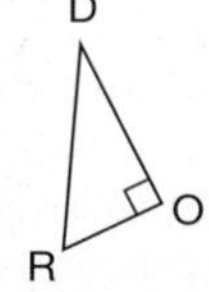

25 TOC est un triangle rectangle en T tel que :

TC = 5,2 cm et OC = 6,5 cm.

a. Calculer la longueur TO.

b. En déduire les valeurs exactes de $\cos \widehat{TOC}$, $\sin \widehat{TOC}$ et $\tan \widehat{TOC}$.

26 MUR est un triangle rectangle en M tel que :

MR = 6 cm et UR = 7,5 cm.

a. Calculer la longueur MU.

b. En déduire les valeurs exactes de $\cos \widehat{MUR}$, $\sin \widehat{MUR}$ et $\tan \widehat{MUR}$ (donner les réponses sous forme de fractions irréductibles).

27 Voici trois triangles rectangles.

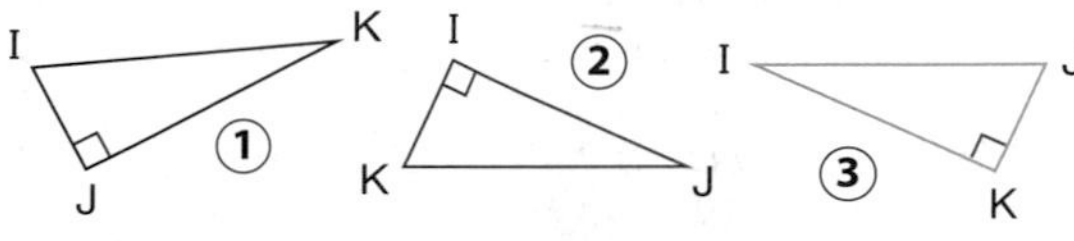

Dire dans lequel de ces triangles on a :

a. $\sin \widehat{IJK} = \frac{IK}{IJ}$ **b.** $\tan \widehat{JIK} = \frac{JK}{IJ}$ **c.** $\cos \widehat{IJK} = \frac{IJ}{JK}$

28 Avec les données de cette figure, donner une valeur approchée au dixième près de la longueur TS, en cm.

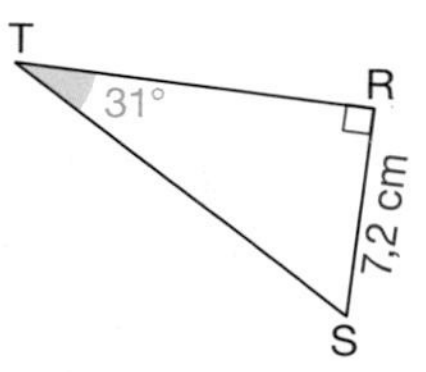

29 Utiliser les données de la figure pour donner une valeur approchée au dixième près de la longueur LU, en cm.

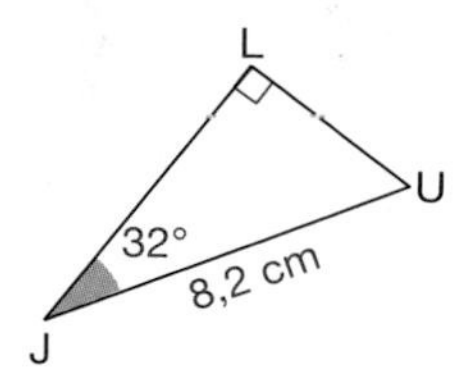

30 ADN est le triangle rectangle ci-contre.

1. a. Que représente le côté [AD] pour l'angle $\widehat{AND}$?

b. Calculer la longueur DA, en m, puis donner une valeur approchée au centième près.

2. a. Que représente le côté [ND] pour l'angle $\widehat{AND}$?

b. Calculer la longueur ND, en m, puis donner une valeur approchée au centième près.

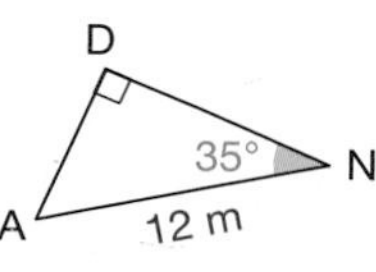

31 Avec les données de la figure, calculer la longueur, en cm, puis donner une valeur approchée au dixième près de :

a. VE **b.** EN

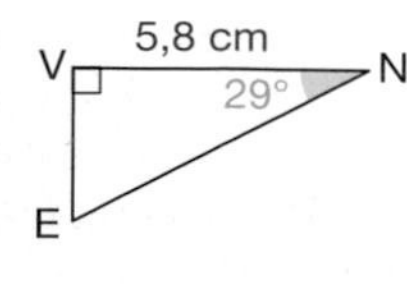

32 **a.** Construire un triangle IJK rectangle en J tel que :

$IJ = 7$ cm et $\widehat{JIK} = 33°$.

b. Donner une valeur approchée au dixième près de la longueur IK, en cm.

33 RIZ est un triangle rectangle en R tel que :

$RI = 5$ cm et $\widehat{RIZ} = 54°$.

a. Réaliser une figure à main levée.

b. Donner une valeur approchée au dixième près de la longueur RZ, en cm.

34 LOU est un triangle rectangle en L tel que :

$OU = 7{,}9$ cm et $\widehat{LOU} = 41°$

a. Réaliser une figure à main levée.

b. Donner une valeur approchée au dixième près de la longueur LO, en cm.

Pour les exercices 35 à 38, construire, si possible, un triangle rectangle ABC dont l'angle $\widehat{ABC}$ vérifie l'égalité indiquée.

35 $\cos\widehat{ABC} = \dfrac{3}{4}$

36 $\sin\widehat{ABC} = \dfrac{4}{5}$

37 $\sin\widehat{ABC} = \dfrac{4}{3}$

38 $\tan\widehat{ABC} = 3$

39 **1.** Utiliser les données de cette figure pour donner une valeur approchée au dixième près de la longueur AC, en cm.

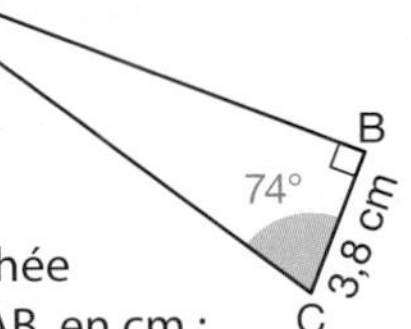

2. En déduire une valeur approchée au dixième près de la longueur AB, en cm :

a. avec le théorème de Pythagore ;

b. avec le sinus de l'angle $\widehat{ACB}$.

40 **a.** Construire un triangle MTV rectangle en M tel que $MV = 2{,}8$ cm et $\widehat{TVM} = 63°$.

b. Calculer la longueur VT, en cm, puis donner une valeur approchée au dixième près.

c. Calculer une valeur approchée du périmètre du triangle MTV.

41 ABC est le triangle rectangle ci-contre.

a. Calculer la longueur AC, en m, puis donner une valeur approchée au centième près.

b. Donner une valeur approchée de l'aire, en m², de ABC.

42 Sur la figure codée ci-dessous, les droites (GD) et (AJ) se coupent en N.

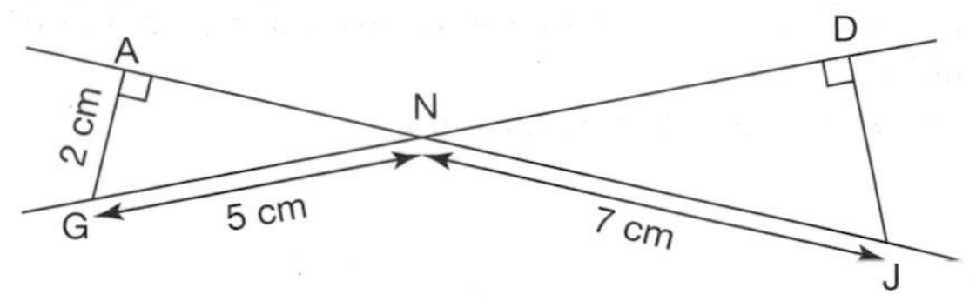

a. Pourquoi a-t-on $\widehat{DNJ} = \widehat{ANG}$?

b. Exprimer $\sin\widehat{DNJ}$ et $\sin\widehat{ANG}$.

c. Expliquer pourquoi $\dfrac{DJ}{7} = \dfrac{2}{5}$.

d. En déduire la longueur DJ.

43 Pour accéder à sa mezzanine, Lola doit installer un escalier.

Avec les données de cette figure, donner une valeur approchée au centième près de la longueur AB, en m.

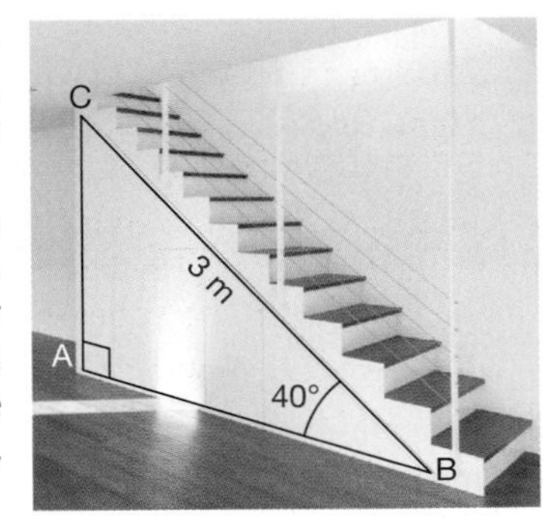

44 Pour mesurer la hauteur BH d'un immeuble, un géomètre procède ainsi : il se place à 5 m de l'immeuble et mesure l'angle $\widehat{IOH}$; il trouve 76,8°.

Le point O représente l'œil de l'observateur :

$OP = 1{,}70$ m.

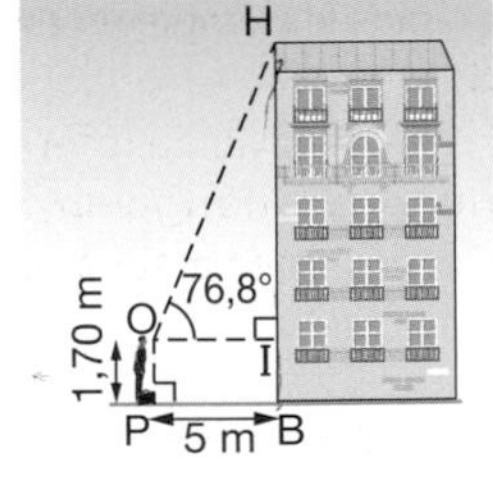

Donner une valeur approchée au centième près de la hauteur de ce bâtiment, en m.

45 La tour du One World Trade Center a été inaugurée en 2014, à New York (États-Unis).

Une personne de 1,65 m, située à 100 m de la tour, mesure $\widehat{HOP} = 79{,}5°$ (O représente son œil).

Calculer une valeur approchée à l'unité près de la hauteur, en m, de cette tour.

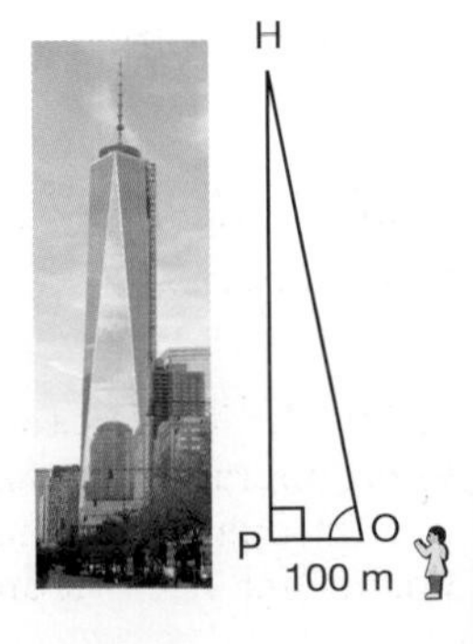

46 Un géomètre, positionné en A, souhaite calculer l'altitude du sommet S d'une colline.
Son GPS lui indique qu'il se trouve lui-même à une altitude de 625 m.
Il effectue les mesures suivantes :

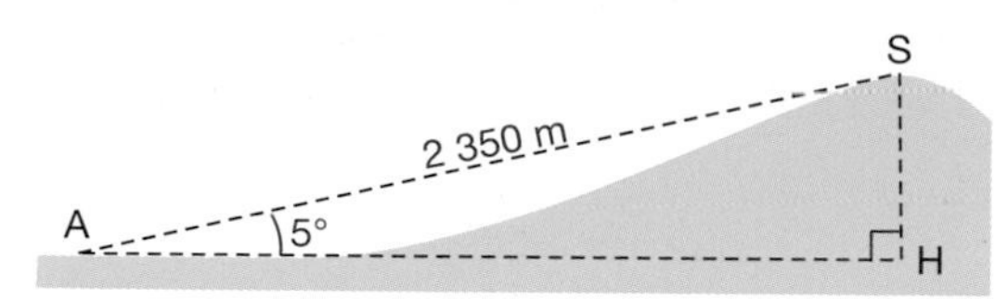

a. Donner une valeur approchée au centième près de la hauteur HS, en m, de la colline.
b. En déduire l'altitude du point S.

47 Un terrain de football OABC est de forme rectangulaire.
On donne : OA = 50 m et OC = 100 m.

1. Calculer la longueur, en m, de la diagonale [AC] (utiliser le théorème de Pythagore).
Donner une valeur approchée à l'unité près.

2. a. On note α la mesure de l'angle $\widehat{OCA}$.
Donner l'expression de $\tan \alpha$ dans le triangle rectangle OAC.
b. Calculer $\tan \alpha$.
En déduire à l'aide de la calculatrice une valeur approchée au dixième près de la valeur de α.
c. Dans le triangle rectangle OAC, donner l'expression de $\cos \alpha$.
d. À partir de l'expression de $\cos \alpha$ précédente, en déduire la longueur, en m, de la diagonale [AC]. Donner une valeur approchée à l'unité près.

48 On veut mesurer la hauteur d'une cathédrale. Grâce à un instrument de mesure placé en O à 1,5 m du sol et à 85 m de la cathédrale, on mesure l'angle $\widehat{COB}$ et on trouve 59°.

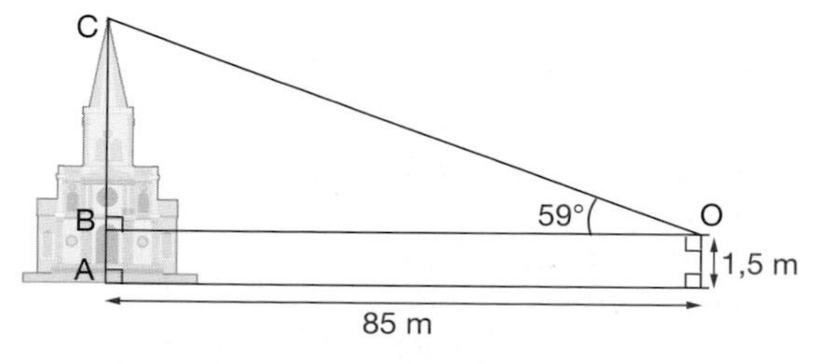

a. Calculer la longueur CB, en m, puis donner une valeur approchée au dixième près.
b. En déduire la hauteur, en m, de la cathédrale et donner une valeur approchée à l'unité près.

Cosinus et sinus : mesure d'angles

49 Avec les données de cette figure, donner une valeur approchée au degré près de la mesure de l'angle :
a. $\widehat{RMT}$ **b.** $\widehat{RTM}$

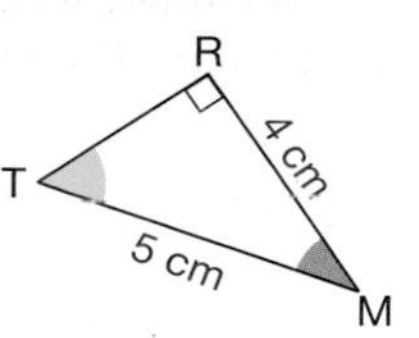

50 **1.** Avec les données de cette figure, calculer la longueur AC.
2. En déduire une valeur approchée au degré près de la mesure de l'angle :
a. $\widehat{BAC}$ **b.** $\widehat{BCA}$

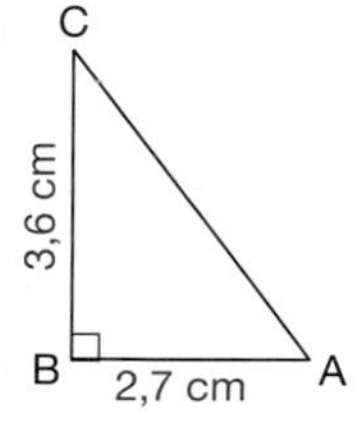

51 IJK est un triangle tel que :
IJ = 9,6 cm ; JK = 10,4 cm ; IK = 4 cm.
a. Construire un tel triangle.
b. Quelle est sa nature ? Expliquer.
c. Donner une valeur approchée au degré près de la mesure de chacun des angles aigus de IJK.

52 Dans le débat ci-dessous, qui a raison ? Expliquer.

On voit sur la figure que le triangle MRI est rectangle isocèle, donc $\widehat{RMI}$ = 45°.
Arthur

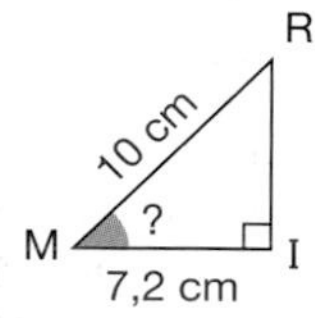

53 Voici un plan de coupe de l'une des deux lucarnes de cette maison.

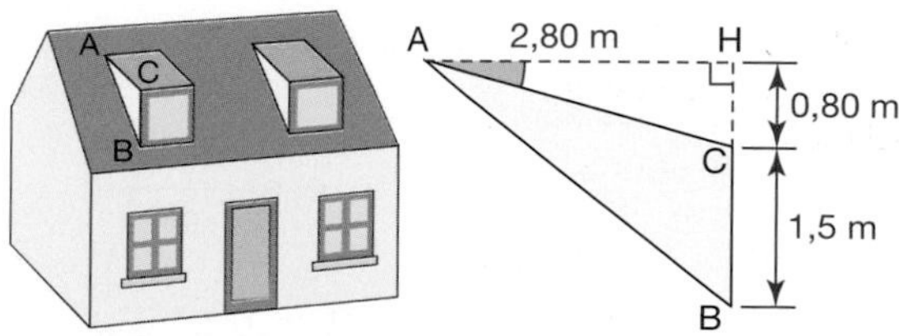

Déterminer une valeur approchée au degré près de :
a. la mesure de $\widehat{HAC}$,
b. la mesure de $\widehat{HAB}$,
c. la mesure de $\widehat{CAB}$.

Je m'entraîne

54 Voici la rampe de départ prévue par les organisateurs d'une compétition de skateboard.

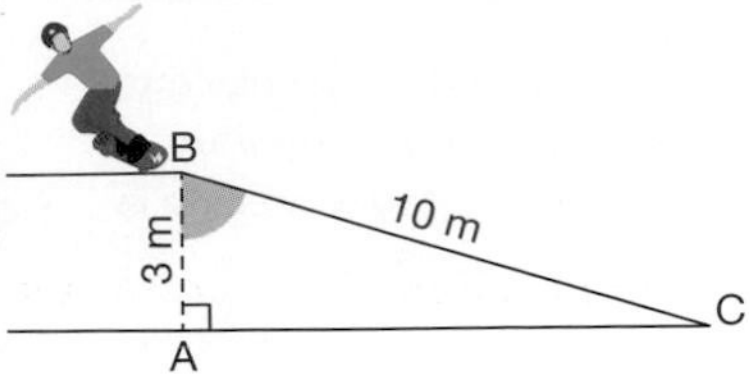

Pour être conforme au règlement, la mesure de l'angle $\widehat{ABC}$ de cette rampe doit être comprise entre 70° et 75°. Cette rampe est-elle conforme ?

55 Une échelle de 5,60 m de longueur est représentée par [EC], comme indiqué ci-contre.

a. Donner une valeur approchée au degré près de la mesure de l'angle qu'elle fait avec le sol.

b. Calculer une valeur approchée au dixième près de la hauteur du mur, en m.

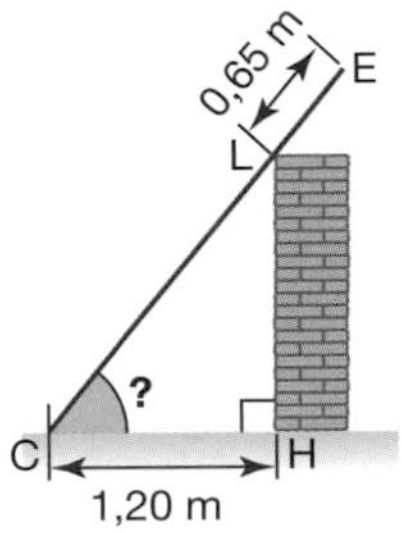

56 On se propose de déterminer la mesure de l'angle de tir représenté ci-dessous par l'angle $\widehat{ABC}$.

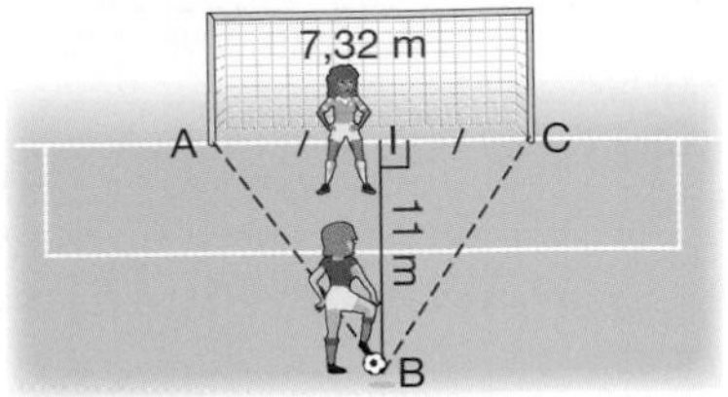

a. Donner une valeur approchée au centième près de la longueur BC, en m.

b. En déduire une valeur approchée au degré près de la mesure de l'angle $\widehat{ABC}$.

57

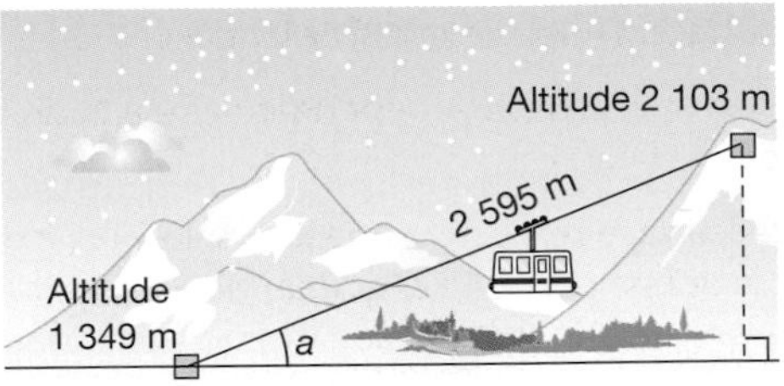

Donner une valeur approchée au degré près de la mesure de l'angle formé par le câble et l'horizontale.

Je m'évalue à mi-parcours

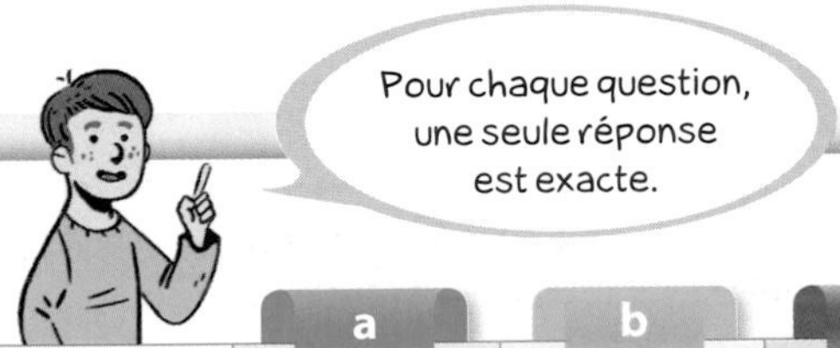

	a	b	c	En cas d'erreur
58 Dans le triangle SAM rectangle en S, cos $\widehat{SAM}$ est égal à … 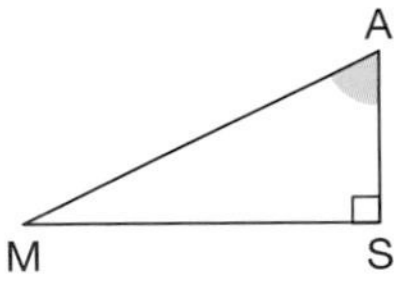	$\frac{SM}{SA}$	$\frac{SM}{AM}$	$\frac{AS}{AM}$	Cours 1 et ex. 9
59 Dans le triangle SAM rectangle en S, sin $\widehat{SAM}$ est égal à …	$\frac{SM}{SA}$	$\frac{SM}{AM}$	$\frac{AS}{AM}$	
60 Avec les données de cette figure, la longueur BC, en cm, est égale à … 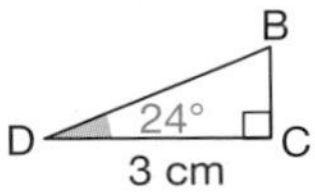	$\frac{\tan 24°}{3}$	$3 \times \tan 24°$	$\frac{3}{\tan 24°}$	Cours 1 et ex. 4
61 Avec les données de cette figure, une valeur approchée au degré près de la mesure de l'angle $\widehat{DNB}$ est … 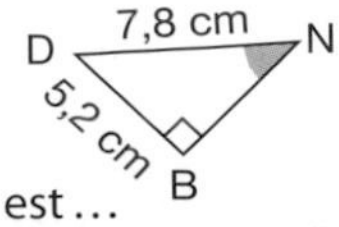	34°	40°	42°	Cours 2 et ex. 6

Vérifie tes réponses p. 259

▶ Utiliser le cosinus et le sinus d'un angle aigu

62 Construire un angle de cosinus donné 

On se propose de construire un angle de cosinus égal à un nombre donné a (avec $0 < a < 1$).

1 Réaliser une figure

a. Avec GeoGebra, créer un curseur a allant de 0 à 1 avec un incrément de 0,01 (utiliser [a=2]).

b. Tracer un segment [AB] de longueur a (utiliser [segment]).

c. Tracer la droite perpendiculaire à la droite (AB) passant par A.

d. Tracer le cercle de centre B et de rayon 1. Nommer C un de ses points d'intersection avec la perpendiculaire.

e. Tracer le triangle ABC.

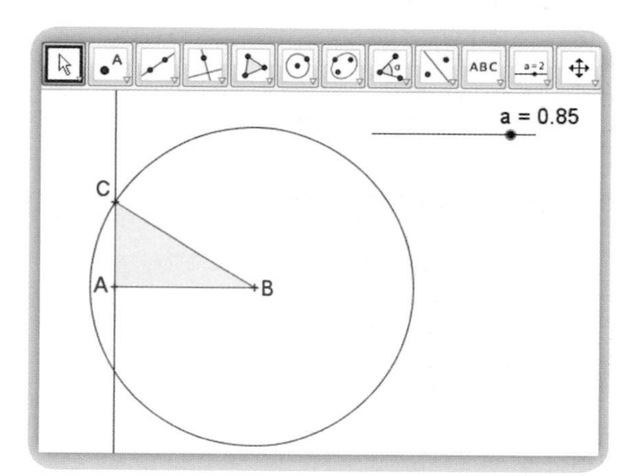

2 Justifier

Justifier que $\cos \widehat{ABC} = a$.

63 Introduire une autre interprétation du cosinus et du sinus

1 Réaliser une figure

a. Afficher le repère et la grille en prenant sur chaque axe une distance de 0,1 pour unité (utiliser la molette de la souris pour zoomer).

b. Saisir `O=(0,0)` , `A=(1,0)` et `B=(0,1)` .

c. Tracer le quart de cercle de centre O qui a pour extrémités les points A et B (utiliser [arc]).

d. Créer un curseur α (Angle) allant de 0° à 90° avec un incrément de 1°.

e. Placer le point C du quart du cercle tel que $\widehat{AOC} = \alpha$ (utiliser [angle]).

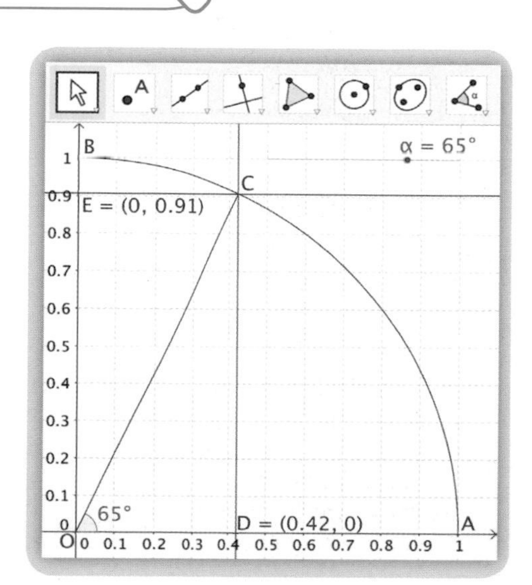

f. Tracer le segment [OC], la droite perpendiculaire à l'axe des abscisses passant par C et la droite perpendiculaire à l'axe des ordonnées passant par C.

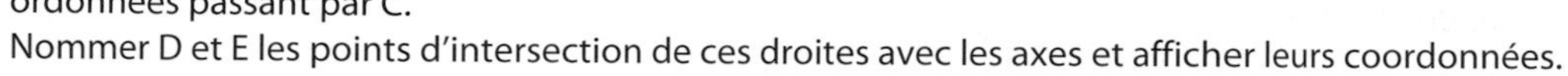

Nommer D et E les points d'intersection de ces droites avec les axes et afficher leurs coordonnées.

2 Justifier

Expliquer pourquoi $\cos \widehat{AOC}$ est égal à l'abscisse du point C, puis pourquoi $\sin \widehat{AOC}$ est égal à l'ordonnée du point C.

J'utilise mes compétences

S'initier au raisonnement

64 Schématiser une situation

Représenter • Raisonner • Communiquer

Un funiculaire permet de monter au sommet de la butte Montmartre à Paris. D'une longueur de 108 m, la voie a un angle d'élévation de 19,5° par rapport à l'horizontale.
Donner une valeur approchée au centième près de la différence d'altitude, en m, entre la gare d'arrivée et la gare de départ.

Conseil
Représente cette situation à l'aide d'un triangle rectangle et code les informations.

65 Choisir un triangle rectangle adapté

Raisonner • Calculer • Communiquer

ABC est un triangle rectangle en A et H est le pied de la hauteur issue de A.

a. Calculer $\sin \widehat{ABC}$.

b. En déduire une valeur approchée au dixième près de la longueur BC, en cm.

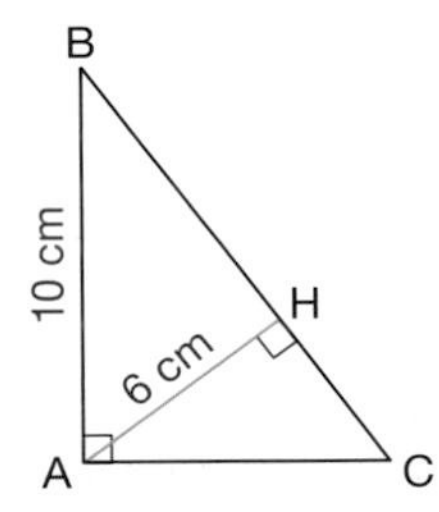

Conseil
Observe les données sur la figure et choisis celui des deux triangles rectangles d'angle aigu $\widehat{ABC}$ dans lequel tu peux calculer $\sin \widehat{ABC}$.

66 Compléter la figure

Représenter • Raisonner • Communiquer

ABCD est un rectangle de centre O tel que :

$$AC = 9 \text{ cm} \quad \text{et} \quad \widehat{AOB} = 30°.$$

Calculer une valeur approchée au dixième près de la longueur, en cm, de chaque côté de ce rectangle.

Conseil
Réalise une figure et pense à faire apparaître la hauteur issue de O du triangle OAB.

67 Enchaîner deux étapes

Raisonner • Calculer • Communiquer

Quelle est la hauteur du mât de ce bateau ?
Donner une valeur approchée au dixième près.

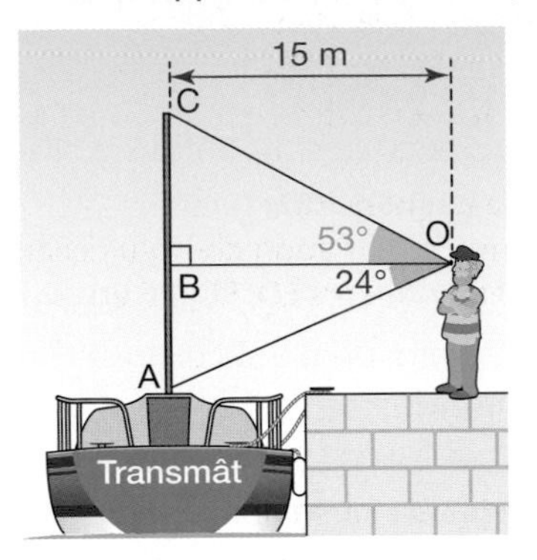

Conseil
Décompose la hauteur du mât en deux parties et utilise des triangles rectangles différents pour calculer la longueur de chacune d'elles.

68 Travailler dans l'espace

Raisonner • Calculer • Communiquer

ABCDEFGH est un cube d'arête 5 cm.
Calculer les valeurs exactes des longueurs AC et AG, puis une valeur approchée au degré près de la mesure de l'angle $\widehat{CAG}$.

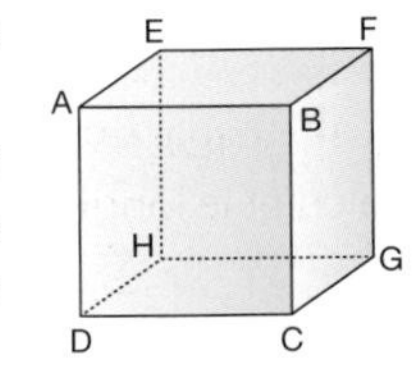

Conseil
Le quadrilatère ACGE est un rectangle, donc on peut utiliser la trigonométrie dans le triangle ACG rectangle en C.

69 Penser à un calcul intermédiaire

Raisonner • Calculer • Communiquer

SOI est un triangle isocèle en O tel que :

$$\widehat{OSI} = 58° \quad \text{et} \quad IS = 6{,}5 \text{ cm}.$$

Calculer une valeur approchée au dixième près de son aire en cm^2.

Conseil
Pense à la hauteur de ce triangle.

Organiser son raisonnement

70 Enchaîner les étapes

Raisonner • Calculer • Communiquer

Avec les données de cette figure :

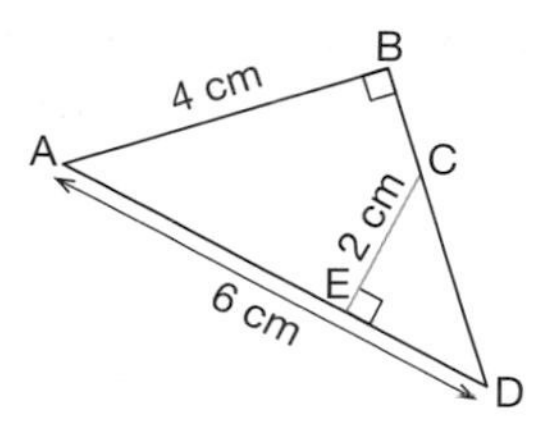

a. exprimer $\sin\widehat{ADB}$ dans chacun des triangles rectangles ABD et CDE ;

b. en déduire la valeur exacte de la longueur CD ;

c. donner une valeur approchée au dixième près de chacune des longueurs ED, BD, BC en cm.

71 Soigner la rédaction

Raisonner • Calculer • Communiquer

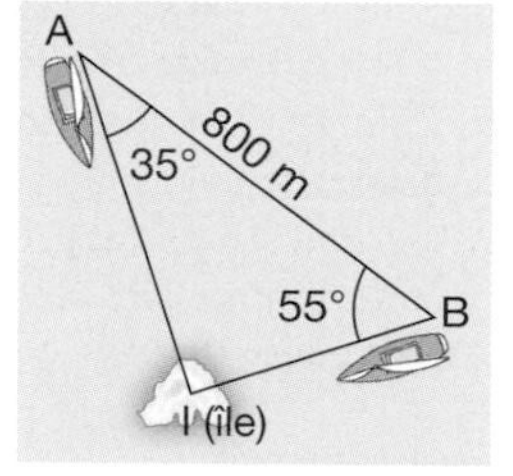

Deux bateaux A et B sont au large d'une île I et souhaitent la rejoindre pour y passer la nuit.
En utilisant les informations codées sur le schéma ci-contre, donner une valeur approchée au dixième près de la distance, en m, qui sépare chaque bateau de l'île.

72 Porter un regard critique

Chercher • Raisonner • Communiquer

Avec les données de la figure ci-dessous, Théo devait calculer la longueur AD.

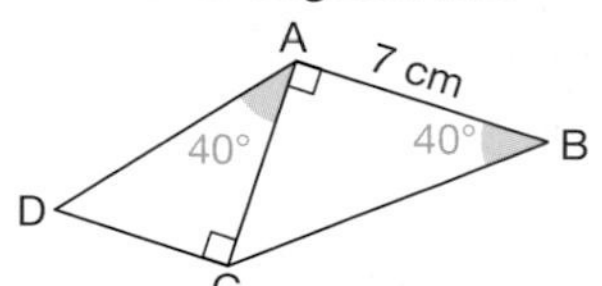

Voici la fin de ce qu'il a écrit :

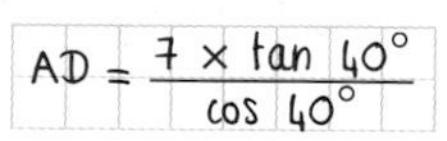

A-t-il raison ? Expliquer.

73 Vrai ou faux ?

Chercher • Raisonner • Communiquer

Dans chaque cas, dire si l'affirmation est vraie ou fausse. Justifier.

a. Le cosinus et le sinus d'un angle aigu d'un triangle rectangle sont des nombres compris entre 0 et 1.

b. Un triangle JLP tel que JL = 23,5 cm, JP = 12,5 cm et $\widehat{JLP} = 28°$ est rectangle en J.

c. Avec les données de cette figure, on peut dire que AB = 4 cm.

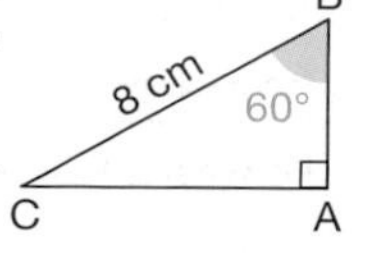

74 Effectuer des relevés sur le terrain

Raisonner • Calculer • Communiquer

Un géomètre veut calculer la distance entre Haapiti sur l'île de Moorea et Papeete sur l'île de Tahiti.

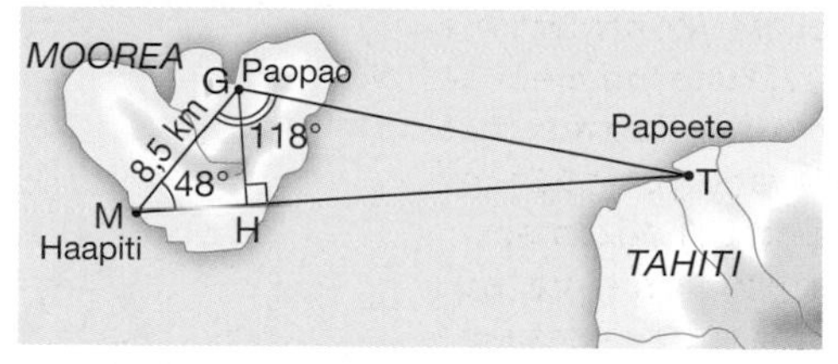

a. On note H le pied de la hauteur issue du point G dans le triangle MGT.
Calculer les valeurs exactes, en km, de MH et GH, puis des valeurs approchées au millième près.

b. Déterminer la mesure de l'angle $\widehat{MGH}$.
En déduire celle de l'angle $\widehat{HGT}$.

c. Calculer la valeur exacte de HT, en km, puis une valeur approchée au millième près.
En déduire une valeur approchée à l'unité près de la distance MT, en km.

75 Utiliser un triangle équilatéral

Chercher • Raisonner • Communiquer

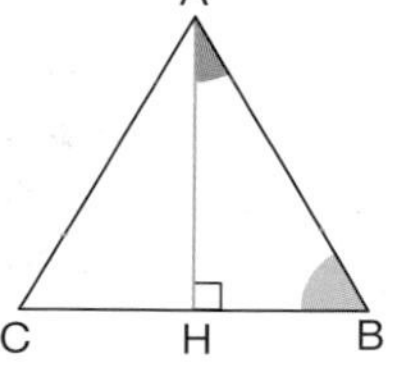

ABC est un triangle équilatéral de côté 1. H est le pied de la hauteur issue du point A.

1. a. Donner la mesure de l'angle $\widehat{ABH}$.
Expliquer pourquoi $\cos 60° = \dfrac{1}{2}$.

b. En déduire que $\sin 60° = \dfrac{\sqrt{3}}{2}$, puis que $\tan 60° = \sqrt{3}$.

2. a. Donner la mesure de l'angle $\widehat{BAH}$.
Expliquer pourquoi $\sin 30° = \dfrac{1}{2}$.

b. En déduire que $\cos 30° = \dfrac{\sqrt{3}}{2}$, puis que $\tan 30° = \dfrac{\sqrt{3}}{3}$.

76 Utiliser un carré

Raisonner • Communiquer

ABCD est un carré de côté 1.

a. Expliquer pourquoi $AC = \sqrt{2}$.

b. Donner la mesure de l'angle $\widehat{BAC}$.
Expliquer pourquoi $\cos 45° = \dfrac{\sqrt{2}}{2}$.

c. En déduire que $\sin 45° = \dfrac{\sqrt{2}}{2}$, puis que $\tan 45° = 1$.

77 Communiquer en anglais 

Raisonner • Calculer • Communiquer

ONE is an isosceles triangle where ON = OE and H is the foot of the altitude through O.
We know that $\widehat{ONE} = 58°$ and OH = 5 cm.
Calculate the area of the triangle ONE in cm². Give an approached value to the nearest hundredth.

78 Étudier la pente d'une route 

Modéliser • Calculer • Communiquer

Ce panneau routier indique une descente dont la pente est de 10 %. Cela signifie que pour un déplacement horizontal de 100 m, le dénivelé est de 10 m. Ce schéma n'est pas à l'échelle.

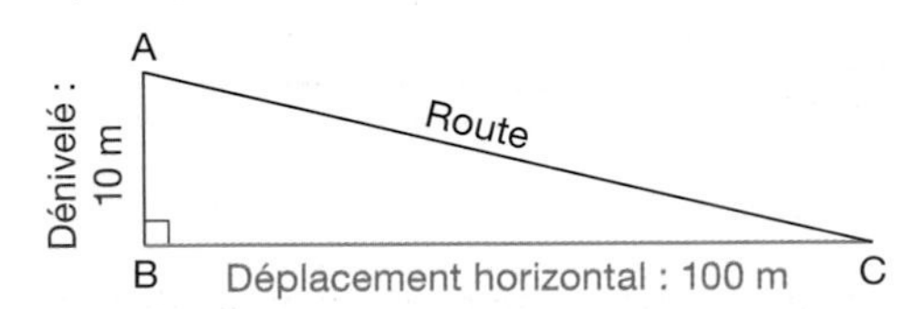

a. Donner une valeur approchée au degré près de la mesure de l'angle $\widehat{BCA}$.

b. Dans certains pays, il arrive parfois que la pente d'une route ne soit pas donnée en pourcentage, mais par une indication telle que « 1 : 5 », ce qui veut dire que pour un déplacement horizontal de 5 m, le dénivelé est de 1 m. Lequel de ces deux panneaux indique la pente la plus forte ?

❶ 

❷ 

79 Prendre des initiatives

Modéliser • Communiquer

Certaines écluses ont des portes dites « busquées » qui forment un angle pointé vers l'amont de manière à résister à la pression de l'eau.
Elles sont représentées par les segments [PA] et [PB] ci-contre.

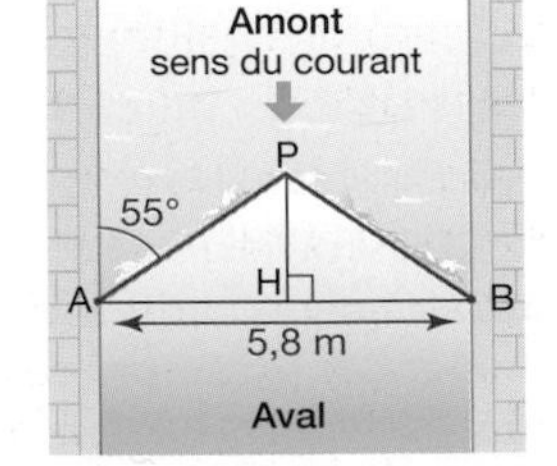

Utiliser les données de ce schéma pour donner une valeur approchée au centième près de la longueur, en m, de ces portes.

80 Estimer la largeur d'une rivière

Modéliser • Calculer • Communiquer

Un cartographe doit déterminer la largeur CD d'une rivière. Voici les relevés qu'il a effectués sur le terrain :
AB = 100 m, $\widehat{BAD} = 60°$,
$\widehat{BAC} = 22°$, $\widehat{ABD} = 90°$.

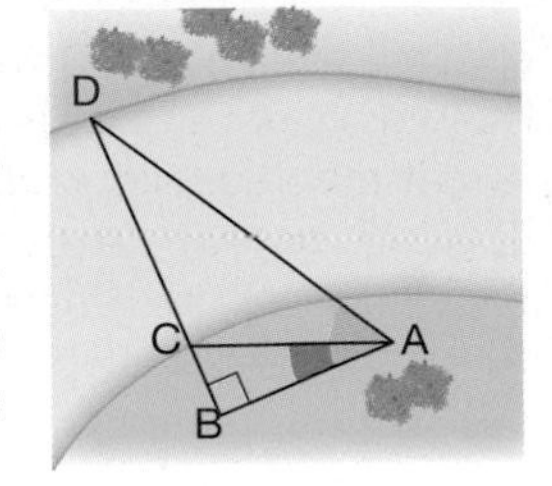

a. Calculer les valeurs exactes de BC et BD, en m.

b. En déduire une valeur approchée au dixième près de la largeur, en m, de la rivière.

81 Imaginer une stratégie

Chercher • Raisonner • Communiquer

a. Construire un triangle STR tel que :
SR = 5,4 cm, $\widehat{RST} = 85°$, $\widehat{SRT} = 70°$.

b. Calculer chaque longueur ST et RT, en cm, puis donner une valeur approchée au dixième près.

82 Narration de recherche 

Problème

Les faces de la pyramide du Louvre sont composées de 603 losanges et 70 triangles en verre.
Les losanges, tous identiques, ont des diagonales mesurant 197 cm et 310 cm.
Donner une valeur approchée au degré près de la mesure de chacun des angles de ce losange.

Raconter sur une feuille les différentes étapes de la recherche et les remarques qui ont fait changer de méthode ou qui ont permis de trouver.

83 Problème ouvert

Modéliser • Calculer • Communiquer

Pour mesurer la hauteur h, en m, d'un monument, on a effectué les relevés suivants :
$a = 58{,}5°$; $b = 35{,}1°$; AB = 18,7 m.
Déterminer une valeur approchée à l'unité près de la hauteur h.

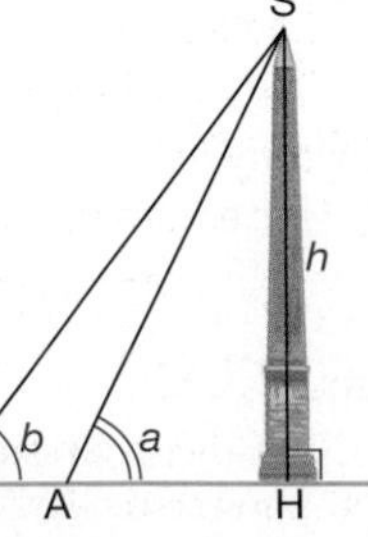

Je fais le point sur mes compétences

84 Calculer pour décider

Lors d'une intervention, les pompiers doivent atteindre une fenêtre F située à 18 m au-dessus du sol en utilisant leur grande échelle, représentée par le segment [PF]. Ils doivent prévoir les réglages de l'échelle.
Le pied P de l'échelle est situé sur le camion à 1,5 m du sol et à 10 m de l'immeuble.

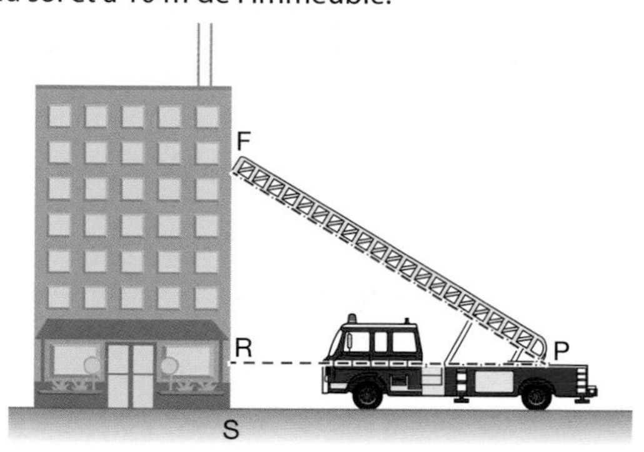

a. Déterminer la longueur RF.
b. Déterminer l'angle que fait l'échelle avec l'horizontale, c'est-à-dire $\widehat{FPR}$. Donner une valeur approchée à l'unité près.
c. L'échelle a une longueur maximale de 25 m.
Sera-t-elle assez longue pour atteindre la fenêtre F ?

Conseil
Choisis entre deux méthodes pour calculer la longueur de l'hypoténuse du triangle rectangle FRP.

85 Se laisser guider par les questions

Utiliser les informations codées sur la figure pour répondre aux questions.

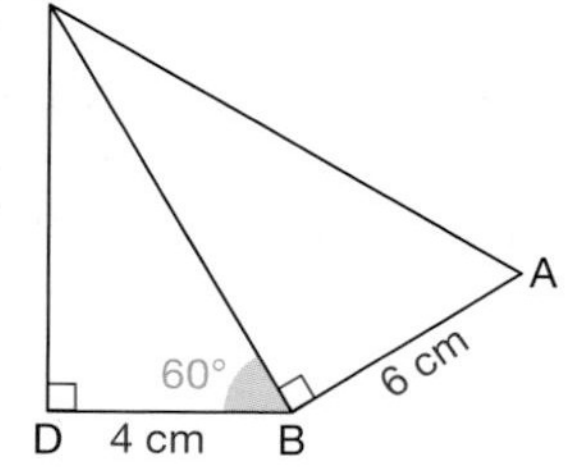

a. Montrer que BC = 8 cm.
b. Calculer la longueur CD, en cm. Donner une valeur approchée au dixième près.
c. Calculer AC.
d. Dans le triangle rectangle ABC, quelle est la valeur de tan $\widehat{BAC}$?
e. En déduire une valeur approchée au degré près de la mesure de l'angle $\widehat{BAC}$.

Conseil
Dans des triangles rectangles, tu peux utiliser le théorème de Pythagore ou la trigonométrie.

86 Utiliser divers outils Physique

Quand un avion n'est pas très loin de l'aéroport de Toulouse, le radar de la tour de contrôle émet un signal bref en direction de l'avion. Le signal atteint l'avion et revient au radar en 0,000 3 seconde après son émission.

a. Sachant que le signal est émis à la vitesse de 300 000 kilomètres par seconde, vérifier qu'à cet instant, l'avion se trouve à 45 kilomètres du radar de la tour de contrôle.

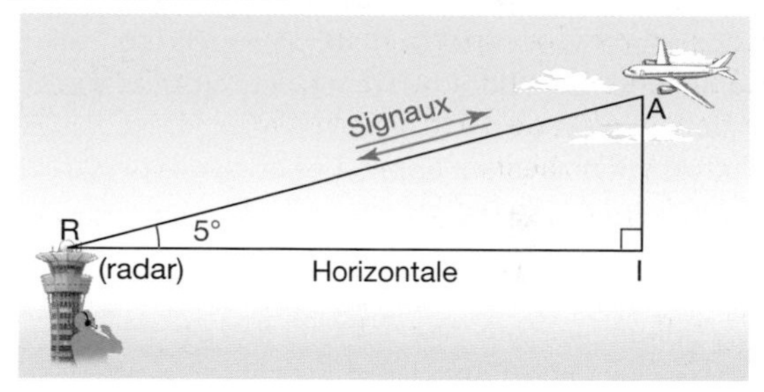

b. La direction radar-avion fait un angle de 5° avec l'horizontale.
Calculer alors l'altitude, en m, de l'avion à cet instant. Donner une valeur approchée à la centaine près.
On négligera la hauteur de la tour de contrôle.

Conseil
Cet énoncé décrit une situation concrète. Prends ton temps pour lire l'énoncé et comprendre le schéma qui représente cette situation.

87 Étudier un solide

La pyramide SABCD ci-contre a pour base le rectangle ABCD et pour hauteur le segment [SA].
On donne AB = 8,2 cm et SA = 4 cm.
On donne également $\widehat{ASD} = 30°$.

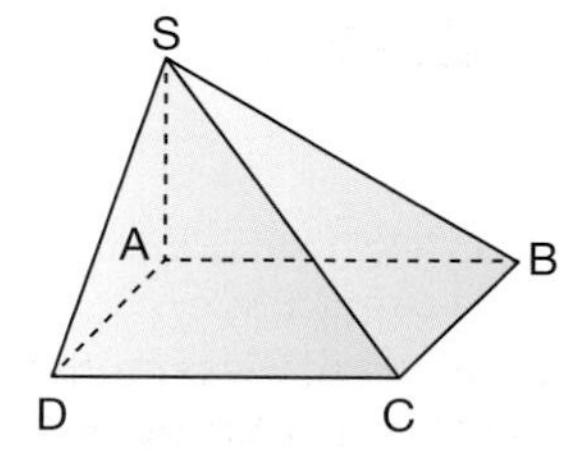

1. Donner sans les justifier, la nature du triangle SAB et celle du triangle SAD.
2. Calculer une valeur approchée :
a. au degré près de la mesure de l'angle $\widehat{SBA}$;
b. au dixième près de la longueur SD, en cm.

Conseil
Dans un triangle rectangle de l'espace, tu peux aussi utiliser la trigonométrie.

Je prends des initiatives

Avec une aide

88 Voici une bougie conique.
La figure n'est pas aux dimensions réelles.
Le rayon OA de sa base est 2,5 cm. La longueur du segment [SA] est 6,5 cm.

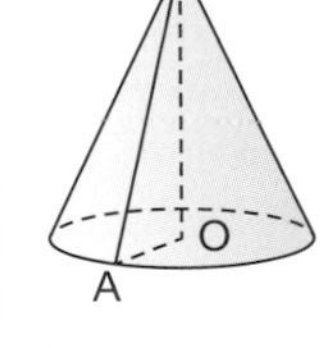

a. Sans justifier, donner la nature du triangle SAO et le construire en vraie grandeur.
b. Montrer que la hauteur SO de la bougie est 6 cm.
c. Calculer le volume de cire, en cm^3, pour la fabrication de cette bougie ; donner une valeur approchée au dixième près.
d. Calculer une valeur approchée au degré près de la mesure de l'angle $\widehat{ASO}$.

Conseil
Le volume $\mathcal{V}$ d'un cône de rayon R et de hauteur h est donné par la formule :
$$\mathcal{V} = \frac{1}{3}\pi R^2 h$$

89 Sandra souhaite installer une cloison verticale dans son grenier. Elle a porté les informations dont elle dispose sur le schéma ci-dessous.

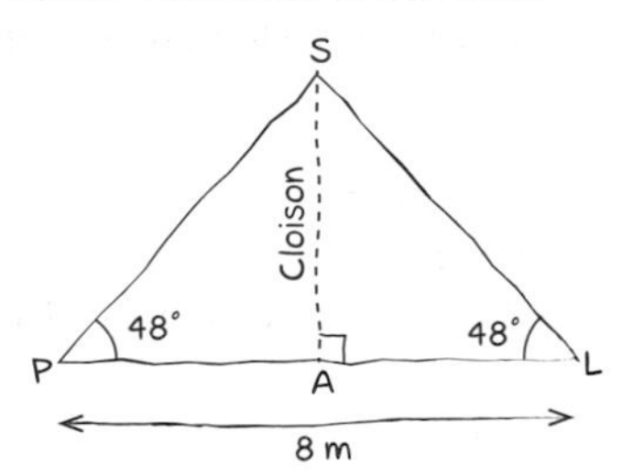

1. a. Réaliser une figure en prenant 1 cm pour représenter 1 m.
b. Conjecturer la longueur SA de la cloison en la mesurant sur la figure.
2. a. Quelle est la particularité du triangle PSL ? En déduire que A est le milieu du segment [PL].
b. Valider ou réfuter la conjecture émise à la question **1. b.** en calculant une valeur approchée au dixième près de la longueur SA.

Conseil
Si la longueur de la cloison obtenue par calcul est proche de celle obtenue par mesure, tu peux valider la conjecture. Sinon, réfute-la.

Sans aide maintenant

90 On considère la pyramide SABCD ci-contre.
La base est le rectangle ABCD de centre O.
AB = 40 cm et BD = 50 cm.
La hauteur [SO] mesure 81 cm.
1. Montrer que AD = 30 cm.

2. Calculer, en cm^3, le volume de la pyramide SABCD.
3. a. Calculer la tangente de l'angle $\widehat{SAO}$.
b. Donner une valeur approchée au degré près de la mesure de l'angle $\widehat{SAO}$.

91 La figure ci-contre représente un cône de révolution d'axe (OH).

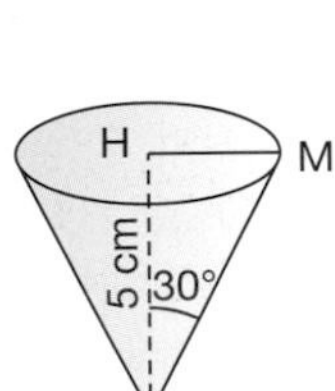

a. Tracer le triangle HOM et la base du cône en vraie grandeur.
b. Calculer la longueur HM, en cm. Donner une valeur approchée au dixième près.

92 Ce schéma représente un cratère de la Lune. BCD est un triangle rectangle en D.

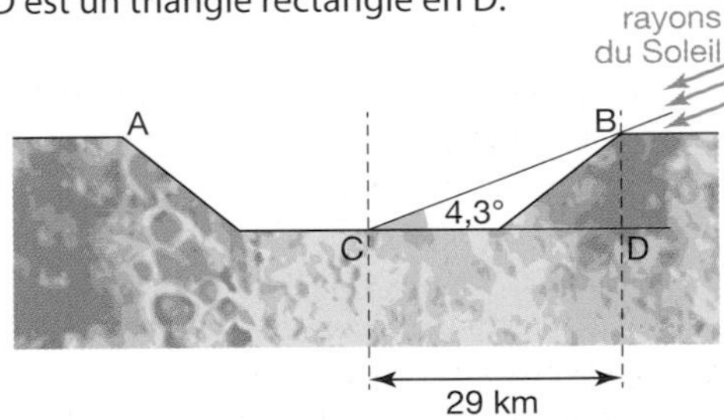

a. Donner une valeur approchée au dixième près de la profondeur BD, en km, du cratère.
b. La longueur CD représente 20 % du diamètre du cratère. Calculer ce diamètre AB.

93 ABCD est un carré tel que AB = 4 cm.
M est le point situé dans le carré ABCD et qui vérifie AM = 2,4 cm et DM = 3,2 cm.
La droite (AM) coupe la demi-droite [DC) en I.
a. Tracer une figure en vraie grandeur.
b. Montrer que le triangle AMD est rectangle en M.
c. Calculer une valeur approchée au degré près de la mesure de l'angle $\widehat{DAM}$.
d. Calculer une valeur approchée au dixième près de la longueur DI, en cm.

94 La rampe d'accès

Une boulangerie veut installer une rampe d'accès pour des personnes à mobilité réduite.
Le seuil de la porte est situé à 6 cm du sol.
Cette rampe est-elle conforme à la norme ?

Doc. 1 Schéma (pas à l'échelle) représentant la rampe d'accès

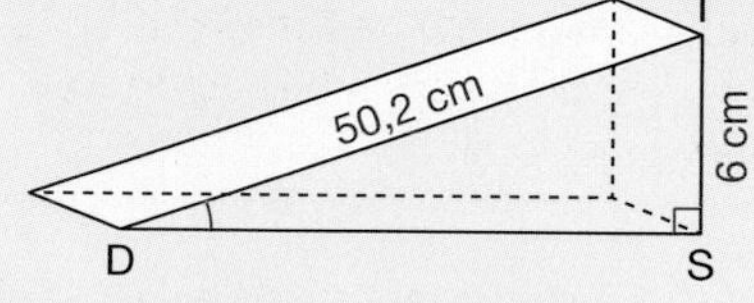

- DS : longueur de l'horizontale
- $\widehat{TDS}$: angle formé par la rampe avec l'horizontale

Doc. 2 Extrait de la norme

La norme impose que la rampe d'accès forme un angle inférieur à 3° avec l'horizontale, sauf dans certains cas.

Cas particuliers.
L'angle formé par la rampe avec l'horizontale peut aller :
– jusqu'à 5° si la longueur de l'horizontale est inférieure à 2 m ;
– jusqu'à 7° si la longueur de l'horizontale est inférieure à 0,5 m.

95 Le lampadaire

On s'intéresse à la zone au sol qui est éclairée la nuit par deux sources de lumière : le lampadaire de la rue et le spot fixé en F sur la façade de l'immeuble.
On dispose des données suivantes :

$$PC = 5{,}5 \text{ m} ; \; CF = 5 \text{ m} ; \; HP = 4 \text{ m} ; \; \widehat{MFC} = 33° ; \; \widehat{PHL} = 40°.$$

a. Justifier qu'une valeur approchée au dixième près de la longueur PL est égale à 3,4 m.
b. Calculer la longueur LM, en m, correspondant à la zone éclairée par les deux sources de lumière. Donner une valeur approchée au dixième près.
c. On effectue des réglages du spot situé en F afin que M et L soient confondus.
Déterminer la mesure de l'angle $\widehat{CFM}$. Donner une valeur approchée au degré près.

Doc. 1 Plan des sources lumineuses

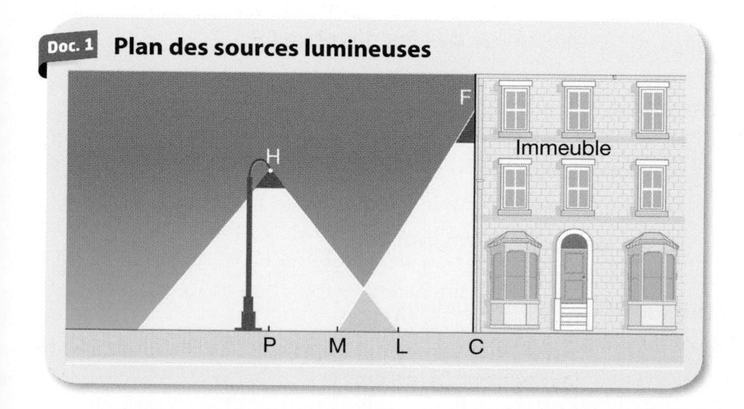

Doc. 2 Modélisation de la situation

Ce croquis n'est pas à l'échelle.

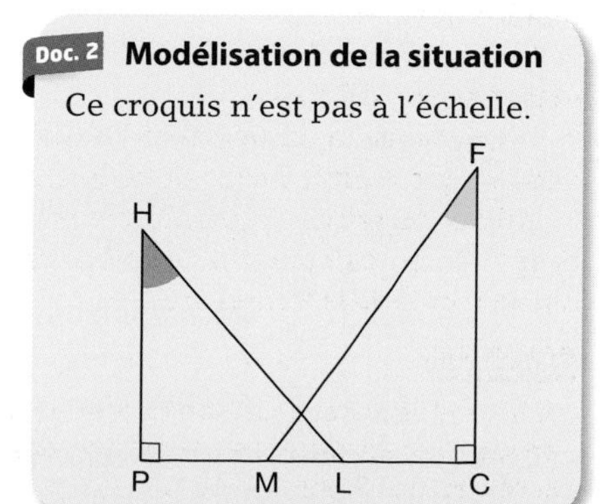

CHAPITRE 15

Étudier la logique algorithmique d'un programme

Améliorer, corriger un programme nécessite qu'il soit écrit de façon logique et structurée.

Sommaire des activités

J'apprends à ► Programmer des actions déclenchées par des événements

Réaliser un jeu de tir

Gabriel a réalisé un jeu de tir avec le logiciel Scratch.
Il a sélectionné l'arrière-plan « boardwalk » pour la scène et trois lutins qu'il a nommés « Sorcière », « Balle » et « Canon » :

1 **a.** Ouvrir le logiciel Scratch et mettre en place les objets de l'animation de Gabriel.

b. Analyser, construire et tester le script de « Sorcière ».

```
quand [drapeau] cliqué
cacher
basculer sur costume [witch]
s'orienter à (90)
fixer le sens de rotation [position à gauche ou à droite]
aller à x: (nombre aléatoire entre (-240) et (240)) y: (135)
montrer
répéter jusqu'à <[Balle] touché?>
    avancer de (5)
    rebondir si le bord est atteint
```

2 **a.** Construire et tester les scripts de « Canon » :

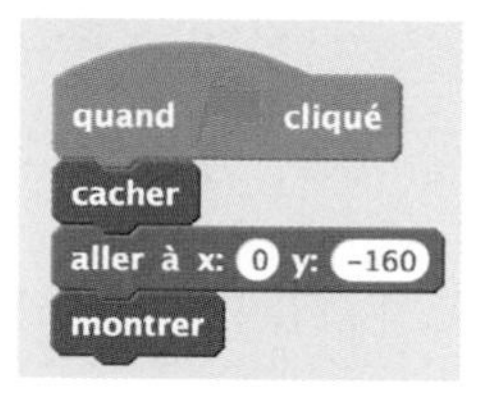

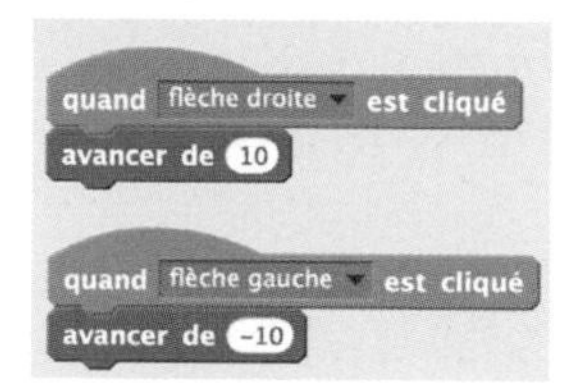

b. Gabriel a prévu d'ajouter à ce lutin le script ci-contre.
Expliquer sa fonction. Construire ce script.

```
quand [espace] est cliqué
envoyer à tous [Tir] et attendre
```

3 Le lutin « Balle » entre en action lorsqu'il reçoit le message « Tir ».
Voici ci-contre les deux scripts de ce lutin.

a. Quelle est sa position de départ ? Quelles sont les deux conditions qui arrêtent le mouvement du lutin ? Lorsque chacune d'elles est réalisée, quel est le message envoyé aux autres lutins ?

b. Construire ce script.

```
quand je reçois [Tir]
aller à x: ([abscisse x] de [Canon]) y: (-135)
montrer
répéter jusqu'à <<[Sorcière] touché?> ou <([ordonnée y] de [Balle]) > (170)>>
    ajouter (10) à y
si <[Sorcière] touché?> alors
    envoyer à tous [Touché !]
    cacher
sinon
    envoyer à tous [Raté !]
    cacher
```

```
quand [drapeau] cliqué
cacher
```

4 Le comportement du lutin « Sorcière » est complété par les scripts ci-contre.

a. Gabriel a prévu un deuxième costume « Wizard1 » à son lutin. Faire de même.

b. Construire ces scripts et tester l'ensemble du projet.

```
quand je reçois [Raté !]
dire [Raté !] pendant (1) secondes
```

```
quand je reçois [Touché !]
costume suivant
jouer le son [zoop] jusqu'au bout
stop [tout]
```

Je retiens

L'exécution du script d'un lutin est souvent déclenchée par un événement, qui peut être par exemple l'appui sur une touche du clavier ou la réception d'un message envoyé par un autre lutin.

Activités

J'apprends à ▶ Décrire une démarche à l'aide d'un algorithme

2 Programmer une construction géométrique

1 Pauline souhaite dessiner une spirale à l'aide d'un programme. Elle décrit sa méthode de construction ci-contre.

Se placer au début à l'origine du repère
S'orienter vers la droite
Initialiser une variable L à la valeur 50
Répéter 10 fois les instructions :
  Avancer d'une longueur égale à L
  Tourner de 90° vers la droite
  Augmenter la valeur de L de 10
Fin de la boucle

a. Donner les valeurs successives prises par la variable L lors de la construction.

b. Voici le début de la construction de la spirale. Reproduire ce dessin et terminer la construction décrite par Pauline (prendre 2 cm pour représenter la longueur 50).

2 Pauline traduit sa méthode de construction dans le langage Scratch. Elle ajoute les instructions de gestion du stylo.
Voici son programme ci-contre.

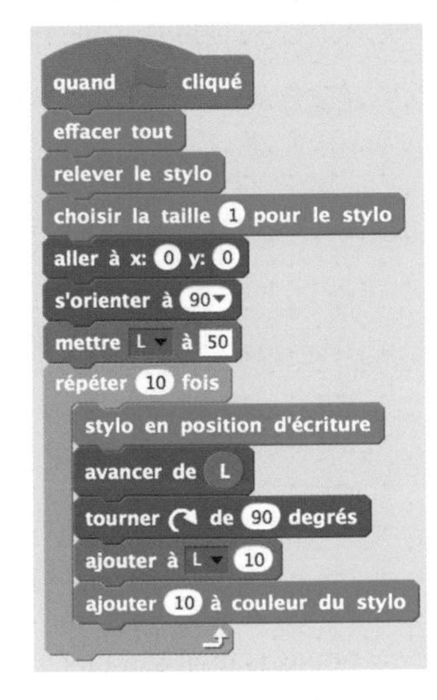

a. Ouvrir le logiciel Scratch, construire et tester le programme.

b. Modifier le programme afin de construire un plus grand nombre de segments de la spirale.

3 Apporter les changements nécessaires au programme précédent afin d'obtenir un dessin comme celui ci-dessous.

Je retiens

- Un **algorithme** décrit la démarche logique d'un programme. Il met en évidence la structure de ce programme et fait apparaître ses variables.
- Une fois mis au point, l'algorithme est codé dans un langage de programmation.

J'apprends à ► Découvrir un nouveau type de variables

3 Calculer la somme des nombres d'une liste

❶ Voici un script écrit avec le langage Scratch.
Dans ce programme, la variable T est une liste de nombres que l'on peut schématiser de la façon suivante :

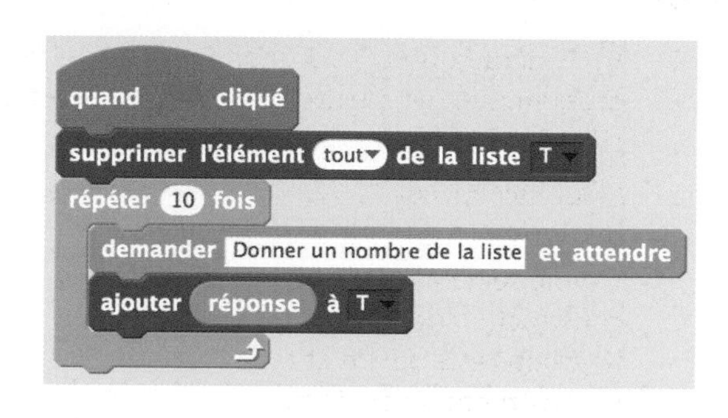

	T
1	1er élément de la liste T
2	2e élément de la liste T
3	3e élément de la liste T
	…

a. Expliquer le rôle de ce programme.
b. Ouvrir le logiciel Scratch, créer la liste T, puis construire et tester ce script.

❷ On s'intéresse maintenant à l'algorithme suivant :

Initialiser une variable Somme à 0 et une variable k à 1
Répéter 10 fois les instructions :
  Ajouter à Somme le k^e^ élément de la liste T
  Augmenter la valeur de k de 1
Fin de la boucle
Afficher le contenu de la variable Somme

a. On exécute pas à pas cet algorithme avec la liste T ci-contre.
On suit l'évolution des variables dans le tableau ci-dessous.

k		1	2	…
k^e^ élément de la liste T		8	4	…
Somme	0	8	12	…

Reproduire et compléter ce tableau.
b. Que représente la valeur de la variable Somme à la fin de l'algorithme ?

❸ **a.** Coder cet algorithme avec le langage Scratch en l'ajoutant à la suite du script étudié à la question ❶.
b. Exécuter et tester le programme obtenu.

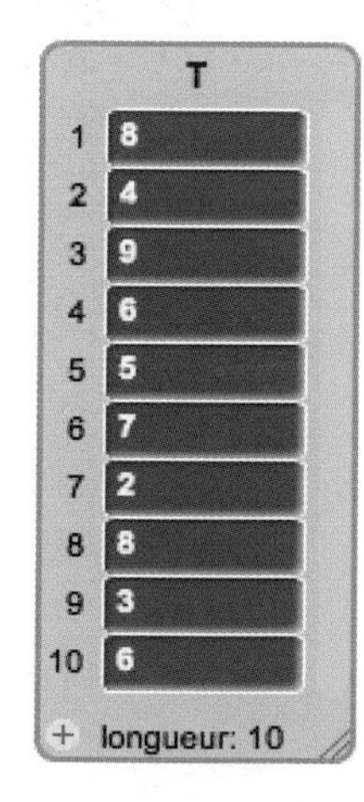

Je retiens

- Dans un langage informatique, il existe différents types de variables : nombres, chaînes (suite de caractères), listes…
- On travaille avec ces variables grâce à des fonctions appropriées du langage.

J'apprends à ► Distinguer les étapes d'un programme

4 Répéter la simulation d'une expérience aléatoire

Une expérience aléatoire consiste à lancer trois dés équilibrés et à repérer le plus grand des trois nombres obtenus.
Arthur souhaite simuler plusieurs fois cette expérience à l'aide d'un programme. Il s'intéresse à la fréquence de réalisation de l'événement E : « Le plus grand des trois nombres est 6 ».

1 **a.** Voici le sous-programme « Lancers » qui simule le lancer des trois dés. Chacune des variables a, b et c prend pour valeur un nombre aléatoire compris entre 1 et 6.
Ouvrir le logiciel Scratch, construire et compléter ce sous-programme.

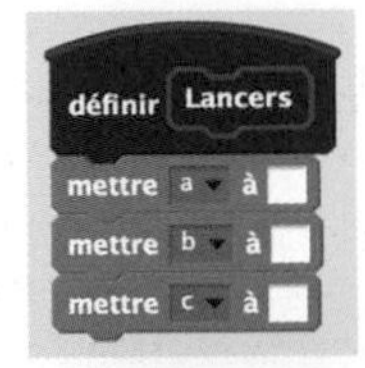

b. Arthur construit ensuite le sous-programme « Plus_grand », qui détermine le plus grand des trois nombres a, b et c.
La variable Max prend pour valeur le résultat.
Saisir et compléter ce sous-programme (voir ci-contre).

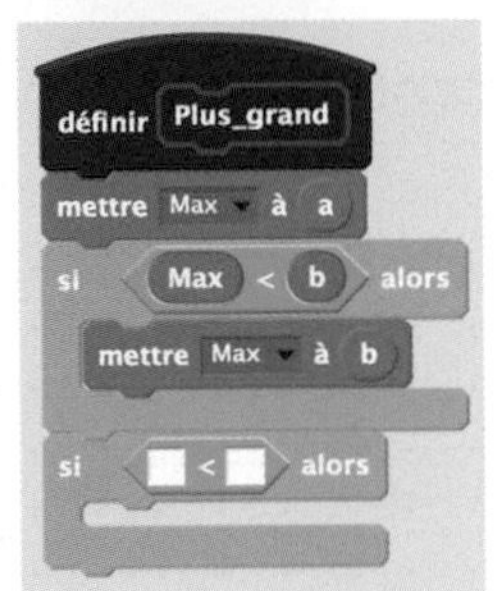

2 Arthur prévoit d'utiliser dans son programme deux autres variables :
N, qui représente le nombre de simulations de l'expérience aléatoire et Effectif, qui prendra pour valeur le nombre de fois où l'événement E est réalisé.
Il initialise ces deux variables dans un sous-programme « Initialisations ».
Construire également et compléter ce sous-programme.

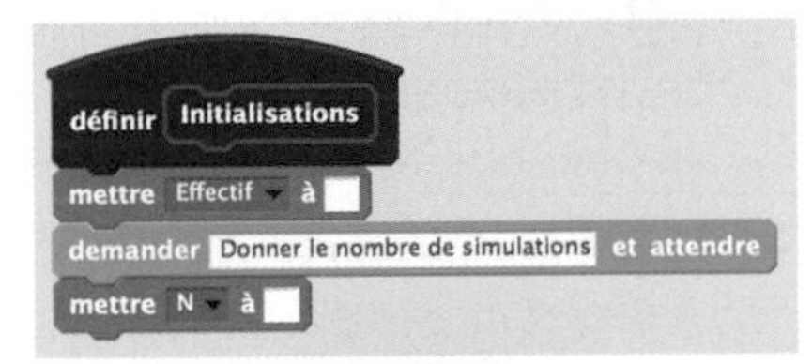

3 Voici enfin, ci-contre, le programme écrit par Arthur.

a. Expliquer le déroulement de ce programme.

b. Quelle est la valeur énoncée par le lutin à la fin du programme ?

c. Saisir, puis exécuter ce programme.

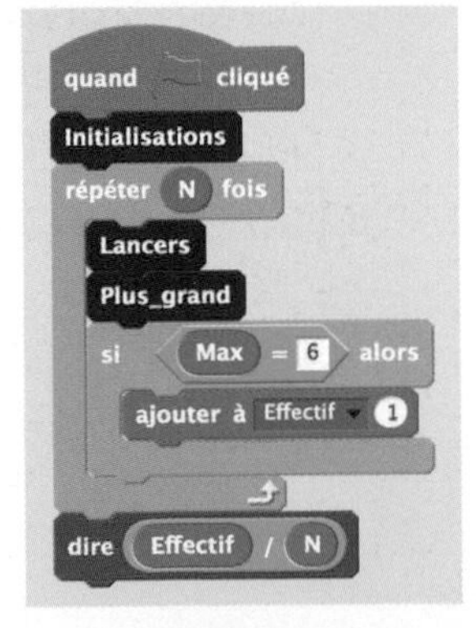

Je retiens

Dans une démarche de programmation, on distingue les étapes successives du programme et on résout chacune de ces étapes.

J'apprends à ▶ Gérer un répertoire

Travailler avec des listes

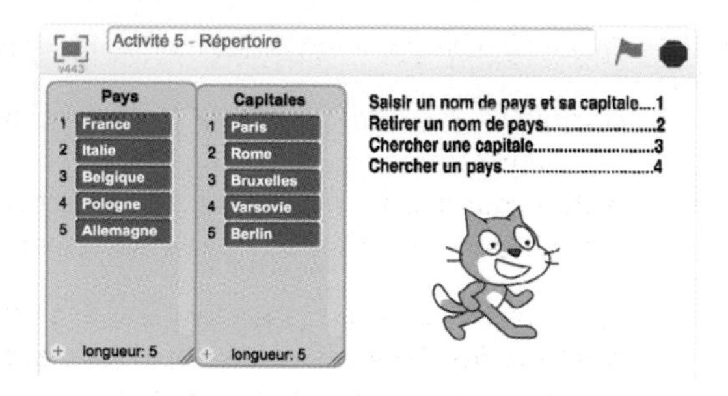

Paola réalise un projet pour gérer une liste de noms de pays et la liste des capitales de ces pays.
Elle utilise le logiciel Scratch et voici son écran de travail.

1 Afin de gérer son répertoire, elle envisage quatre fonctions, qu'elle indique sur l'arrière-plan du programme :
– saisir un nom de pays et sa capitale ;
– retirer un nom de pays et la capitale associée ;
– chercher une capitale à partir du nom du pays ;
– chercher un nom de pays à partir de sa capitale.
Paola définit donc quatre sous-programmes (blocs) : « Saisir », « Retirer », « Chercher_capitale », « Chercher_pays » et fabrique le script ci-contre.

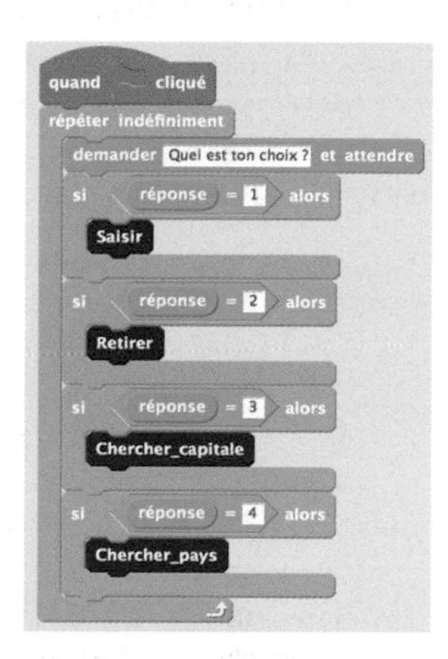

a. Ouvrir le logiciel Scratch, puis définir les listes et les blocs précédents.

b. Construire le script de Paola.

2 **a.** Construire le sous-programme « Saisir ».

b. Tester le fonctionnement de ce sous-programme.

3 Voici ci-contre le sous-programme « Chercher_capitale ».

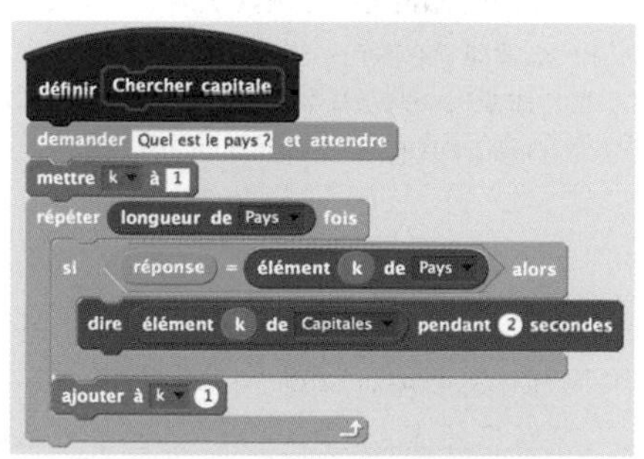

a. Que représente la variable k ? élément k de Pays ?

b. Expliquer la méthode de recherche de la capitale.

c. Construire et tester ce sous-programme.

4 **a.** Construire de même le sous-programme « Chercher_pays ».

b. Construire enfin le sous-programme « Retirer ».

c. Vérifier, tester et corriger l'ensemble du projet.

d. Proposer des améliorations ou des compléments à apporter au travail de Paola.

Je retiens

En programmation, on retrouve souvent des schémas classiques, par exemple l'ajout, le retrait d'un élément d'une liste ou encore la recherche d'un élément donné dans une liste.

Je m'entraîne

1 Zoé a construit un script pour dessiner le carré ci-dessous.

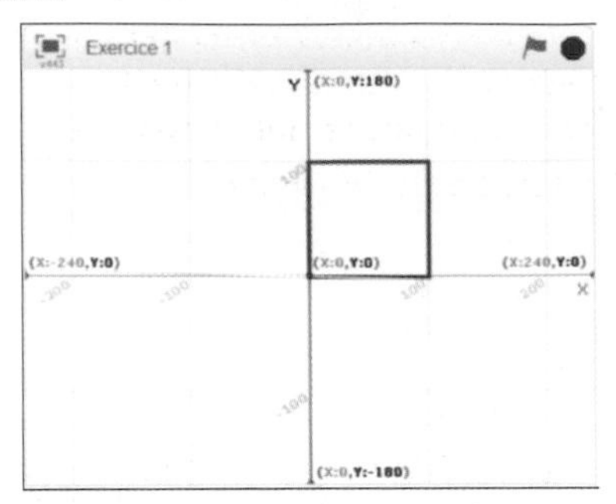

Voici, dans le désordre, les instructions de ce script.

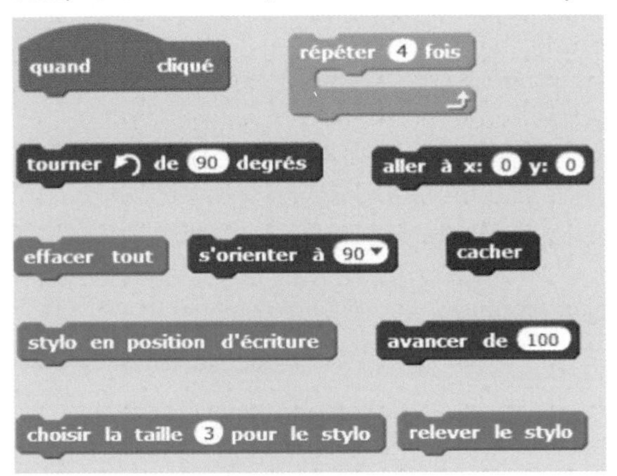

Aider Zoé à les remettre dans l'ordre.

2 Faiza lance deux dés équilibrés dont les faces sont numérotées de 1 à 6. Elle s'intéresse à la fréquence d'obtention de la somme 8 à l'issue de 100 lancers. Elle écrit le script suivant pour simuler cette situation.

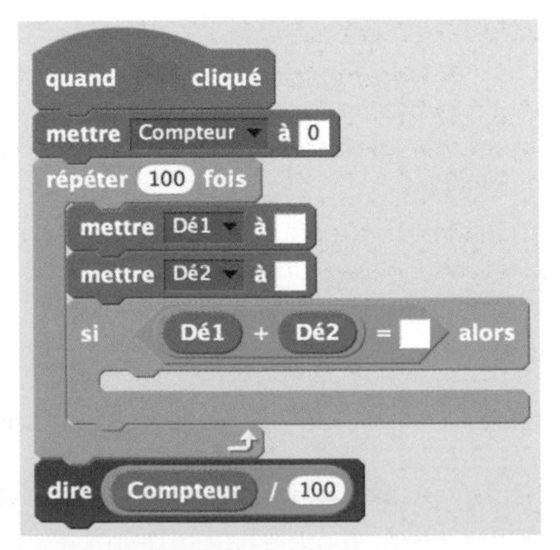

a. Reproduire et compléter ce script.

b. Tester son fonctionnement.

3 Voici un programme écrit avec le langage Scratch.

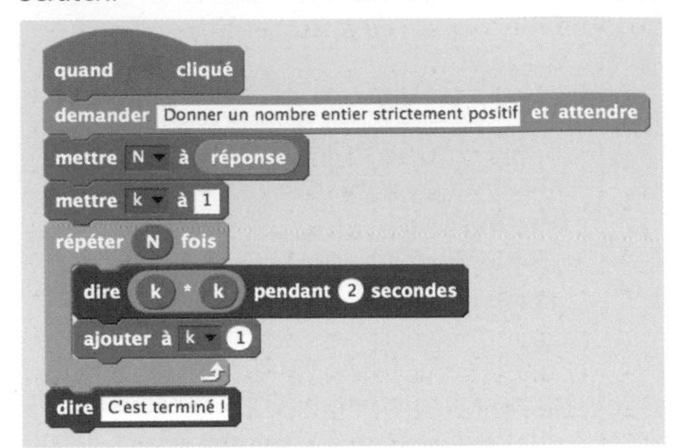

1. a. On exécute pas à pas ce programme avec la valeur N = 6 donnée au départ.
Reproduire et compléter le tableau suivant.

k	1	2				
dire …	1	4				

b. Expliquer plus généralement le rôle de ce programme.

2. a. Modifier le programme afin que le lutin énonce tous les cubes successifs : $k \times k \times k$, pour k prenant les valeurs 1, 2, … jusqu'à N.

b. Construire et tester le programme obtenu.

4 Dans l'algorithme suivant, T est une variable de type liste.

> Initialiser une variable k à 1
> Répéter 50 fois les instructions :
> | Ajouter le nombre $2 \times k$ à la liste T
> | Augmenter la valeur de k de 1
> Fin de la boucle

1. a. On applique cet algorithme. Quel est alors le contenu de la liste T ?
Expliquer le rôle de cet algorithme.

b. Ouvrir le logiciel Scratch et coder cet algorithme. Penser à supprimer tous les éléments de la liste au début de chaque nouvelle exécution du programme.

c. Tester le fonctionnement du programme.

2. Dans chaque cas, modifier le programme afin d'obtenir dans la liste T :

a. les multiples de 7 compris entre 7 et 140 ;

b. les multiples de 11 compris entre 22 et 220 ;

c. les multiples de 13 compris entre 130 et 390.

5 Étudier un algorithme

Lors d'un concours de pêche, on saisit dans une liste T le nombre de prises de chacun des 12 participants.

	T
1	5
2	8
3	4
4	1
5	0
6	3
7	2
8	9
9	7
10	6
11	2
12	7

1. Voici un algorithme :

```
Initialiser une variable M au 1er élément
de T et une variable k à 2
Répéter 11 fois les instructions :
   | Si le ke élément de la liste T est plus
   |    | grand que M
   |    | alors
   |    | Donner à M la valeur de cet
   |    | élément
   | Fin du test
   | Augmenter la valeur de k de 1
Fin de la boucle
Afficher la valeur de M
```

a. On exécute pas à pas cet algorithme et on suit le contenu des variables dans le tableau :

M	5	8	8	8	...
k	2	3	4	5	...
k^e élément de T	8	4	1	0	...

Recopier et compléter ce tableau.

b. Expliquer le rôle de cet algorithme.

2. a. Ouvrir le logiciel Scratch et construire le script de saisie de la liste T.

```
quand [drapeau] cliqué
supprimer l'élément (tout) de la liste [T]
répéter (12) fois
    demander [Donner un nombre de la liste] et attendre
    ajouter (réponse) à [T]
```

b. Coder l'algorithme de la question **1** et compléter le script précédent.

c. Tester le programme obtenu avec différentes listes.

3. a. Écrire un algorithme qui détermine et affiche la plus petite valeur de la liste T.

b. Coder également cet algorithme dans le langage Scratch et compléter comme dans la question **2** le script de saisie de la liste T.

c. Tester ce nouveau programme avec différentes listes.

6 Programmer un jeu

1. Ouvrir le logiciel Scratch, supprimer le lutin « Sprite1 » et choisir deux fois le lutin « Ball » dans la bibliothèque. Le logiciel les nomme « Ball » et « Ball2 ». Combien de costumes ces lutins possèdent-ils ?

2. Voici le script du lutin « Ball ».

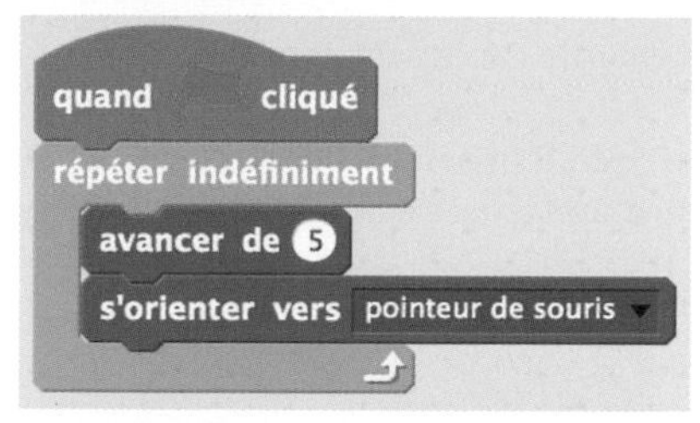

a. Expliquer son rôle.

b. Construire ce script et tester son fonctionnement.

3. Voici maintenant les scripts du lutin « Ball2 ».

```
quand [drapeau] cliqué
répéter indéfiniment
    attendre (0.5) secondes
    créer un clone de [moi-même]
```

```
quand je commence comme un clone
mettre à (50) % de la taille initiale
basculer sur costume (nombre aléatoire entre (1) et (5))
aller à x: (nombre aléatoire entre (-230) et (230)) y: (nombre aléatoire entre (-170) et (170))
montrer
répéter indéfiniment
    si <[Ball] touché?> alors
        cacher
```

a. Construire ces scripts.

b. Exécuter ces programmes. On pensera à cacher le lutin originel « Ball2 ».

c. Expliquer chacune des instructions des deux scripts du lutin « Ball2 ».

4. On souhaite compter le nombre de clones du lutin « Ball2 » touchés par le lutin « Ball ».

a. Créer une variable Compteur.

b. Prévoir, dans le programme :

- d'initialiser cette variable à 0 ;
- d'augmenter sa valeur de 1 lorsqu'un clone est touché.

c. Cacher la variable Compteur et faire dire sa valeur par le lutin « Ball ».

5. Proposer des compléments ou des améliorations à ce programme de jeu.

7 Calculer un capital

Les parents de Jian ont placé le 1er janvier 2006 une somme de 1 500 € à un taux d'intérêt de 1,5 % par an afin de lui acheter un scooter pour ses quinze ans.

1. a. Calculer le capital disponible après 1 an, 2 ans, 3 ans.
b. Quelle opération permet de calculer successivement le capital d'une année à la suivante ?

2. Voici un programme écrit avec le langage Scratch qui doit calculer le capital disponible le 1er janvier 2016.

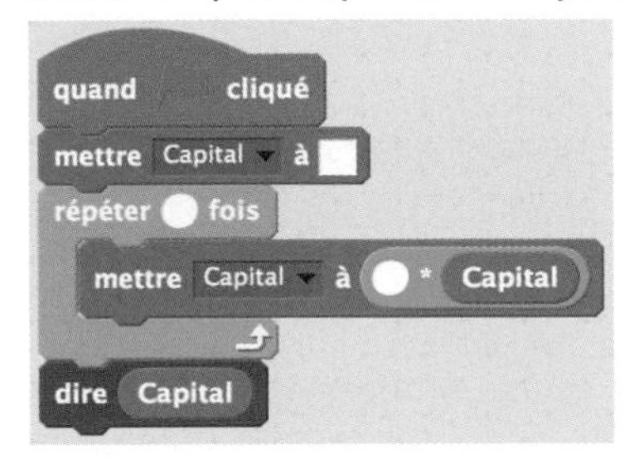

a. Compléter ce programme.
b. Lorsque le programme est exécuté, il donne pour résultat 1 740,81 € (valeur approchée au centième près).
Le scooter coûte 1 750 €. Au cours de quelle année les parents de Jian pourront-ils le lui offrir ?

Conseil
a. Augmenter un capital de 1,5 % revient à le multiplier par 1,015.

8 Dessiner une étoile

Phil a construit un script afin de dessiner une étoile.

```
quand cliqué
aller à x: 0 y: 0
s'orienter à 90
effacer tout
choisir la taille 3 pour le stylo
stylo en position d'écriture
répéter 8 fois
    avancer de 100
    aller à x: 0 y: 0
    tourner ↺ de 45 degrés
```

a. Tracer un repère (prendre 5 cm pour représenter une longueur de 100) et construire cette étoile.
b. Combien l'étoile compte-t-elle de branches ?
Pouvait-on prévoir ce résultat à la lecture du script ?

Conseil
L'instruction s'orienter à 90 oriente le lutin vers la droite.

9 Se déplacer aléatoirement

Louise a programmé avec le logiciel Scratch des déplacements de son lutin préféré.

```
quand cliqué
aller à x: 0 y: 0
mettre N à 0
répéter jusqu'à bord touché?
    mettre aléa à nombre aléatoire entre 1 et 4
    si aléa = 1 alors
        ajouter 10 à x
    si aléa = 2 alors
        ajouter -10 à x
    si aléa = 3 alors
        ajouter 10 à y
    si aléa = 4 alors
        ajouter -10 à y
    ajouter à N 1
```

1. a. Quelle est la position initiale du lutin dans le repère ?
b. Que représente la variable N ?
Interpréter sa valeur à la sortie de la boucle.

2. Voici une suite de nombres aléatoires obtenus dans le programme :

1–3–3–1–4–2–1–3–1–4–2–4–1.

Où se situe alors le lutin dans la scène ? Donner les valeurs de x et y.

Conseil
1. b. Observe que la variable N est initialisée à 0 et augmentée de 1 à chaque passage dans la boucle.

10 Calculer une somme

Voici un programme écrit avec le langage Scratch :

```
quand cliqué
demander Donner un nombre entier strictement positif et attendre
mettre N à réponse
mettre S à 0
mettre k à 1
répéter N fois
    mettre S à S + k
    ajouter à k 1
dire S
```

a. On saisit N = 5 au début du programme.
Quelle est la valeur de S énoncée par le lutin ?
b. Plus généralement, expliquer le rôle de ce programme.

Conseil
a. Exécute pas à pas le programme et suis dans un tableau l'évolution des variables S et k.

Je prends des initiatives

Avec une aide

11 Lister les diviseurs d'un entier

1. A et D étant deux nombres entiers strictement positifs, l'opérateur (A modulo D) donne pour résultat le reste de la division euclidienne de A par D.

a. Recopier et compléter le tableau suivant.

A	138	49	65	128	130
D	2	6	7	4	13
A modulo D					

b. Comment reconnaît-on avec cet opérateur que D est un diviseur de A ?

2. Voici un programme écrit avec le langage Scratch :

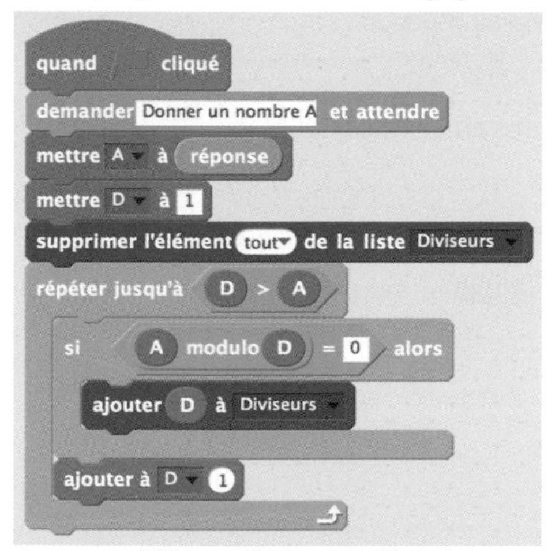

a. On exécute ce programme pas à pas avec A = 10. On suit l'évolution des variables dans le tableau ci-dessous.

D	1	2	3	…
A modulo D	0	0	1	…
Liste des diviseurs	1	1 2	1 2	…

Recopier et compléter ce tableau.

b. De façon générale, expliquer le rôle de ce programme.

3. On souhaite que le programme détermine également le nombre N de diviseurs de A.
Quelles modifications doit-on lui apporter ?

Conseil

Pour la question **3**, pense à initialiser la variable N au début du programme et à l'augmenter de 1 à chaque fois qu'un diviseur de A est rencontré.
Ajoute également une brique afin que le lutin énonce la valeur de N.

Sans aide maintenant

12 Programmer une course-poursuite

Chloé a construit un programme de course-poursuite avec le logiciel Scratch.
Elle a choisi les quatre lutins ci-dessous :

Voici le script du lutin « Aaron » :

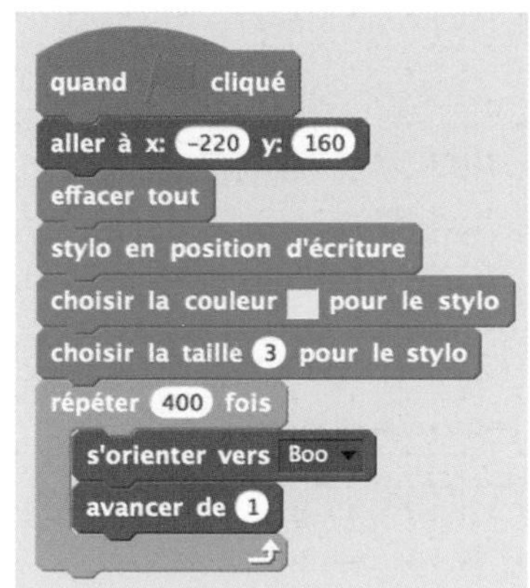

1. a. Quel est le point de départ de ce lutin ?

b. Expliquer la course-poursuite de « Aaron ».

2. Chloé exécute son projet. Elle obtient à un instant donné la scène suivante :

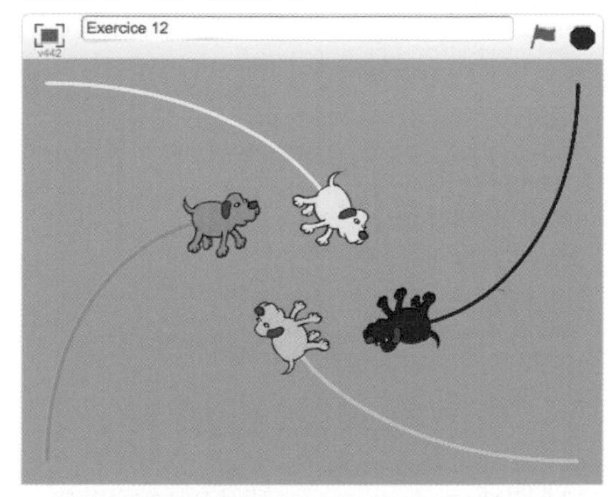

a. Le centre du repère correspond au centre de la scène. Donner le point de départ de chacun des lutins « Boo », « Cannelle » et « Dixi ».

b. Quelles autres modifications doit-on apporter au script du lutin « Aaron » pour obtenir le script de chacun des trois autres lutins ?

Tâches complexes transversales

Tâche	Notions abordées
1 **La tornade**	Pourcentages, puissances.
2 **Les objets connectés**	Statistiques.
3 **Les groupes sanguins**	Fréquences, probabilités.
4 **Le programme**	Programmation, probabilités.
5 **Le choix du film**	Probabilités.
6 **Optimiser la recette**	Calcul littéral, notion de fonction.
7 **La cycliste**	Échelle, proportionnalité, vitesse.
8 **La salle de sport**	Fonctions linéaires et affines, inéquations.
9 **La vue du chalet**	Modélisation d'une situation spatiale, théorème de Thalès.
10 **Le sauvetage**	Théorèmes de Pythagore et de Thalès, vitesse.
11 **La passerelle**	Modélisation d'une situation spatiale, trigonométrie.
12 **En astronomie**	Proportionnalité, trigonométrie.
13 **L'hélicoptère**	Nombres premiers, programmation.

1 La tornade

▶ La situation-problème

En mai 2015, de violentes tornades ont balayé le centre des États-Unis. Lors de la formation d'une tornade, un radar météorologique a mesuré une vitesse initiale de 340 km/h. Déterminer la classe puis la « durée de vie » de cette tornade.

▶ Les supports de travail

Les documents, la calculatrice ou le tableur.

Toute piste de recherche, même non aboutie, figurera sur la feuille.

Doc. 1 « Durée de vie » d'une tornade

Les météorologues ont admis la règle suivante :
« La vitesse des vents des tornades diminue régulièrement de 10 % toutes les 5 minutes. »
On appelle « durée de vie » d'une tornade le temps nécessaire depuis sa formation pour qu'elle appartienne à la classe F0 de l'échelle de Fujita.

Doc. 2 Échelle de Fujita

L'échelle de Fujita sert à classer les tornades par ordre de gravité, en fonction des dégâts qu'elles occasionnent.

Classe	Vitesse des vents	Dégâts occasionnés
F0	De 64 à 116 km/h	Dégâts légers : branches cassées, panneaux arrachés…
F1	De 117 à 180 km/h	Dégâts modérés : tuiles arrachées, arbres déracinés…
F2	De 181 à 252 km/h	Dégâts importants : toitures arrachées, maisons mobiles renversées…
F3	De 253 à 330 km/h	Dégâts considérables : murs abattus, forêts abattues…
F4	De 331 à 417 km/h	Dégâts dévastateurs : destruction de bâtiments solides, envol d'animaux…
F5	De 418 à 509 km/h	Dégâts incroyables : destruction de tous les bâtiments, tout ce qui est au sol s'envole…

2 Les objets connectés

▶ La situation-problème

En 2015, après avoir lu un article sur Internet, le principal d'un collège a organisé un sondage afin de savoir comment ses élèves étaient équipés en objets connectés.
Comparer les résultats du sondage aux chiffres de l'article, puis conclure.

▶ Les supports de travail

Les documents, la calculatrice ou le tableur.

Toute piste de recherche, même non aboutie, figurera sur la feuille.

Doc. 1 L'article publié sur Internet

En 2015, en France, le nombre moyen d'objets connectés par personne était de 4 (ce nombre devrait passer à 6,7 en 2018), alors que le nombre médian d'objets connectés par personne était de 2.

Doc. 2 Les résultats des 150 élèves de 4e

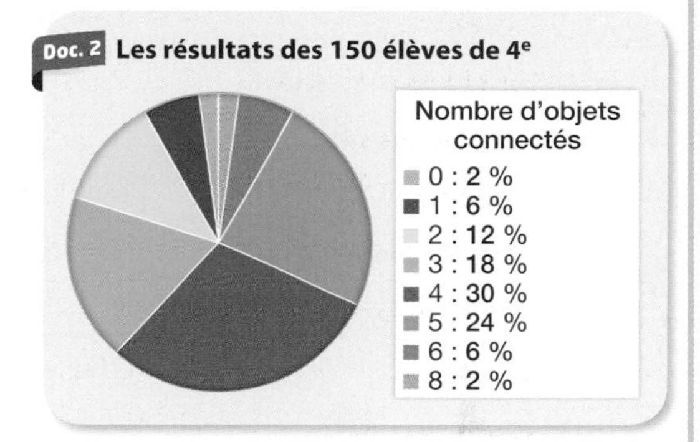

Doc. 3 Les résultats des élèves de 6e et de 5e

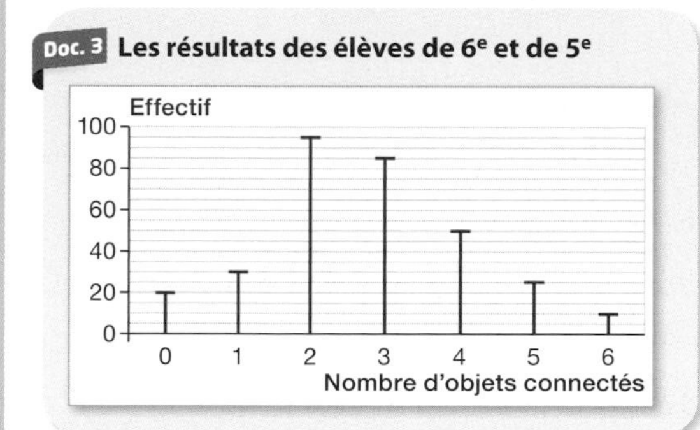

Doc. 4 Les résultats des élèves de 3e

- Effectif total : 185
- Nombre moyen d'objets connectés : 4,5
- Nombre médian d'objets connectés : 4

3 Les groupes sanguins

▶ La situation-problème

Dans un épisode de la série préférée de Myriam, l'héroïne donne son sang à deux personnes.
Myriam se demande quelle serait la probabilité qu'elle puisse donner son sang à son amie Charlotte.
L'aider à répondre à cette question.

▶ Les supports de travail

Les documents, la calculatrice.

Doc. 2 Des renseignements sur Myriam

15 ans
1,65 m ; 54 kg
Groupe sanguin : B+
Myriam

Doc. 3 Répartition des groupes sanguins en France

Rhésus	Groupe sanguin			
	O	A	B	AB
Rh+	36,5 %	38,2 %	7,7 %	2,5 %
Rh−	6,5 %	6,8 %	1,4 %	0,4 %

Source : INTS

Doc. 3 Les compatibilités entre groupes sanguins

Donneurs \ Receveurs	O+	O−	A+	A−	B+	B−	AB+	AB−
O+	●		●		●		●	
O−	●	●	●	●	●	●	●	●
A+			●				●	
A−			●	●			●	●
B+					●		●	
B−					●	●	●	●
AB+							●	
AB−							●	●

O− : Donneur universel
AB+ : Receveur universel

Toute piste de recherche, même non aboutie, figurera sur la feuille.

4 Le programme

▶ La situation-problème

Lisa a réalisé un programme pour lequel elle estime que le lutin a autant de chances de gagner que de perdre.
Est-ce le cas ?
Si oui, expliquer pourquoi.
Si non, proposer une modification du programme de façon à ce que le lutin ait autant de chances de gagner que de perdre.

▶ Les supports de travail

Les documents, la calculatrice, le logiciel Scratch.

Doc. 1 Le programme de Lisa

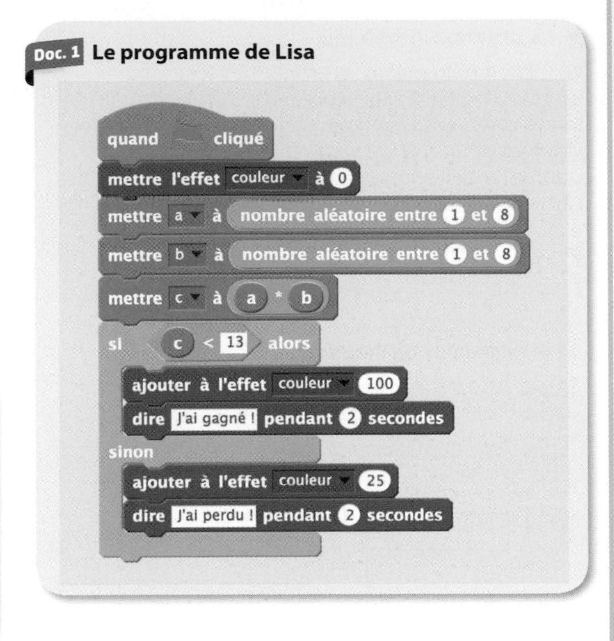

mettre l'effet couleur à 0

mettre c à a * b
si c < 13 alors
ajouter à l'effet couleur 100
dire J'ai gagné ! pendant 2 secondes

ajouter à l'effet couleur 25
dire J'ai perdu ! pendant 2 secondes

Doc. 2 Une copie de l'écran de Lisa

J'ai gagné !

Toute piste de recherche, même non aboutie, figurera sur la feuille.

5 Le choix du film

▶ La situation-problème

Arthur et Jules décident de jouer le choix du film à Pile ou Face.
Arthur propose une variante.
Que peut-on penser de la dernière affirmation d'Arthur ? Justifier.

▶ Les supports de travail

Les documents, la calculatrice.

Toute piste de recherche, même non aboutie, figurera sur la feuille.

Doc. 1 La variante proposée par Arthur

Arthur
On va jouer avec trois pièces ! Si les trois pièces tombent toutes sur le même côté, tu choisis le film ! Sinon, je choisis.

Doc. 2 Les arguments d'Arthur

Parmi les trois pièces, il y en a forcément deux qui vont tomber du même côté...

...et tu as donc 1 chance sur 2 que la troisième tombe du même côté : c'est équitable !

6 Optimiser la recette

▶ La situation-problème

Une chaîne de magasins vient de publier une étude de marché pour une console de jeux.
Aider le gérant de l'un de ces magasins à déterminer le prix de vente de la console afin de réaliser le plus grand bénéfice possible.

▶ Les supports de travail

Les documents, la calculatrice, le tableur.

Doc. 1 La situation actuelle

- Prix d'achat de la console au fournisseur : 25 €.
- Prix de vente en magasin : 105 €.
- Nombre moyen de ventes chaque semaine par région :

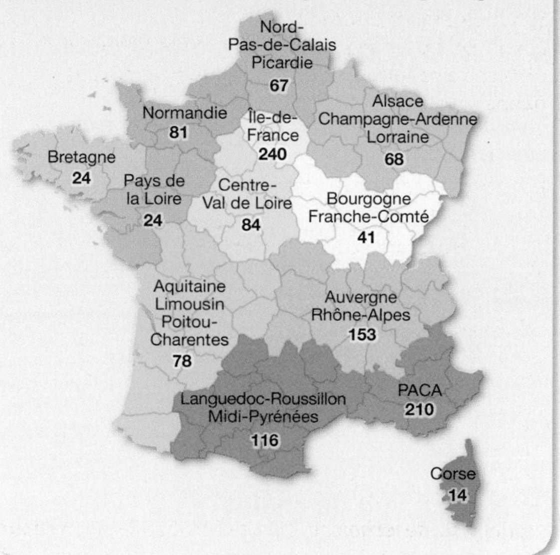

Doc. 2 Résultats de l'étude de marché

- Étude des effets d'une augmentation des tarifs : chaque augmentation de 2 € du prix de vente entraînera 50 ventes de moins.
- Étude des effets d'une diminution des tarifs : chaque diminution de 2 € du prix de vente entraînera 50 ventes supplémentaires.

Toute piste de recherche, même non aboutie, figurera sur la feuille.

7 La cycliste

▶ La situation-problème

Lola, qui est à Olonne-sur-Mer, se demande à quelle heure elle doit partir pour être à Saint-Jean-de-Monts à 12 h et combien de tours de pédalier il lui faudra donner pour effectuer ce trajet.
Aider Lola à répondre à cette question.

▶ Les supports de travail

Les documents, la calculatrice.

Doc. 1 Carte à l'échelle $\frac{1}{700\,000}$ de la balade

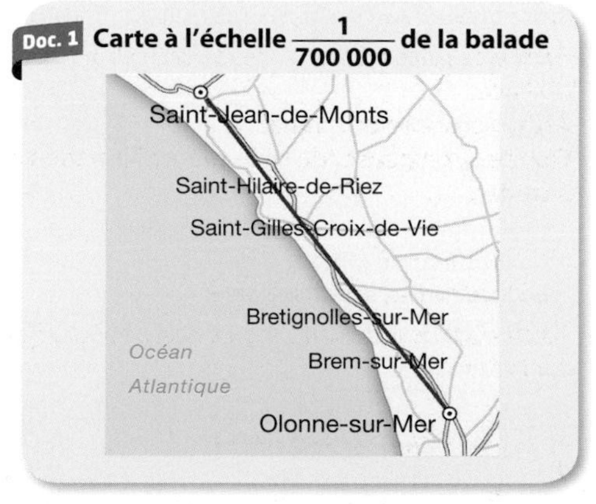

Doc. 2 Le vélo de Lola

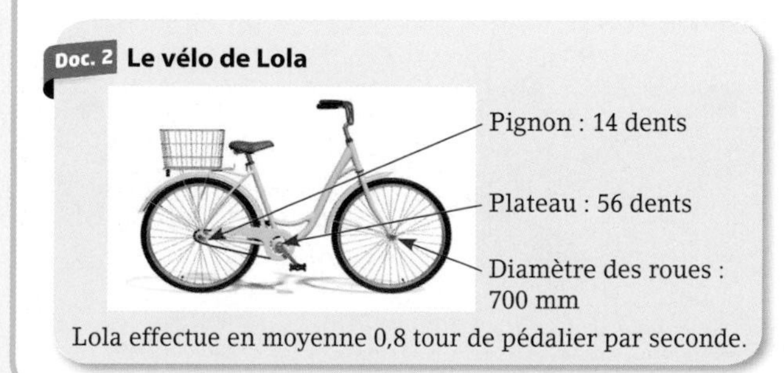

Lola effectue en moyenne 0,8 tour de pédalier par seconde.

Toute piste de recherche, même non aboutie, figurera sur la feuille.

8 La salle de sport

▶ La situation-problème

Hasna a le projet d'ouvrir une salle de sport dans sa ville, qui en compte déjà deux (SportRoom et SportVitalité).
Aider Hasna à fixer ses futurs tarifs.

▶ Les supports de travail

Les documents, la calculatrice.

Toute piste de recherche, même non aboutie, figurera sur la feuille.

Doc. 1 Les exigences d'Hasna

Hasna souhaite que ses tarifs soient, dans tous les cas de figure, compris entre les deux tarifs de ses concurrents.

Doc. 2 Une publicité de SportRoom

6 € la séance d'une heure

Doc. 3 Une publicité de SportVitalité

SportVitalité

Achat obligatoire d'une carte de membre à **30 €** (valable un an), puis 4,5 € la séance d'une heure !

9 La vue du chalet

▶ La situation-problème

Un hôtel d'une hauteur de 17 m est en construction près de Megève.
Aider Carmen à savoir si elle pourra toujours voir l'arrivée du télésiège depuis la porte de son chalet.

▶ Les supports de travail

Les documents, la calculatrice.

Toute piste de recherche, même non aboutie, figurera sur la feuille.

Doc. 1 Courbes de niveau

Sur une carte, tous les points situés sur une même courbe de niveau sont à la même altitude. La différence d'altitude entre deux courbes consécutives est constante.

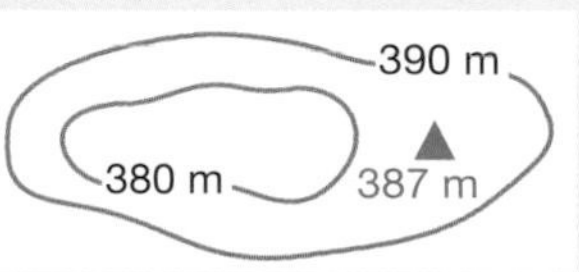

Doc. 2 Extrait de la carte IGN à l'échelle $\frac{1}{8\,000}$

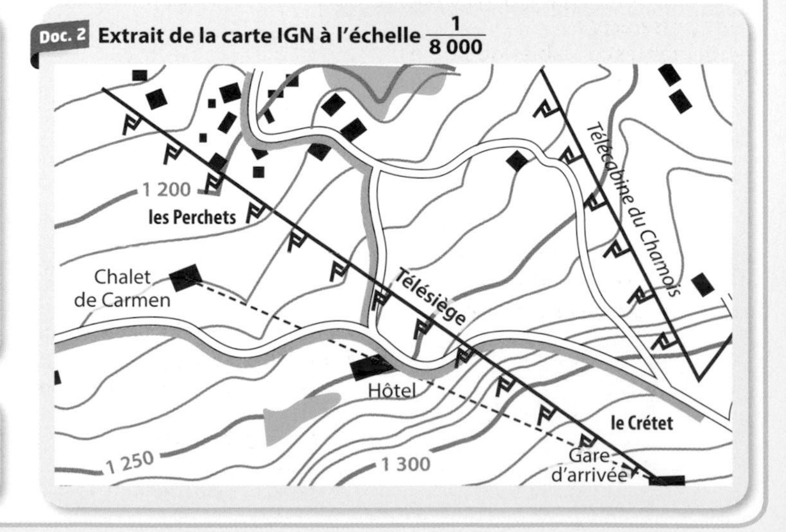

Doc. 3 Une information

La gare d'arrivée du télésiège est un bâtiment de 4 m de haut.

10 Le sauvetage

▶ La situation-problème

Sur une plage, un maître nageur sauveteur aperçoit une personne qui semble en difficulté en mer.
Il envisage immédiatement deux trajets possibles pour aller la secourir.
Aider ce maître nageur sauveteur à déterminer celui de ces trajets qui lui permet d'arriver le plus vite possible auprès du baigneur.

▶ Les supports de travail

Les documents, la calculatrice.

Toute piste de recherche, même non aboutie, figurera sur la feuille.

Doc. 1 Plan de la situation

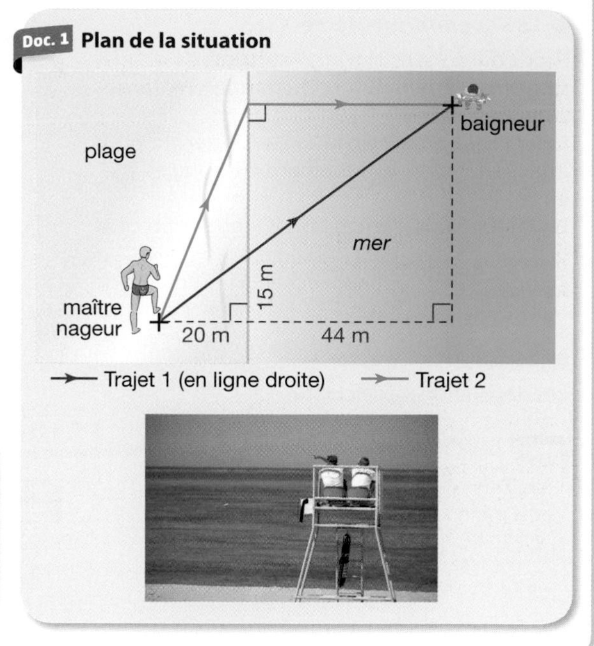

Doc. 2 Des informations

Sur la plage, le maître nageur sauveteur court à la vitesse de 5 m/s.
En mer, avec ses palmes, il nage à la vitesse de 2,5 m/s.
Il lui faut 5 s pour mettre ses palmes.

11 La passerelle

▶ La situation-problème

Un port breton désire installer un ponton flottant qui sera relié par une passerelle.
Aider les responsables du port à déterminer la longueur minimale de la passerelle ainsi que la longueur minimale des rails à fixer sur le ponton.

▶ Les supports de travail

Les documents, la calculatrice.

Toute piste de recherche, même non aboutie, figurera sur la feuille.

Doc. 1 La situation

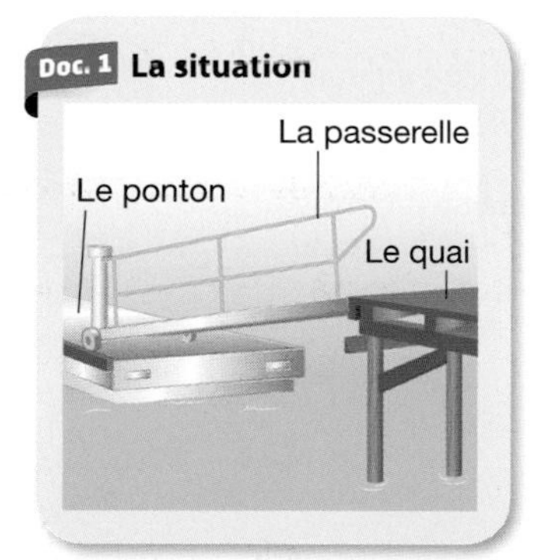

Doc. 2 La marée

- La marée a une amplitude de 6 m.
- À marée haute :
  – la passerelle est horizontale ;
  – la distance entre le ponton et le quai est de 7 m.

Doc. 3 Les contraintes techniques

- Pour des raisons de sécurité, l'angle que forme la passerelle avec l'horizontale doit toujours être inférieur à 25°.
- Sur le ponton, les roues de la passerelle glisseront dans deux rails.

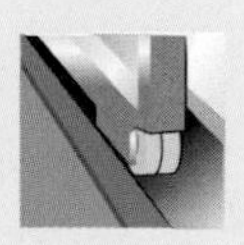

12 En astronomie

▶ La situation-problème

Au début du XVIe siècle, l'astronome polonais Copernic a calculé des distances entre des planètes.
Utiliser les observations de Copernic pour déterminer la mesure de chacun des angles $\widehat{T_1ST_2}$ et $\widehat{M_1SM_2}$.
En déduire la distance, en km, entre le Soleil et la planète Mars.
Donner une valeur approchée à la centaine de mille près.

▶ Les supports de travail

Les documents, la calculatrice.

Doc. 1 Les observations de Copernic

À une certaine date, le Soleil (S), Mars (M_1) et la Terre (T_1) sont alignés.
106 jours plus tard, le Soleil (S), Mars (M_2) et la Terre (T_2) forment un angle droit ($\widehat{ST_2M_2}$).

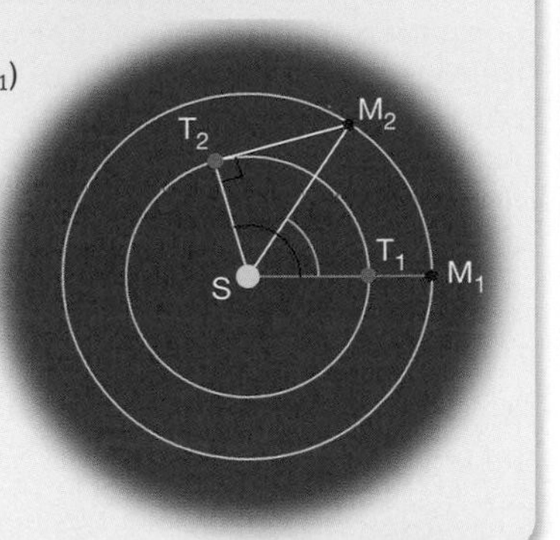

Doc. 2 Les orbites des planètes

On suppose que la Terre et Mars décrivent des orbites circulaires autour du Soleil.
On suppose que les distances qu'elles parcourent sur leurs orbites sont proportionnelles à leurs durées de déplacement.
La Terre tourne autour du Soleil en 365,25 jours et Mars en 687 jours.

Doc. 3 Distance Soleil-Terre

La distance entre la Terre et le Soleil est d'environ 149 600 000 km.

Nicolas Copernic observant le Cosmos.

Toute piste de recherche, même non aboutie, figurera sur la feuille.

13 L'hélicoptère

▶ La situation-problème

Lucie a commencé un programme qui doit amener l'hélicoptère du point de coordonnées (0 ; 0) au point de coordonnées (168 ; 180).
Réaliser puis compléter ce programme avec trois nombres entiers, de façon à ce que le nombre dans le cercle rouge soit le plus grand possible.

▶ Les supports de travail

Les documents, la calculatrice, le logiciel Scratch.

Doc. 1 Le programme de Lucie

```
quand [drapeau] cliqué
effacer tout
aller à x: 0 y: 0
s'orienter à 90
stylo en position d'écriture
répéter ( ) fois
    avancer de ( )
    tourner ↺ de 90 degrés
    avancer de ( )
    tourner ↻ de 90 degrés

quand espace est cliqué
aller à x: 0 y: 0
s'orienter à 90
effacer tout
```

Doc. 2 Une copie de l'écran de Lucie

Doc. 3 La scène et le lutin

Lucie a choisi la scène « gravel desert » et le lutin « Helicopter ».

Toute piste de recherche, même non aboutie, figurera sur la feuille.

Connaître sa VMA et analyser ses performances

OBJECTIFS
- Apprendre à se connaître.
- Utiliser au mieux ses capacités en essayant de les améliorer.

Ressources à télécharger sur ***le site compagnon***

Quelques repères

Chaque individu possède une capacité physique maximale théorique.
Sa VMA (vitesse maximale aérobie) est la vitesse de course à partir de laquelle sa consommation d'oxygène ne pourra plus augmenter.
Sa consommation maximale d'oxygène (VO_2 max) est alors atteinte.
Pour chaque individu, la VMA peut être améliorée avec de l'entraînement.

Le principe

Plus la VMA est élevée, plus le coureur est capable de courir à des vitesses élevées avant d'atteindre sa VO_2 max.
La VMA sert de base pour le calcul des vitesses de course à l'entraînement, ces vitesses sont exprimées en % de la VMA.

La production

Réaliser un fichier numérique présentant les performances réalisées lors de courses à pied.
- Présenter les tests réalisés.
- Réaliser des feuilles de calcul indiquant les distances et temps réalisés.
- Calculer des vitesses et des pourcentages.
- Réaliser des graphiques présentant l'évolution des performances.

Pistes de réflexion

- **Se renseigner sur la VMA et la VO_2 max.**
- **Comprendre les effets d'un effort physique sur l'organisme.**
- **Calculer des vitesses, des durées et des distances.**
- **Prévoir ses performances en fonction de ses capacités.**
- **Réaliser des graphiques.**

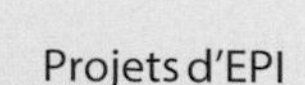

THÈME **Information, communication, citoyenneté**

Mathématiques · Technologie · Éducation aux médias

Le stockage de l'information numérique

OBJECTIF
Étudier le stockage de l'information sur support numérique.

*Ressources à télécharger sur **le site compagnon***

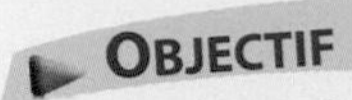

Quelques repères

Les informations numériques sont codées en langage binaire, c'est-à-dire sous la forme d'une succession de « bits », notés 0 et 1. Une image numérique est stockée sous forme d'une suite de mots binaires : les octets. La qualité de l'image dépend du nombre d'octets utilisés.

Le principe

L'image numérique est une image composée d'une succession de pixels. À chaque pixel de l'image correspond un certain nombre d'octets suivant le codage adopté.

La production

Concevoir et réaliser une exposition sur l'image numérique et son stockage.

- Rechercher, dans une encyclopédie ou sur Internet, comment s'est fait le stockage de l'information depuis l'Antiquité.
- Présenter plusieurs versions d'une même image numérique (faire varier le nombre de pixels).
- Présenter différents supports de stockage de l'information numérique (disquette, CD, clé USB, disque dur, *cloud*…).

Pistes de réflexion

- **Découvrir le codage binaire en lien avec les puissances de 2.**
- **Utiliser un logiciel d'édition et de traitement d'image.**
- **Manipuler les unités de stockage de l'information numérique (l'octet et ses multiples).**

Transition écologique et développement durable

Mathématiques | SVT | Physique-Chimie

Étudier la pollution de l'air dans sa région

OBJECTIFS
- Étudier quelques aspects de la pollution atmosphérique dans sa région.
- Sensibiliser à son impact sur la santé et l'environnement.

Ressources à télécharger sur ***le site compagnon***

Quelques repères

Chaque être humain respire en moyenne 15 000 L d'air par jour. Cet air contient très souvent des polluants qui, selon leurs concentrations, peuvent être dangereux pour la santé et pour l'environnement.
Certains polluants sont d'origine naturelle, d'autres sont liés à l'activité humaine (industrie, agriculture, transports…).

Le principe

Pour surveiller la qualité de l'air, les concentrations de plusieurs polluants sont régulièrement mesurées : par exemple les particules (PM), le dioxyde d'azote (NO_2), le dioxyde de soufre (SO_2)… Des seuils d'alerte sont fixés et un indice de qualité (ATMO – voir ci-contre – ou IQA) est diffusé au public.

10	Très mauvais
9	Mauvais
8	Mauvais
7	Médiocre
6	Médiocre
5	Moyen
4	Bon
3	Bon
2	Très bon
1	Très bon

La production

- Réaliser des bulletins d'information réguliers sur la qualité de l'air de sa région.
- Recueillir des données sur les concentrations de polluants.
- Présenter ces informations sur un mur virtuel collaboratif.

Pistes de réflexion

- **Calculer des variations en pourcentage et des moyennes de concentrations de polluants.**
- **Utiliser le tableur pour exploiter et comparer ces données.**
- **Estimer la quantité de polluants absorbés ; étudier la nature de ceux-ci.**
- **Réfléchir aux interactions entre les activités humaines et l'environnement.**

THÈME **Sciences, technologie et société**

Mathématiques · Histoire · Technologie

Crypter des informations

OBJECTIF
Comprendre comment créer un système de cryptage de messages.

Ressources à télécharger sur ***le site compagnon***

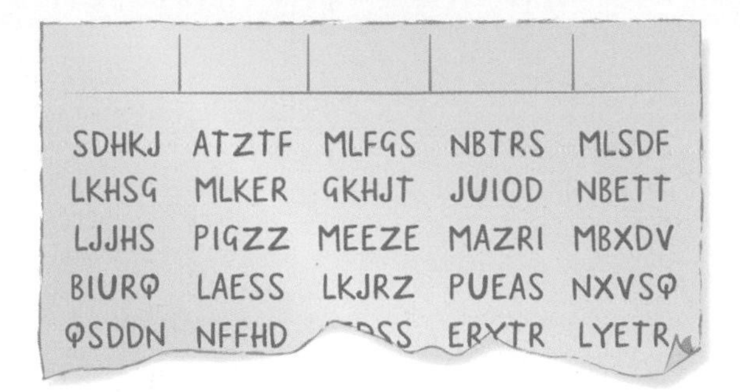

Quelques repères

Pendant la Deuxième Guerre mondiale, les Allemands ont utilisé des machines pour crypter leurs messages. Une équipe de mathématiciens, dirigée par le Britannique Alan Turing, a réussi à décrypter ces messages, participant ainsi à la victoire des Alliés en 1945.

Le principe

À chaque lettre, on associe le nombre x correspondant à son rang dans l'alphabet (A $\to$ 0 ; B $\to$ 1 ; … ; Y $\to$ 24 ; Z $\to$ 25).
Dans l'exemple suivant, le codage affine consiste à calculer l'image de chaque nombre x par la fonction affine $f : x \mapsto 3x + 7$. Chaque lettre est alors remplacée par celle dont le rang dans l'alphabet (y) correspond au reste de la division euclidienne de $f(x)$ par 26.
Dans cet exemple, BONJOUR devient KXUIXPG.

Lettre initiale	B	O
Rang x	1	14
$3x + 7$	10	49
Rang y	10	23
Lettre cryptée	K	X

La production

Réaliser une exposition sur le cryptage de l'information.
- Présenter l'importance des décryptages de messages pendant la Deuxième Guerre mondiale ;
- Présenter des messages cryptés à l'aide de fonctions affines.

Pistes de réflexion

- **Rechercher des informations sur l'utilisation des machines Enigma par les Allemands.**
- **Se renseigner sur Alan Turing.**
- **Avec un tableur, réaliser une feuille de calcul permettant de crypter un message à l'aide d'une fonction affine.**

Étudier les lunes de Jupiter

OBJECTIFS
- Comprendre la trajectoire et la périodicité d'un satellite d'une planète.
- Connaître l'histoire de l'astronomie et des instruments d'observation.

Ressources à télécharger sur ***le site compagnon***

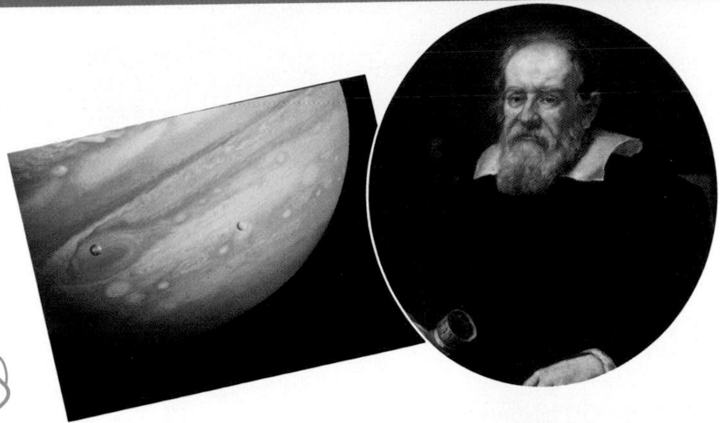

Quelques repères

En 1609, l'utilisation astronomique de la lunette par Galilée permet l'observation d'objets invisibles à l'œil nu. Il découvre que Jupiter est entouré de quatre lunes : Io, Europe, Ganymède et Callisto.
L'observation de ces quatre lunes de Jupiter montre que le modèle héliocentrique du système solaire proposé par Copernic est physiquement possible, contrairement à ce que proposait Aristote dans le modèle géocentrique.

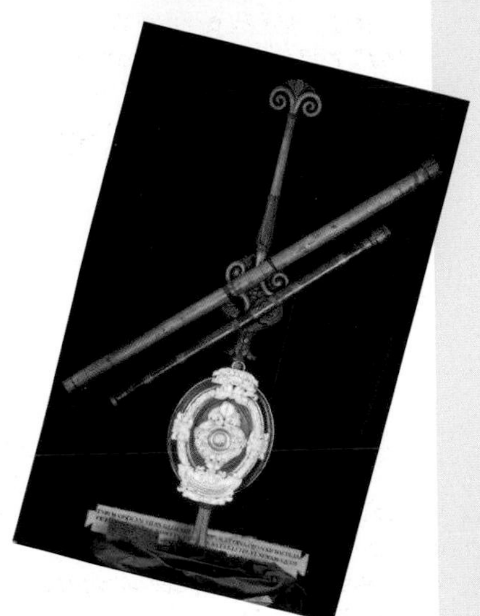

Le principe

Les lunes de Jupiter « tournent » autour de la planète Jupiter, selon des caractéristiques propres (distance à Jupiter, période de révolution…).

La production

Réaliser une exposition sur les lunes de Jupiter.
- Exposer le cadre historique de leur découverte et le rôle de celle-ci dans la remise en cause du modèle géocentrique.
- Utiliser un logiciel de géométrie dynamique pour représenter le système des lunes de Jupiter en dessinant les trajectoires des quatre lunes et en donnant une estimation de leurs vitesses.

Pistes de réflexion

- **Chercher s'il existe d'autres satellites de Jupiter.**
- **Se renseigner sur les caractéristiques de chacun de ces satellites (au CDI ou sur Internet).**
- **Utiliser le logiciel JupiterLab pour observer les quatre célèbres lunes de Jupiter.**
- **Découvrir et utiliser la troisième loi de Kepler.**
- **Faire un exposé sur les scientifiques Aristote, Copernic et Galilée.**

THÈME **Langues et cultures de l'Antiquité**

Mathématiques · Français · Histoire

Écrire une nouvelle

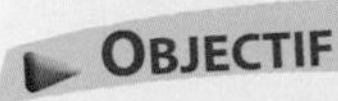

OBJECTIF

Écrire une nouvelle qui raconte comment, il y a longtemps, un ou plusieurs mathématiciens ont cherché et découvert un théorème, une propriété.

*Ressources à télécharger sur **le site compagnon***

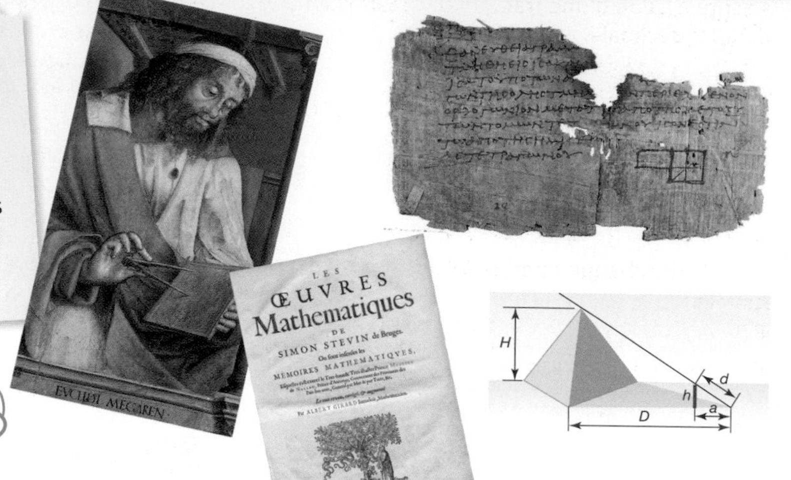

Quelques repères

Au cours des siècles précédents, et de nos jours encore, de nombreuses propriétés et de nombreux théorèmes ont été découverts par des mathématiciens.
Ils répondent bien souvent à un problème de la vie courante, mais sont aussi le fruit de l'imagination des mathématiciens.

Le principe

Choisir une propriété mathématique et, par groupe de 3 ou 4, chercher sur Internet à quelle époque elle est apparue, démontrée ou utilisée. Après les recherches, choisir des personnages, les situer dans une cité et créer une énigme.

La production

- Rédiger la nouvelle en prenant bien soin d'intégrer des documents mathématiques (démonstration, figure, illustrations… de la propriété) au sein de l'histoire, en évitant tout anachronisme.
- Présenter oralement la nouvelle, en étant en mesure de distinguer l'œuvre littéraire de la vérité historique.

Pistes de réflexion

- **Comprendre et utiliser la langue française pour énoncer des propriétés mathématiques.**
- **Mettre en œuvre sa créativité.**
- **Prendre conscience que l'histoire des sciences peut montrer l'évolution des sociétés.**
- **Montrer que les propriétés permettent de résoudre un problème.**

Fiche 1 Nombres décimaux : écritures et calculs

• Un nombre décimal est un nombre qui peut s'écrire à l'aide d'une fraction décimale ou d'une écriture décimale.

Exemples : $23{,}59 = \frac{2\,359}{100}$; $6{,}8 = \frac{68}{10}$

• Un nombre entier est un nombre décimal particulier : $15 = \frac{150}{10} = \frac{1\,500}{100} = \ldots$

• Pour calculer une expression numérique, on effectue les opérations dans l'ordre suivant :

1. les calculs entre **parenthèses** ;

2. les **multiplications** et les **divisions** ;

3. les **additions** et les **soustractions**.

Exemple : $A = 7 + (8 - 5) : 2$

$A = 7 + 3 : 2$

$A = 7 + 1{,}5 = 8{,}5$

1 **1.** Écrire chaque nombre à l'aide d'une fraction décimale.

a. 8,3 **b.** 0,9 **c.** 10,4 **d.** 5,403

2. Donner l'écriture décimale de chaque nombre.

a. $\frac{75}{100}$ **b.** $\frac{931}{10}$ **c.** $\frac{7\,521}{100}$ **d.** $\frac{320}{1\,000}$

2 Calculer en détaillant les étapes.

a. $5{,}3 + 7 \times 6 : 10$

b. $(3{,}6 + 4 \times 5{,}1) : 6$

3 Dans chaque cas, écrire des parenthèses pour que l'égalité soit vraie.

a. $14 + 7 \times 9 - 2 = 147$

b. $75 : 5 \times 5 + 10 = 1$

c. $89 - 71 + 8 : 2 = 5$

4 Calculer, puis comparer.

a. $A = 12{,}3 - (3{,}5 + 4{,}5)$ et $B = 12{,}3 - 3{,}5 + 4{,}5$

b. $C = 3 \times (5{,}4 + 2{,}6)$ et $D = 3 \times 5{,}4 + 2{,}6$

Fiche 2 Nombres entiers : multiples et diviseurs

• Un nombre entier a est un multiple d'un nombre entier b ($b \neq 0$) lorsque le quotient de a par b est un nombre entier.

Exemple :

• $182 : 7 = 26$ donc $182 = 7 \times 26$.
182 est un **multiple de** 7.
On dit aussi que 7 est un **diviseur de** 182 ou que 182 est **divisible par** 7.

• $123 : 6 = 20{,}5$, donc 123 n'est pas un multiple de 6 car 20,5 n'est pas un nombre entier.

• **Critères de divisibilité**

Un nombre entier est divisible :

– **par 2** lorsque son chiffre des unités est 0, 2, 4, 6 ou 8 ;

– **par 5** lorsque son chiffre des unités est 0 ou 5 ;

– **par 10** lorsque son chiffre des unités est 0 ;

– **par 4** lorsque le nombre formé par ses deux derniers chiffres est divisible par 4 ;

– **par 3** lorsque la somme de ses chiffres est divisible par 3 ;

– **par 9** lorsque la somme de ses chiffres est divisible par 9.

5 Recopier et compléter chaque phrase.

a. $120 = 15 \times 8$ donc 120 est un … de 15.

b. $2\,016 : 18 = 112$ donc 18 est un … de 2 016.

c. $17 \times 15 = 255$ donc 17 et 15 sont des … de 255.

d. $\frac{437}{19} = 23$ donc 437 est un … de 23.

6 **a.** Calculer le quotient de 252 par 14.

b. 14 est-il un diviseur de 252 ?

c. 252 est-il un multiple de 7 ?

7 Voici une liste de nombres :

741 316 210 3 545 74 628 85 572

Trouver dans cette liste :

a. les multiples de 5 ; **b.** les multiples de 3 ;

c. les multiples de 9 ; **d.** les multiples de 4.

8 Sans effectuer de division, expliquer pourquoi :

a. 2 016 est un multiple de 36 ;

b. 2 025 est un multiple de 45.

Fiche 3 Langage littéral

• Une **expression littérale** est une expression contenant une ou plusieurs lettres désignant des nombres.
• On peut ne pas écrire le signe × lorsqu'il est suivi d'une lettre ou d'une parenthèse.

Exemples :
• Le périmètre d'un rectangle de dimensions L et ℓ est donné par la formule : $2L + 2\ell$.
• La somme d'un nombre a et un nombre b se note $a + b$, leur produit se note ab.
• L'aire d'un carré de côté c se note c^2 (c au carré) et le volume d'un cube d'arête c se note c^3 (c au cube).

• **Produire une expression littérale**
Si l'on note x le nombre choisi au départ, alors le nombre obtenu en appliquant le programme de calcul ci-contre est $(x + 5) \times 3$, ce que l'on note $3(x + 5)$.

• Choisir un nombre.
• Ajouter 5.
• Multiplier par 3.

• **Utiliser une expression littérale**
Pour calculer le nombre obtenu en appliquant le programme de calcul ci-dessus, on utilise l'expression littérale obtenue en remplaçant x par le nombre choisi.
Par exemple, si $x = -2$,
$$3(x + 5) = 3(-2 + 5) = 3 \times 3 = 9.$$

9 Dans chaque cas, exprimer en fonction de x :
a. le périmètre d'un rectangle de dimensions x et 3 ;
b. l'aire d'un carré de côté $5x$;
c. l'aire d'un triangle ABC tel que BC a pour longueur 4 et la hauteur issue de A a pour longueur x.

10 x et y désignent des nombres.
Dans chaque cas, écrire en langage littéral :
a. la somme de x et du double de y ;
b. le carré de la différence de x et de y ;
c. le produit de x par la somme de y et de 1.

11 Pour chaque programme de calcul, écrire une expression littérale correspondant au résultat obtenu si l'on note x le nombre choisi au départ.

a.
• Choisir un nombre.
• Multiplier par 5.
• Ajouter 3.

b.
• Choisir un nombre.
• Soustraire 4.
• Élever au carré.

12 On considère les expressions suivantes :
$$E = 3 + 2x \quad \text{et} \quad F = 3(2 + x).$$
Calculer les valeurs de E et de F lorsque :
a. $x = 4$ **b.** $x = 1{,}5$ **c.** $x = 0$ **d.** $x = -2$

Fiche 4 Distributivité

• **Développer**, c'est transformer un produit en somme algébrique.
k, a et b désignent des nombres relatifs.
$$k(a + b) = ka + kb$$
• a, b, c, d désignent des nombres relatifs.
$$(a + b)(c + d) = ac + ad + bc + bd$$
Exemple : $(x + 2)(x + 1) = x \times x + x \times 1 + 2 \times x + 2 \times 1$
donc $(x + 2)(x + 1) = x^2 + 3x + 2$

• **Factoriser**, c'est transformer une somme algébrique en produit.
k, a et b désignent des nombres relatifs.
$$ka + kb = k(a + b)$$
• **Réduire** une somme (ou une différence) c'est l'écrire avec le moins de termes possible.
Exemple : $-2a + 5a = (-2 + 5)a = 3a$

13 Développer et écrire le plus simplement possible.
a. $7(x + 3)$ **b.** $6(3 - x)$ **c.** $5(2x + 1)$ **d.** $4(x - 4)$

14 Développer, puis réduire.
a. $(x + 6)(5 + x)$ **b.** $(4x - 5)(x + 3)$
c. $(4 + x)(x - 5)$ **d.** $(2x - 7)(2x - 1)$

15 Recopier et compléter chaque égalité.
a. $7x - 14 = 7 \times \ldots - 7 \times \ldots = 7(\ldots - \ldots)$
b. $2x^2 + 4x = 2x \times \ldots + 2x \times \ldots = 2x(\ldots + \ldots)$

16 Factoriser, puis réduire.
a. $5x + 3x$ **b.** $9x - 4x$ **c.** $6x - x$
d. $2x + 3x - 2y + 4y$ **d.** $4x - 5y - 3x + 7y$

Fiche 5 Nombres relatifs : écriture et repérage

• Les nombres **négatifs (inférieurs à zéro)** et les nombres **positifs (supérieurs à zéro)** constituent les nombres **relatifs**.
• **Sur une droite graduée**, chaque point est repéré par un nombre relatif appelé **abscisse** du point.
À chaque nombre relatif, correspond un point.

Exemple :

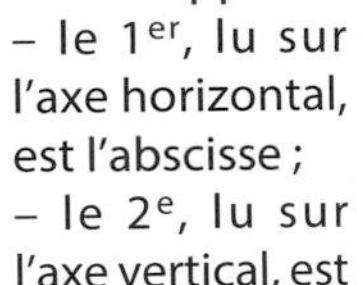

• L'abscisse du point A est 3 et celle du point B est – 3.
• Les nombres 3 et – 3 ont la même **distance à zéro** et des signes contraires : on dit que 3 et – 3 sont des nombres **opposés**.

• Un **repère du plan** est constitué de deux droites graduées (ou axes) de même origine O.
Chaque point est repéré par un couple de nombres relatifs appelés **coordonnées** du point.
– le 1er, lu sur l'axe horizontal, est l'abscisse ;
– le 2e, lu sur l'axe vertical, est l'ordonnée.

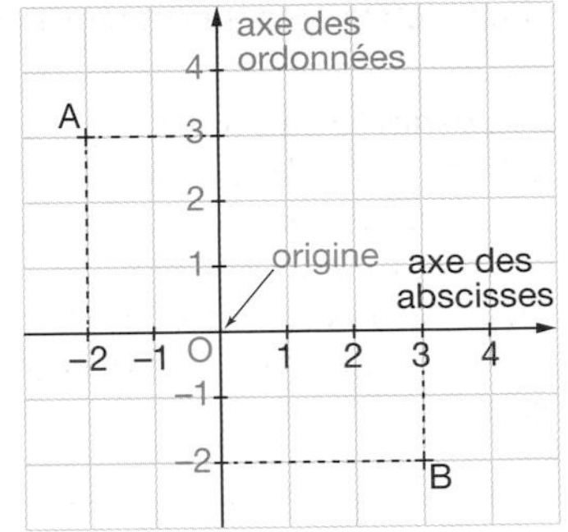

Exemples : Ci-contre, les coordonnées des deux points sont : A (– 2 ; 3) et B (3 ; – 2).

17 **a.** Tracer une droite graduée en prenant pour unité le centimètre et placer les points :
• A d'abscisse 3,7 ; • B d'abscisse – 2,5 ;
• C d'abscisse 2,9 ; • D d'abscisse – 2,9.
b. Ranger les nombres 3,7 ; – 2,5 ; 2,9 et – 2,9 dans l'ordre croissant.
c. Pour chacun des nombres ci-dessus, citer son opposé.

18 **a.** Tracer un repère d'origine O avec pour unité 1 carreau sur chaque axe et placer les points :
• E (– 4 ; 3) • F (– 2 ; – 2) • G (– 1 ; 0) • H (0 ; – 2) • I (2 ; 3)
b. Relier les points E, F, G, H et I dans cet ordre. Quelle lettre lit-on ?
c. Placer des points J, K et L de sorte que les segments [IJ], [JK] et [KL] forment la lettre Z.
d. Donner les coordonnées des points J, K et L placés.

Fiche 6 Nombres relatifs : addition et soustraction

• Pour **additionner** deux nombres relatifs :
– Si les nombres ont le **même signe** :
on additionne leurs distances à zéro et on garde le signe commun.
Exemples : • 3,4 + 2,5 = 5,9
• – 3,4 + (– 2,5) = – 5,9
– Si les nombres sont de **signes contraires** :
on soustrait leurs distances à zéro et on garde le signe du nombre qui a la plus grande distance à zéro.
Exemples : • 3,4 + (–2,5) = 0,9
• – 3,4 + 2,5 = –0,9

• Pour **soustraire** un nombre relatif, on ajoute son opposé.
Exemples : • 3,4 – (– 2,5) = 3,4 + 2,5 = 5,9
• – 3,4 – 2,5 = – 3,4 + (– 2,5) = – 5,9
• On peut changer l'ordre des termes d'une somme mais on ne peut pas changer l'ordre des termes d'une différence.
Exemples : • 3,4 + (– 2,5) = – 2,5 + 3,4 = 0,9
• – 3,4 – 2,5 = – 5,9
• 2,5 – (– 3,4) = 5,9
donc 2,5 – (– 3,4) ≠ – 3,4 – 2,5

19 Calculer mentalement.
a. 17 + (– 15) **b.** – 8 + 5 **c.** – 12 + (– 14)
d. 6,3 + 5,2 **e.** – 6,3 + 5,2 **f.** – 6,3 + (– 5,2)

20 Calculer habilement.
A = 4,8 + (– 4,5) + (– 2,4) + (– 2,4) + 0,5
B = – 2,65 + 1,8 + (– 0,8) + (– 1) + 2,65

21 Calculer.
a. 7 – (– 5) **b.** – 15 – 6 **c.** – 3 – (– 4)
d. 8,3 – 4,7 **e.** 4,7 – 8,3 **f.** – 8,3 – (– 4,7)

22 Calculer.
a. 8 – (– 7) – 11 – 6 + 5 **b.** – 10 – (– 6) + 5 – 3 – 4
c. 7 – (5 + 4 – 11) – (– 7) **d.** – 5 + 8 – (– 9 + 11 – 2)

Fiche 7 Nombres relatifs : multiplication et division

- **Règle des signes**

– Le produit (ou le quotient) de deux nombres relatifs de même signe est positif.
– Le produit (ou le quotient) de deux nombres relatifs de signes contraires est négatif.

- Pour **multiplier** deux nombres relatifs :
on applique la règle des signes et on multiplie les distances à zéro.

Exemples : • $-4 \times (-2,5) = 4 \times 2,5 = 10$
• $4 \times (-2,5) = -4 \times 2,5 = -10$

- Pour **diviser** deux nombres relatifs :
on applique la règle des signes et on divise les distances à zéro.

Exemples : • $\frac{-3,4}{-2} = \frac{3,4}{2} = 1,7$ • $\frac{3,4}{-2} = -1,7$

23 Calculer chaque produit.
a. $-0,5 \times (-7)$ **b.** $3 \times (-4,5)$ **c.** $-2,73 \times 10$

24 On sait que $12 \times 3 \times 6,5 \times 0,5 = 117$.
En déduire chaque produit.
a. $-12 \times (-3) \times (-6,5) \times (-0,5)$
b. $3 \times (-0,5) \times (-12) \times (-6,5)$

25 Recopier et compléter.
a. $7 \times \ldots = -42$ **b.** $-35 \times \ldots = -3,5$
c. $\ldots \times 6 = -48$ **d.** $\ldots \times (-9) = 63$

26 Calculer chaque quotient.
a. $\frac{28}{-4}$ **b.** $\frac{-39}{-3}$ **c.** $\frac{-7,3}{10}$ **d.** $\frac{-14}{-5}$

27 Par quel nombre faut-il diviser :
a. 15 pour trouver -3 ? **b.** -5 pour trouver -10 ?
c. -24 pour trouver 4 ? **d.** 4 pour trouver -20 ?

28 On sait que $12 \times 38 = 456$.
En déduire chaque quotient.
a. $\frac{-456}{-12}$ **b.** $\frac{456}{-38}$ **c.** $\frac{4,56}{-3,8}$ **d.** $\frac{-45,6}{-12}$

Fiche 8 Nombres rationnels : écritures fractionnaires

- a et b désignent deux nombres entiers, avec $b \neq 0$.
Un nombre **rationnel** est un nombre qui peut s'écrire sous la forme $\frac{a}{b}$.

$\frac{a}{b} \times b = a$

Exemples : Un nombre rationnel peut être :
– un nombre entier : $\frac{14}{7} = 2$
– un nombre décimal : $\frac{17}{4} = 4,25$
– un nombre non décimal : $\frac{5}{3}$.

- On obtient une nouvelle écriture fractionnaire d'un nombre rationnel en multipliant ou divisant son numérateur et son dénominateur par un même nombre différent de 0.

$\frac{a}{b}$: a → numérateur ; b → dénominateur

Exemples : • $\frac{0,6}{0,5} = \frac{0,6 \times 10}{0,5 \times 10} = \frac{6}{5}$
• $\frac{35}{14} = \frac{35:7}{14:7} = \frac{5}{2}$ ← fraction **simplifiée**

29 Dans chaque cas, déterminer le nombre rationnel manquant. Préciser s'il est décimal ou non.
a. $7 \times \ldots = 3$ **b.** $\ldots \times 4 = 13$ **c.** $5 \times \ldots = 8$
d. $\ldots \times 9 = 5$ **e.** $3 \times \ldots = 25$ **f.** $\ldots \times 10 = 9$

30 Parmi les quotients suivants, recopier ceux qui sont égaux à $\frac{4}{3}$.
• $\frac{2}{1,5}$ • $\frac{6}{5}$ • $\frac{-4}{-3}$ • $-\frac{3}{4}$ • $\frac{40}{30}$ • $\frac{42}{32}$ • $\frac{8}{6}$

31 Recopier et compléter.
a. $\frac{5}{8} = \frac{5 \times \ldots}{8 \times \ldots} = \frac{20}{\ldots}$ **b.** $\frac{8}{18} = \frac{\ldots}{9} = \frac{16}{\ldots} = \frac{20}{\ldots}$

32 Écrire chaque quotient sous forme d'une fraction, puis simplifier la fraction trouvée.
a. $\frac{2,7}{3}$ **b.** $\frac{6,3}{7,2}$ **c.** $\frac{7,5}{10}$ **d.** $\frac{0,16}{3}$

33 Simplifier la fraction : **a.** $\frac{20}{35}$ **b.** $\frac{54}{36}$ **c.** $\frac{15}{60}$

Fiche 9 Nombres rationnels : addition et soustraction

• Pour **additionner** (ou **soustraire**) des nombres rationnels en écriture fractionnaire de **même dénominateur** :
– on additionne (ou soustrait) les **numérateurs** ;
– on conserve le **dénominateur commun**.
a, b et c désignent des nombres, $c \neq 0$.

$$\frac{a}{c}+\frac{b}{c}=\frac{a+b}{c} \quad \text{et} \quad \frac{a}{c}-\frac{b}{c}=\frac{a-b}{c}$$

Exemples : • $\frac{8}{5}+\frac{9}{5}=\frac{8+9}{5}=\frac{17}{5}$
• $\frac{8}{5}-\frac{9}{5}=\frac{8-9}{5}=-\frac{1}{5}$

• Pour **additionner** (ou **soustraire**) des nombres rationnels en écriture fractionnaire de **dénominateurs différents** :
– on commence par les écrire avec le même dénominateur : on dit qu'on les **réduit au même dénominateur** ;
– on applique la règle de calcul ci-contre.

Exemples : • $\frac{3}{4}+\frac{5}{2}=\frac{3}{4}+\frac{5\times 2}{2\times 2}=\frac{3}{4}+\frac{10}{4}=\frac{13}{4}$
• $\frac{2}{5}-\frac{1}{3}=\frac{2\times 3}{5\times 3}-\frac{1\times 5}{3\times 5}=\frac{6}{15}-\frac{5}{15}=\frac{1}{15}$

34 Calculer sous forme fractionnaire et simplifier la fraction obtenue lorsque cela est possible.
a. $-\frac{1}{4}+\frac{11}{4}$ **b.** $\frac{2}{3}+\frac{5}{6}$ **c.** $\frac{3}{4}-\frac{5}{6}$ **d.** $\frac{4}{7}-\frac{3}{4}$

35 Calculer sous forme fractionnaire et simplifier la fraction obtenue lorsque cela est possible
a. $\frac{5}{6}+\frac{5}{12}$ **b.** $-\frac{8}{5}-\frac{1}{15}$ **c.** $\frac{1}{6}-\frac{1}{5}$ **d.** $-\frac{5}{7}+\frac{3}{2}$

36 Écrire chaque nombre entier sous la forme d'une fraction, puis calculer.
a. $1+\frac{3}{2}$ **b.** $\frac{1}{4}-2$ **c.** $3-\frac{16}{5}$ **d.** $\frac{16}{3}-4$

37 Calculer sous forme fractionnaire et simplifier la réponse si possible.
a. $-\frac{3}{2}+\frac{5}{3}-\frac{7}{2}-\frac{16}{3}$ **b.** $2-\frac{5}{6}+\frac{5}{3}-\frac{2}{9}$

Fiche 10 Nombres rationnels : multiplication et division

• Pour **multiplier** des nombres rationnels en écriture fractionnaire :
– on multiplie les **numérateurs** entre eux ;
– on multiplie les **dénominateurs** entre eux.
a, c, b et d désignent des nombres, $b \neq 0$ et $d \neq 0$.

$$\frac{a}{b}\times\frac{c}{d}=\frac{a\times c}{b\times d}.$$

En particulier $a\times\frac{c}{d}=\frac{a\times c}{d}$

Exemples : • $\frac{7}{5}\times\frac{3}{4}=\frac{7\times 3}{5\times 4}=\frac{21}{20}$
• $-2\times\frac{-7}{5}=\frac{2\times 7}{5}=\frac{14}{5}$

• L'**inverse** d'un nombre relatif $x \neq 0$ est $\frac{1}{x}$.
L'inverse de $\frac{a}{b}$ est $\frac{b}{a}$ ($a \neq 0$, $b \neq 0$).
• Diviser par un nombre rationnel différent de 0 revient à **multiplier par son inverse**.

Exemples : • $\frac{7}{5}:\frac{3}{4}=\frac{7}{5}\times\frac{4}{3}=\frac{7\times 4}{5\times 3}=\frac{28}{15}$
• $\frac{-4}{9}:\frac{4}{3}=\frac{-4}{9}\times\frac{3}{4}=-\frac{4\times 3}{3\times 3\times 4}=-\frac{1}{3}$

38 Calculer sous forme fractionnaire en simplifiant lorsque cela est possible.
a. $-\frac{3}{4}\times\frac{11}{2}$ **b.** $-\frac{3}{5}\times\frac{-7}{3}$ **c.** $\frac{3}{2}\times\frac{3}{7}$ **d.** $-\frac{25}{9}\times\left(-\frac{1}{5}\right)$

39 Calculer sous forme fractionnaire en pensant aux simplifications possibles.
a. $\frac{7}{5}\times\frac{5}{28}$ **b.** $\frac{-12}{7}\times\frac{7}{3}$ **c.** $-4\times\frac{7}{16}$ **d.** $-\frac{9}{8}\times(-2)$

40 Recopier et compléter.
a. $\frac{6}{5}:\frac{5}{3}=\frac{6}{5}\times\frac{\dots}{\dots}=\frac{\dots}{\dots}$ **b.** $\frac{-4}{7}:\frac{11}{9}=\frac{-4}{7}\times\frac{\dots}{\dots}=\frac{\dots}{\dots}$

41 Calculer sous forme fractionnaire et simplifier la réponse si possible.
a. $-\frac{3}{8}:\frac{5}{2}$ **b.** $\frac{11}{15}:(-22)$ **c.** $7:\left(-\frac{21}{4}\right)$

Fiche 11 Situations de proportionnalité

• Un tableau est dit de **proportionnalité** lorsque l'on obtient chaque nombre d'une ligne en multipliant le nombre correspondant de l'autre ligne par un même nombre, appelé **coefficient de proportionnalité**.

Exemple :

Masse (en kg)	1	0,5	3
Prix (en €)	3,40	1,70	10,20

$\times 3,40$

• Une situation de proportionnalité est représentée graphiquement par des **points alignés avec l'origine du repère.**

Exemple :

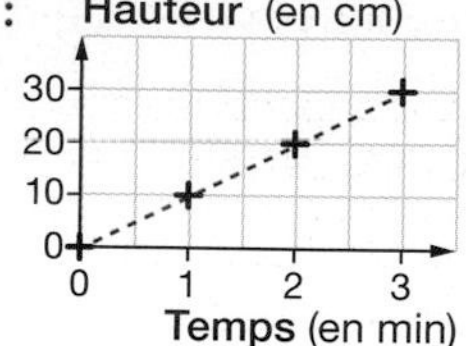

42 Dans chaque cas, dire s'il s'agit d'un tableau de proportionnalité.

a.

Distance (en km)	216	162	54
Temps (en h)	2	1,5	0,5

b.

Quantité (en L)	10	8	7
Prix (en €)	12	9,60	8,50

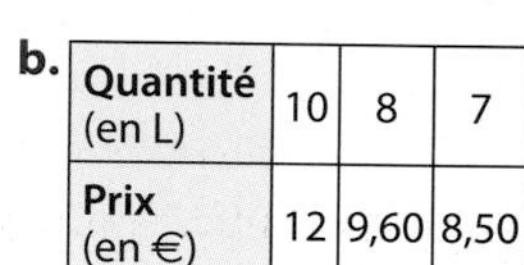

43 Dans chaque cas, dire si le graphique représente une situation de proportionnalité.

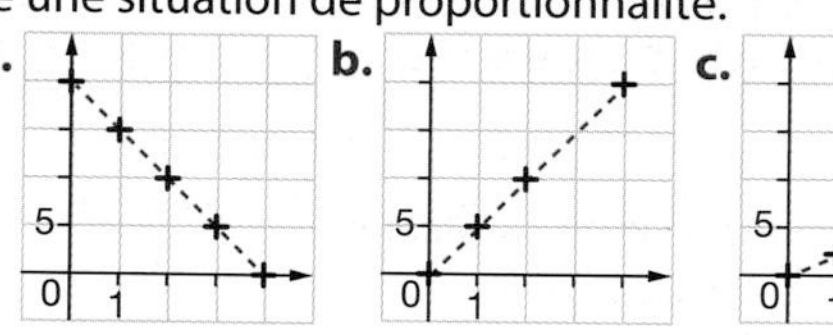

Fiche 12 Utiliser la proportionnalité, cas des pourcentages

• Dans un tableau de proportionnalité, on peut écrire l'égalité des produits en croix :

a	c
b	d

$a \times d = b \times c$.

En connaissant trois valeurs, on peut calculer la 4e.

Exemple :

Masse d'olives (en kg)	5	21,5
Volume d'huile (en L)	34	x

$5 \times x = 34 \times 21,5$ donc $x = \dfrac{34 \times 21,5}{5} = 146,2$

Avec 21,5 kg d'olives, on obtient 146,2 L d'huile.

• t désigne un nombre positif, $t\,\% = \dfrac{t}{100}$

– Prendre t % d'un nombre n, c'est calculer $\dfrac{t}{100} \times n$.

Exemple : 15 % de 60 €, c'est $\dfrac{15}{100} \times 60$ € soit 9 €.

– Calculer un pourcentage revient à écrire une proportion de dénominateur 100.

Exemple : Dans une classe, 7 élèves sur 28 sont gauchers. La proportion de gauchers dans cette la classe est $\dfrac{7}{28}$ soit $\dfrac{1}{4}$, c'est-à-dire 25 %.

44 Compléter chaque tableau de proportionnalité.

a.

Volume (en m^3)	5	7
Masse (en kg)	400	x

b.

Tours de pédalier	2	x
Distance (en m)	3,6	9

45 Un paquet de 200 feuilles de papier pèse 160 g. La masse est proportionnelle au nombre de feuilles.

a. Recopier et compléter le tableau ci-dessous.

Nombre de feuilles	200	250	y
Masse (en g)	160	x	60

b. Que représentent x et y ?

46 La masse de sable est proportionnelle à son volume. 3 m^3 de sable pèsent 4,8 t.
Combien pèsent 7 m^3 de sable ?

47 Sur une clé USB d'une capacité de 32 Go, 80 % sont déjà occupés.

a. Calculer le nombre de Go occupés.

b. Calculer de deux façons différentes le nombre de Go encore disponibles.

48 Un loyer mensuel est de 350 € en décembre. En janvier, il subira une augmentation de 4 %.
Quel sera le montant du loyer en janvier ?

49 Dans 15 L d'air, il y a 11,7 L d'azote et 3,15 L d'oxygène.
Quel pourcentage d'azote et quel pourcentage d'oxygène l'air contient-t-il ?

50 Brice a payé 5 € un DVD affiché 8 €.
Quel pourcentage de remise lui a-t-on appliqué ?

Fiche 13 Lire et représenter des données

• L'**effectif** d'une donnée est le nombre de fois où elle apparaît dans une liste. L'effectif total est le nombre total de données dans la liste.

• Fréquence d'une donnée $= \dfrac{\text{effectif de la donnée}}{\text{effectif total}}$

Exemple : nombre d'apparitions d'une lettre dans le mot STATISTIQUES. L'effectif total est 12.

Lettre	S	T	A	I	Q	U	E
Effectif	3	3	1	2	1	1	1

La fréquence d'apparition de la lettre I est $\dfrac{2}{12}$ soit $\dfrac{1}{6}$, ou environ 17 %.

• Pour **représenter** des données, on utilise différents types de **diagrammes**, comme ci-contre.

• Diagramme en bâtons

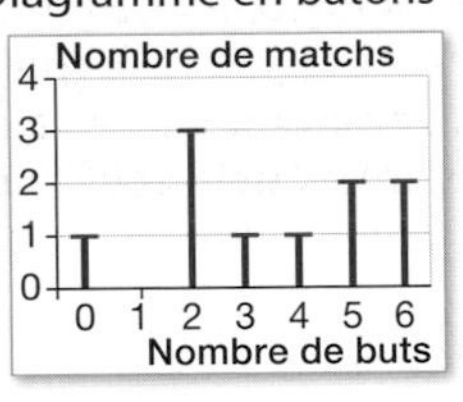

• Diagramme circulaire

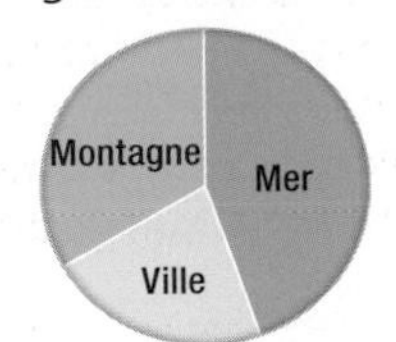

• Histogramme

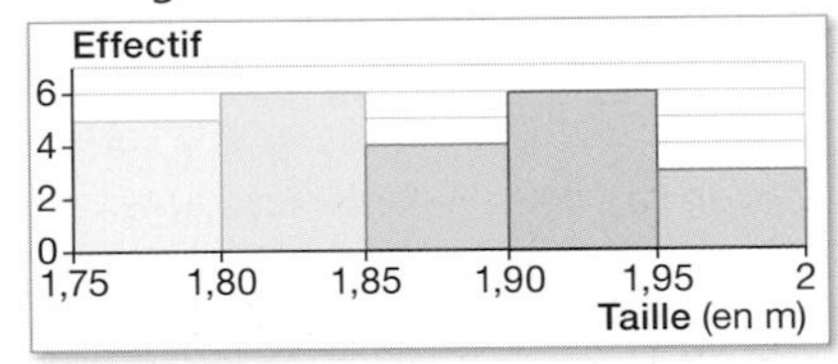

51 Ce diagramme en barres indique le nombre de retraits d'argent à un distributeur automatique de billets au cours d'une semaine.

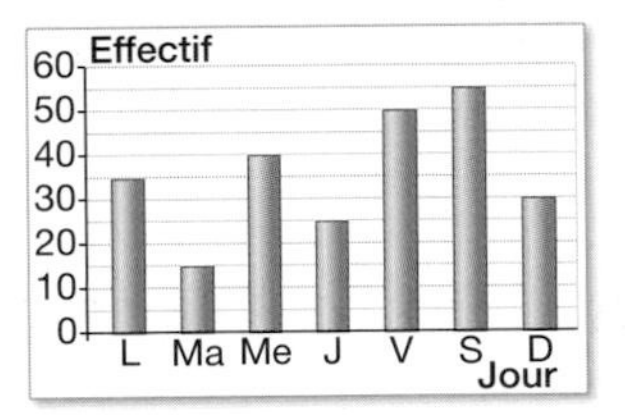

a. Présenter ces données dans un tableau à deux lignes. Créer une colonne « Total ».

b. Créer une 3e ligne pour les fréquences et la compléter par des écritures décimales.

52 Ce tableau indique le nombre d'infractions constatées à un feu rouge sur une période de 50 jours.

Nombre d'infractions n	Effectif (en jours)
$10 \leqslant n < 15$	4
$15 \leqslant n < 20$	8
$20 \leqslant n < 25$	6
$25 \leqslant n < 30$	9
$30 \leqslant n < 35$	12
$35 \leqslant n < 40$	11

a. Représenter ces données par un histogramme.

b. Créer une 3e colonne pour les fréquences et la compléter par des pourcentages.

Fiche 14 Caractéristiques d'une série statistique

• Moyenne $= \dfrac{\text{somme des valeurs}}{\text{effectif total}}$

Exemple 1 : La moyenne m_1 des six notes suivantes 7 ; 8,5 ; 10 ; 12 ; 14,5 ; 16 est $m_1 = \dfrac{33}{3} = 11$.

Exemple 2 : La moyenne m_2 des sept notes suivantes :

Note	8	9	10	11	14
Effectif	1	1	1	2	2

est

$$m_2 = \frac{8 \times 1 + 9 \times 1 + 10 \times 1 + 11 \times 2 + 14 \times 2}{1 + 1 + 1 + 2 + 2} = \frac{77}{7} = 11.$$

• La **médiane** d'une série ordonnée est un nombre M tel que **au moins la moitié** des valeurs sont **inférieures ou égales** à M et **au moins la moitié** des valeurs sont **supérieures ou égales** à M.

Exemple : • La médiane M de la série :

7 – 8 – 10 – 13 – 15 – 15 – 17

est le 4e nombre : M = 13.

• L'**étendue** d'une série est la différence entre la plus grande et la plus petite des valeurs.

53 Ce tableau donne la répartition des salaires dans une entreprise.

Salaire (en €)	1 100	1 500	1 800	2 000	5 000
Effectif	1	2	4	2	1

a. Calculer le salaire moyen. Peut-on penser qu'il reflète bien les salaires dans cette entreprise ?

b. Déterminer le salaire médian.

c. Calculer l'étendue des salaires.

54 Voici les notes obtenues à l'ASSR2 par les 30 élèves d'une classe de 3e.

16	15	10	12	13	15	17	18	19	20
11	9	13	15	16	15	18	14	12	10
17	18	15	14	10	9	14	16	17	19

a. Présenter ces données dans un tableau d'effectifs.

b. Calculer la note moyenne. Donner une valeur approchée au dixième près.

c. Déterminer la note médiane et l'étendue.

Fiche 15 Utiliser un tableur-grapheur

• On peut réaliser un **diagramme** :

	A	B	C	D	E
1	**Sport pratiqué**	Athlétisme	Équitation	Football	Tennis
2	**Effectif**	7	5	12	6

On sélectionne la plage A1:E2 et on choisit le type de diagramme que l'on souhaite insérer :

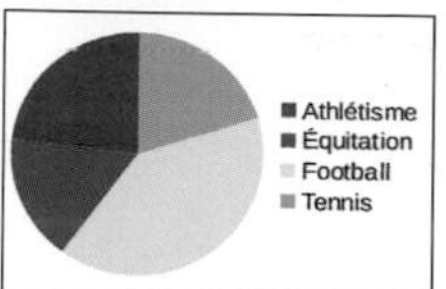

Diagramme de type secteur

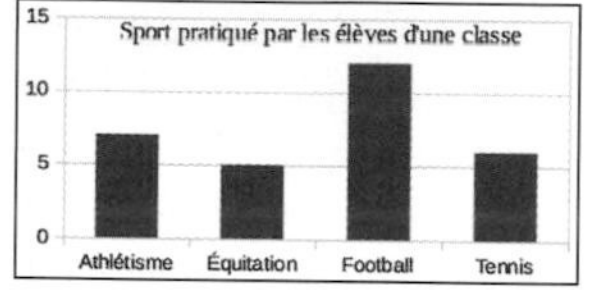

Diagramme de type colonne

• On peut calculer des caractéristiques.
Âges des joueuses d'une équipe de handball.

	A	B	C	D	E	F	G	H	I	J
1	29	39	31	33	29	18	24	23	27	29
2	25	20	31	36	19	27	31	27	27	22
3	38	24	23	39	24	28	31	28	30	26
4	âge moyen		27,93		âge médian		27,5	étendue		21

On peut déterminer :
• l'âge moyen en saisissant la formule =MOYENNE(A1:J3) ;
• l'âge médian en saisissant la formule =MEDIANE(A1:J3) ;
• l'étendue en saisissant la formule =MAX(A1:J3)-MIN(A1:J3) .

55 Ce tableau donne les réponses d'un panel de personnes à la question : « Quelle est votre saison préférée ? ».

Saison	Printemps	Été	Automne	Hiver
Effectif	45	37	12	30

1. Saisir ces données dans une feuille de calcul.

2. Représenter ces données par un diagramme :
a. circulaire (de type secteur) ;
b. en barres (de type colonne).

56 Voici les tailles, en m, des 30 joueurs de l'équipe de France de football 2014.

	A	B	C	D	E	F	G	H	I	J
1	1,73	1,75	1,81	1,85	1,87	1,87	1,85	1,8	1,75	1,72
2	1,72	1,75	1,78	1,84	1,87	1,88	1,88	1,86	1,84	1,76
3	1,76	1,83	1,86	1,92	1,67	1,75	1,7	1,75	1,78	1,91
4										
5	moyenne			médiane				étendue		

a. Saisir ces données dans une feuille de calcul.
b. Saisir les formules permettant d'obtenir la moyenne, la médiane et l'étendue de cette série.

Fiche 16 Puissances d'un nombre relatif

• a désigne un nombre relatif et n un nombre entier. Pour $n \geqslant 2$, $a^n = \underbrace{a \times a \times \ldots \times a}_{n \text{ facteurs}}$;

$a^1 = a$ et si $a \neq 0$, $a^0 = 1$.
$a^2 = a \times a$ se lit « a au carré »,
$a^3 = a \times a \times a$ se lit « a au cube ».
Si $a \neq 0$, $a^{-n} = \frac{1}{a^n}$.

Exemples : • $3^4 = 3 \times 3 \times 3 \times 3 = 81$
• $(-2)^2 = -2 \times (-2) = 4$ • $5^{-3} = \frac{1}{5^3} = \frac{1}{125}$
• $(-4)^{-3} = \frac{1}{(-4)^3} = -\frac{1}{64}$

• **Puissances de 10**
• Pour $n \geqslant 2$, $10^n = \underbrace{10 \times 10 \times \ldots \times 10}_{n \text{ facteurs}} = 1\underbrace{0 \ldots 0}_{n \text{ zéros}}$

$10^1 = 10$ **et** $10^0 = 1$
$10^3 = 1\,000$; $10^6 = 1$ million ; $10^9 = 1$ milliard
• Pour $n \geqslant 0$, $10^{-n} = \frac{1}{10^n} = \frac{1}{1\underbrace{0 \ldots 0}_{n \text{ zéros}}} = \underbrace{0{,}0 \ldots 0}_{n \text{ zéros}}1$

$10^{-3} = 0{,}001 = 1$ millième ;
$10^{-6} = 1$ millionième ;
$10^{-9} = 1$ milliardième.

57 Calculer mentalement.
a. 2^3 **b.** $(-1)^4$ **c.** 3^3 **d.** $(-5)^3$ **e.** $(-0{,}6)^2$ **f.** 0^7

58 Calculer à la main, puis vérifier à la calculatrice.
a. -2^3 **b.** $(-2)^3$ **c.** -5^2 **d.** $(-5)^2$ **e.** $(-1)^{10}$ **f.** -1^{10}

59 Recopier et compléter.
a. $6^{-2} = \frac{1}{6^{\cdots}} = \frac{1}{\ldots}$ **b.** $2^{-5} = \frac{1}{2^{\cdots}} = \frac{1}{\ldots}$

60 Exprimer chaque nombre sous forme d'une puissance de 10.
a. 10 000 **b.** Cent milliards **c.** Le cube de 100
d. $\frac{1}{100}$ **e.** Dix millionièmes **f.** Le carré de 0,01

61 Donner l'écriture décimale de chaque nombre.
a. 42×10^3 **b.** $0{,}5 \times 10^4$ **c.** $24{,}5 \times 10^2$
d. 51×10^{-3} **e.** $0{,}5 \times 10^{-2}$ **f.** 524×10^{-5}

Fiche 17 Équations

• Une **équation** est une égalité dans laquelle figurent un ou plusieurs nombres inconnus, désignés par des lettres.

Exemple : L'égalité $2x + 3 = 4x - 5$ est une équation du 1er degré d'inconnue x.

• Une valeur de x pour laquelle l'égalité est vraie est **une solution** de l'équation.

Exemple : Le nombre 4 est une solution de l'équation $2x + 3 = 4x - 5$.
En effet, pour $x = 4$, $2x + 3 = 2 \times 4 + 3 = 11$
et $4x - 5 = 4 \times 4 - 5 = 11$.

• **Résoudre** une équation, c'est trouver toutes ses solutions.

• À partir d'une égalité, on peut :
– **additionner** (ou **soustraire**) un **même nombre** à chacun de ses membres ;
– **multiplier** (ou **diviser**) par un **même nombre** non nul chacun de ses membres.

Exemple : Résolution de l'équation :

$$4x + 1 = 2x - 3$$
$$-2x \qquad 4x - 2x + 1 = -3 \qquad -2x$$
$$2x + 1 = -3$$
$$-1 \qquad 2x = -3 - 1 \qquad -1$$
$$2x = -4$$
$$:2 \qquad x = -4 : 2 = -2 \qquad :2$$

L'équation $4x + 1 = 2x - 3$ a donc pour solution -2.

62 Dans chaque cas, dire si le nombre donné est une solution de l'équation $3x - 5 = 5x - 9$.
a. 0 **b.** -2 **c.** $-1{,}5$ **d.** 2

63 Dans chaque cas, dire si $\frac{1}{2}$ est une solution ou non de l'équation.
a. $2x = x + \frac{1}{2}$ **b.** $4t^2 = 4$ **c.** $3a + 1 = -5a + 5$

64 Recopier puis compléter les pointillés par les nombres qui conviennent.
a. Si $3x - 5 = 7$, alors $3x = \ldots$ et $x = \ldots$.
b. Si $\frac{1}{3}x + 3 = -9$, alors $\frac{1}{3}x = \ldots$ et $x = \ldots$.

65 Résoudre chaque équation.
a. $2x + 4 = 5x - 2$ **b.** $12 - x = 18 - 3x$ **c.** $5 - 7x = 0$

Fiche 18 Notion de probabilité

• Une expérience est dite **aléatoire** lorsqu'elle a plusieurs résultats ou issues possibles et que l'on ne peut pas prévoir avec certitude quelle issue se produira.

Exemple : On lance un dé équilibré à six faces et on lit le nombre de points de la face supérieure.
L'expérience a six issues possibles : 1, 2, 3, 4, 5 et 6.
Il y a 1 chance sur 6 d'obtenir chacune des issues, on dit que chaque issue a pour probabilité $\frac{1}{6}$.

• La **probabilité** d'une issue est un nombre **compris entre 0 et 1**. Il peut être donné sous forme fractionnaire ou décimale ou en pourcentage.

• La **somme** des probabilités des issues d'une expérience aléatoire est **égale à 1**.

Exemple : Avec l'exemple ci-contre, la probabilité d'obtenir un nombre multiple de 3 est $\frac{2}{6}$ soit $\frac{1}{3}$.
En effet, il faut obtenir 3 ou 6.
La somme des probabilités des issues est :

$$\frac{1}{6} + \frac{1}{6} + \frac{1}{6} + \frac{1}{6} + \frac{1}{6} + \frac{1}{6} = 6 \times \frac{1}{6} = 1$$

66 Victoire choisit au hasard une carte dans un jeu de 32 cartes.
a. Quel est le nombre d'issues possibles ?
b. Quelle est la probabilité d'obtenir le roi de coeur ?

67 Un sac contient 10 boules blanches et 5 boules noires. On tire au hasard une boule dans ce sac.
Quelle est la probabilité d'obtenir :
a. une boule blanche ? **b.** une boule noire ?

68 **a.** On lance une pièce non truquée.
Quelle est la probabilité d'obtenir Pile ?
b. On lance une pièce truquée pour laquelle la probabilité d'obtenir Face est 0,54.
Quelle est la probabilité d'obtenir Pile ? Expliquer.

69 Quelle est la probabilité de tirer au hasard la boule rouge de ce sac ?
Donner la réponse en pourcentage.

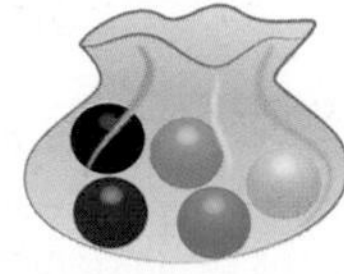

Fiche 19 Périmètres et aires

- **Unités de longueur :** 25 m = 2 500 cm

km	hm	dam	m	dm	cm	mm
		2	5	0	0	

- **Unités d'aire :** 25 m^2 = 250 000 cm^2

km^2		hm^2		dam^2		m^2		dm^2		cm^2		mm^2	
						2	5	0	0	0	0		

1 hm^2 = 1 ha (hectare) 1 dam^2 = 1 a (are)

- **Rectangle**
Périmètre :
$2 \times L + 2 \times \ell$
Aire : $L \times \ell$

- **Carré**
Périmètre : $4 \times c$
Aire : $c \times c = c^2$

- **Triangle rectangle**
Périmètre : $a + b + c$
Aire : $\dfrac{a \times b}{2}$

- **Triangle**
Aire : $\dfrac{c \times h}{2}$

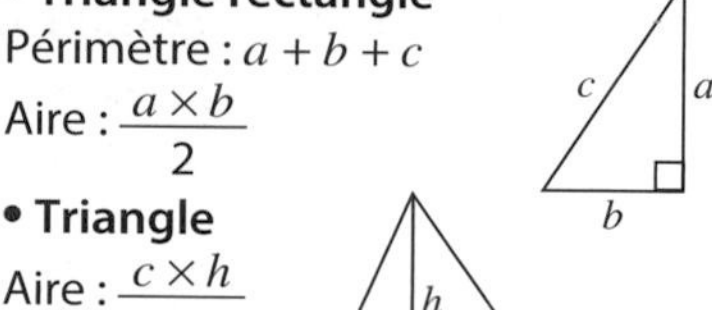

- **Cercle, disque**
Périmètre : $2\pi R$
Aire : πR^2

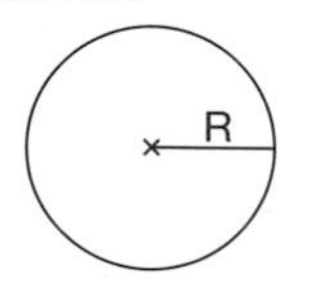

70 Calculer le périmètre et l'aire de la surface représentée ci-contre.

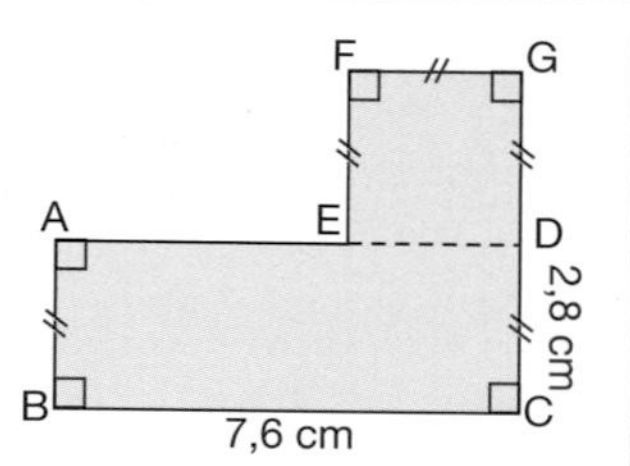

71 Calculer le périmètre et l'aire du triangle rectangle représenté ci-contre.

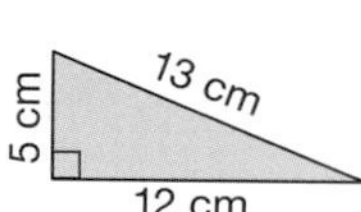

72 Calculer l'aire d'un triangle rectangle dont les côtés mesurent 4,5 cm, 6 cm et 7,5 cm.

73 Calculer l'aire du triangle ABC de deux façons différentes.

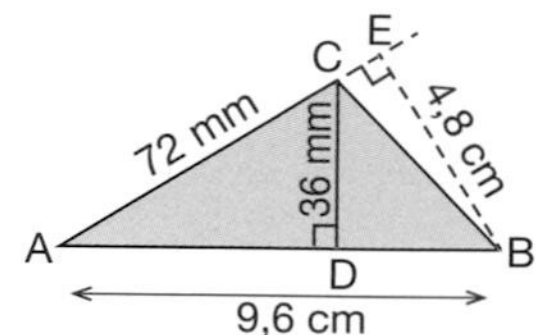

74 **a.** Exprimer, en fonction de π, la valeur exacte du périmètre d'un disque de rayon 3 cm.

b. Avec la touche π de la calculatrice, donner une valeur approchée au dixième près.

75 Donner une valeur approchée au centième près de l'aire, en cm^2, d'un disque de diamètre 5,6 cm.

Fiche 20 Grandeurs produits et grandeurs quotients

- Une **grandeur produit** est obtenue en multipliant deux grandeurs.
Exemple : Énergie électrique : kW × h = kWh
- Une **grandeur quotient** est obtenue en divisant deux grandeurs.
Exemple : Densité de population : hab/km^2

- La **vitesse moyenne** est une grandeur quotient.

$$\text{vitesse} = \frac{\text{distance}}{\text{temps}}$$

Exemple : En parcourant 225 km en 3 h, on roule à la vitesse moyenne de $\dfrac{225 \text{ km}}{3 \text{ h}}$, c'est-à-dire 75 km/h.

76 L'énergie électrique E est égale au produit de la puissance P par la durée t.
Calculer l'énergie produite en 10 min par une éolienne d'une puissance de 3 kW.
Donner la réponse en kWmin, puis en kWh.

77 En 2015, la France métropolitaine comptait 64,4 millions d'habitants pour une superficie de 552 000 km^2. Calculer une valeur approchée à l'unité près de sa densité de population.

78 Paul a mis 2 h 30 min pour parcourir 275 km. Calculer sa vitesse moyenne en km/h.

79 **a.** Léa marche à la vitesse moyenne de 5,4 km/h. Exprimer sa vitesse en m/s.
b. Théo court à la vitesse moyenne de 4 m/s. Exprimer sa vitesse en km/h.

80 Un TGV se déplace à 320 km/h. Calculer la durée en h, min et s d'un trajet de 408 km.

Fiche 21 Représenter l'espace, calculer des volumes

• Parallélépipède rectangle
Il a six faces qui sont des rectangles. Deux faces opposées sont parallèles et de mêmes dimensions.

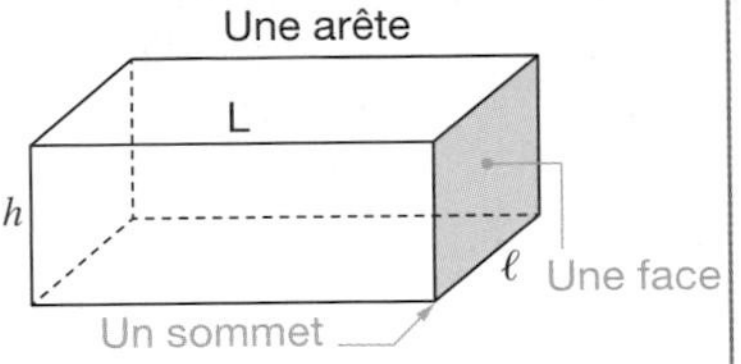

$\mathcal{V} = \text{L} \times \ell \times h$

Un **cube** est un cas particulier : ses six faces sont des carrés de côté c.
$\mathcal{V} = c \times c \times c = c^3$

• Prisme droit
Il a **deux bases** parallèles qui sont deux polygones superposables et des **faces latérales** qui sont des rectangles.

Prisme à base triangulaire

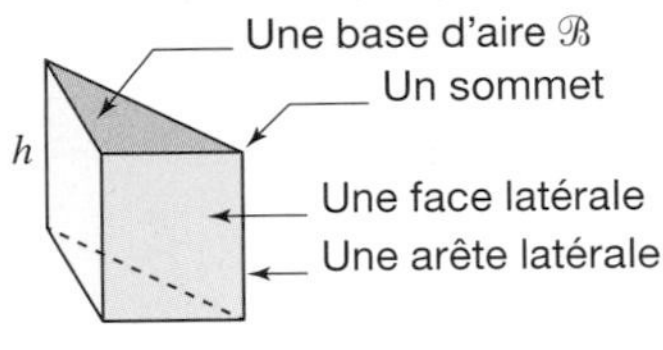

$\mathcal{V} = \mathcal{B} \times h$

• Pyramide
Il a **une base** qui est un polygone et des faces latérales qui sont des triangles.

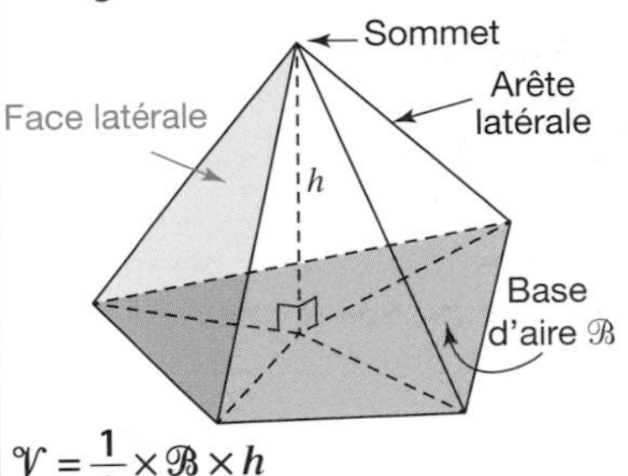

$\mathcal{V} = \frac{1}{3} \times \mathcal{B} \times h$

• Boule
Boule de rayon R :

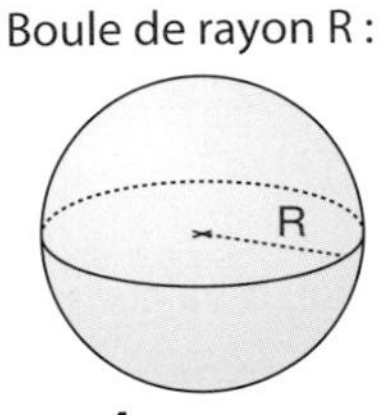

$\mathcal{V} = \frac{4}{3}\pi \text{R}^3$

• Cylindre
Cylindre de rayon R et de hauteur h :

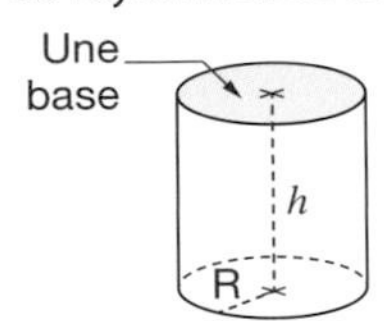

$\mathcal{V} = \pi \text{R}^2 h$

• Cône
Cône de rayon R et de hauteur h :

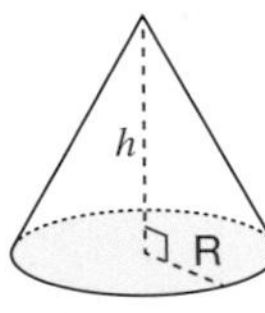

$\mathcal{V} = \frac{1}{3} \times \pi \text{R}^2 h$

• Unités de volume et de contenance : 25 m³ = 25 000 000 cm³ = 25 000 L

		km³			hm³			dam³			m³			dm³			cm³			mm³
												hL	daL	L	dL	cL	mL			
										2	5	0	0	0	0	0	0			

81 Un aquarium a une longueur de 80 cm, une largeur de 30 cm et une hauteur de 35 cm.
a. Calculer son volume en cm³.
b. Combien faut-il verser de litres d'eau pour le remplir ?

82 Calculer le volume de la tente représentée ci-contre.

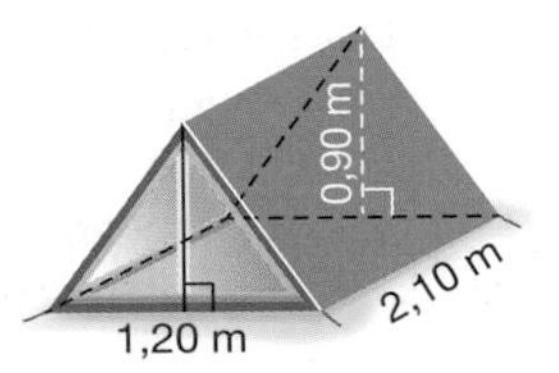

83 Un flacon a la forme d'une pyramide SABCD. La base est un carré dont les diagonales mesurent 12 cm. La hauteur [SH] mesure 12 cm. Calculer la contenance de ce flacon en cL.

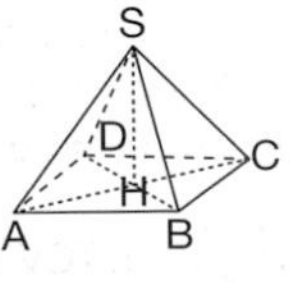

84 Une tour cylindrique est surmontée d'un toit conique. Calculer une valeur approchée à l'unité près du volume, en m³, de cette tour.

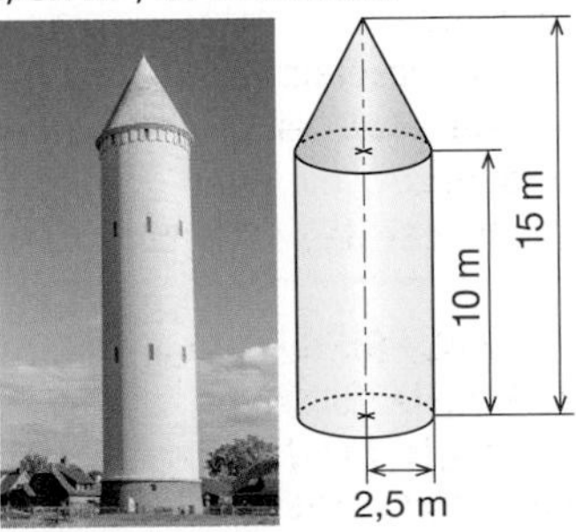

85 Calculer une valeur approchée à l'unité près du volume, en cm³, d'un ballon :
a. de rayon 10 cm ;
b. de diamètre 24 cm ;
c. de circonférence 69 cm.

Fiche 22 Repérage dans l'espace

• **Dans un parallélépipède rectangle**, un repère est formé par trois arêtes ayant un sommet commun appelé **origine du repère**.

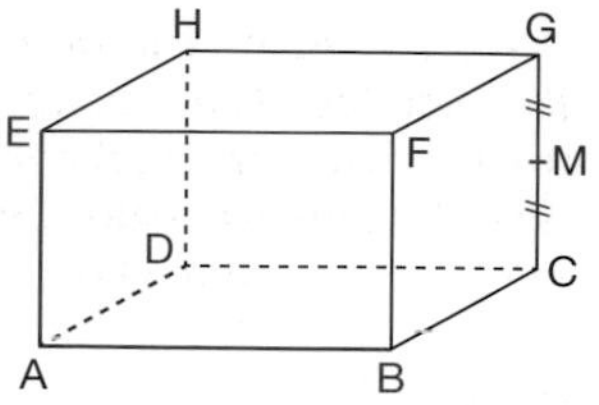

Le repère formé par les arêtes [AB], [AD] et [AE] est noté (A ; B, D, E).
Tout point est repéré par trois nombres : son **abscisse** ; son **ordonnée** ; son **altitude**.
Exemples : Le point B a pour coordonnées (1 ; 0 ; 0).
De même : C (1 ; 1 ; 0) ; D (0 ; 1 ; 0) ; E (0 ; 0 ; 1) ; G (1 ; 1 ; 1) et M (1 ; 1 ; 0,5).

• **Sur la Terre** assimilée à une **sphère**, un point est repéré par ses coordonnées géographiques : sa **longitude** (par rapport au **méridien de Greenwich**) et sa **latitude** (par rapport à l'**équateur**).
Exemples :

Point	Longitude	Latitude
A	0°	0°
P	20° E	0°
M	20° E	45° N

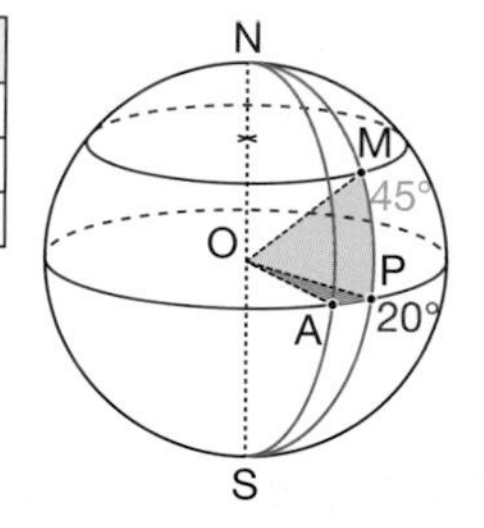

86 On considère le parallélépipède rectangle ci-dessous.

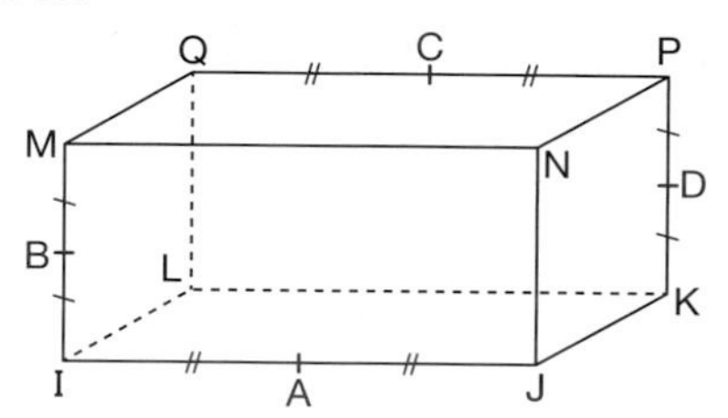

Citer les coordonnées des points A, B, C et D dans le repère (I ; J, L, M).

87 On assimile la Terre à une sphère. On a représenté en gras l'équateur et le méridien de Greenwich.
Donner les coordonnées géographiques des points A, B, C, D, E et F.

Fiche 23 Triangles et droites remarquables

• La **médiatrice** d'un segment est la droite **perpendiculaire** à ce segment en son **milieu**.
Les points situés à égale distance de A et B sont les points de la médiatrice du segment [AB].
Exemple : P appartient à la médiatrice de [AB] lorsque le triangle PAB est isocèle en P.

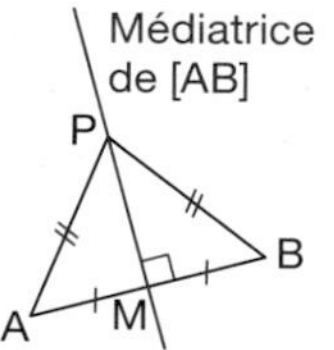

• Une **hauteur** d'un triangle est une droite passant par un **sommet** et **perpendiculaire au côté opposé** à ce sommet.
On appelle aussi hauteur issue de C le segment [CH] et la longueur CH.

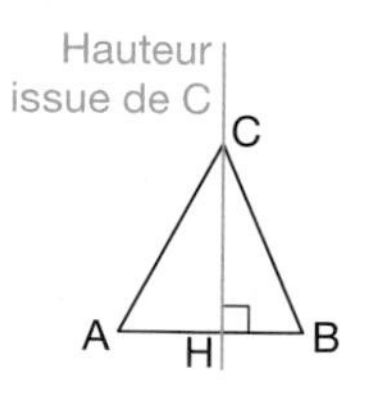

• Dans un triangle ABC, $AC < AB + BC$.
• Lorsque $B \in [AC]$, $AC = AB + BC$.

88 **a.** Tracer un segment [DE] de longueur 7 cm.
b. Construire un triangle équilatéral DEF.

89 **a.** Décrire par une phrase ce que représente chacune des droites (*d*) et (*d'*) sur la figure ci-contre.
b. On nomme K le point d'intersection des droites (*d*) et (*d'*).
Dans le triangle AKC, quelle est la hauteur issue de K ?

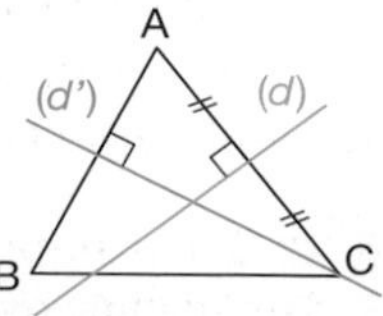

90 Dans un triangle GHI, (*d*) est la médiatrice du segment [GH] et (*d'*) est la hauteur issue de I.
Que peut-on dire des droites (*d*) et (*d'*) ?

91 Dans chaque cas, dire s'il est possible de placer des points A, B et C avec les mesures données.
Si oui, préciser si les points sont alignés ou non.
a. AB = 9 cm, BC = 7 cm, AC = 5 cm.
b. AB = 6,5 cm, BC = 2,2 cm, AC = 4,3 cm.
c. AB = 2,3 cm, BC = 7 cm, AC = 3,2 cm.

Fiche 24 Angles et parallélisme

• Deux **angles opposés par le sommet** ont le même sommet et des côtés dans le prolongement l'un de l'autre. Ils ont la **même mesure**.
Deux droites sécantes forment deux paires d'angles opposés par le sommet.

Exemple :
$\widehat{AOD} = \widehat{BOC}$
et $\widehat{AOC} = \widehat{BOD}$

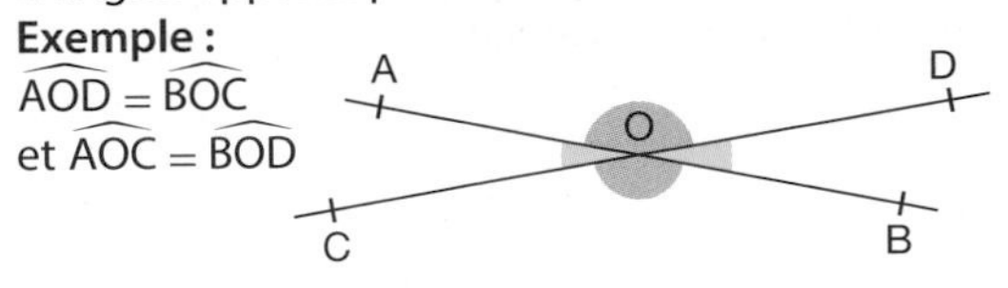

• Deux **angles alternes-internes** sont situés entre deux droites (d) et (d') de part et d'autre d'une droite (Δ) coupant les droites (d) et (d').
• Ils ont la **même mesure** uniquement si les droites (d) et (d') sont **parallèles**.

Exemple :
$\widehat{ABC} = \widehat{BCD}$
uniquement si
$(d) // (d')$

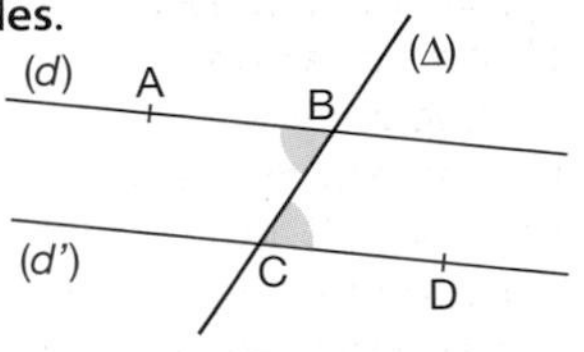

92 Sur la figure ci-dessous, citer :

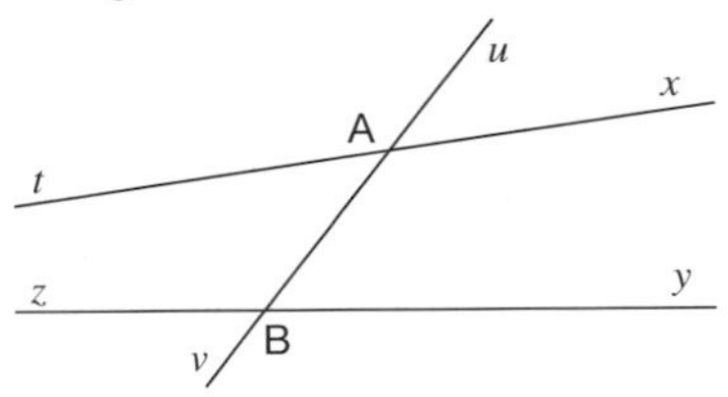

a. deux paires d'angles opposés par le sommet ;
b. deux paires d'angles alternes-internes.

93 Sur la figure ci-contre, les droites (AB) et (CD) sont parallèles.
Les points F, H, G et E sont alignés.
Déterminer la mesure de :

a. $\widehat{DHG}$ **b.** $\widehat{CHF}$
c. $\widehat{DHF}$ **d.** $\widehat{BGE}$

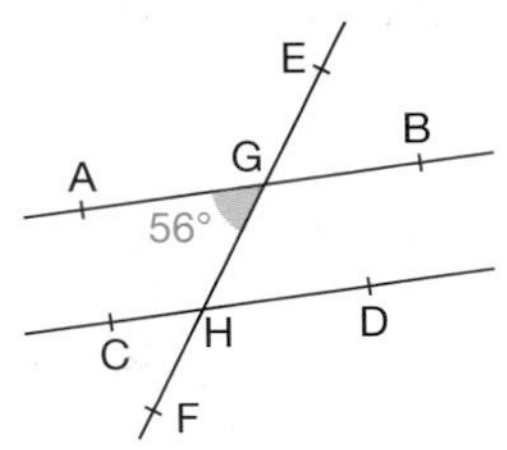

Fiche 25 Angles d'un triangle

• La **somme** des mesures des trois angles d'un triangle est égale à **180°**.
$\widehat{CAB} + \widehat{ABC} + \widehat{BCA} = 180°$

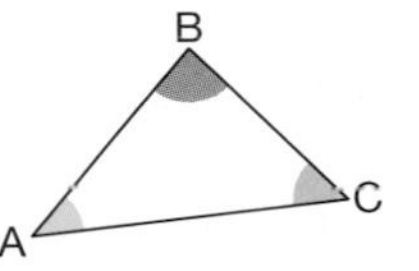

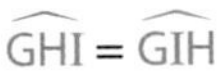

• Dans un **triangle rectangle**, la somme des mesures des deux angles aigus est égale à 90°.
$\widehat{DFE} + \widehat{FED} = 90°$

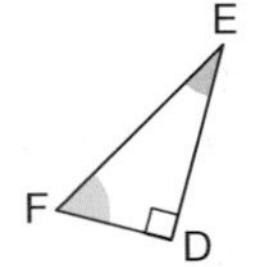

• Dans un **triangle isocèle**, les deux angles à la base ont la même mesure.
$\widehat{GHI} = \widehat{GIH}$

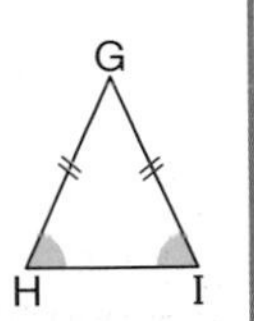

• Dans un **triangle équilatéral**, les angles ont la même mesure : chacun d'eux mesure 60°.
$\widehat{KJL} = \widehat{LKJ} = \widehat{JLK} = 60°$

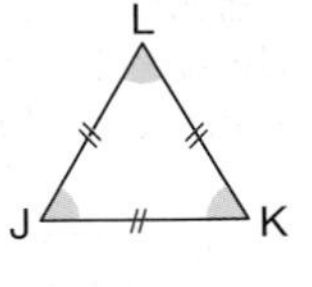

94 ABC est un triangle tel que :
$$\widehat{ABC} = 16° \text{ et } \widehat{BCA} = 56°.$$
Calculer la mesure de l'angle $\widehat{BAC}$.

95 Sur cette figure à main levée, les droites (EF) et (GH) se coupent en I.

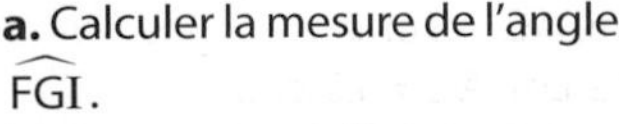

a. Calculer la mesure de l'angle $\widehat{FGI}$.

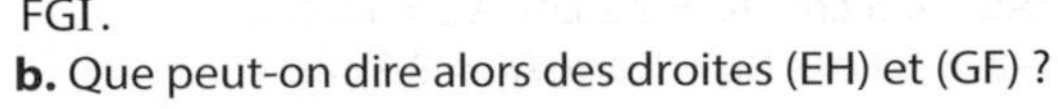

b. Que peut-on dire alors des droites (EH) et (GF) ?

96 DEF est un triangle rectangle en D tel que $\widehat{DEF} = 23°$. Calculer la mesure de l'angle $\widehat{EFD}$.

97 ISO est un triangle isocèle tel que $\widehat{ISO} = 32°$.
Calculer la mesure de chacun des angles $\widehat{SIO}$ et $\widehat{IOS}$ lorsque le triangle est isocèle : **a.** en I ; **b.** en S.

98 Que peut-on dire :
a. d'un triangle rectangle ayant un angle de 45° ?
b. d'un triangle isocèle ayant un angle de 60° ?

Fiche 26 Le théorème de Pythagore et sa réciproque

• **Le théorème de Pythagore**
Si ABC est un triangle rectangle en A, alors $BC^2 = AB^2 + AC^2$.
Exemple :
ABC est un triangle rectangle en A tel que AB = 7,7 cm et AC = 3,6 cm. D'après le théorème de Pythagore : $BC^2 = AB^2 + AC^2$.
D'où $BC^2 = 7{,}7^2 + 3{,}6^2$.
$BC^2 = 72{,}25$, donc $BC = \sqrt{72{,}25}$. Avec la touche $\sqrt{\ }$ de la calculatrice, on trouve BC = 8,5 cm.

• **La réciproque**
Si, dans un triangle DEF, on a $DE^2 = FD^2 + FE^2$, alors le triangle DEF est rectangle en F.
Exemple :
DEF est un triangle tel que DE = 4 cm, DF = 2,4 cm et EF = 3,2 cm.
$4^2 = 16$; $2{,}4^2 = 5{,}76$ et $3{,}2^2 = 10{,}24$.
$5{,}76 + 10{,}24 = 16$, ainsi $DE^2 = FD^2 + FE^2$.
D'après la réciproque du théorème de Pythagore, le triangle DEF est rectangle en F.

99 **a.** Construire un triangle ABC rectangle en A tel que AB = 8,4 cm et AC = 3,5 cm.
b. Calculer la longueur BC.

100 **a.** Construire un triangle MNO rectangle en N tel que MN = 4,5 cm et MO = 7 cm.
b. Calculer la longueur NO, en cm. Donner une valeur approchée au dixième près.

101 DEF est un triangle tel que :
DE = 3,5 cm, DF = 2,1 cm et EF = 2,8 cm.
Prouver que le triangle DEF est rectangle.

102 KLM est un triangle tel que KL = 48 mm, LM = 73 mm et KM = 55 mm. Maria remarque que $55^2 \neq 73^2 + 48^2$ et affirme que le triangle KLM n'est pas rectangle. A-t-elle raison ?

Fiche 27 Quadrilatères

• Un **parallélogramme** est un quadrilatère qui a ses côtés opposés parallèles.

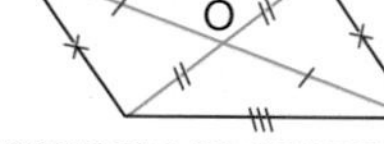

Les diagonales d'un parallélogramme se coupent en leur milieu.

• Un **losange** est un parallélogramme qui a deux côtés consécutifs de même longueur.

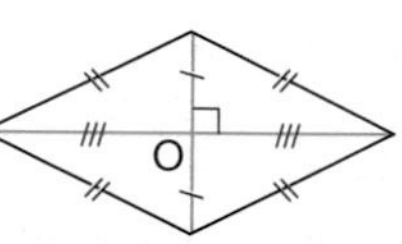

Les diagonales d'un losange se coupent en leur milieu et sont perpendiculaires.

• Un **rectangle** est un parallélogramme qui a un angle droit.

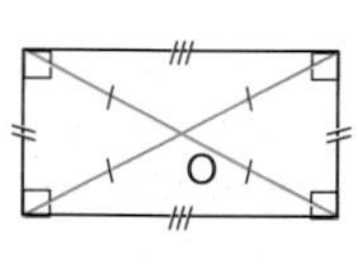

Les diagonales d'un rectangle se coupent en leur milieu et ont la même longueur.

• Un **carré** est un parallélogramme qui est à la fois un losange et un rectangle.

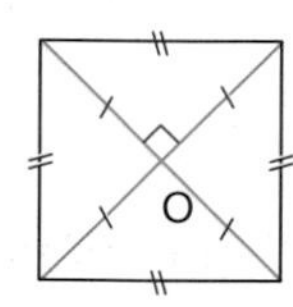

Les diagonales d'un carré se coupent en leur milieu, sont perpendiculaires et ont la même longueur.

103 ABCD est un parallélogramme de centre O tel que AB = 3 cm, AD = 1,5 cm, AC = 4,2 cm, OD = 1,1 cm.

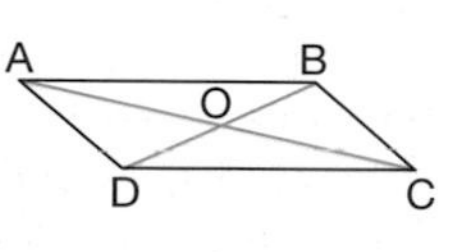

Dans chaque cas, donner la longueur demandée en justifiant la réponse :
a. BC **b.** DC **c.** AO **d.** BD

104 **a.** Construire un losange IJKL de centre O tel que IK = 6,4 cm et JL = 4,2 cm.
b. Donner la mesure de l'angle $\widehat{KOJ}$. Justifier.
c. Calculer la longueur IO. Justifier.

105 Construire un rectangle ANGE de centre L tel que AG = 7 cm et $\widehat{ALE} = 56°$.

106 Dans chaque cas, donner la nature du quadrilatère en expliquant.
a. CASE est un parallélogramme de centre I tel que $\widehat{CIA} = 90°$.
b. PAGE est un parallélogramme tel que PG = AE.
c. MOTS est un rectangle qui a des diagonales perpendiculaires.
d. AIDE est un losange tel que $\widehat{AID} = 90°$.

Fiche 28 Symétries

• **Symétrie axiale**
Deux figures sont symétriques par rapport à une droite (d) lorsqu'elles se superposent par pliage autour de la droite (d).
Le symétrique de M par rapport à (d) est le point M′ tel que (d) soit la médiatrice de [MM′].
Si $P \in (d)$ alors P = P′.

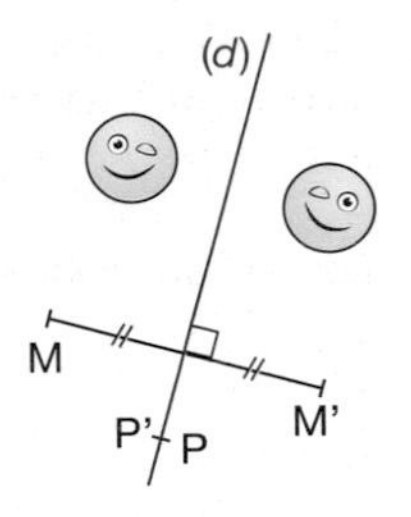

• **Symétrie centrale**
Deux figures sont symétriques par rapport à un point O lorsqu'elles se superposent par demi-tour autour du point O.
Le symétrique de M par rapport à O est le point M′ tel que O soit le milieu de [MM′].

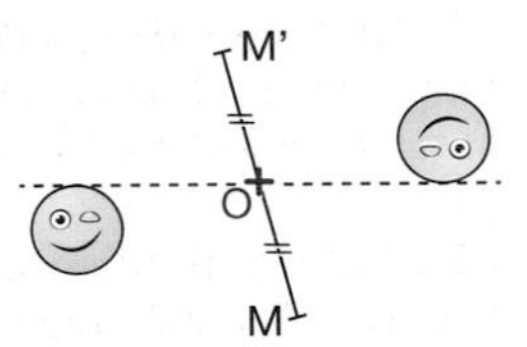

• Les **symétries conservent** les longueurs, l'alignement, les mesures d'angles et les aires.

107 **a.** Construire un triangle ABC tel que :
AB = 3 cm, AC = 4 cm, $\widehat{BAC} = 110°$.
b. Placer les points I et J milieux respectifs des segments [AC] et [BC].
c. Construire les symétriques A′, B′ et C′ des points A, B et C par rapport à la droite (IJ).
d. Sans règle graduée ni rapporteur, donner les longueurs A′B′ et A′C′ et la mesure de l'angle $\widehat{B'A'C'}$.
Citer les propriétés justifiant les réponses précédentes.

108 Sur papier uni, tracer une droite (d) et placer un point O n'appartenant pas à (d). Construire la droite (d') symétrique de la droite (d) par rapport au point O. Que peut-on dire des droites (d) et (d') ?

109 **a.** Construire un triangle DEF tel que :
DE = 7 cm, DF = 3,5 cm, EF = 5,5 cm.
b. Placer le point O sur [DE] tel que EO = 3 cm et construire le symétrique de DEF par rapport à O.

Fiche 29 Translations et rotations

• Une **translation** permet de faire glisser une figure parallèlement à une droite sans la déformer ni la retourner.
(AA′) // (BB′) et AA′ = BB′.

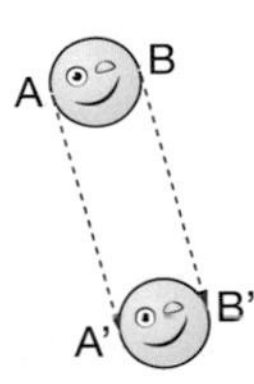

• Une **rotation de centre O et d'angle** a permet de faire tourner une figure autour du point **O** dans le sens de la flèche d'un angle a sans la déformer.

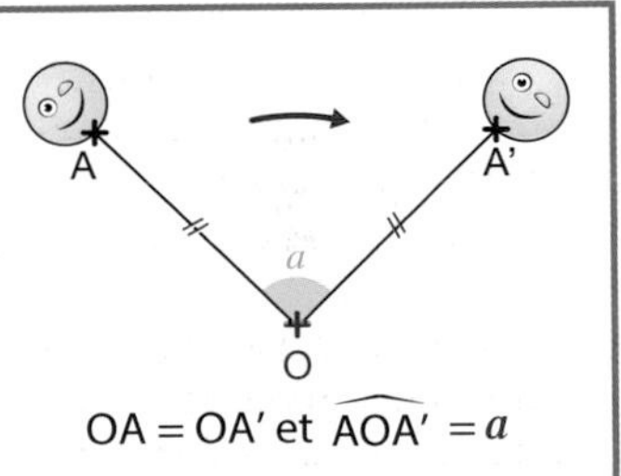

OA = OA′ et $\widehat{AOA'} = a$

• Les **translations** et les **rotations conservent** les longueurs, l'alignement, les mesures d'angles, les aires.

110 Dans chaque cas, dire si l'on passe de la figure 1 à la figure 2 par une translation ou par une rotation.

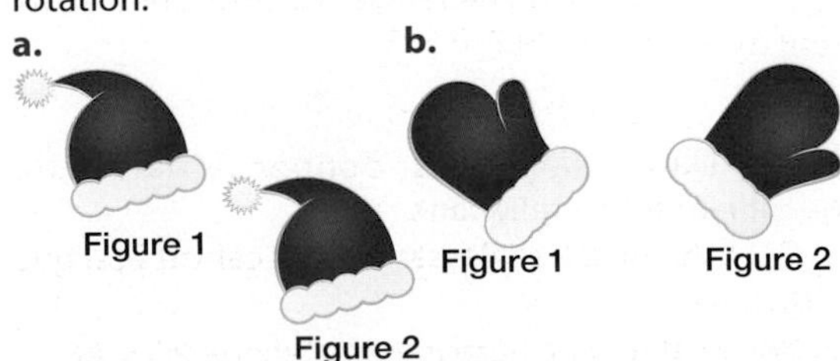

111 Tracer un rectangle ABCD tel que AB = 5 cm et AD = 3 cm. Construire le rectangle obtenu par la translation qui transforme A en C.

112 Reproduire la figure ci-dessous sur papier quadrillé, puis construire le drapeau obtenu par :
a. la translation qui transforme A en B ;
b. la rotation de centre A et d'angle 90° dans le sens contraire des aiguilles d'une montre ;
c. la rotation de centre C et d'angle 90° dans le sens des aiguilles d'une montre.

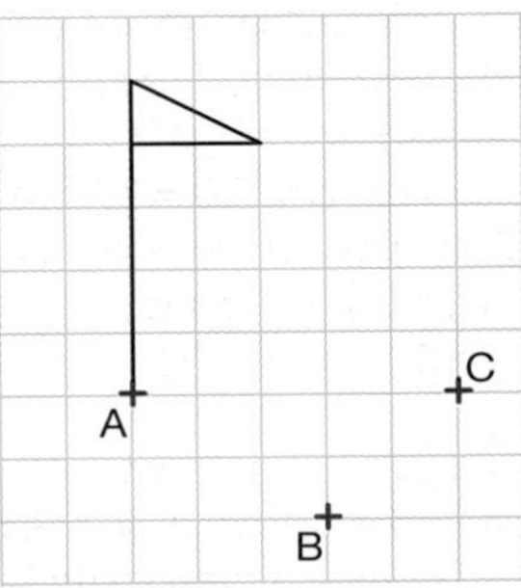

Fiche 30 Variables dans un programme

• Dans un programme, une variable peut être assimilée à une boîte. Cette boîte est repérée par son nom et son contenu évolue lors du déroulement du programme.

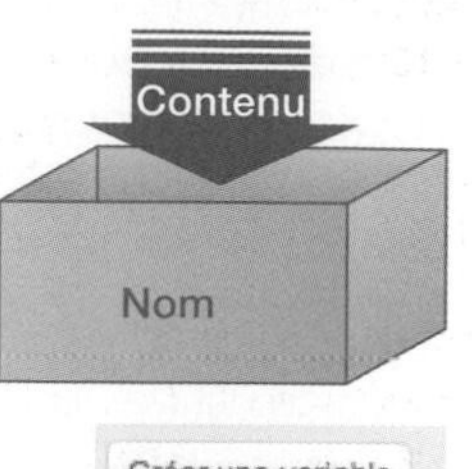

• Dans la plupart des langages, les variables doivent être créées ou déclarées.

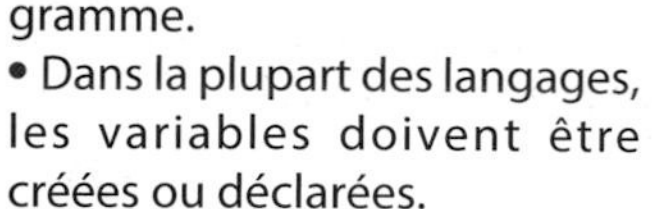

```
Créer une variable
☑ Compteur
☑ Prénom
```

• Le contenu d'une variable peut être saisi au clavier par l'utilisateur.

```
demander [Quel est ton prénom ?] et attendre
mettre Prénom à réponse
```

• Une variable est souvent initialisée au début du programme.

```
mettre Compteur à 0
```

• Au cours du programme, le contenu d'une variable peut être modifié.

```
ajouter à Compteur 1
```

113 Voici un programme écrit avec le langage Scratch.
Pour chacune des valeurs de A saisie au début du programme, donner la valeur de B énoncée par le lutin à la fin du programme.

```
quand [drapeau] cliqué
demander [Donner la valeur de A] et attendre
mettre A à réponse
ajouter à A 10
mettre B à 3 * A
dire B
```

a. 2 **b.** 15 **c.** 0 **d.** – 10

114 Voici un programme de calcul écrit avec le langage Scratch.
Exprimer le résultat de ce calcul en fonction du nombre X donné au début du programme.

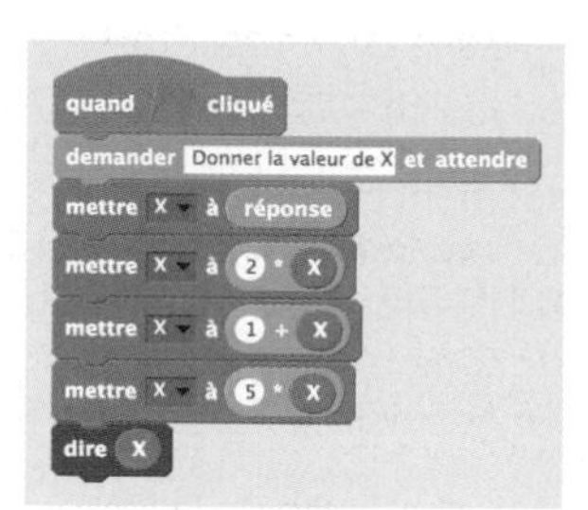

Fiche 31 Instructions conditionnelles et boucles

• « **Si** condition **alors** instructions » permet d'exécuter certaines instructions lorsqu'une condition est vraie.

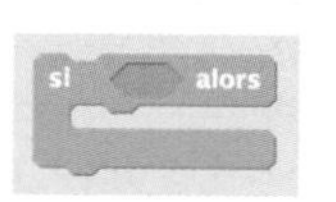

• « **Si** condition **alors** instructions **sinon** instructions » prévoit de plus les instructions à appliquer lorsque la condition est fausse.

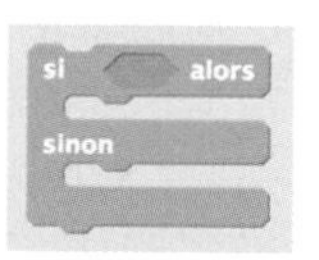

• Une boucle permet de répéter des instructions :
– soit un nombre de fois prévu à l'avance ;

```
répéter ( ) fois
```

– soit jusqu'à ce qu'une condition soit vraie.

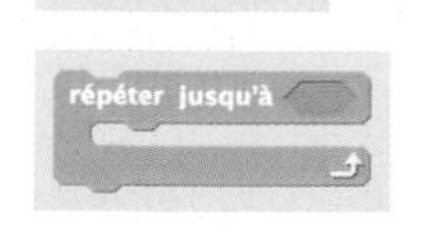

115 Voici un programme écrit avec le langage Scratch.
a. Saisir et tester ce programme.
b. Expliquer son rôle.

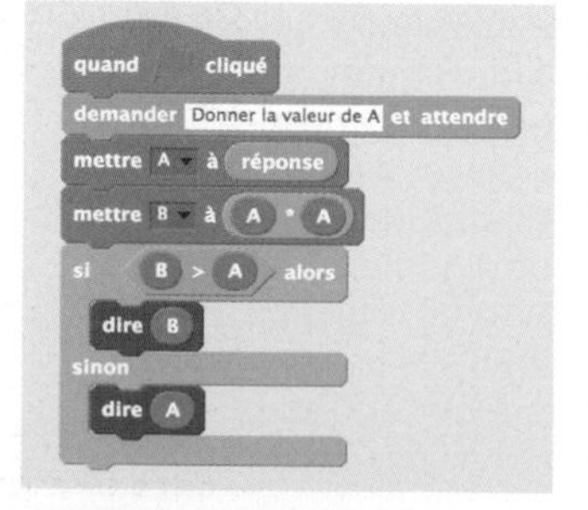

116 Laura a écrit un programme afin d'obtenir tous les multiples de 5 de 0 jusqu'à 100. Le voici :
a. Compléter le programme de Laura.
b. Saisir et tester le programme obtenu.

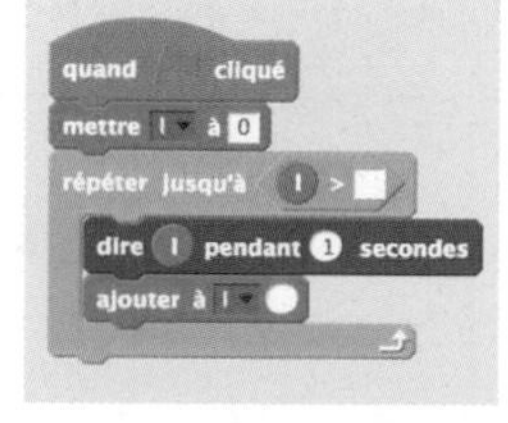

CHAPITRE

1 Effectuer des calculs numériques

Vu au Cycle 4

1 c. 2 b.

3 b. et c. 4 a., b. et c.

5 b.

J'applique le cours

2 $149{,}597 \times 10^6 = 1{,}495\,97 \times 10^2 \times 10^6$
$= 1{,}495\,97 \times 10^8$

3 $5974 \times 10^{21} = 5{,}974 \times 10^3 \times 10^{21}$
$= 5{,}974 \times 10^{24}$

4 $0{,}000\,125 = 1{,}25 \times 10^{-4}$

5 $70 \times 10^{-3} = 7 \times 10^1 \times 10^{-3} = 7 \times 10^{-2}$

6 $66\,627\,602 = 6{,}662\,760\,2 \times 10^7$

7 **a.** La notation scientifique de 28×10^5 est $2{,}8 \times 10^6$.
b. Le nombre est en notation scientifique.
c. La notation scientifique de $0{,}861 \times 10^2$ est $8{,}61 \times 10^1$.
d. Le nombre est en notation scientifique.
e. Le nombre est en notation scientifique.
f. La notation scientifique de $8{,}4 \times 10^5 \times 10^{-2}$ est $8{,}4 \times 10^3$.

8 **a.** $2{,}5 \times 10^{-7}$ **b.** $5{,}87 \times 10^8$

9 $0{,}034 \times 10^{-5} = 3{,}4 \times 10^{-2} \times 10^{-5}$
$= 3{,}4 \times 10^{-7}$,
donc William a tort.

Je m'entraîne

30 **a.** $(10^5)^2 = (10 \times 10 \times 10 \times 10 \times 10)^2$
$= (10 \times 10 \times 10 \times 10 \times 10)$
$\times (10 \times 10 \times 10 \times 10 \times 10) = 10^{10}$
b. $(10^{-3})^4 = \left(\frac{1}{10 \times 10 \times 10}\right) \times \left(\frac{1}{10 \times 10 \times 10}\right)$
$\times \left(\frac{1}{10 \times 10 \times 10}\right) \times \left(\frac{1}{10 \times 10 \times 10}\right)$
$= \frac{1}{10^{12}} = 10^{-12}$
c. $(10^2)^3 \times (10^{-3})^2 = (10 \times 10)^3 \times \left(\frac{1}{10 \times 10 \times 10}\right)^2$
$= (10 \times 10) \times (10 \times 10) \times (10 \times 10)$
$\times \left(\frac{1}{10 \times 10 \times 10}\right) \times \left(\frac{1}{10 \times 10 \times 10}\right) = 10^0$

33 **a.** $7^4 \times 7^3 \times 7^{-1}$
$= (7 \times 7 \times 7 \times 7) \times (7 \times 7 \times 7) \times \frac{1}{7} = 7^6$
b. $3^{-2} \times 3^8 \times 3^{-10}$
$= \frac{1}{3 \times 3} \times 3 \times 3 \times 3 \times 3 \times 3 \times 3 \times 3 \times 3$
$\times \frac{1}{3 \times 3 \times 3 \times 3 \times 3 \times 3 \times 3 \times 3 \times 3 \times 3}$
$= \frac{1}{3^4} = 3^{-4}$

69 **a.** La notation scientifique de 0,000 232 est $2{,}32 \times 10^{-4}$. Donc un ordre de grandeur de la dimension, en m, d'un grain de sable est 2×10^{-4}, ou encore 10^{-4}.
b. 6 690 nm = $6\,690 \times 10^{-9}$ m
$6\,690 \times 10^{-9} = 6{,}69 \times 10^3 \times 10^{-9}$
$= 6{,}69 \times 10^{-6}$
Donc un ordre de grandeur de la dimension, en m, du fil d'une toile d'araignée est 7×10^{-6} ou encore 10^{-5}.
c. 0,27 µm = $0{,}27 \times 10^{-6}$ m
$0{,}27 \times 10^{-6} = 2{,}7 \times 10^{-1} \times 10^{-6} = 2{,}7 \times 10^{-7}$
Donc un ordre de grandeur de la dimension, en m, d'une particule de fumée de tabac est 3×10^{-7} ou encore 10^{-7}.
d. $50 \times 10^{-9} = 5 \times 10^1 \times 10^{-9} = 5 \times 10^{-8}$
Donc un ordre de grandeur de la dimension, en m, d'une nanobactérie est 5×10^{-8} ou encore 10^{-7}.
e. $1\,750 \times 10^{-10} = 1{,}75 \times 10^3 \times 10^{-10}$
$= 1{,}75 \times 10^{-7}$
Donc un ordre de grandeur de la dimension, en m, du virus de la varicelle est 2×10^{-7} ou encore 10^{-7}.
f. $0{,}07 \times 10^{-6} = 7 \times 10^{-2} \times 10^{-6} = 7 \times 10^{-8}$
Donc un ordre de grandeur de la dimension du virus de la gastro-entérite, en m, est 7×10^{-8} ou encore 10^{-7}.

71 $3 + 2^4 = 3 + 16 = 19$
$10 + 3^2 = 10 + 9 = 19$
$2 \times 5^2 = 2 \times 25 = 50$
$-6^2 = -6 \times 6 = -36$
$5^2 - 3^2 = 25 - 9 = 16 = 4^2 = 2^4$
$(-2)^4 = 2^4 = 2 \times 2 \times 2 \times 2 = 16$

Je m'évalue à mi-parcours

78 b. 79 a. 80 c. 81 b.

82 a. 83 b. 84 a.

CHAPITRE

2 Utiliser le calcul littéral pour résoudre ou démontrer

Vu au Cycle 4

1 c. 2 b. 3 a. et b. 4 a.

5 a. et c.

J'applique le cours

2 **a.** On écrit les étapes successives du programme de calcul

$-4 \rightarrow -2 \rightarrow 4 \rightarrow -21$

Si l'on choisit -4, le résultat est -21.
b. On note n le nombre choisi au départ.

$n \rightarrow n+2 \rightarrow (n+2)^2 \rightarrow (n+2)^2 - 25$

Le programme donne 0 comme résultat, donc on cherche pour quelles valeurs de n, $(n+2)^2 - 25 = 0$.
On factorise le membre de gauche à l'aide d'une identité remarquable.
$(n+2)^2 - 25 = (n+2)^2 - 5^2$
$(n+2)^2 - 25 = (n+2+5)(n+2-5)$
$(n+2)^2 - 25 = (n+7)(n-3)$
Résoudre l'équation $(n+2)^2 - 25 = 0$ revient à résoudre l'équation :
$(n+7)(n-3) = 0$.
Un produit est nul dans le seul cas où l'un de ses facteurs est nul, c'est-à-dire :
$n + 7 = 0$ ou $n - 3 = 0$
$n = -7$ ou $n = 3$
-7 et 3 sont les solutions de l'équation.
Donc le programme donne 0 si l'on choisit -7 ou 3 comme nombre de départ.

3 On note n le nombre choisi au départ.
Voici les étapes successives du programme de calcul d'Inès.

$n \rightarrow n^2 \rightarrow n^2 - 36$

Le programme donne 0 comme résultat, donc on cherche pour quelles valeurs de n, $n^2 - 36 = 0$.
On factorise le membre de gauche à l'aide d'une identité remarquable.
$n^2 - 36 = n^2 - 6^2$
$n^2 - 36 = (n+6)(n-6)$
Résoudre l'équation $n^2 - 36 = 0$ revient à résoudre l'équation $(n+6)(n-6) = 0$.
Un produit est nul dans le seul cas où l'un de ses facteurs est nul, c'est-à-dire :
$n + 6 = 0$ ou $n - 6 = 0$
$n = -6$ ou $n = 6$
-6 et 6 sont les solutions de l'équation.

Corrigés

Donc le programme donne 0 si on choisit -6 ou 6 comme nombre de départ.
Inès n'a pas choisi le nombre 6, donc elle a choisi -6 comme nombre de départ.

4 **a.** $n^2 - 6n + 9 = 0$
Je reconnais une identité remarquable.
Je factorise : $n^2 - 6n + 9 = (n - 3)^2$
Résoudre l'équation $n^2 - 6n + 9 = 0$ revient à résoudre l'équation $(n - 3)^2 = 0$.
Seul le carré de 0 est égal à 0, donc $n - 3 = 0$ c'est-à-dire $n = 3$.
3 est la solution de l'équation.
b. 3 est un entier positif. Donc l'affirmation de Lou est fausse. En effet, lorsque $n = 3$, $n^2 - 6n + 9 = 0$.

Je m'entraîne

19 • $99 = 100 - 1$, donc $99^2 = (100 - 1)^2$
On utilise l'identité remarquable :
$(a - b)^2 = a^2 - 2ab + b^2$ avec $a = 100$ et $b = 1$.
$(100 - 1)^2 = 100^2 - 2 \times 100 \times 1 + 1^2$
$(100 - 1)^2 = 10\,000 - 200 + 1 = 9\,801$.
Donc $99^2 = 9\,801$.
• $102 = 100 + 2$ et $98 = 100 - 2$
donc $102 \times 98 = (100 + 2) \times (100 - 2)$.
On utilise l'identité remarquable :
$(a + b)(a - b) = a^2 - b^2$ avec $a = 100$ et $b = 2$.
$(100 + 2) \times (100 - 2) = 100^2 - 2^2$
$(100 + 2) \times (100 - 2) = 10\,000 - 4 = 9\,996$
Donc $102 \times 98 = 9\,996$.
• $31 = 30 + 1$, donc $31^2 = (30 + 1)^2$
On utilise l'identité remarquable :
$(a + b)^2 = a^2 + 2ab + b^2$ avec $a = 30$ et $b = 1$.
$(30 + 1)^2 = 30^2 + 2 \times 30 \times 1 + 1^2$
$(30 + 1)^2 = 900 + 60 + 1 = 961$
Donc $31^2 = 961$.

24 On développe à l'aide de la propriété :
$k(a + b) = ka + kb$.
• $A = 3(5 - 4x)$
$A = 3 \times 5 - 3 \times 4x$ soit $A = 15 - 12x$.
• $B = -2(3y - 8)$
$B = -2 \times 3y - (-2) \times 8$ soit $B = -6y + 16$.
• $C = -4(a + 4)$
$C = -4 \times a + (-4) \times 4$ soit $C = -4a - 16$.
• $D = x(3 - x)$
$D = x \times 3 - x \times x$ soit $D = 3x - x^2$.
• $E = t(2t + 5)$
$E = t \times 2t + t \times 5$ soit $E = 2t^2 + 5t$.
• $F = 3y(y - 2)$
$F = 3y \times y - 3y \times 2$ soit $F = 3y^2 - 6y$.

25 On développe à l'aide de la propriété :
$$(a + b)(c + d) = ac + ad + bc + bd.$$
• $G = (x + 7)(x + 3)$
$G = x \times x + x \times 3 + 7 \times x + 7 \times 3$
$G = x^2 + 3x + 7x + 21$
On réduit : $3x + 7x = (3 + 7) \times x = 10x$
Donc $G = x^2 + 10x + 21$.
• $H = (x - 5)(x + 2)$
$H = x \times x + x \times 2 + (-5) \times x + (-5) \times 2$
$H = x^2 + 2x - 5x - 10$.
On réduit : $2x - 5x = (2 - 5) \times x = -3x$
Donc $H = x^2 - 3x - 10$
• $I = (2x + 1)(x - 4)$
$I = 2x \times x + 2x \times (-4) + 1 \times x + 1 \times (-4)$
$I = 2x^2 - 8x + x - 4$
On réduit : $-8x + x = (-8 + 1) \times x = -7x$
Donc $I = 2x^2 - 7x - 4$.
• $J = (x - 3)(3x - 2)$
$J = x \times 3x + x \times (-2) + (-3) \times 3x + (-3) \times (-2)$
$J = 3x^2 - 2x - 9x + 6$
On réduit : $-2x - 9x = (-2 - 9) \times x = -11x$
Donc $J = 3x^2 - 11x + 6$.

27 On développe à l'aide de l'identité remarquable :
$$(a + b)^2 = a^2 + 2ab + b^2$$
• $A = (x + 3)^2$ $a = x$ et $b = 3$
$A = x^2 + 2 \times x \times 3 + 3^2$ soit $A = x^2 + 6x + 9$
• $B = (x + 8)^2$ $a = x$ et $b = 8$
$B = x^2 + 2 \times x \times 8 + 8^2$ soit $B = x^2 + 16x + 64$
• $C = (x + 12)^2$ $a = x$ et $b = 12$
$C = x^2 + 2 \times x \times 12 + 12^2$
soit $C = x^2 + 24x + 144$

28 On développe à l'aide de l'identité remarquable :
$$(a - b)^2 = a^2 - 2ab + b^2$$
• $D = (x - 5)^2$ $a = x$ et $b = 5$
$D = x^2 - 2 \times x \times 5 + 5^2$
soit $D = x^2 - 10x + 25$
• $E = (x - 2)^2$ $a = x$ et $b = 2$
$E = x^2 - 2 \times x \times 2 + 2^2$ soit $E = x^2 - 4x + 4$
• $F = (x - 9)^2$ $a = x$ et $b = 9$
$F = x^2 - 2 \times x \times 9 + 9^2$ soit $F = x^2 - 18x + 81$

29 On développe à l'aide de l'identité remarquable :
$$(a + b)(a - b) = a^2 - b^2$$
• $G = (x + 7)(x - 7)$ $a = x$ et $b = 7$
$G = x^2 - 7^2$ soit $G = x^2 - 49$.
• $H = (x - 6)(x + 6)$ $a = x$ et $b = 6$
$H = x^2 - 6^2$ soit $H = x^2 - 36$

34 On développe à l'aide de l'identité remarquable :
$$(a + b)^2 = a^2 + 2ab + b^2$$
• $A = (2x + 1)^2$ $a = 2x$ et $b = 1$
$A = (2x)^2 + 2 \times 2x \times 1 + 1^2$
$A = 2x \times 2x + 4x + 1$ soit $A = 4x^2 + 4x + 1$
• $B = (3x + 7)^2$ $a = 3x$ et $b = 7$
$B = (3x)^2 + 2 \times 3x \times 7 + 7^2$
$B = 3x \times 3x + 42x + 49$
soit $B = 9x^2 + 42x + 49$.
• $C = (5x + 9)^2$ $a = 5x$ et $b = 9$
$C = (5x)^2 + 2 \times 5x \times 9 + 9^2$
$C = 5x \times 5x + 90x + 81$
soit $C = 25x^2 + 90x + 81$.

35 On développe à l'aide de l'identité remarquable :
$$(a - b)^2 = a^2 - 2ab + b^2$$
• $D = (3x - 5)^2$ $a = 3x$ et $b = 5$
$D = (3x)^2 - 2 \times 3x \times 5 + 5^2$
$D = 3x \times 3x - 30x + 25$
soit $D = 9x^2 - 30x + 25$
• $E = (4x - 3)^2$ $a = 4x$ et $b = 3$
$E = (4x)^2 - 2 \times 4x \times 3 + 3^2$
$E = 4x \times 4x - 24x + 9$
soit $E = 16x^2 - 24x + 9$
• $F = (2x - 0{,}5)^2$ $a = 2x$ et $b = 0{,}5$
$F = (2x)^2 - 2 \times 2x \times 0{,}5 + 0{,}5^2$
$F = 2x \times 2x - 2x + 0{,}25$
soit $F = 4x^2 - 2x + 0{,}25$.

36 On développe à l'aide de l'identité remarquable :
$$(a + b)(a - b) = a^2 - b^2$$
• $G = (4x + 5)(4x - 5)$ $a = 4x$ et $b = 5$
$G = (4x)^2 - 5^2$
$G = 4x \times 4x - 25$ soit $G = 16x^2 - 25$
• $H = (3x - 1)(3x + 1)$ $a = 3x$ et $b = 1$
$H = (3x)^2 - 1^2$
$H = 3x \times 3x - 1$ soit $H = 9x^2 - 1$.

38 On factorise à l'aide de la propriété :
$$ka + kb = k(a + b)$$
• $A = 3x - 3$
$A = 3 \times x - 3 \times 1$
(3 est un facteur commun)
$A = 3 \times (x - 1)$ soit $A = 3(x - 1)$
• $B = 4y + 6$
$B = 2 \times 2y + 2 \times 3$
(2 est un facteur commun)
$B = 2 \times (2y + 3)$ soit $B = 2(2y + 3)$
• $C = 8 + 2n$
$C = 2 \times 4 + 2 \times n$
(2 est un facteur commun)
$C = 2 \times (4 + n)$ soit $C = 2(4 + n)$
• $D = 7x^2 - 5x$
$D = 7x \times x - 5 \times x$
(x est un facteur commun)
$D = x \times (7x - 5)$ soit $D = x(7x - 5)$

• $E = 30a + 36a^2$
$E = 6a \times 5 + 6a \times a$
($6a$ est un facteur commun)
$E = 6a \times (5 + a)$ soit $E = 6a(5 + a)$
• $F = -2x^2 - 2$
$F = -2 \times x^2 + (-2) \times 1$
(-2 est un facteur commun)
$F = -2 \times (x^2 + 1)$ soit $F = -2(x^2 + 1)$

40 On factorise à l'aide d'une identité remarquable.
a. Ici on utilise $a^2 + 2ab + b^2 = (a + b)^2$
$4x^2 + 12x + 9 = (2x)^2 + 2 \times 2x \times 3 + 3^2$.
$a = 2x$ et $b = 3$ donc
$4x^2 + 12x + 9 = (2x + 3)^2$
b. Ici on utilise $a^2 - 2ab + b^2 = (a - b)^2$
$16x^2 - 40x + 25 = (4x)^2 - 2 \times 4x \times 5 + 5^2$.
$a = 4x$ et $b = 5$ donc
$16x^2 - 40x + 25 = (4x - 5)^2$
c. Ici on utilise $a^2 - b^2 = (a + b)(a - b)$
$9x^2 - 64 = (3x)^2 - 8^2$.
$a = 3x$ et $b = 8$ donc
$9x^2 - 64 = (3x + 8)(3x - 8)$
d. Ici on utilise $a^2 - 2ab + b^2 = (a - b)^2$
$49 - 70x + 25x^2 = 7^2 - 2 \times 5x \times 7 + (5x)^2$.
$a = 7$ et $b = 5x$ donc
$49 - 70x + 25x^2 = (7 - 5x)^2$

43 **a.** $5x + 7 = 2x - 2$
On regroupe les termes « en x » dans un membre et les termes « sans x » dans l'autre membre.
$5x + 7 - 2x = 2x - 2 - 2x$
$3x + 7 = -2$
$3x + 7 - 7 = -2 - 7$
$3x = -9$
$\frac{3x}{3} = \frac{-9}{3}$ soit $x = -3$
-3 est la solution de l'équation.
b. $3x + 2 = x - 10$
$3x + 2 - x = x - 10 - x$
$2x + 2 = -10$
$2x + 2 - 2 = -10 - 2$
$2x = -12$
$\frac{2x}{2} = \frac{-12}{2}$ soit $x = -6$
-6 est la solution de l'équation.

57 **a.** $(2x + 7)(3x - 12) = 0$
Un produit est nul dans le seul cas où l'un de ses facteurs est nul, c'est-à-dire :
$2x + 7 = 0$ ou $3x - 12 = 0$
$2x = -7$ ou $3x = 12$
$x = \frac{-7}{2}$ ou $x = \frac{12}{3}$
$x = -3{,}5$ ou $x = 4$
$-3{,}5$ et 4 sont les solutions de l'équation.
b. $(5y - 2)(6y + 9) = 0$
Un produit est nul dans le seul cas où l'un de ses facteurs est nul, c'est-à-dire :
$5y - 2 = 0$ ou $6y + 9 = 0$
$5y = 2$ ou $6y = -9$
$y = \frac{2}{5}$ ou $y = \frac{-9}{6}$
$y = 0{,}4$ ou $y = -1{,}5$
$0{,}4$ et $-1{,}5$ sont les solutions de l'équation.

60 **a.** $x^2 - 5x = 0$
On factorise le membre de gauche.
$x^2 - 5x = x \times x - x \times 5$ (x est un facteur commun).
$x^2 - 5x = x \times (x - 5)$
Résoudre l'équation $x^2 - 5x = 0$ revient à résoudre l'équation $x(x - 5) = 0$.
Un produit est nul dans le seul cas où l'un de ses facteurs est nul, c'est-à-dire :
$x = 0$ ou $x - 5 = 0$
$x = 5$
0 et 5 sont les solutions de l'équation.
b. $6x^2 - 18x = 0$
On factorise le membre de gauche.
$6x^2 - 18x = 6x \times x - 6x \times 3$ ($6x$ est un facteur commun).
$6x^2 - 18x = 6x \times (x - 3)$
Résoudre l'équation $6x^2 - 18x = 0$ revient à résoudre l'équation $6x(x - 3) = 0$.
Un produit est nul dans le seul cas où l'un de ses facteurs est nul, c'est-à-dire :
$6x = 0$ ou $x - 3 = 0$
$x = 0$ $x = 3$
0 et 3 sont les solutions de l'équation.

65 On remplace l'inconnue par -2.
a. Pour $x = -2$:
$1 - 2x = 1 - 2 \times (-2) = 1 + 4 = 5$
$5 > 2$ donc -2 n'est pas solution de l'inéquation.
b. Pour $t = -2$:
• $2t - 3 = 2 \times (-2) - 3 = -4 - 3 = -7$
• $t - 5 = -2 - 5 = -7$
On trouve le même résultat pour les deux membres ; or le symbole d'inégalité de l'inéquation se lit « est strictement supérieur à » donc -2 n'est pas solution de l'inéquation.
c. Pour $x = -2$:
• $4x + 2 = 4 \times (-2) + 2 = -8 + 2 = -6$
• $2x - 3 = 2 \times (-2) - 3 = -4 - 3 = -7$
$-6 > -7$ donc -2 est une solution de l'inéquation.

67 **a.** $x - 3 > 2$
On regroupe les termes « en x » dans un membre et les termes « sans x » dans l'autre membre.
$x - 3 + 3 > 2 + 3$
$x > 5$
Les nombres strictement supérieurs à 5 sont les solutions de l'inéquation.
b. $y + 4 \leqslant 1$
$y + 4 - 4 \leqslant 1 - 4$
$y \leqslant -3$
Les nombres inférieurs ou égaux à -3 sont les solutions de l'inéquation.
c. $2 - x < 5$
$2 - x - 2 < 5 - 2$
$-x < 3$
On multiplie chaque membre par -1, qui est un nombre négatif, donc on change le sens de l'inégalité.
$-x \times (-1) > 3 \times (-1)$
$x > -3$
Les nombres strictement supérieurs à -3 sont les solutions de l'inéquation.

Je m'évalue à mi-parcours

76 b. **77** c. **78** b. **79** a.
80 c. **81** c. **82** a. **83** b.
84 c. **85** b.

Corrigés

CHAPITRE

3 Découvrir et utiliser les nombres premiers

Vu au Cycle 4

1 **a.** et **c.** **2** **a.**, **b.** et **c.**

3 **b.** **4** **a.** et **c.**

5 **a.** **6** **a.**

J'applique le cours

2 La roue A a tourné d'un nombre de dents qui est un multiple de 12 et B a tourné d'un nombre de dents qui est un multiple de 8.
On décompose 12 et 8 en produit de facteurs premiers :

$$12 = 2^2 \times 3 \text{ et } 8 = 2^3$$

On observe que le premier multiple commun non nul à 12 et 8 est obtenu en multipliant 12 par 2 et 8 par 3. Ce multiple commun est donc $2^3 \times 3$.
Ainsi, les roues A et B occuperont à nouveau la même position pour la première fois lorsque A aura fait 2 tours et B, 3 tours.

3 La roue A a tourné d'un nombre de dents qui est un multiple de 15 et B a tourné d'un nombre de dents qui est un multiple de 25.
On décompose 15 et 25 en produit de facteurs premiers :

$$15 = 3 \times 5 \text{ et } 25 = 5^2$$

On observe que le premier multiple commun non nul à 15 et 25 est obtenu en multipliant 15 par 5 et 25 par 3.
Ce multiple commun est donc 3×5^2.
Ainsi, les roues A et B occuperont à nouveau la même position pour la première fois lorsque A aura fait 5 tours et B, 3 tours.

4 **a.** $24 : 4 = 6$ et $36 : 4 = 9$
S'il fait 4 paquets, il y aura 6 pommes et 9 poires dans chaque paquet.
b. $24 = 2^3 \times 3$ et $36 = 2^2 \times 3^2$
c. On observe que dans la décomposition en facteurs premiers de 24 et 36, il y a le produit en commun $2^2 \times 3$. Il pourra donc faire au maximum 12 paquets identiques.

5 Le bus A part toutes les 36 min et le bus B part toutes les 24 min.
On décompose 36 et 24 en produit de facteurs premiers :
$36 = 2^2 \times 3^2$ et $24 = 2^3 \times 3$
On observe que le premier multiple commun non nul à 36 et 24 est obtenu en multipliant 36 par 2 et 24 par 3. Ce multiple commun est donc $2^3 \times 3^2 = 72$.
a. Ainsi, les bus A et B partiront de nouveau en même temps pour la première fois 72 min plus tard, à 8 h 12.
b. Toutes les 72 min, les deux bus partent en même temps. La deuxième fois sera à 9 h 24.
c. 5×72 min $= 360$ min, soit 6 h.
La cinquième fois sera à 13 h.

6 **a.** $16 = 2^4$ et $14 = 2 \times 7$
b. On observe que le premier multiple commun non nul à 16 et 14 est obtenu en multipliant 16 par 7 et 14 par 2^3. Ce multiple commun est donc $2^4 \times 7 = 112$.
Le plus petit carré aura pour côté 112 cm.

Je m'entraîne

26 **a.** 13 est premier, ses diviseurs sont 1 et 13.
b. 18 n'est pas premier : il est divisible par 2.
c. 23 est premier, ses diviseurs sont 1 et 23.
d. 27 n'est pas premier : il est divisible par 3.
e. 51 n'est pas premier : il est divisible par 3.
f. 123 n'est pas premier : il est divisible par 3.

44 **a.** On utilise le fait que $45 = 5 \times 9$ et donc, $45 = 5 \times 3^2$.
b. On utilise le fait que 65 est divisible par 5. $65 = 5 \times 13$.
c. $34 = 2 \times 17$
d. $48 = 2 \times 24 = 2 \times 3 \times 8 = 2^4 \times 3$

52 **1.** Sachant que : $8\,712 = 88 \times 99$
$8\,712 = 8 \times 11 \times 9 \times 11$
$8\,712 = 2^3 \times 11 \times 3^2 \times 11$
D'où $8\,712 = 2^3 \times 3^2 \times 11^2$.
2. a. 6 est un diviseur de 8 712, on le retrouve dans la décomposition en facteurs premiers de 8 712.
b. 33 est un diviseur de 8 712.
c. 8 un diviseur de 8 712.
d. $2^2 \times 3 \times 11$ est un diviseur de 8 712
e. $3^2 \times 11^2$ est un diviseur de 8 712
f. $2^2 \times 7$ n'est pas un diviseur de 8 712, car 7 n'est pas un facteur premier de la décomposition en produit de facteurs premiers.

54 On utilise les critères de divisibilité pour simplifier les fractions :
a. $\frac{60}{40} = \frac{6}{4} = \frac{3}{2}$
b. $\frac{126}{198} = \frac{14}{22} = \frac{7}{11}$
c. $\frac{105}{90} = \frac{21}{18} = \frac{7}{6}$

55 **a.** On cherche les facteurs communs au numérateur et au dénominateur
$\frac{2^3 \times 5 \times 11}{2 \times 3 \times 5^2} = \frac{2^2 \times 11}{3 \times 5} = \frac{44}{15}$
b. $\frac{2^2 \times 3^4 \times 5^2 \times 7}{2^4 \times 3^2 \times 5^2 \times 7^2} = \frac{3^2}{2^2 \times 7} = \frac{9}{28}$

Je m'évalue à mi-parcours

72 **c.** **73** **a.**

74 **b.** **75** **b.**

76 **b.** **77** **c.**

78 **a.**

CHAPITRE

Calculer et interpréter des caractéristiques

Vu au Cycle 4

1 a. **2** c.

3 c. **4** a., b. et c.

5 a. et b.

J'applique le cours

2 **a.** On peut présenter les données dans un tableau d'effectifs.

Nombre d'élèves	23	24	25	26	27	28	29	30	31
Nombre de classes	1	2	6	7	1	2	6	5	0

• $m = \dfrac{23 \times 1 + 24 \times 2 + \ldots + 29 \times 6 + 30 \times 5}{1 + 2 + 6 + 7 + 1 + 2 + 6 + 5}$

$m = \dfrac{810}{30} = 27$

Le nombre moyen d'élèves par classe est 27.

Interprétation :

L'effectif total de ce collège serait le même si, dans chaque classe, il y avait 27 élèves.

• Le nombre total de classes est 30 et $30 = 2 \times 15$.

Donc la médiane est la demi-somme des 15e et 16e valeurs.

Or $1 + 2 + 6 = 9$ et $9 + 7 = 16$, donc la 15e et la 16e valeurs sont 26.

Donc le nombre médian d'élèves est 26.

Interprétation :

Dans au moins 50 % des classes de ce collège, le nombre d'élèves par classe est inférieur ou égal à 26, et dans au moins 50 % des classes de ce collège, il est supérieur ou égal à 26.

c. $30 - 23 = 7$. Ainsi, l'étendue de la série est 7 élèves.

3 **a.** On peut présenter les données dans un tableau d'effectifs.

Note	8	9	10	11	12	13	14	15	16	17
Effectif	2	3	1	3	5	4	1	3	2	1

• $m = \dfrac{8 \times 2 + 9 \times 3 + \ldots + 16 \times 2 + 17 \times 1}{2 + 3 + 1 + 3 + 5 + 4 + 1 + 3 + 2 + 1}$

$m = \dfrac{306}{25} = 12{,}24$

Ainsi la moyenne des notes est 12,24.

Interprétation :

La somme totale des notes obtenues à ce devoir serait la même si chacune des 25 notes était 12,24.

• Le nombre total de notes est 25 et $25 = 2 \times 12 + 1$.

Donc la médiane est la 13e valeur.

Or $2 + 3 + 1 + 3 = 9$ et $9 + 5 = 14$, donc la 13e valeur est 12.

Donc la médiane des notes est 12.

Interprétation :

Au moins 50 % des notes sont inférieures ou égales à 12 et au moins 50 % des notes sont supérieures ou égales à 12.

c. $17 - 8 = 9$.

Ainsi l'étendue des notes est 9.

Je m'évalue à mi-parcours

19 b. **20** c. **21** a. **22** b.

CHAPITRE 5

Calculer des probabilités

Vu au Cycle 4

1 b. et c. **2** c.

3 a. **4** c.

J'applique le cours

2 **a.** Les lettres se répartissent de la façon suivante :

Lettre	M	I	S	P	Total
Effectif	1	4	4	1	10

On obtient l'arbre :

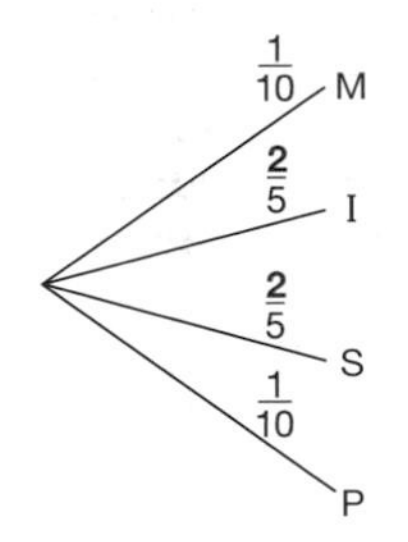

b. L'événement contraire de l'événement E est $\bar{E}$: « La lettre obtenue est une voyelle » et $P(\bar{E}) = \dfrac{2}{5}$.

Donc $P(E) = 1 - \dfrac{2}{5} = \dfrac{3}{5}$.

3 Les bouteilles se répartissent de la façon suivante :

Bouteille	Thé glacé	Jus d'ananas	Soda	Eau gazeuse	Total
Effectif	30	32	18	40	120

On obtient l'arbre :

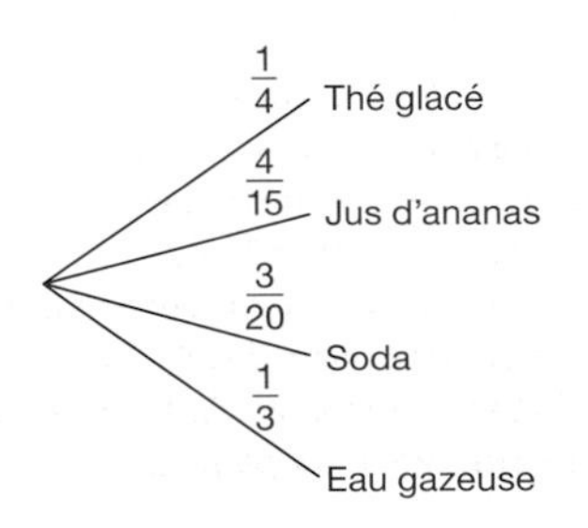

b. L'événement contraire de l'événement E est $\bar{E}$: « La bouteille contient de l'eau gazeuse » et $P(\bar{E}) = \dfrac{1}{3}$.

Donc $P(E) = 1 - \dfrac{1}{3} = \dfrac{2}{3}$.

Corrigés

Je m'entraîne

15 **1. a.** Les issues de cette expérience aléatoire sont les lettres : A, R, M, U, E.
b. La probabilité de chacune des issues A, M, U, E est $\frac{1}{6}$, celle de la lettre R est $\frac{2}{6}=\frac{1}{3}$.
2. a. E_1 est l'événement certain donc $P(E_1) = 1$.
b. E_2 est l'événement impossible donc $P(E_2) = 0$.
c. E_3 est réalisé par les issues A et M, donc $P(E_3) = \frac{1}{6}+\frac{1}{6}=\frac{2}{6}=\frac{1}{3}$.
d. E_4 est réalisé par les issues R et M, donc $P(E_4) = \frac{1}{3}+\frac{1}{6}=\frac{3}{6}=\frac{1}{2}$.

23 **1.** E est réalisé par les issues : 2, 4, 6, 8 et 10.
F est réalisé par les issues : 3, 6 et 9.
G est réalisé par les issues : 5 et 10.
2. a. E et F ne sont pas incompatibles car l'issue 6 les réalise tous les deux.
b. E et G ne sont pas incompatibles car l'issue 10 les réalise tous les deux.
c. F et G sont incompatibles car aucune issue ne les réalise tous les deux.
3. $P(E) = \frac{5}{10}=\frac{1}{2}$, $P(F) = \frac{3}{10}$
et $P(G) = \frac{2}{10}=\frac{1}{5}$.

24 **1. a.**

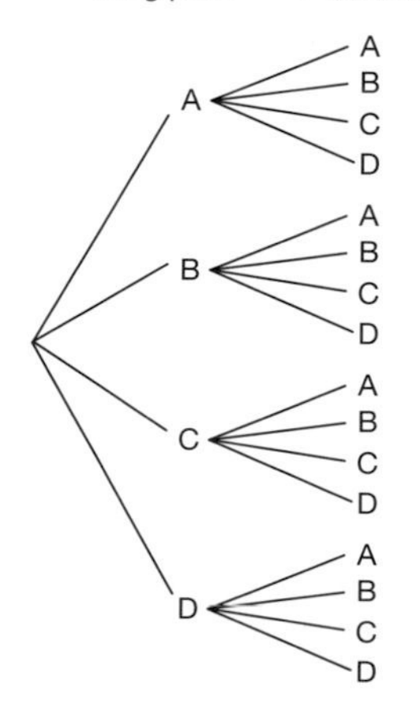

b. Il y a $4 \times 4 = 16$ issues possibles pour la répartition des deux fèves.

2. a. E est réalisé par une seule issue, $P(E) = \frac{1}{16}$.
b. D'après l'arbre, 9 issues réalisent F donc $P(F) = \frac{9}{16}$.
c. D'après l'arbre, 6 issues réalisent G donc $P(G) = \frac{6}{16}=\frac{3}{8}$.
d. D'après l'arbre, 7 issues réalisent H donc $P(H) = \frac{7}{16}$.

30 **1.** Il y a $2 \times 2 \times 2 = 8$ écritures possibles.
2. a. $\bar{U}$ est l'événement : « L'un des deux chiffres 0 ou 1 n'apparaît pas dans l'écriture ».
$\bar{U}$ est réalisé par les écritures : | 0 | 0 | 0 | et | 1 | 1 | 1 |.
b. $P(\bar{U}) = \frac{2}{8}=\frac{1}{4}$.
c. Donc $P(U) = 1 - \frac{1}{4}=\frac{3}{4}$.

Je m'évalue à mi-parcours

36 b. **37** a. **38** c.
39 c. **40** a.

CHAPITRE 6

Comprendre et utiliser la notion de fonction

Vu au Cycle 4

1 c. **2** b.
3 c. **4** a.

J'applique le cours

2 **a.** L'image de 0 est 0.
b. L'image de 4 est 2.
c. Les antécédents de 0 sont – 4 ; – 2 ; 0 et 3.
d. Les antécédents de 1 sont approximativement – 1,8 ; – 0,3 et 3,6.

3 **a.** L'image de 0 est 1.
b. Les antécédents de 1 sont 0 et 3.
L'antécédent de – 2 est – 3.
c. 2,5 n'a pas d'antécédent.
d. 0 a trois antécédents : – 1 ; 3,5 et 6.

Je m'entraîne

20 **a.** Les notations correctes pour définir la fonction f sont ❶ $f(x) = 3x + 1$ et ❹ $f : x \mapsto 3x + 1$.
b. $f(-1) = 3 \times (-1) + 1 = -3 + 1 = -2$.
c. $f(-4) = 3 \times (-4) + 1 = -12 + 1 = -11$.
Donc c'est faux, – 4 est un antécédent de – 11, pas de 0.

28 **a.** 1 a pour **image** – 1.
b. 0 et 2 sont des **antécédents** de 5.
c. 0 a pour **antécédent** 3.
d. 2 est l'**image** de – 1.

34 $g : x \mapsto x(4x - 1)$
a. $g(2) = 2 \times (4 \times 2 - 1) = 2 \times (8 - 1)$
$g(2) = 2 \times 7 = 14$.
b. $g(0) = 0 \times (4 \times 0 - 1) = 0 \times (-1) = 0$.
c. $g(-3) = -3 \times (4 \times (-3) - 1)$
$g(-3) = -3 \times (-13) = 39$.
d. $g\left(\frac{1}{2}\right) = \frac{1}{2} \times \left(4 \times \frac{1}{2} - 1\right) = \frac{1}{2} \times (2 - 1) = \frac{1}{2}$.

Je m'évalue à mi-parcours

47 b. **48** b.
49 c. **50** c.

CHAPITRE

7 Relier proportionnalité et fonction linéaire

Vu au Cycle 4

1 **a.** et **c.** **2** **a.**, **b.** et **c.**

3 **a.** et **b.** **4** **a.** **5** **c.**

J'applique le cours

2 **a.** $f(3) = -0,8 \times 3 = -2,4$.
Donc l'image de 3 par f est $-2,4$.
b. On cherche un nombre x tel que $f(x) = -4$ c'est-à-dire $-0,8x = -4$.
Ainsi $x = -4 : (-0,8) = 5$.
L'antécédent de -4 par f est 5.
c. La droite (d) passe par l'origine du repère.
D'après **b**, $f(5) = -4$ donc (d) passe par le point A $(5\,;-4)$.

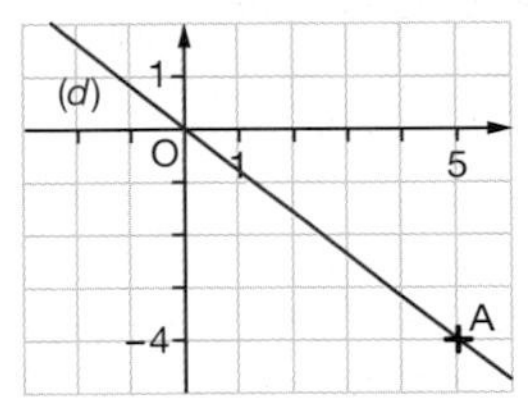

3 **a.** $t(14) = 0,95 \times 14 = 13,3$.
b. On cherche un nombre x tel que $t(x) = 19$, c'est-à-dire $0,95x = 19$
Ainsi $x = 19 : 0,95 = 20$.
L'antécédent de 19 par la fonction t est 20.
c. La droite (d) passe par l'origine du repère.
$t(10) = 0,95 \times 10 = 9,5$ donc (d) passe par le point A $(10\,;9,5)$.

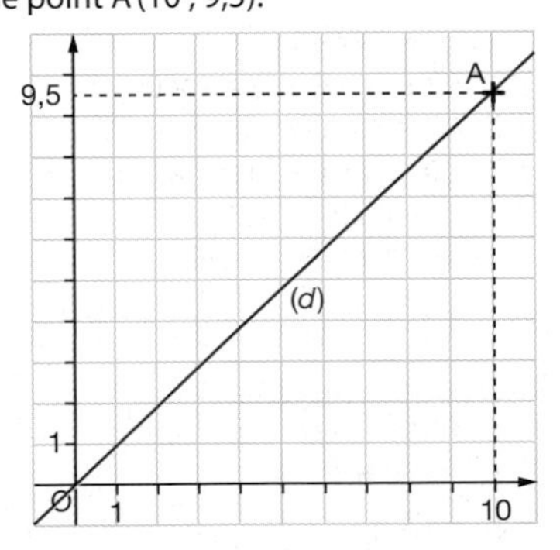

4 **a.** On cherche un nombre x tel que $k(x) = -8$, c'est-à-dire $-1,6x = -8$.
Ainsi $x = -8 : (-1,6) = 5$.
L'antécédent de -8 par k est 5.
b. $k(9) = -1,6 \times 9 = -14,4$.

5 **a.** $g(-3) = 4,5 \times (-3) = -13,5$.
Donc l'image de -3 par g est $-13,5$.
b. On cherche un nombre x tel que $g(x) = 36$, c'est-à-dire $4,5x = 36$
Ainsi $x = 36 : 4,5 = 8$.
L'antécédent de 36 par g est 8.
c. La droite (d) passe par l'origine du repère.
$g(1) = 4,5$, donc (d) passe par le point A $(1\,;4,5)$.

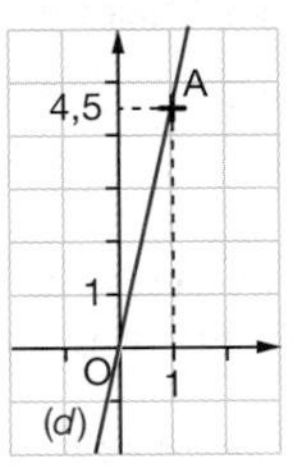

6 **a.**

x	-10	-5	0	20
$h(x)$	4	2	0	-8

b. La droite représentant graphiquement la fonction h passe par l'origine du repère et par le point A $(-5\,;2)$.

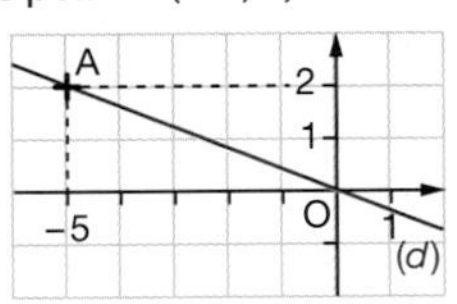

7 **a.** $f(2) = 2,5 \times 2 = 5$.
Dans un repère, la fonction linéaire f définie par $f(x) = 2,5x$ est représentée graphiquement par la droite passant par l'origine du repère et par le point A $(2\,;5)$.

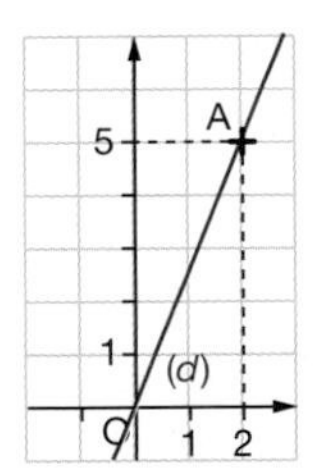

a. $g(3) = -\frac{2}{3} \times 3 = -2$.
Dans un repère, la fonction linéaire g de coefficient $-\frac{2}{3}$ est représentée par la droite passant par l'origine du repère et par le point A $(3\,;-2)$.

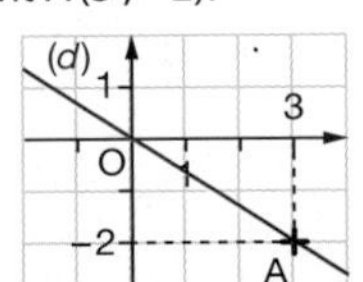

Je m'entraîne

14 $a \times 10 = 12$, donc $a = 12 : 10 = 1,2$.
$f(x) = 1,2x$.

22 **a.** $f(-3,4) = 5 \times (-3,4) = -17$.
L'image de $-3,4$ par f est -17.
b. On cherche un nombre x tel que $f(x) = 18,2$; c'est-à-dire tel que $5x = 18,2$.
Ainsi $x = 18,2 : 5 = 3,64$.
L'antécédent de 18,2 par f est 3,64.

51 **a.** La droite (d) représentant graphiquement la fonction linéaire de coefficient 6 passe par l'origine du repère et par le point de coordonnées $(1\,;6)$.

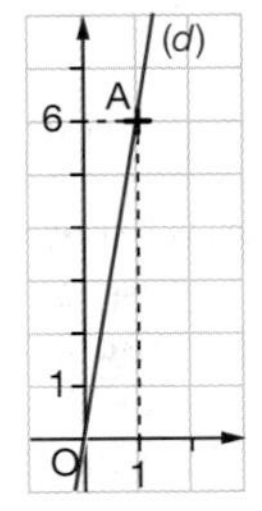

b. $6 \times 0,5 = 3$, donc le point A $(0,5\,;3)$ appartient à la droite (d).
$6 \times (-1,25) = -7,5$ donc le point B $(-1,25\,;7,5)$ n'appartient pas à la droite (d).

Je m'évalue à mi-parcours

59 **c.** **60** **a.** **61** **b.**

62 **c.** **63** **b.**

CHAPITRE

8 Connaître les fonctions affines

Vu au Cycle 4

1 **b.** et **c.** **2** **a.** et **b.** **3** **b.** et **c.**
4 **b.** **5** **b.**

J'applique le cours

2 **a.** $f(-4) = -3 \times (-4) + 2 = 12 + 2 = 14$
L'image de -4 par f est 14.
b. On cherche un nombre x tel que $f(x) = 5$, c'est-à-dire tel que $-3x + 2 = 5$,
$-3x = 5 - 2$
$-3x = 3$
Ainsi $x = \frac{3}{-3} = -1$.
L'antécédent de 5 par f est -1.

3 **1. a.** $g(2) = 4 \times 2 + 3 = 8 + 3 = 11$
L'image de 2 par g est 11.
b. $g(0) = 4 \times 0 + 3 = 0 + 3 = 3$
L'image de 0 par g est 3.
c. $g(-8) = 4 \times (-8) + 3 = -32 + 3 = -29$
L'image de -8 par g est -29.
2. a. On cherche un nombre x tel que $g(x) = 0$, c'est-à-dire tel que $4x + 3 = 0$,
$4x = 0 - 3$
$4x = -3$
Ainsi $x = \frac{-3}{4} = -\frac{3}{4}$.
L'antécédent de 0 par g est $-\frac{3}{4}$.
b. On cherche un nombre x tel que $g(x) = 9$, c'est-à-dire tel que $4x + 3 = 9$,
$4x = 9 - 3$
$4x = 6$
Ainsi $x = \frac{6}{4} = \frac{3}{2}$.
L'antécédent de 9 par g est $\frac{3}{2}$.
c. On cherche un nombre x tel que $g(x) = -1$, c'est-à-dire tel que $4x + 3 = -1$,
$4x = -1 - 3$
$4x = -4$
Ainsi $x = \frac{-4}{4} = -1$.
L'antécédent de -1 par g est -1.

4

x	-1	$-0,5$	0	0,8	1,6	3
$h(x)$	-9	$-6,5$	-4	0	4	11

5 **a.** $k(8) = 2 \times 8 - 7 = 16 - 7 = 9$
b. Le nombre qui a pour image -9 est le nombre x tel que $k(x) = -9$, c'est-à-dire tel que $2x - 7 = -9$,
$2x = -9 + 7$
$2x = -2$
Ainsi $x = \frac{-2}{2} = -1$.
Le nombre qui a pour image -9 par k est -1.

6 Amar a tort car, par exemple, l'image de -1 par g est $-2 \times (-1) - 1$, c'est-à-dire $2 - 1$, soit 1.

7 **a.** Pour calculer l'image d'un nombre par f, il faut appliquer le programme 2.
b. Pour déterminer l'antécédent d'un nombre par f, il faut appliquer le programme 4.

Je m'entraîne

22 **a.** Pour le programme 1 :
$f_1(x) = 7x - 2$.
Pour le programme 2 : $f_2(x) = \frac{1}{2}x + 7$.
Pour le programme 3 : $f_3(x) = x + 7$.
Pour le programme 4 : $f_4(x) = x^2 + 2$.
b. Les programmes 1, 2 et 3 correspondent à une fonction affine.

38 **a.** $f(0) = -2 \times 0 + 5 = 0 + 5 = 5$
L'image de 0 par f est 5.
$f(3) = -2 \times 3 + 5 = -6 + 5 = -1$
L'image de 3 par f est -1.
b. Les points A (0 ; 5) et B (3 ; -1) appartiennent à la droite (d).
c.

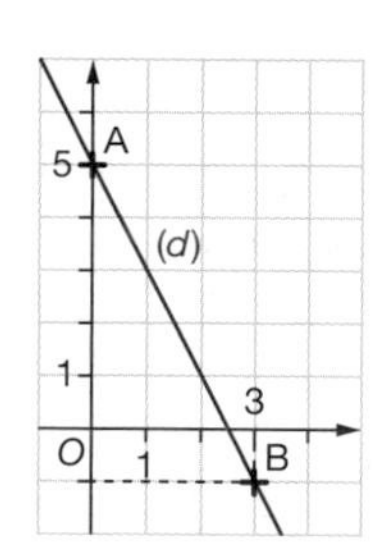

49 La droite (d) coupe l'axe des ordonnées au point (0 ; 2) donc $b = 2$.
Quand x augmente de 2, y diminue de 1 donc $a = -\frac{1}{2}$.
Donc $f(x) = -\frac{1}{2}x + 2$.

Je m'évalue à mi-parcours

56 **b.** **57** **c.** **58** **a.**
59 **a.** **60** **b.**

CHAPITRE

9 Faire le point sur la proportionnalité

Vu au Cycle 4

1 **b.** et **c.** **2** **b.** **3** **b.** et **c.**
4 **c.** **5** **a.** et **c.**

J'applique le cours

2 **a.** $\frac{25}{100} \times 4\,600 = 0,25 \times 4\,600 = 1\,150$
Donc, entre 2014 et 2015, les ventes ont augmenté de 1 150 vélos.
4 600 + 1 150 = 5 750.
Donc le fabricant a vendu 5 750 vélos en 2015.
b. 6 325 − 5 750 = 575.
Donc entre 2015 et 2016, le nombre de vélos vendus a augmenté de 575 vélos.
$\frac{575}{5\,750} = 0,1 = \frac{10}{100}$
Donc les ventes ont augmenté de 10 % entre 2015 et 2016.

3 **a.** 81 ans − 45 ans = 36 ans.
Donc l'espérance de vie a augmenté de 36 ans entre 1900 et 2015.
b. $\frac{36}{45} = 0,8 = \frac{80}{100}$
Donc l'espérance de vie en France a augmenté de 80 % entre 1900 et 2015.

4 **a.** • $7,5 \times \frac{16}{100} = 1,2$.
Donc la superficie de la banquise arctique a diminué de 1,2 million de km^2 entre 1980 et 2000.
• 7,5 − 1,2 = 6,3.
Donc, en 2000, la superficie de la banquise arctique était 6,3 millions de km^2.
b. 7,5 − 4,41 = 3,09.
Donc la superficie de la banquise arctique a diminué de 3,09 millions de km^2 entre 1980 et 2015.
$\frac{3,09}{7,5} = 0,412 = \frac{41,2}{100}$
Donc la superficie de la banquise arctique a diminué de 41,2 % entre 1980 et 2015.

Je m'entraîne

17 **a.** $\frac{9,36}{3} = 3,12$ kg
Une tige de 1 m pèse 3,12 kg.
b. $x = 2,5 \times 3,12 = 7,8$ kg
$y = \frac{19,5}{3,12} = 6,25$ kg.
c. On appelle z la masse d'une barre de 5,5 m.
• Une méthode :
$z = 5,5 \times 3,12 = 17,16$ kg

• Une autre méthode :
3 m + 2,5 m = 5,5 m
donc z = 9,36 kg + 7,8 kg = 17,16 kg
• Une autre méthode : en écrivant l'égalité des produits en croix :
$3 \times z = 9{,}36 \times 5{,}5$
$z = \frac{9{,}36 \times 5{,}5}{3}$ soit z = 17,16 kg
Une tige de 5,5 m pèse 17,16 kg.

25 Les points E, B, D et E, A, C sont alignés et les droites (AB) et (CD) sont parallèles. On peut donc utiliser le théorème de Thalès.
Les longueurs des triangles EBA et EDC sont proportionnelles :
$$\frac{EB}{ED} = \frac{EA}{EC} = \frac{AB}{CD}$$
$$\frac{2{,}5}{6} = \frac{3}{EC} = \frac{AB}{5{,}4}$$
Ainsi $EC = \frac{3 \times 6}{2{,}5} = 7{,}2$ cm
et $AB = \frac{5{,}4 \times 2{,}5}{6} = 2{,}25$ cm

Je m'évalue à mi-parcours

46 b. **47** c. **48** c.
49 b. **50** a.

CHAPITRE
10 Étudier l'effet d'un agrandissement-réduction

Vu au Cycle 4

1 c. **2** a. **3** a. et c.
4 b. **5** a. et c.

J'applique le cours

2 $\frac{6}{4} = \frac{3}{2} = 1{,}5$. Le coefficient est 1,5.
B'C' = BC × 1,5 = 2 cm × 1,5 = 3 cm

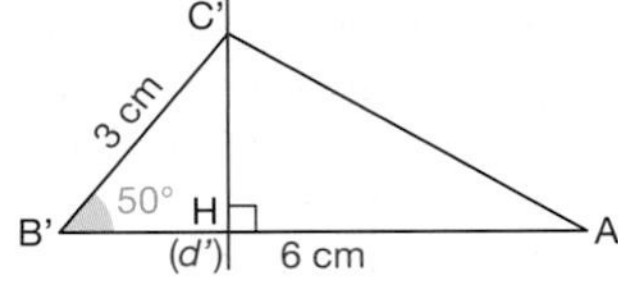

3

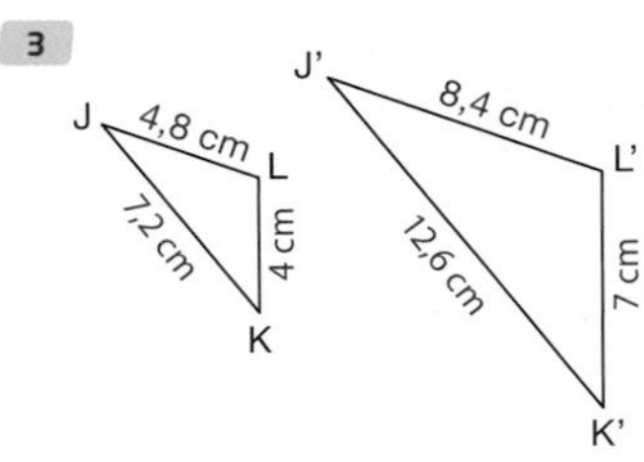

4 On peut calculer la mesure de l'angle de sommet A :
$\widehat{BAC} = 90° - \widehat{ACB} = 90° - 65° = 25°$

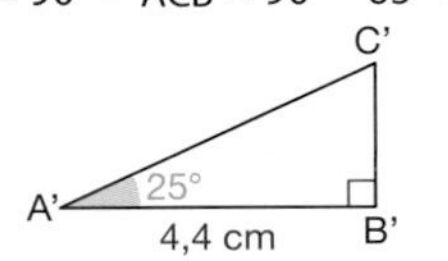

Je m'entraîne

10 a. $\frac{4}{9} = \frac{2^2}{3^2} = \left(\frac{2}{3}\right)^2$
Le rapport de réduction est $\frac{2}{3}$.
b. $18 \times \frac{4}{9} = 8$.
L'aire du petit carré est 8 cm^2.

11 a. $27 = 3^3$.
Le rapport d'agrandissement est 3.
b. $3^2 = 9$.
L'aire de chaque face est multipliée par 9.

26 $k = \frac{3 \text{ cm}}{5 \text{ cm}} = \frac{3}{5} = 0{,}6$.
Le rapport de réduction est 0,6.
7 cm × 0,6 = 4,2 cm
La hauteur du prisme réduit doit être 4,2 cm.

Je m'évalue à mi-parcours

34 a. **35** b. **36** b. **37** c.

CHAPITRE
11 Utiliser le théorème de Thalès

Vu au Cycle 4

1 a. et b. **2** a. et b. **3** b. et c.
4 a. et c. **5** a. et b.

J'applique le cours

2 a. Les droites (BD) et (CE) sont sécantes en A et les droites (BC) et (DE) sont parallèles.
Donc, d'après le théorème de Thalès :
$\frac{AB}{AD} = \frac{AC}{AE} = \frac{BC}{DE}$, soit $\frac{4}{AD} = \frac{3}{4{,}5} = \frac{BC}{4{,}2}$.
• De $\frac{4}{AD} = \frac{3}{4{,}5}$, on déduit que :
$3 \times AD = 4 \times 4{,}5$.
Ainsi $AD = \frac{4 \times 4{,}5}{3}$. Donc AD = 6 cm.
• De $\frac{3}{4{,}5} = \frac{BC}{4{,}2}$, on déduit que :
$BC = 4{,}2 \times \frac{3}{4{,}5}$.
Donc BC = 2,8 cm.
b. Les points F, A, C et G, A, B sont alignés dans le même ordre.
$\frac{AF}{AC} = \frac{4{,}05}{3} = 1{,}35$ et $\frac{AG}{AB} = \frac{5{,}4}{4} = 1{,}35$.
Donc $\frac{AF}{AC} = \frac{AG}{AB}$.
Donc, d'après la réciproque du théorème de Thalès, les droites (FG) et (BC) sont parallèles.

3 a. Les droites (TC) et (RB) sont sécantes en A et les droites (TR) et (CB) sont parallèles.
Donc, d'après le théorème de Thalès :
$\frac{AT}{AC} = \frac{AR}{AB} = \frac{RT}{CB}$, soit $\frac{AT}{7{,}2} = \frac{4{,}5}{6} = \frac{RT}{10}$.
• De $\frac{AT}{7{,}2} = \frac{4{,}5}{6}$, on déduit que :
$AT = 7{,}2 \times \frac{4{,}5}{6}$.
Donc AT = 5,4 cm.
• De $\frac{4{,}5}{6} = \frac{RT}{10}$, on déduit que :
$RT = 10 \times \frac{4{,}5}{6}$.
Donc RT = 7,5 cm.
• B ∈ [AE] donc AE = AB + BE
soit AE = 6 cm + 2 cm.
Donc AE = 8 cm.
b. Les points A, B, E et A, T, C sont alignés dans le même ordre.
$\frac{AB}{AE} = \frac{6}{8} = 0{,}75$ et $\frac{AT}{AC} = \frac{5{,}4}{7{,}2} = 0{,}75$.
Donc $\frac{AB}{AE} = \frac{AT}{AC}$.

Donc, d'après la réciproque du théorème de Thalès, les droites (BT) et (EC) sont parallèles.

Je m'entraîne

10 **a.** $\frac{LO}{LC}$ et $\frac{LB}{LS}$.

b. $\frac{GE}{GD}$ et $\frac{GF}{GH}$.

15 On note k le rapport de l'homothétie.

a. • B est le centre de l'homothétie.

• $k = \frac{BC}{BO} = \frac{32}{8} = 4$.

Le rapport de l'homothétie est 4.

• $CA = 4 \times OE$ soit $18 = 4 \times OE$.

$OE = \frac{18}{4}$ donc $OE = 4{,}5$ cm.

• $BA = 4 \times BE$ soit $20 = 4 \times BE$.

$BE = \frac{20}{4}$ donc $BE = 5$ cm.

b. • B est le centre de l'homothétie.

• $k = -\frac{BC}{BO} = -\frac{6{,}3}{9} = -0{,}7$.

Le rapport de l'homothétie est $-0{,}7$.

• $CA = 0{,}7 \times OE$ soit $7 = 0{,}7 \times OE$.

$OE = \frac{7}{0{,}7}$ donc $OE = 10$ cm.

• $BA = 0{,}7 \times BE$ soit $4{,}2 = 0{,}7 \times BE$.

$BE = \frac{4{,}2}{0{,}7}$ donc $BE = 6$ cm.

20 • Le triangle CEG est un agrandissement du triangle CIJ dans le rapport $k = \frac{CE}{CI} = \frac{6}{2} = 3$.

• $CG = k \times CJ$ soit $CG = 3 \times 1{,}5$.

Donc $CG = 4{,}5$ cm.

• $EG = k \times IJ$ soit $2{,}7 = 3 \times IJ$ et $IJ = \frac{2{,}7}{3}$.

Donc $IJ = 0{,}9$ cm.

32 • Les droites (UL) et (OS) sont perpendiculaires à la même droite (TO), donc elles sont parallèles.

• Les droites (OU) et (SL) sont sécantes en T et les droites (UL) et (OS) sont parallèles.

Donc, d'après le théorème de Thalès :

$\frac{TU}{TO} = \frac{TL}{TS} = \frac{UL}{OS}$,

soit $\frac{TU}{TO} = \frac{TL}{150\,000\,000} = \frac{1\,736}{695\,000}$.

De $\frac{TL}{150\,000\,000} = \frac{1\,736}{695\,000}$, on déduit que $TL = 150\,000\,000 \times \frac{1\,736}{695\,000}$.

Donc $TL \approx 374\,676$ km.

40 **a.** On doit comparer les rapports $\frac{LR}{LO}$ et $\frac{LP}{LN}$.

b. • $\frac{LR}{LO} = \frac{2{,}4}{3{,}2} = 0{,}75$ et $\frac{LP}{LN} = \frac{2{,}1}{2{,}8} = 0{,}75$.

Donc $\frac{LR}{LO} = \frac{LP}{LN}$.

• Les points L, R, O et L, P, N sont alignés dans le même ordre et $\frac{LR}{LO} = \frac{LP}{LN}$.

Donc, d'après la réciproque du théorème de Thalès, les droites (RP) et (ON) sont parallèles.

42 **a.** Les points A, S, T et A, P, R sont alignés dans le même ordre.

$\frac{AS}{AT} = \frac{2}{3} = \frac{2 \times 4}{3 \times 4} = \frac{8}{12}$

et $\frac{AP}{AR} = \frac{3}{4} = \frac{3 \times 3}{4 \times 3} = \frac{9}{12}$.

Donc $\frac{AS}{AT} \neq \frac{AP}{AR}$.

Donc les droites (PS) et (RT) ne sont pas parallèles.

b. Les points R, A, P et T, A, S sont alignés dans le même ordre.

$\frac{AP}{AR} = \frac{1}{3}$ et $\frac{AS}{AT} = \frac{2}{6} = \frac{2 \times 1}{2 \times 3} = \frac{1}{3}$.

Donc $\frac{AP}{AR} = \frac{AS}{AT}$.

Donc, d'après la réciproque du théorème de Thalès, les droites (PS) et (RT) sont parallèles.

Je m'évalue à mi-parcours

45 c. **46** a. **47** c.

48 b. **49** b.

CHAPITRE

12 Modéliser une situation spatiale

Vu au Cycle 4

1 b. **2** a. et b. **3** b. et c.

4 c.

J'applique le cours

2 La pyramide SA'B'C'D' est une réduction de la pyramide SABCD dans le rapport $k = \frac{SO'}{SO}$ c'est-à-dire :

$$k = \frac{6}{9} = \frac{2}{3}.$$

On note $\mathcal{V}$ le volume de la pyramide SABCD et $\mathcal{V}'$ celui de la pyramide SA'B'C'D', alors $\mathcal{V}' = k^3\mathcal{V}$.

Or, $\mathcal{V} = \frac{1}{3} \times \text{aire de base} \times h$

$\mathcal{V} = \frac{1}{3} \times 4{,}5^2 \times 9$

$\mathcal{V} = 60{,}75 \text{ cm}^3$

Donc $\mathcal{V}' = \left(\frac{2}{3}\right)^3 \times 60{,}75 \text{ cm}^3 = 18 \text{ cm}^3$.

3 Le volume de la pyramide réduite obtenu est $\left(\frac{1}{4}\right)^3 \times 1\,280$, soit 20 cm³.

4 La section du cône par un plan parallèle à sa base est une réduction de cette base dans le rapport :

$k = \frac{SA}{SO}$ c'est-à-dire :

$$k = \frac{10}{18} = \frac{5}{9}.$$

Le volume $\mathcal{V}$ du cône est :

$$\frac{1}{3} \times \pi \times 15^2 \times 18 \approx 4\,241{,}15$$

donc le volume $\mathcal{V}'$ du cône réduit est :

$$\mathcal{V}' = \left(\frac{5}{9}\right)^3 \times \mathcal{V} \approx 727 \text{ cm}^3.$$

5 Le volume du cône réduit obtenu est $\left(\frac{2}{3}\right)^3 \times 270$, soit 80 cm³.

Je m'entraîne

22 **a.** ADGF est un rectangle.

b.

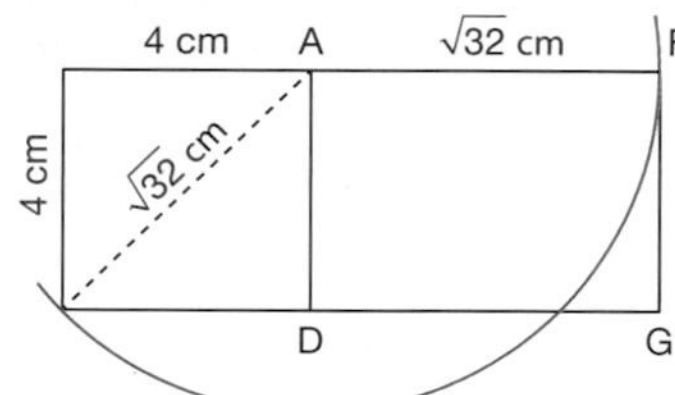

c. $\sqrt{4^2 + 4^2} = \sqrt{32}$.

Les dimensions du rectangle sont 4 cm et $\sqrt{32}$ cm, soit environ 5,7 cm.

42 **a.** Le rapport de réduction est $\frac{1}{6}$.

b. Aire de la base du grand cône :

$$\mathcal{A} = \pi \times 24 \times 24 = 576\,\pi \text{ dm}^2.$$

Volume du grand cône :

$$\mathcal{V} = \frac{1}{3} \times \mathcal{A} \times 36 = 6\,912\,\pi \text{ dm}^3.$$

c. Aire de la base du petit cône :

$$\mathcal{A}' = \left(\frac{1}{6}\right)^2 \times \mathcal{A} = 16\,\pi \text{ dm}^2.$$

Volume du grand cône :

$$\mathcal{V}' = \left(\frac{1}{6}\right)^3 \times \mathcal{V} = 32\,\pi \text{ dm}^3.$$

Je m'évalue à mi-parcours

47 b. **48** a. **49** a.

CHAPITRE

13 Connaître et utiliser les triangles semblables

Vu au Cycle 4

1 **a.** et **b.** **2** **a.** et **c.** **3** **b.** et **c.**

4 **a.** et **c.**

J'applique le cours

2 **a.** $\widehat{EDC} = \widehat{ABC}$ et $\widehat{DCE} = \widehat{ACB}$.
Les triangles ABC et CDE ont deux angles deux à deux de même mesure, donc ils sont semblables.

b. On peut construire ce tableau.

Sommets homologues	Côtés homologues
A et E	[BC] et [DC]
B et D	[AC] et [EC]
C et C	[AB] et [ED]

c. Les longueurs des côtés homologues des triangles ABC et CDE sont proportionnelles donc :

$$\frac{AB}{ED} = \frac{AC}{EC} = \frac{BC}{DC} \text{ soit } \frac{6}{ED} = \frac{AC}{EC} = \frac{4}{1,2}.$$

De $\frac{6}{ED} = \frac{4}{1,2}$, on déduit que :

$$4 \times ED = 6 \times 1,2$$

c'est-à-dire $ED = \frac{6 \times 1,2}{4} = 1,8$.

Donc ED = 1,8 cm.

3 **a.** $\widehat{EDC} = \widehat{CAB}$ et $\widehat{DCE} = \widehat{BCA}$.
Les triangles ABC et CDE ont deux angles deux à deux de même mesure, donc ils sont semblables.

b. • On peut construire ce tableau.

Sommets homologues	Côtés homologues
A et D	[BC] et [EC]
B et E	[AC] et [DC]
C et C	[AB] et [ED]

• AC = AE + EC = 1,6 cm + 5,4 cm = 7 cm.
Les longueurs des côtés homologues des triangles ABC et CDE sont proportionnelles donc :

$$\frac{AB}{ED} = \frac{AC}{DC} = \frac{BC}{EC} \text{ soit } \frac{5}{ED} = \frac{7}{2} = \frac{BC}{1,6}.$$

• De $\frac{7}{2} = \frac{BC}{1,6}$, on déduit que :

$$BC = 1,6 \times \frac{7}{2}.$$

Donc BC = 5,6 cm.

• De $\frac{5}{ED} = \frac{7}{2}$, on déduit que :

$$7 \times ED = 5 \times 2,$$

c'est-à-dire $ED = \frac{5 \times 2}{7}$.

Donc ED ≈ 1,4 cm.

Je m'entraîne

6 • La somme des mesures des angles d'un triangle est égale à 180°.
$\widehat{ACB} = 180° - (\widehat{ABC} + \widehat{BAC})$ c'est-à-dire
$\widehat{ACB} = 180° - (30° + 70°)$.
Donc $\widehat{ACB} = 80°$.
• $\widehat{EDF} = \widehat{BAC}$ et $\widehat{DFE} = \widehat{ACB}$.
Les triangles ABC et DEF ont deux angles deux à deux de même mesure, donc ils sont semblables.

12 **a.** Les droites (AB) et (RS) sont sécantes en C et les droites (AR) et (BS) sont parallèles.
Donc d'après le théorème de Thalès :

$$\frac{CA}{CB} = \frac{CR}{CS} = \frac{AR}{BS}.$$

Les triangles CAR et CBS ont les longueurs de leurs côtés deux à deux proportionnelles donc ils sont semblables.

b. Le triangle CBS est un agrandissement du triangle CAR dans le rapport :

$$k = \frac{BS}{AR} = 2,4.$$

Pour obtenir les longueurs des côtés du triangle CBS il faut multiplier les longueurs des côtés du triangle CAR par 2,4.

c. CS = 2,4 × CR
c'est-à-dire CS = 2,4 × 2 cm.
Donc CS = 4,8 cm.
CB = 2,4 × CA
c'est-à-dire CB = 2,4 × 1,5 cm.
Donc CB = 3,6 cm.

26 • On range les longueurs des côtés dans l'ordre croissant :
Pour le triangle BOF : OF < BO < BF.
Pour le triangle END : EN < DE < ND.

• $\frac{EN}{OF} = \frac{4,2}{5,6} = 0,75$;
$\frac{DE}{BO} = \frac{4,5}{6} = 0,75$
et $\frac{ND}{BF} = \frac{5,4}{7,2} = 0,75$.
Les triangles BOF et END ont les longueurs de leurs côtés deux à deux proportionnelles, donc ils sont semblables.

38 **a.** Les sommets homologues sont N et T, Z et R, E et I.
b. $\widehat{ZNE} = \widehat{RTI}$, $\widehat{NZE} = \widehat{TRI}$ et $\widehat{NEZ} = \widehat{TIR}$.

Je m'évalue à mi-parcours

47 **b.** **48** **c.** **49** **b.**

50 **a.** **51** **b.**

CHAPITRE

14 Utiliser la trigonométrie du triangle rectangle

Vu au Cycle 4

1 **c.** **2** **a.** et **b.** **3** **b.** **4** **a.**

J'applique le cours

2 Dans le triangle ABC rectangle en B :
$\sin \widehat{BAC} = \frac{BC}{AC}$ c'est-à-dire $\sin 52° = \frac{8}{AC}$.
Donc $AC = \frac{8}{\sin 52°}$ et AC ≈ 10,1 cm.

3 Dans le triangle EFG rectangle en F :
$\cos \widehat{EFG} = \frac{EF}{FG}$ c'est-à-dire $\cos 59° = \frac{EF}{7,5}$.
Donc EF = 7,5 × cos 59° et EF ≈ 3,9 cm.

4 Dans le triangle KLM rectangle en M :
$\tan \widehat{MKL} = \frac{LM}{KM}$ c'est-à-dire $\tan 20° = \frac{LM}{5,4}$.
Donc LM = 5,4 × tan 20° et LM ≈ 1,97 cm.

5 **a.** Dans le triangle JKL rectangle en L, $\cos \widehat{LJK} = \frac{JL}{JK} = \frac{2,9}{6}$.
Avec la calculatrice, on obtient $\widehat{LJK} \approx 61°$.
b. Donc $\widehat{LKJ} \approx 90° - 61°$, c'est-à-dire $\widehat{LKJ} \approx 29°$.

6 Dans le triangle CST rectangle en S :

$$\sin \widehat{STC} = \frac{CS}{CT} = \frac{35}{40} = 0,875.$$

Avec la calculatrice, on obtient :

$$\widehat{STC} \approx 61°.$$

Je m'entraîne

9 **a.** $\cos \widehat{OUI} = \frac{UO}{UI}$

b. $\sin \widehat{OUI} = \frac{OI}{UI}$

c. $\tan \widehat{OUI} = \frac{OI}{OU}$

28 $\sin \widehat{RTS} = \frac{RS}{TS}$

c'est-à-dire $\sin 31° = \frac{7,2}{TS}$

soit $TS = \frac{7,2}{\sin 31°}$

Donc TS ≈ 14 cm.

Je m'évalue à mi-parcours

58 **c.** **59** **b.** **60** **b.** **61** **c.**

A

B

C

D

E

F

G

H

I

L

Crédits photographiques

Édition : Frédéric Gomariz,
avec la collaboration de Violette Pogoda
Conception graphique :
Marc & Yvette
Couverture : Jean-Marc Denglos

Composition et mise en page : Soft Office
Schémas : Soft Office et Corédoc
Illustrations : Célia Nilès
Iconographie : Sophie Suberbère
Fabrication : Florence Ricol

Imprimé en Italie par NIIAG - N° d'éditeur 10237128 - Dépôt legal : Août 2016

La géométrie dynamique

La barre des menus

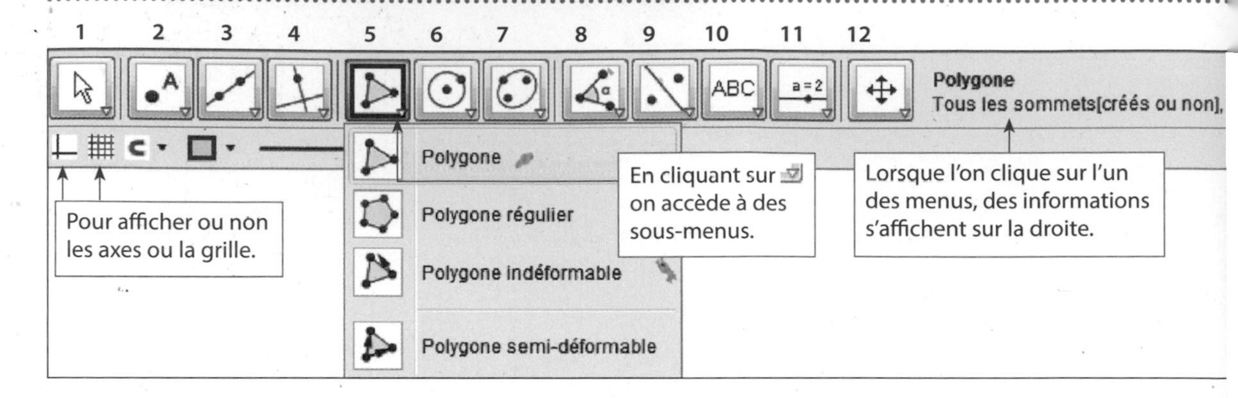

Conjecturer avec le logiciel

La situation : C est un point qui appartient à un cercle de diamètre [AB].
On désire étudier le rapport $\frac{AC}{AB}$ en faisant varier à l'aide de curseurs la longueur AB puis l'angle $\widehat{BAC}$.

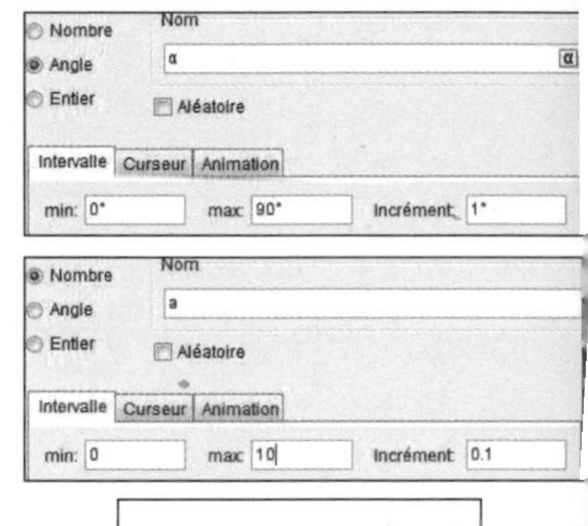

A Créer des curseurs

- Cliquer sur (**Curseur, menu 11**) puis sur la feuille de travail.
Compléter la boîte de dialogue comme ci-contre pour faire varier un angle α de 0° à 90° avec un pas (incrément) de 1°.

- Créer un nouveau curseur, puis compléter la boîte de dialogue comme ci-contre pour faire varier un nombre a de 0 à 10, avec un pas de 0,1.

B Créer un segment [AB] de longueur donnée a

- Cliquer sur (**Segment de longueur donnée, menu 3**).
- Cliquer sur la feuille de travail, puis compléter la zone de saisie par a.

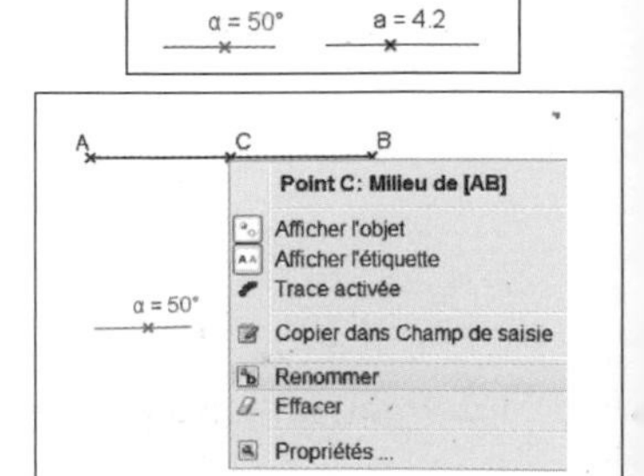

C Créer le milieu du segment [AB] puis renommer ce point

- Cliquer sur (**Milieu ou centre, menu 2**).
- Cliquer sur le point A puis sur le point B.
- Effectuer un clic droit sur le milieu C et choisir « **Renommer** ».
Saisir I puis cliquer sur « OK ».

D Créer le cercle de diamètre [AB]

Première méthode

- Cliquer sur (**Cercle (centre-point), menu 6**).
- Cliquer sur le point I puis sur le point A.

Deuxième méthode

- Cliquer sur (**Cercle (centre-rayon), menu 6**).
- Cliquer sur le point I. Saisir **a/2** dans la boîte de dialogue, puis cliquer sur « OK ».

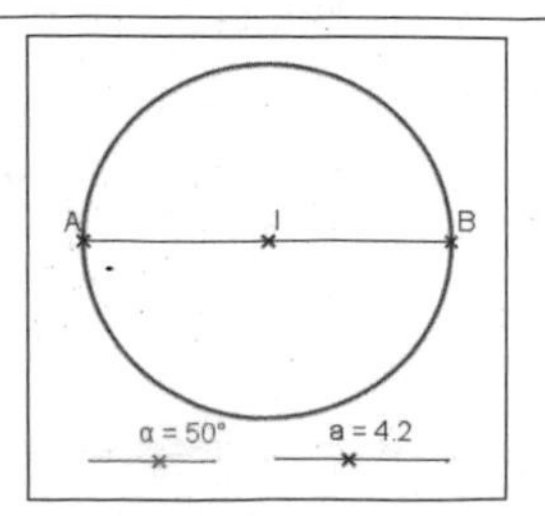